D1257344

Joachim Gnilka · Das Evangelium nach Markus

EKK
Evangelisch-Katholischer Kommentar zum Neuen Testament
II/1

Herausgegeben von
Josef Blank, Rudolf Schnackenburg,
Eduard Schweizer und Ulrich Wilckens

in Verbindung mit
Otto Böcher, François Bovon, Norbert Brox, Gerhard Dautzenberg, Joachim Gnilka, Erich Grässer, Ferdinand Hahn, Martin Hengel, Paul Hoffmann, Traugott Holtz, Günter Klein, Gerhard Lohfink, Ulrich Luck, Ulrich Luz, Rudolf Pesch, Wilhelm Pesch, Wolfgang Schrage, Peter Stuhlmacher, Wolfgang Trilling und Anton Vögtle

Band II/1

Das Evangelium nach Markus
1. Teilband

Benziger Verlag
Neukirchener Verlag

Joachim Gnilka

Das Evangelium nach Markus

1. Teilband
Mk 1–8,26

Benziger Verlag
Neukirchener Verlag

Library
Jesuit School of Theology
in Chicago

CIP-Kurztitelaufnahme der Deutschen Bibliothek

EKK: evang.-kath. Kommentar zum Neuen Testament/
hrsg. von Josef Blank . . . in Verbindung mit
Otto Böcher . . . – Zürich, Einsiedeln, Köln:
Benziger; Neukirchen-Vluyn: Neukirchener Verlag.
NE: Blank, Josef (Hrsg.); Evangelisch-
Katholischer Kommentar zum Neuen Testament
Bd.II/1 – Gnilka Joachim: Das Evangelium nach Markus

Gnilka, Joachim
Das Evangelium nach Markus. – Zürich, Einsiedeln,
Köln: Benziger; Neukirchen-Vluyn: Neukirchener Verlag.
Teilbd. 1. Mk 1 – 8,26. – 1. Aufl. – 1978.
(EKK; Bd. II)
ISBN 3-545-23106-2 (Benziger)
ISBN 3-7887-0576-0 (Neukirchener Verl.)

BS
2585.3
.G55
vol.1

Alle Rechte vorbehalten
© Copyright 1978 by Benziger Verlag Zürich, Einsiedeln, Köln und
Neukirchener Verlag des Erziehungsvereins GmbH, Neukirchen-Vluyn
Umschlaggestaltung: Atelier Blumenstein + Plancherel, Zürich
ISBN 3-545-23106-2 (Benziger Verlag)
ISBN 3-7887-0576-0 (Neukirchener Verlag)

Inhalt

Exkurse

Τῇ κατὰ τὴν οἰκουμένην καθολικῇ ἐκκλησίᾳ
(vgl. Martyrium Polycarpi 19,2).

Vorwort

Das Markusevangelium dürfte gegenwärtig jene neutestamentliche Schrift sein, die die meiste exegetische Literatur hervorbringt. Dies ist erfreulich, war es doch durch Jahrhunderte das am wenigsten beachtete Evangelium. Nachdem es als die älteste Evangelienschrift erkannt ist und damit die Möglichkeiten, die sich von ihm aus eröffnen, in den Blick getreten sind, zieht es die immer noch sich steigernde Aufmerksamkeit der Forschung auf sich. In dieser Situation hat eine neue Markuskommentierung, die zudem in einem ökumenischen Kommentar erscheint, vorab drei Gesichtspunkte zu berücksichtigen. Sie hat erstens den Leser über die Ergebnisse der Forschung zu informieren. Die kaum noch zu übersehende Literatur ist darum in diesem Kommentar reichhaltig, wenn auch nicht vollständig, nicht nur angeführt, es werden jeweils auch gewichtige abweichende Meinungen genannt und besprochen. Sie hat zweitens – und das ist die Hauptaufgabe – das Verstehen des Textes hinsichtlich seiner Entstehung, seiner Aussagebezogenheit und seiner Aussageabsicht zu vermitteln. Die dabei anzuwendenden Methoden hat Peter Stuhlmacher* sorgfältig beschrieben. Der Kommentator ist gegenüber einer teilweise verbreiteten und einseitigen redaktions*geschichtlichen* Auslegung skeptisch und will ihr gegenüber besser die theologischen Anliegen des Evangelisten im Sinn der Redaktions*kritik* zur Geltung bringen. Der dritte und vielleicht neue Gesichtspunkt ist die Einbeziehung der Wirkungsgeschichte des Textes (dazu vgl. Ausblick). Sie versucht dem Kommentar als ökumenisch verfaßtem entgegenzukommen, ist freilich nicht zu allen Perikopen möglich und sollte als nicht risikoloses Experiment gewürdigt werden. In der Darstellung der Perikopen findet der Leser jeweils nach der Analyse und Interpretation, die nicht Vers für Vers, sondern in Blöcken erfolgt, eine historische Beurteilung (falls diese nicht in die Analyse

* P. Stuhlmacher, Zur Methoden- und Sachproblematik einer interkonfessionellen Auslegung des Neuen Testaments, in: EKK V IV, 1972, 11–55.

bzw. Interpretation eingebracht ist), eine Zusammenfassung, die nochmals auf die Anliegen des Evangelisten eingeht, und fallweise die Wirkungsgeschichte. Die Mitarbeiter des EKK trafen sich seit 1968 jährlich in der Paulus-Akademie Zürich. Es ist nicht möglich, diesen Kommentar der Öffentlichkeit zu übergeben, ohne allen zu danken, welche die Tagungen ermöglichten oder sich an ihnen beteiligten. In ihnen war der Geist der ökumenischen Kirche lebendig. Besonders danke ich Eduard Schweizer, Zürich, der zusätzlich die Mühe des Lesens des Manuskriptes auf sich nahm, und Ulrich Luz, Göttingen, dem ich manche Anregung verdanke. Mein Assistent, Dr. H.-J. Klauck, half mir bei der Zusammenstellung der Markus-Literatur. Frau C. Filke tippte das Manuskript. Auch ihnen habe ich zu danken.

München, im April 1978 Joachim Gnilka

Literatur

1. Kommentare

Alexander, J. A., Commentary on the Gospel of Mark, Grand Rapids 1864 (Classic Commentary Library 43).
Alfaric, P., L'évangile selon Marc, Paris 1929.
Allen, W. C., The Gospel According to St. Mark, London 1915.
Barclay, W., The Gospel of Mark, Edinburgh [3]1958 (The Daily Study Bible 2).
Beda Venerabilis, In Marci evangelium expositio, in: PL 92, 131–302.
Bisping, A., Erklärung der Evangelien nach Markus und Lukas, Münster [2]1868 (Exegetisches Handbuch 2).
Blunt, A. W. T., The Gospel According to St. Mark, 1929 (ClBib).
Branscomb, H., The Gospel of Mark, [6]1952 (MNTC 2).
Bruce, A. B., The Gospel according to Matthew, Mark and Luke, London 1902 (The Expositor's Greek Testament 1).
Calvin, J., Auslegung der Heiligen Schrift. Evangelien-Harmonie, übs. von H. Stadtland-Neumann und G. Vogelbusch, 2 Bde., Neukirchen-Vluyn 1966. 1974.
Carrington, P., According to Mark. A Running Commentary on the Oldest Gospel, Cambridge 1960.
Cole, R. A., The Gospel according to Mark, 1961 (TNTC).
Cranfield, C. E. B., The Gospel According to St. Mark, [2]1963 (CGTC).
Dausch, P., Die drei älteren Evangelien, Bonn [4]1932 (Bonner NT 2).
Dehn, G., Der Gottessohn. Eine Einführung in das Evangelium des Markus, Hamburg [6]1953.
Erasmus, In Evangelium Marci Paraphrasis, in: Desiderii Erasmi Opera omnia VII (Nachdruck Hildesheim 1962) 157–272.
Euthymius Zigabenus, Comm. in Marcum, in: PG 129, 766–852.
Ewald, H., Die drei ersten Evangelien übersetzt und erklärt, Göttingen 1850.
Goguel, M., L'Évangile de Marc, Paris 1909.
Gould, E. P., A Critical and Exegetical Commentary on the Gospel According to St. Mark, [10]1961 (ICC).
Grant, F. C., The Gospel According to St. Mark, 1951 (IntB 7).
Grundmann, W., Das Evangelium nach Markus, [6]1973 (ThHK 2).
Guy, H. A., The Gospel of Mark, New York 1973.
Haenchen, E., Der Weg Jesu. Eine Erklärung des Markus-Evangeliums und der kanonischen Parallelen, 1966 (STö.H 6).
Hastings, I., The Gospel According to St. Mark, London 1929 (The Speaker's Bible).
Hauck, F., Das Evangelium des Markus, 1931 (ThHK 2).

Holtzmann, H. J., Die Synoptiker, [3]1901 (HC I/1).
Huby, J., L'Évangile selon s. Marc, 1948 (SB 43).
Hunter, A. M., The Gospel According to St. Mark, [8]1967 (TBC 45).
Johnson, S. E., A Commentary on the Gospel According to St. Mark, New York-London 1960 (Harper's NT Commentary).
Jones, A., The Gospel According to St. Mark, London 1963.
Keulers, J., De Evangelien volgens Marcus en Lucas, Roermond 1951 (De booken van het NT).
Klostermann, E., Das Markus-Evangelium, [4]1950 (HNT 3).
Knabenbauer, J., Evangelium secundum s. Marcum, 1894 (CSS NT I/2).
Lagrange, M.-J., Évangile selon s. Marc, [5]1929 (EtB).
Lane, W. L., The Gospel According to Mark, Grand Rapids 1974 (The International Commentary on the NT).
Lohmeyer, E., Das Evangelium des Markus, [16]1963 (KEK I/2).
Loisy, A., L'Évangile selon Marc, Paris 1912.
Merx, A., Die Evangelien des Markus und Lukas, Berlin 1905.
Meyer, H. A. W., Handbuch über die Evangelien des Markus und Lukas, [5]1867 (KEK I/2).
Mitton, E. L., The Gospel According to St. Mark, London 1957.
Montefiore, C. G., The Synoptic Gospels I, London [2]1927.
Moule, C. F. D., The Gospel According to Mark, New York-Cambridge 1965.
Nineham, D. E., The Gospel of St. Mark, 1963 (PGC).
Osty, E., Évangile selon s. Marc, Paris 1949.
Pesch, R., Das Markusevangelium, 2 Bde., 1976/77 (HThK II).
Pirot, L. – Leconte, R., Évangile selon s. Marc, 1950 (SB 9).
Pölzl, F. X. – Stettinger, G., Das Evangelium nach Markus, Graz [3]1935.
Rawlinson, A. E. J., St. Mark, London 1925.
Robinson, C. E., The Gospel According to St. Mark, London 1931.
Schanz, P., Commentar über das Evangelium des hl. Markus, Freiburg 1881.
Schlatter, A., Markus, der Evangelist für die Griechen, Stuttgart 1935.
Schmid, J., Das Evangelium nach Markus, [4]1958 (RNT 2).
Schnackenburg, R., Das Evangelium nach Markus, 2 Bde., Düsseldorf 1966. 1970 (Geistliche Schriftlesung II/1–2).
Schniewind, J., Das Evangelium nach Markus, [6]1952 (NTD 1).
Schweizer, E., Das Evangelium nach Markus, [4]1975 (NTD 1).
Scroggie, W. G., The Gospel of St. Mark, London 1933 (Study Hour Series).
Staab, K., Das Evangelium nach Markus und Lukas, Würzburg 1956.
Swete, H. B., The Gospel According to St. Mark, London [3]1927.
Taylor, V., The Gospel According to St. Mark, London [2]1966.
Theophylakt, Enarratio in evangelium Marci, in: PG 123, 487–682.
Thomas von Aquin, Catena aurea in quatuor evangelia, Bd. 1, hrsg. A Guarenti, Rom 1953, 433–566.
Turner, C. H., The Gospel According to St. Mark, London 1928.
Uricchio, F. M. – Stano, G. M., Vangelo secondo S. Marco, Torino 1966.
Weiss, B., Das Marcusevangelium und seine synoptischen Parallelen, Berlin 1872.
– Die Evangelien des Markus und Lukas, [9]1901 (KEK I/2).
Weiss, J., Das Evangelium nach Markus, Göttingen [3]1917 (Göttinger NT 1).
Wellhausen, J., Das Evangelium Marci, Berlin [2]1909.

Wette, W. M. L. de, Kurze Erklärung der Evangelien des Lukas und Markus, Leipzig ³1846.
Wohlenberg, G., Das Evangelium des Markus, ³1930 (KNT 2).

2. *Abgekürzt zitierte Literatur*

Abel, F.-M., Géographie de la Palestine, 2 Bde., 1967 (EB).
Aland, K., Synopsis quattuor evangeliorum, Stuttgart ⁹1976.
Barth, K., Die Kirchliche Dogmatik, 4 Bde., Zürich 1932–1967.
Bauer, W., Griechisch-deutsches Wörterbuch zu den Schriften des NT und der übrigen urchristlichen Literatur, Berlin ⁵1958 (= Bauer Wb).
Berger, K., Die Amen-Worte Jesu. Eine Untersuchung zum Problem der Legitimation in apokalyptischer Rede, 1970 (BZNW 39).
– Die Gesetzesauslegung Jesu. Ihr historischer Hintergrund im Judentum und im AT. Teil I: Markus und Parallelen, 1972 (WMANT 40).
Beyer, K., Semitische Syntax im NT. I: Satzlehre Teil 1, 1962 (StUNT 1).
Bieler, L., ΘΕΙΟΣ ΑΝΗΡ. Das Bild des »göttlichen Menschen« in Spätantike und Frühchristentum, 2 Bde., Nachdruck Darmstadt 1967.
Billerbeck, P. – Strack, H., Kommentar zum NT aus Talmud und Midrasch, 4 Bde., München ³1961 (= Billerbeck).
Black, M., An Aramaic Approach to the Gospels and Acts, Oxford ³1967.
Böcher, O., Dämonenfurcht und Dämonenabwehr. Ein Beitrag zur Vorgeschichte der christlichen Taufe, 1970 (BWANT V/10).
– Christus Exorcista. Dämonismus und Taufe im NT, 1972 (BWANT 96).
Bousset, W. – Gressmann, H., Die Religion des Judentums im späthellenistischen Zeitalter, ⁴1966 (HNT 21).
Braun, H., Spätjüdisch-häretischer und frühchristlicher Radikalismus, 2 Bde., 1957 (BHTh 24).
– Qumran und das NT, 2 Bde., Tübingen 1966.
Bultmann, R., Die Geschichte der synoptischen Tradition. Mit Ergänzungsheft, Göttingen ³1957.
Burger, C., Jesus als Davidssohn. Eine traditionsgeschichtliche Untersuchung, 1970 (FRLANT 98).
Burkill, T. A., Mysterious Revelation. An Examination of the Philosophy of St. Mark's Gospel, Ithaca, N. Y. 1963.
Cullmann, O., Die Christologie des Neuen Testaments, Tübingen ²1959.
Dalman, G., Orte und Wege Jesu, ³1924 (BFChTh II/1).
– Die Worte Jesu, I: Einleitung und wichtige Begriffe, Nachdruck Darmstadt 1965.
– Jesus-Jeschua, Nachdruck Darmstadt 1967.
Daube, D., The New Testament and Rabbinic Judaism, London 1956.
Dautzenberg, G., Die Zeit des Evangeliums, BZ 21 (1977) 219–234; 22 (1978) 76-91.
Dibelius, M., Die Formgeschichte des Evangeliums, Tübingen ³1959.
Dormeyer, D., Die Passion Jesu als Verhaltensmodell. Literarische und theologische Analyse der Traditions- und Redaktionsgeschichte der Markuspassion, 1974 (NTA 11).
Doudna, J., The Greek of the Gospel of Mark, 1961 (JBL.MS 12).
Ebeling, H. J., Das Messiasgeheimnis und die Botschaft des Markusevangelisten, 1939

(BZNW 19).
Egger, W., Frohbotschaft und Lehre. Die Sammelberichte des Wirkens Jesu im Markusevangelium, 1976 (FTS 19).
Eisler, R., ΙΗΣΟΥΣ ΒΑΣΙΛΕΥΣ ΟΥ ΒΑΣΙΛΕΥΣΑΣ, 2 Bde., Heidelberg 1929/30.
Gaston, L., Horae synopticae electronicae. Word Statistics of the Synoptic Gospels, Missoula 1973 (Sources for Biblical Study 3) (= Gaston).
Gnilka, J., Die Verstockung Israels. Isaias 6,9–10 in der Theologie der Synoptiker, 1961 (StANT 3).
Gräßer, E., Das Problem der Parusieverzögerung in den synoptischen Evangelien und in der Apostelgeschichte, ²1960 (BZNW 22).
Grundmann, W., Das Evangelium nach Lukas, ⁴1966 (ThHK 3).
Hahn, F., Christologische Hoheitstitel. Ihre Geschichte im frühen Christentum, ³1966 (FRLANT 83).
Hengel, M., Nachfolge und Charisma. Eine exegetisch-traditionsgeschichtliche Studie zu Mt 8,21f und Jesu Ruf in die Nachfolge, 1968 (BZNW 34).
– Judentum und Hellenismus, 1969 (WUNT 10).
Hirsch, E., Frühgeschichte des Evangeliums, 1. Buch: Das Werden des Markusevangeliums, Tübingen ²1951.
Hoffmann, P., Studien zur Theologie der Logienquelle, ²1972 (NTA 3).
Horstmann, M., Studien zur markinischen Christologie. Mk 8,27–9,13 als Zugang zum Christusbild des zweiten Evangeliums, ²1973 (NTA 6).
Jeremias, J., Die Abendmahlsworte Jesu, Göttingen ⁴1967.
– Die Gleichnisse Jesu, Göttingen ⁷1965.
Jülicher, A., Die Gleichnisreden Jesu, 2 Bde., Tübingen ²1910.
Kertelge, K., Die Wunder Jesu im Markusevangelium, 1970 (StANT 23).
Klauck, H.-J., Allegorie und Allegorese in synoptischen Gleichnistexten, 1978 (NTA 13).
Knox, W. L., The Sources of the Synoptic Gospels I: St. Mark, Cambridge 1953.
Koch, D.-A., Die Bedeutung der Wundererzählungen für die Christologie des Markusevangeliums, 1975 (BZNW 42).
Kümmel, W. G., Einleitung in das NT, Heidelberg ¹³1964.
Kuhn, H.-W., Ältere Sammlungen im Markusevangelium, 1971 (StUNT 8).
Linnemann, E., Gleichnisse Jesu, Göttingen ³1964.
Lohmeyer, E., Galiläa und Jerusalem, 1936 (FRLANT 34).
Loos, H. van der, The Miracles of Jesus, 1965 (NT.S 9).
Marxsen, W., Der Evangelist Markus. Studien zur Redaktionsgeschichte des Evangeliums, ²1959 (FRLANT 67).
Masson, C., L'Évangile de Marc et l'Église de Rome, Neuchâtel 1968.
Michaelis, W., Die Gleichnisse Jesu, Hamburg ³1956.
Moore, G. F., Judaism in the First Centuries of the Christian Era, 3 Bde., Cambridge 1927–1930.
Moulton, J. H. – Milligan, G., The Vocabulary of the Greek Testament, London 1930 (= Moulton-Milligan).
Passow, F., Handwörterbuch der griechischen Sprache, 4 Bde., Nachdruck Darmstadt 1970 (= Passow).
Pesch, R., Naherwartungen. Tradition und Redaktion in Mk 13, Düsseldorf 1968.
– Anfang des Evangeliums Jesu Christi, in: Die Zeit Jesu (FS H. Schlier), Freiburg 1970, 108–144.

Petzke, G., Die Traditionen über Apollonius von Tyana und das NT, Leiden 1970 (SCHNT 1).
Popkes, W., Christus traditus. Eine Untersuchung zum Begriff der Dahingabe im NT, 1967 (AThANT 49).
Preisigke, F. – Kießling, E., Wörterbuch der griechischen Papyrusurkunden, 3 Bde., Berlin 1925–1931, IV, Amsterdam 1969 (= Preisigke-Kießling).
Preuß, H. R., Galiläa im Markusevangelium, Diss. Göttingen 1966 (Manuskript).
Reitzenstein, R., Hellenistische Wundererzählungen, Nachdruck Darmstadt 1963.
Reploh, K. G., Markus – Lehrer der Gemeinde. Eine redaktionsgeschichtliche Studie zu den Jüngerperikopen des Markus-Evangeliums, 1969 (SBM 9).
Robinson, J. M., Das Geschichtsverständnis des Markus-Evangeliums, 1956 (AThANT 30).
Roloff, J., Das Kerygma und der irdische Jesus. Historische Motive in den Jesus-Erzählungen der Evangelien, Göttingen 1970.
Schenk, W., Der Passionsbericht nach Markus. Untersuchungen zur Überlieferungsgeschichte der Passionstraditionen, Gütersloh 1974.
Schenke, L., Studien zur Passionsgeschichte des Markus. Tradition und Redaktion in Markus 14,1–42, 1971 (FzB 4).
– Die Wundererzählungen des Markusevangeliums, 1974 (SBB).
Schille, G., Die urchristliche Wundertradition, 1967 (AzTh I/29).
Schmahl, G., Die Zwölf im Markusevangelium, 1974 (TThSt 30).
Schmidt, K. L., Der Rahmen der Geschichte Jesu, Nachdruck Darmstadt 1964.
Schnackenburg, R., Das »Evangelium« im Verständnis des ältesten Evangelisten, in: Orientierung an Jesus, (FS J. Schmid) Freiburg 1973, 309–324.
Schreiber, J., Theologie des Vertrauens. Eine redaktionsgeschichtliche Untersuchung des Markusevangeliums, Hamburg 1967.
Schürer, E., Geschichte des jüdischen Volkes im Zeitalter Jesu Christi, 3 Bde., Nachdruck Hildesheim 1964 (= Schürer).
Schürmann, H., Das Lukasevangelium, 1. Teil, 1969 (HThK III/1).
Schulz, S., Die Stunde der Botschaft. Eine Einführung in die Theologie der vier Evangelisten, Hamburg 1967.
Schweitzer, A., Geschichte der Leben-Jesu-Forschung, Tübingen [6]1951.
Steck, O. H., Israel und das gewaltsame Geschick der Propheten, 1967 (WMANT 23).
Stuhlmacher, P., Das paulinische Evangelium, I. Vorgeschichte, Göttingen 1968 (FRLANT 95).
Suhl, A., Die Funktion der alttestamentlichen Zitate und Anspielungen im Markusevangelium, Gütersloh 1965.
Sundwall, J., Die Zusammensetzung des Markusevangeliums, 1934 (AAAbo.H IX/2).
Tagawa, K., Miracles et Évangile. La pensée personelle de l'évangéliste Marc, 1966 (EHPhR 62).
Theißen, G., Urchristliche Wundergeschichten. Ein Beitrag zur formgeschichtlichen Erforschung der synoptischen Evangelien, Gütersloh 1974.
Tillesse, G. Minette de, Le secret messianique dans l'Évangile de Marc, 1968 (LeDiv 47).
Thyen, H., Studien zur Sündenvergebung im NT und seinen alttestamentlichen und jüdischen Voraussetzungen, 1970 (FRLANT 96).
Tödt, H. E., Der Menschensohn in der synoptischen Überlieferung, Gütersloh 1959.
Volz, P., Die Eschatologie der jüdischen Gemeinde im neutestamentlichen Zeitalter, Tübingen [2]1934.

Weinreich, O., Antike Heilungswunder. Untersuchungen zum Wunderglauben der Griechen und Römer, 1909 (RVV III/1).
Wendling, E., Die Entstehung des Markusevangeliums, Tübingen 1908.
Wilckens, U., Auferstehung, 1970 (ThTh 4).

3. *Literatur zum Markusevangelium in Auswahl*

Beach, C., The Gospel of Mark. Its Making and Meaning, New York 1959.
Best, E., The Temptation and the Passion: The Markan Soteriology, 1965 (MSSNTS 2).
– The Role of the Disciples in Mark, NTS 23 (1977) 377–401.
Blinzler, J., Jesusverkündigung im Markusevangelium, in: W. Pesch (Hrsg.), Jesus in den Evangelien, 1970 (SBS 45), 71–104.
Burkill, T. A., Blasphemy: St. Mark's Gospel as Damnation History, in: J. Neusner (Hrsg.), Christianity, Judaism and Other Greco-Roman Cults (FS M. Smith), 1975 (SJLA), 51–74.
Church, I. F., A Study of the Markan Gospel, New York 1976.
Delorme, J., Aspects doctrinaux du second Évangile, in: I. de la Potterie (Hrsg.), De Jésus aux Évangiles, 1967 (EThL 43), 74–99.
Denis, A. M., Christus de verlosser en het leven der Christensen. Theologische schets van het Marcus-evangelie, Antwerpen 1963.
Edwards, R. A., A New Approach on the Gospel of Mark, LuthQ 22 (1970) 330–335.
Farrer, A., A Study in St. Mark, Westminster 1951.
Gaboury, A., La Structure des Évangiles Synoptiques, 1970 (NT.S 22) (1970).
Hamilton, N. Q., Resurrection Tradition and the Composition of Mark, JBL 84 (1965) 415–421.
Harter, W. H., The Historical Method in Mark, USQR 20 (1964) 21–38.
Hay, L. S., The Son-of-God Christology in Mark, JBR 32 (1964) 106–114.
John, H. S., An Analysis of the Gospel of Mark, London 1956.
Kee, H. C., Mark as Redactor and Theologian, JBL 80 (1971) 333–363.
– Community in the New Age. Studies in Mark's Gospel, 1977 (NTLi).
Kiddle, M., The Death of Jesus and the Admission of the Gentils in St. Mark, JThS 35 (1934) 45–50.
Kuby, A., Zur Konzeption des Markus-Evangeliums, ZNW 49 (1958) 52–64.
Lamarche, P., Révélation de Dieu chez Marc, Paris 1976 (Le point théologique 20).
Lightfoot, R. H., The Gospel Message of St. Mark, Oxford ²1952.
Mauser, U., Christ in the Wilderness. The Wilderness Theme in the Second Gospel and its Basis in the Biblical Tradition, London 1963.
Mazzolari, P., Miracoli secondo Marco, Vicenza 1969.
Meye, R. P., Jesus and the Twelve. Discipleship and Revelation in Mark's Gospel, Grand Rapids 1968.
Neirynck, F., Duality in Mark. Contributions to the Study of the Markan Redaction, 1972 (BEThL 31).
Newman, R. G., Tradition and Interpretation in Mark, Ann Arbor 1966.
Osten-Sacken, P. von der, Streitgespräch und Parabel als Formen markinischer Christologie, in: G. Strecker (Hrsg.), Jesus Christus in Historie und Theologie (FS H. Conzelmann), Tübingen 1975, 375–394.
Parker, P., The Gospel Before Mark, Chicago 1953.

Perrin, N., The Creative Use of the Son of Man Traditions by Mark, USQR 23 (1968) 357–365.
– The Christology of Mark. A Study in Methodology, JR 51 (1971) 173–187.
– The Interpretation of the Gospel of Mark, Interpr. 30 (1976) 115–124.
Potterie, I. de la, De compositione evangelii Marci, VD 44 (1966) 135–141.
Riddle, W., The Martyr Motif in the Gospel according to Mark, JR 4 (1924) 397–410.
Riesenfeld, H., Tradition und Redaktion im Markusevangelium, in: Ntl. Studien (FS R. Bultmann), ²1957 (BZNW 21) 157–164.
Rigaux, B., Témoignage de l'évangile de Marc, Bruges 1965.
Robertson, A. T., Studies in Mark's Gospel, Nashville 1958.
Sandmel, S., Prolegomena to a Commentary on Mark, JBR 31 (1963) 294–300.
Schille, G., Die Topographie des Markusevangeliums, ihre Hintergründe und ihre Einordnung, ZDPV 73 (1957) 133–166.
– Bemerkungen zur Formgeschichte des Evangeliums I: Rahmen und Aufbau des Markus-Evangeliums, NTS 4 (1957/58) 1–24.
Schulz, S., Markus und das AT, ZThK 58 (1961) 184–197.
Schweizer, E., Anmerkungen zur Theologie des Markus, in: Neotestamentica et Patristica (FS O. Cullmann), 1962 (NT.S 6) 35–46.
– Mark's Contribution to the Quest of the Historical Jesus, NTS 10 (1963/64) 421–432.
– Die theologische Leistung des Markus, EvTh 24 (1964) 337–355.
Stein, R. H., The Proper Methodology for Ascertaining a Markan Redaction History, NT 13 (1971) 181–198.
Stock, K., Boten aus dem Mit-Ihm-Sein, 1975 (AnBib 70).
Trocmé, E., Is there a Markan Christology?, in: Christ and the Spirit in the New Testament (FS C. F. D. Moule), Cambridge 1973, 3–14.
Zerwick, M., Untersuchungen zum Markus-Stil, Rom 1937.

Weitere Spezialliteratur findet sich am Beginn der einzelnen Perikopen sowie am Beginn des 13. (zur eschatologischen Rede) und 14. Kapitels (zur Passionsgeschichte). Diese Literatur wird innerhalb der einschlägigen Perikopen bzw. der eschatologischen Rede oder der Passionsgeschichte nur mit Verfassernamen und Sternchen (*) zitiert. Die Stellungnahmen eines Markuskommentators zu einer bestimmten Stelle im Evangelium wird nur mit Angabe des Autors zitiert. Es handelt sich dann immer um die Kommentierung der Stelle, die im Kommentar leicht zu finden ist. Spezialbeiträge von Markuskommentatoren, die am Beginn einer Perikope angeführt werden, werden mit Verfassernamen plus Stichwort zitiert. Ebenso werden Autoren zitiert, die zu einer Perikope zwei oder mehrere Beiträge verfaßten. Die Abkürzung von Zeitschriften und manografischen Reihen erfolgt nach S. Schwertner, Internationales Abkürzungsverzeichnis für Theologie und Grenzgebiete, Berlin 1974. Hinzu kommen noch folgende Abkürzungen:

BBETh Beiträge zur biblischen Exegese und Theologie, Frankfurt/M.
FzB Forschung zur Bibel, Würzburg-Stuttgart
SJLA Studies in Judaism in Late Antiquity, Leiden
SNTU Studien zum Neuen Testament und seiner Umwelt, Linz

Zu den Abkürzungen der biblischen Bücher vgl. die Loccumer Richtlinien, zu den übrigen Abkürzungen vgl. ThWNT I, 1*-24*

A Einleitung

1. *Der theologiegeschichtliche Ort des Markus und die neue Gattung des Evangeliums*

Markus steht am Ende eines Überlieferungsprozesses und am Beginn der Evangelienschreibung und markiert somit einen Übergang. Vor ihm liegt der Prozeß der mündlichen Weitergabe der Jesusüberlieferungen in Predigt, Katechese, Liturgie und den vielfältigen Formen frühchristlichen Gemeindelebens durch etwa vier Jahrzehnte, nach ihm unternehmen es Mattäus, Lukas und Johannes sowie später apokryphe Autoren, die von Markus geschaffene Gattung des Evangeliums nach- und weiterzubilden. Ende und Beginn bezeichnen jedoch keinen eindeutigen Einschnitt. Denn die mündliche Weitergabe von Jesustraditionen läuft neben und nach Markus weiter bis in die Zeit der apostolischen Väter hinein[1]. Die schriftliche Fixierung kleinerer und auch schon zusammenhängender Einheiten hat einige Zeit vor der Abfassung des ältesten Evangeliums begonnen. Zu erinnern ist nur an die Logienquelle, der ein höheres Alter als Markus zuzusprechen ist, aber auch an vormarkinische Sammlungen, auf die der Evangelist zurückgreifen konnte und deren Bestimmung und Abgrenzung kontrovers sind. Wenn die vormarkinischen Einheiten jeweils nur Momentaufnahmen oder einen kurzen Abschnitt aus dem Wirken des irdischen Jesus darbieten, geht Markus als erster daran, die vergangene Geschichte Jesu von der Taufe durch Johannes bis zur Auferstehung in einer chronologischen Aufeinanderfolge wiederzugeben. Das unterscheidet ihn von der Redaktion der Logienquelle, die Worte Jesu wahrscheinlich nach sachlichen Gesichtspunkten, sicher aber nicht in einem historiografisch wirkenden Sinn nebeneinandergestellt hatte. Ob es einen bestimmbaren Anstoß für Markus gab, wird sehr unterschiedlich beurteilt.

Wir beschränken uns zur Veranschaulichung der von der Forschung zur Verfügung gestellten Antworten auf das skizzierte Problem auf drei Beispiele. 1. R. Bultmann hat die Auffassung begründet, die inzwischen des öfteren wiederholt wurde, daß die Absicht des Evangelisten im folgenden bestanden habe: Er wollte das »hellenistische Kerygma von Christus, dessen wesentlicher Inhalt der Christusmythos ist, wie wir ihn aus Paulus kennen (bes. Phil 2,6ff; Röm

[1] Vgl. H. Köster, Synoptische Überlieferung bei den apostolischen Vätern, 1957 (TU 65).

3,24), mit der Tradition über die Geschichte Jesu« vereinigen[2]. Während Bultmann noch zutreffend beobachtet, daß ein wesentliches Element dieses Kerygmas, nämlich die Präexistenz Jesu, von Markus noch nicht aufgenommen sei, sieht J. Schreiber[3] im Markusevangelium das Bild des aus seiner himmlischen Präexistenz in den irdischen Bereich hinabgestiegenen Erlösers entworfen, der hier gegenüber den Mächten sein Geheimnis verbirgt, bis er nach seiner Auffahrt in das himmlische Heiligtum öffentlich als Kosmokrator vorgestellt werde. Markus habe sich nur äußerlich historisierender Elemente bedient, die in Wahrheit Hinweise auf den Mythos seien. Diese Beurteilung der Position des Markus kann überhaupt nicht überzeugen. Sie ist nicht aus Anhaltspunkten am Text entworfen, sondern verdankt sich phantasievoller Spekulation. – 2. Nach E. Käsemann[4] wird in Übereinstimmung mit Bultmann die Evangelienform, die es nur christlich gibt, vom Kerygma her bestimmt. Die Frage sei, wie es von der Doxologie des Verkündigten nochmals – und zwar im Rahmen des Kerygmas – zur Erzählung vom Verkündiger kommen konnte, von der Verehrung des himmlischen Kosmokrators zur Rückblendung auf den Rabbi Jesus, der durch Palästina schreitet. Obwohl Käsemann die Evangelienschreibung insgesamt und nicht das Markusevangelium im besonderen anspricht, kann dieses als das älteste Evangelium a fortiori in die Argumentation einbezogen werden. In dieser mischen sich theologiegeschichtliche Reflexion und aktuelle theologische Auseinandersetzung: »Der Rückgriff auf die Form des Evangelienberichts, auf die Erzählung vom palästinischen Verkündiger, auf das ›Einmal‹ gegenüber dem ›Ein-für-alle-Mal‹, auf historisierende Darstellung im Rahmen des Kerygmas und nicht zuletzt auf den durch Palästina wandernden Jesus erfolgte als eine theologisch relevante und deshalb von der Kirche aufgenommene und festgehaltene Reaktion, in der es um die Unverfügbarkeit des Christus, des Geistes, des Glaubens ging. Die Präsenz Christi und des Geistes in der Gemeinde darf nicht dazu mißbraucht werden, daß beide im eschatologischen Selbstverständnis der Glaubenden untergehen«. Demnach hat Markus bzw. die Evangelienschreibung der »Manipulierbarkeit durch den Geist« die Historie entgegengesetzt. Die aufreizende These, die eine dynamische und polemische Auseinandersetzung um das rechte Kerygma in der Urchristenheit voraussetzt, sieht richtig, daß Euanggelion und Apostolos in einem übergreifenden theologischen Horizont die beiden unverzichtbaren Komponenten christlicher Verkündigung ausmachen. Sie betont weiter zu Recht, daß die durch Markus begründete Evangelienschreibung den notwendig zu wahrenden geschichtlichen Charakter der christlichen Offenbarung sicherstellte. Fraglich bleibt, ob die historische Rekonstruktion zutrifft und zum Beispiel Markus aus der geschilderten Sorge und polemischen Leidenschaft zur Feder greift. Geschichtsschreibung um der historischen Polemik gegen einen

[2] Bultmann, Geschichte 372–374.

[3] Theologie des Vertrauens, bes. 218–228.

[4] Sackgassen im Streit um den historischen Jesus, in: Exegetische Versuche und Besinnungen II, Göttingen 1964, 31–68, hier 65f.

übermächtig werdenden Mythos willen ist im ältesten Evangelium kaum zu eruieren. Eher trifft es zu, daß Markus in einer Überlieferung steht, in der die Erzählungen aus der Geschichte Jesu schon lange in Katechese und Verkündigung verwendet wurden, und er für die Kirche seiner Zeit und seines Raumes zusammenfaßt, was er selbst in katechetischer und missionarischer Praxis gelernt und erprobt hatte. Das Nebeneinander einer den irdischen Jesus vernachlässigenden Verkündigung und einer auf diesen ausgerichteten Predigt bleibt bestehen. Die Konfrontation oder polemische Reaktion kann kaum angesichts weit zurückreichender narrativer Überlieferungen als auslösender Faktor für die Evangelienschreibung angesehen werden. – 3. In der amerikanischen Exegese[5] kam die seitdem gleichfalls wiederholt vorgetragene Erklärung auf, daß die Entstehung des ältesten Evangeliums sich einer anderen Kontroverse verdanke. Die Erklärung hat den Vorteil, daß sie an den in das Evangelium eingegangenen Traditionen anknüpft und textkonform zu argumentieren bemüht ist. Man erblickt eine Spannung zwischen den Überlieferungen vom wunderwirkenden Jesus einerseits und den Überlieferungen von dem in den Tod gehenden anderseits. Die ersten werden als Ausdruck des Christusglaubens jener Gemeinden genommen, an die Markus sich wendet. Hier sei das Kreuz zugunsten einer theologia gloriae in den Hintergrund geschoben und der leidende Christus durch die Vorstellung von Jesus als einem göttlichen Menschen hellenistischer Prägung verdrängt worden. Dies sei »the heresy that necessitated Mark's Gospel«. Markus bringe ihr gegenüber die theologia crucis zur Geltung, die zu retten gleichsam der Antrieb für die Abfassung seines Evangeliums gewesen sei. Die Erklärung überzeugt nicht, weil sie jene Gemeindesituation zur Grundlage nimmt, die G. Georgi[6] für die Gegner des Paulus im zweiten Korintherbrief plausibel zu machen versucht hat, und weil sie den Stellenwert der Wunderüberlieferungen bei Markus falsch beurteilt[7]. Es ist auch zu fragen, ob mangelnde Leidensbereitschaft für die Charakterisierung einer fest umrissenen Gemeinschaft ausreicht[8].

Der Entstehungshintergrund des Markusevangeliums ist weniger dramatisch. Es empfiehlt sich eine Sichtung der markinischen Überlieferungen. Dabei wird sogleich die große Vielfalt ersichtlich, die die Thematik, die Konzeption, die Form betrifft. Vergleicht man die markinischen Traditionen mit der Logienquelle[9], kann man leicht feststellen, daß der Evangelist an einem überlieferungsgeschichtlichen Ort steht, an dem das auf Jesus bezogene erzählerische Gut sich schon reichhaltig entfaltet hatte. Betrachten wir die schon vor ihm lie-

[5] Vgl. T. J. Weeden, The Heresy that Necessitated Mark's Gospel, ZNW 59 (1968) 145–158; ders., Mark-Tradition in Conflict, Philadelphia 1971; T. L. Budesheim, Jesus and the Disciples in Conflict with Judaism, ZNW 62 (1971) 190–209; Kuhn, Sammlungen 229f.225; Schenke, Wundererzählungen 373–416.

[6] Die Gegner des Paulus im 2. Korintherbrief, 1964 (WMANT 11).

[7] Vgl. unter Exkurs Wunder Jesu S. 221ff.

[8] Vgl. M. Hengel, Kerygma oder Geschichte, TThQ 151 (1971) 323–336, hier 327.

[9] Vgl. S. Schulz, Q – die Spruchquelle der Evangelisten, Zürich 1972.

genden größeren erzählerischen Einheiten, die in der Kommentierung im einzelnen nachzuweisen sein werden, so erkennen wir eine Passionsgeschichte, die mit ihrer Darbietung eines Geschehenszusammenhangs für die von ihm gewählte Darstellungsweise nicht ohne Einfluß gewesen sein dürfte. Der Umfang dieser Passionsgeschichte darf nicht zu weit angesetzt werden, wenn auch damit gerechnet werden kann, daß sie bereits auf einer vormarkinischen Traditionsstufe ausgeweitet worden ist. Daneben verfügt der Evangelist über eine Sammlung von galiläischen Streitgesprächen (Kap. 2), eine Gleichnisquelle (Kap. 4), eine Zusammenstellung von Perikopen, die auf konkrete Gemeindeprobleme eingehen (Kap. 10), eine kleine Apokalypse (Kap. 13)[10]. Diese Sammlungen entstammen der praktischen Gemeindearbeit, der Predigt und Unterweisung. Ihre Komposition erfolgte nach sachlichen Gesichtspunkten, an einer chronografischen Schilderung sind sie nicht interessiert. Die Masse der markinischen Vorgaben ist Perikopenüberlieferung, die sich gattungsmäßig in sehr verschiedene Typen zergliedern läßt[11]. Manche dieser Perikopen, die keinen reinen Gattungstyp erhalten haben, zeigen auf diese Weise, daß sie schon längere Zeit in der Gemeindearbeit verwendet wurden. Es fällt für Markus die große Zahl der Wunder- und Exorzismusgeschichten auf. Sie haben ihren Ort im Umfeld der missionarischen Predigt, es sei denn, daß sie zu Apoftegmata[12] oder Streitgesprächen umgebildet worden sind. Daneben finden wir Streitgespräche, Schulgespräche, Apoftegmata, Jüngergeschichten und manches Singuläre oder nur schwer Bestimmbare. Die Überlieferung von Worten Jesu im ältesten Evangelium ist, zieht man wiederum die Logienquelle oder die Großevangelien Mattäus und Lukas zum Vergleich heran, relativ gering. Dies gilt insbesondere dann, wenn man von den Logien absieht, die Bestandteil einer Erzählung sind. Größere Reden sind nur im Gleichniskapitel und in der Apokalypse von Kap. 13 vorhanden. Kleinere Reihungen von Sprüchen haben wir in 3,24–30; 8,34–9,1; 9,39–50, die teilweise bereits vormarkinisch zusammengefügt waren. Das Fehlen der Logienüberlieferung läßt sich nicht damit erklären, daß der Evangelist sie bewußt ausgespart hätte. Er kennt die Logienquelle als literarische Vorlage nicht[13], sondern nur partikuläres Logiengut, das dort seine Parallelen besitzt und bei ihm wiederholt in einer merkwürdig zersagten Form uns entgegentritt. Immerhin lebt auch bei Markus die Reich-Gottes-Predigt Jesu weiter, sogar an zentraler Stelle. Allerdings hat er sie nicht uninter-

[10] Eine vormarkinische Sammlung von Wundergeschichten erwies sich als unwahrscheinlich. Vgl. S. 273f.

[11] In der Typisierung und Terminologie haben sich die Vorschläge Bultmanns mehr durchgesetzt als die von Dibelius. Vgl. Bultmann, Geschichte 8–329; Dibelius, Formgeschichte 8ff. Zur Klassifizierung der Wundergeschichten vgl. unten den Exkurs Wunder Jesu S. 221f.

[12] Zum Begriff Apoftegma vgl. Bultmann, Geschichte 8f.

[13] Vgl. B. H. Streeter, The Four Gospels, London 1927, 150; W. G. Kümmel, Einleitung in das NT, Heidelberg [13]1964, 38. Ferner zum Problem: M. Devisch, La relation entre l'évangile de Marc et le document Q, in: M. Sabbe, L'Évangile selon Marc, 1974 (BEThL 34), 59–91; J. P. Brown, Mark as Witness to an Edited Form of Q, JBL 80 (1961) 29–44.

pretiert übernommen[14]. Die Mannigfaltigkeit der im ältesten Evangelium aufgearbeiteten Überlieferungen konnte bereits anhand der Klassifizierung des Stoffes veranschaulicht werden. Sie erscheint noch eindringlicher, wenn man sie inhaltlich durchmustert. Wählen wir als Beispiel die Christologie und ziehen wir wieder die Logienquelle zu Rate, so ist dort das Bekenntnis zu Jesus ziemlich einheitlich geprägt. Vom Sohnesprädikat in Mt 11,27 par abgesehen, ist Jesus der Menschensohn, der in der Gegenwart mißachtet und in der Zukunft sich als eschatologischer Richter offenbaren wird. Bei Markus hingegen treffen wir die ganze Palette der christologischen Hoheitstitel an: Jesus ist nicht bloß der gegenwärtige, kommende und leidende Menschensohn, sondern auch der Sohn, Gottessohn, Davidssohn, Christus, Kyrios. Nimmt man noch die Christologie der vormarkinischen Passionsgeschichte hinzu, nach der Jesus als der in den Leidenspsalmen vorgezeichnete vollkommene Gerechte gesehen wird, so rundet sich das Bild ab. Eine weitere Beobachtung verdient, hier erwähnt zu werden. U. Luz[15] hat für das Jesusbild der vormarkinischen Traditionen treffend beobachtet, daß insbesondere in den Wundergeschichten und Streitgesprächen die Vollmacht des irdischen Jesus stark herausgestellt werde. Er bringt dies mit dem Jesusglauben der hinter diesen Überlieferungen stehenden Gemeinden zusammen, für die der Irdische schlechthin konstitutiv sei, dessen Autorität sich gegenüber der ihm unterlegenen Welt durchsetze, dessen Weisung für die Christen verbindlich sei. Hand in Hand mit dieser christologischen Akzentuierung geht nach Luz eine Zurücknahme oder Vernachlässigung der eschatologischen Zukunftserwartung, weil die Gegenwart als die eschatologische Heilszeit qualifiziert werde. Ist diese Beobachtung gegenüber einer isolierten Betrachtung der Wunderüberlieferungen sicherlich richtig, so muß man auf das 13. Kapitel bei Markus um so aufmerksamer werden, als hier die Endzeiteschatologie das Thema ist[16]. Der Ausblick auf das dem Evangelisten zufließende Traditionsgut, das seinen theologiegeschichtlichen Ort kennzeichnen sollte, lehrt, daß Markus von einem starken Willen zur Integration erfüllt gewesen sein muß. Er übernimmt die Überlieferungen in ihrer Vielfalt. Obwohl man es nicht sicher sagen kann, hat man den Eindruck, daß er von dem, was er erreichen kann, kaum etwas ausläßt, sondern alles in den von ihm geschaffenen Rahmen des Evangeliums spannt. Trifft dieser Hang, möglichst wenig verlorengehen zu lassen und möglichst viel aufzugreifen, zu, dann ist dies ein nicht unwichtiger Impetus für die Niederschrift des Evangeliums. Es

[14] Diesen Gesichtspunkt beachtet zu wenig G. Dautzenberg, Zur Stellung des Markusevangeliums in der Geschichte der urchristlichen Theologie, Kairos 18 (1976) 282–291.

[15] Das Jesusbild der vormarkinischen Tradition, in: Jesus Christus in Historie und Geschichte (FS H. Conzelmann), Tübingen 1975, 347–374.

[16] Die Integrationsfähigkeit des Mk macht die Annahme unwahrscheinlich, daß Mk 13 spätere Zutat des Evangelisten aus besonderem Anlaß ist, eine Annahme, die Pesch, Naherwartungen 70–73, begründete. Vgl. Pesch I, 59. Übernommen von J. M. Nützel, Hoffnung und Treue. Zur Eschatologie des Markusevangeliums, in: Gegenwart und kommendes Reich (Schüler-FS A. Vögtle), Stuttgart 1975, 79–90.

bestand nicht bloß die Gefahr, daß wertvolle Traditionen in Vergessenheit gerieten, sondern auch, daß sie zerredet wurden und auseinanderfielen.
Ist damit etwas zum Zustandekommen des markinischen Werkes überhaupt gesagt, ist die Frage noch unbeantwortet, warum Markus sein Evangelium so und nicht anders, das heißt als Darstellung der Tätigkeit Jesu von der Taufe bis zur Auferstehung konzipiert hat[17]. Damit ist die Frage nach der neuen, auf Markus zurückgehenden Gattung des Evangeliums gestellt. Die Lösungen, die von der Forschung zur Bestimmung des markinischen Evangeliumsbegriffs dargereicht werden, bewegen sich zwischen den Stichwörtern Kerygma und Geschichte. Oder um es anders zu formulieren: man betrachtet das Evangelium entweder als verkündigende Anrede, bei der das geschichtlich Erinnerte in den Hintergrund tritt, oder mehr als geschichtliche Erinnerung, die auch verkünden will. Daß der eine oder andere Aspekt vollständig ausgeklammert wird, geschieht nur selten[18]. Die kerygmatische Richtung in der Markus-Exegese ist durch W. Marxsen[19] eröffnet worden. Von einem Vergleich mit dem paulinischen Evangeliumsbegriff ausgehend, den er »begrifflich-theologisch« nennt, stellt er fest, daß die entscheidenden paulinischen Gedanken auch bei Markus vorhanden seien, wenngleich nicht an eine unmittelbare Übernahme gedacht zu werden bräuchte. Die für Paulus bestimmenden Charakteristika, daß das Evangelium eine lebendige Macht sei, nicht nur vom Heilsgeschehen Zeugnis gebe, sondern auch selbst Heilsgeschehen sei, in das Leben des Menschen eingreife, zur Entscheidung aufrufe und Gehorsam verlange, kenne auch der Evangelist. Nur verbinde Markus das paulinische Konzept mit dem synoptischen Traditionsgut, das zur »begrifflich-theologischen« eine »kerygmatisch-anschauliche« Komponente hinzuführe. Markus verbinde Theologie und Tradition, schaffe so eine größere Anschaulichkeit. Nur müsse man sehen, daß diese Anschaulichkeit im Dienst einer theologischen Aussage steht, die verkündigen will. Auf jeden Fall ergibt sich: »das Werk ist als Verkündigung zu lesen, ist als solches Anrede, nicht aber ›Bericht von Jesus‹. Daß hier auch Berichtetes auftaucht, ist unter diesem Aspekt fast auffällig. Es ist jedenfalls nur Material«[20]. Vielleicht formuliert der Marxsen-Schüler A. Suhl die Position noch schärfer, wenn auch knapper: Markus rede nicht von einer vergangenen Geschichte, sondern lasse das im Evangelium repräsentierte Geschehen als in der Verkündigung gegenwärtig noch einmal abrollen. Das synoptische Traditionsgut wird zum Anschauungsmaterial[21]. Gegenüber dem kerygmatischen hegt der von J. Roloff[22] vorgetragene historische Ansatz Zweifel, ob jener eine angemessene Erklärung des literarischen Phänomens der Evangelienschrift dar-

[17] Zur Vorgeschichte des Begriffs Evangelium vgl. den Exkurs »Evangelium« im Römerbriefkommentar von U. Wilckens in dieser Kommentarreihe.

[18] Hier wäre Schreiber, Theologie des Vertrauens 9–21, zu nennen, für den sich die von Markus berichtete Geschichte in eine mit zahlreichen Symbolen durchsetzte Theologie auflöst.

[19] Evangelist 85–92. 98–101.

[20] 87.

[21] Funktion 168.

[22] Das Markusevangelium als Geschichtsdarstellung, EvTh 27 (1969) 73–93.

stellen könne. Geschichtsdarstellung werde von vornherein negativ beurteilt. Nach Roloff läßt sich das Evangelium nur dann hinreichend erklären, »wenn man erkennt, daß hinter ihm die Absicht steht, die Geschichte Jesu als ein vergangenes Geschehen darzustellen«[23]. Hierfür weist er besonders auf den durch Markus vermittelten Handlungsablauf, das Jüngerunverständnis, das als ein die Vergangenheit bestimmendes und durch Ostern aufgehobenes konzipiert sei, und historische Motive hin, die in den Jesuserzählungen nachgewiesen werden könnten. Auch für R. Pesch[24] versteht sich die Entstehung des Evangeliums aus der Notwendigkeit, daß die Kirche in einer bestimmten Phase ihrer Geschichte und Predigt »einer geschichtlich-theologischen Identifikation ihrer Verkündigung und Lehre« bedurft hätte[25]. Markus sei abhängig von bereits ähnlich geprägten umfangreichen Überlieferungskomplexen, insbesondere von einer vormarkinischen Passionsgeschichte, für die ein relativ großer Umfang angenommen wird. Im Zwischenfeld der bezeichneten Positionen befinden sich andere Erklärungen, in denen sich das Gewicht bald mehr auf die eine oder die andere Seite verlagert und die oft beschrieben wurden[26]. Das Evangelium wurde auf mancherlei Weise benannt wie: »Geschichtsdarstellung« (Roloff), »Geschichtserzählung« (S. Schulz)[27], »Kerygma einer bestimmten Lage und Aufgabe« (E. Stegemann)[28], »Verkündigung als Bericht« (G. Strecker)[29], »indirekt Predigt, direkt Geschichtserzählung«, »epiphaniale Geschichte, Offenbarungsgeschichte«, »Dokument der Gemeindeunterweisung«, »Missionsbuch« (Pesch)[30].

Eine einseitig kerygmatisch bestimmte Erklärung des markinischen Evangeliumsbegriffs könnte zwar die Sammlung der Jesusüberlieferungen plausibel machen, nicht aber die Konzeption des Markusevangeliums als einer Darstellung des Wirkens Jesu von der Taufe bis zur Auferstehung. Sie ist besonders dann nicht überzeugend, wenn sie die Verkündigungsintention des Evangelisten auf eine punktuelle Situation ausgerichtet sein läßt. Dies ist bei Marxsen der Fall, für den das Evangelium gleichsam in letzter Stunde vor dem Anbruch der erwarteten Parusie von Markus verfaßt worden sei[31]. Das markinische Werk wäre aber dann schon fünf Jahre nach seiner Herausgabe nicht mehr aktuell gewesen. Eine einseitig historische Betrachtungsweise übersieht, daß Markus auch in der Sache des Evangeliums auf einem Übergang steht. Dies läßt sich durch folgende Beobachtung verdeutlichen: Der Begriff »Evangelium«, der Markus vorgegeben gewesen sein dürfte (1,15), aber von ihm in die Tradition eingebracht wird, hat mit Ausnahme von 1,1 ausschließlich mit der münd-

[23] 78.

[24] I,2.

[25] Das Zitat ist übernommen von Stuhlmacher, Evangelium I, 277 Anm. 2.

[26] Vgl. Roloff (Anm. 22) 73–78; Hengel(Anm.8) 326–331; Pesch I, 51–53.

[27] Stunde 9–46.

[28] Das Markusevangelium als Ruf in die Nachfolge (Diss. Heidelberg 1974 Msk.) 217.

[29] Zur Messiasgeheimnistheorie im Markusevangelium, StEv III/2 (1964) 87–104, hier 104.

[30] I, 51.59.29. Die vielen Namen deuten die Schwierigkeit, aber auch eine gewisse Verlegenheit an.

[31] Evangelist 66–77.

lichen Verkündigung zu tun. In 1,1 wird er zur Kennzeichnung des vorliegenden Werks, die angesichts der anderen εὐαγγέλιον-Stellen zu verstehen geben will, daß dieses für die Verkündigung geschrieben wurde. Das Urevangelium von 1Kor 15,3f (Tod und Auferstehung Jesu) ist bezüglich seines substantiellen Inhalts an entscheidender Stelle wiedergegeben (16,6). Die Struktur des Markusevangeliums ist – wie zu zeigen ist – so angelegt, daß alles auf Kreuz und Auferstehung hin ausgerichtet ist. Auch dies deutet an, daß Markus vom Kerygma bestimmt ist. Auf der anderen Seite schafft er etwas Neues, das als seine Eigenleistung, als der bestimmendere Faktor angesehen werden muß. Die bewußt den Eindruck eines chronologischen Handlungsablaufs vermittelnde Erzählfolge ist nur verständlich, wenn sie vom Wirken Jesu berichten, es als Geschichte darstellen will. Die Handlungsanschlüsse mögen durchweg so geprägt sein, daß sie recht unbestimmt erscheinen[32]; das in den Rahmen von Taufe bis Auferstehung gespannte Wirken ist Ausdruck dafür, daß dieses Wirken als ein vergangenes ernstgenommen und reflektiert wird. Auch die Konzeption des Messiasgeheimnisses weist in die gleiche Richtung, insofern hier Zeiten unterschieden werden (vgl. Exkurs). Die geschichtliche Reflexion als eine theologisch bestimmte fand der Evangelist bereits in der vormarkinischen Passionsgeschichte, die ihn beeinflußt haben kann, vor. Markus kann als theologischer Geschichtserzähler, nicht als literarischer Geschichtsschreiber vorgestellt werden[33]. Ist man sich der Begrenztheit summierender Begriffsbestimmungen bewußt, so kann sein Werk mit »Bericht als Verkündigung oder im Dienst der Verkündigung« umschrieben werden. Im Unterschied zu seinen perikopenhaften Vorlagen ist die Abfassung des Evangeliums nicht so unmittelbar an den Gemeindebetrieb gebunden und ihm entwachsen wie diese. Nur in einer gewissen, freilich nicht völligen Distanz war das Werk möglich. Zwar ist der »Schreibtischtheologe« erst eine Erfindung des 19. Jahrhunderts, zwar wurden die von Markus aufgenommenen Überlieferungen im Gemeindeleben verwendet und erprobt; was er jedoch schuf, wendet sich an ein größeres und weniger zeitbedingtes Publikum[34].

[32] Pesch I, 17–19 zählt im Anschluß an Theißen, Wundergeschichten 199, fünf Anschlüsse auf: Zeitanschluß, Ortsanschluß, Geschehensanschluß, Motivationsanschluß, zuständliche Einleitung. Hinzutritt der Wiederholungsanschluß. Vgl. ähnlich bereits Bultmann, Geschichte 363–365.

[33] Vgl. Hengel (Anm. 8) 323f und Anm. 10, der Kerygma oder Geschichte zu Recht als falsche Alternative apostrofiert.

[34] Literarische Analogien zum Evangelium lassen sich nur sehr bedingt vorweisen. S. Schulz, Die Bedeutung des Markus für die Theologiegeschichte des Urchristentums, StEv II, 1964 (TU 87) 135–145, hier 144, verwies auf die volkstümlichen ϑεῖος-ἀνήρ-Viten z. B. eines Apollonios von Tyana; Schweizer 8 auf die atl. Geschichtsbücher und das Buch Jona; F. G. Lang, Kompositionsanalyse des Markusevangeliums, ZThK 74 (1977) 1–24, auf das antike Drama. Man wird die Originalität des Evangeliums als einer christlichen Bildung zu respektieren haben.

2. *Theologie und Plan des Markusevangeliums*

Betrachtete die Formgeschichte die Synoptiker als Sammler und Tradenten, so entdeckte die Redaktionsgeschichte ihre theologische Eigenleistung. Diese wurde mit zunehmender Entwicklung der neuen Methode ständig gesteigert. Gegenwärtig schlägt das Pendel zurück. Man mahnt zur Rückkehr zur Formgeschichte[35] und/oder betrachtet Markus als konservativen Redaktor, der nur in stark begrenztem Rahmen und durch die überkommenen Traditionen geprägt sich redaktionelle Eingriffe in die Überlieferungen erlaubt hätte[36]. Man muß sich die Situation des Evangelisten vergegenwärtigen. Diese war eine ganz andere als die eines Gemeindebriefe verfassenden Apostels Paulus. Die primäre Intention des Markus bestand darin, Jesusüberlieferungen weiterzugeben. Seine Aufgabe war es, diese Überlieferungen in einen verbindenden Rahmen, das Evangelium, zu spannen. Das Evangelium sollte der Verkündigung der Kirche dienen. Das besondere Verfahren des Evangelisten bekommt man nur in den Griff, wenn man in gleicher Weise die Gestalt des Überlieferten und die Gesamtgestalt des Evangeliums, in das die Tradition mit redigierender Hand eingefügt wird, im Auge behält. Die Aufgabe ist nicht leicht und risikolos, wie die unterschiedlichen Resultate zeigen. Dies aber muß gesagt werden: Vorhandene Spannungen im Gesamttext, die auf das Konto der verschiedenen eingebrachten Traditionen gehen und die der Evangelist in Achtung des Überlieferten in Kauf nahm, dürfen den Blick für die Redaktionsarbeit nicht trüben. Der Evangelist hat auch sein eigenes Interesse und seine eigene Theologie: »he laid his theology over an existing theology, or theologies, in the tradition he received«[37]. Die Redaktionskritik ist prinzipiell auf dem richtigen Weg hinsichtlich des Verständnisses des Evangeliums. Dennoch wird man die redaktionelle Arbeit des Markus in ihren Grenzen sehen müssen. Markus ist ein gemäßigter Redaktor. Um ihn zu erfassen, sind drei Schritte erforderlich: Es werden zunächst Signale angezeigt, die der Evangelist gesetzt hat. Dann wird das theologische Konzept und schließlich ein Plan für das Evangelium aufgewiesen.

a) Der Evangelist Markus hat die Evangelienschreibung darin festgemacht, daß er der Wirksamkeit Jesu die Tätigkeit Johannes des Täufers vorordnet. Wir sehen Jesus zuerst bei diesem am Jordan. Das Ende sind Kreuz und Auferstehung. Dies sind sicher die historischen Daten von Jesu öffentlichem Auftreten. Wenn Jesus aber im ersten Drittel des Evangeliums in Galiläa wirkt, sich dann auf die Wanderschaft begibt, die in Jerusalem mit dem Tod abschließt, ist das ein künstlich geschaffener Rahmen, der die Ausrichtung des Weges auf das Ende in Jerusalem hin signalisiert. Daß Markus von der Passion her konzipiert, deuten die wiederholten Todesbeschlüsse der jüdischen Hierarchen an. Teilweise waren sie vorgegeben, teilweise sind sie redaktionell gebildet worden.

[35] Räisänen, »Messiasgeheimnis« 167f.
[36] Pesch I, 48–63.
[37] E. Best, Mark's Preservation of the Tradition, in: M. Sabbe, L'Évangile selon Marc, 1974 (BEThL 34) 21–34, hier 34.

Der erste Beschluß wird bereits am Ende der ersten Auseinandersetzungen mit Gegnern in Galiläa gefaßt (3,6); die folgenden reichen hinein bis in die Passionsgeschichte (11,18; 12,12; 14,1f.55). Jesu Weg ist vom Tod überschattet. – Das Gottessohn-Prädikat (vgl. den gleichnamigen Exkurs) faßt das ganze Evangelium in einer Inklusion zusammen (1,1.11; 15,39). Das ganze Gewicht trägt das Bekenntnis des römischen Kenturio, das als letzte christologische Akklamation das besondere Interesse des Evangelisten an der Gottessohn-Christologie bekundet. Es ist eine Art christologischer Summe, die alle vorausgegangenen Akklamationen und Anfragen, wer dieser sei, zusammenfaßt. G. Theißen hat von einem »aretalogischen Spannungsbogen« gesprochen[38]. Daneben sollte man aber nicht einen parallel laufenden Spannungsbogen übersehen. Der Grabesengel verkündet den Frauen die Osterbotschaft von Kreuz und Auferstehung (16,6). Auch diese war vorausgenommen in den Leidensankündigungen (8,31; 9,31; 10,33f). Zeichneten die Todesbeschlüsse der Gegner das Bedrohliche des Schicksals Jesu, so wollen die Leidensankündigungen verdeutlichen, daß Jesus um seinen Weg weiß, ihn in Gehorsam annimmt, die Jünger auf dieses Geschick vorbereitet und daß der Tod nicht das letzte Wort hat. – Ein Signal bedeutet auch die Beobachtung, daß die Jünger und Simon bzw. Petrus zu Beginn des Wirkens Jesu berufen werden (1,16–20) und in der letzten Perikope einen Auftrag erhalten (16,7). Auch dies kann als Inklusion gewertet werden, die anzeigt, daß für Markus die Jünger wichtig sind. – In den Sammelberichten (1,34; 3,7–12; 6,53–56) hat der Evangelist die Berichte von Jesu Heilungen und Exorzismen generalisiert und den Eindruck vermittelt, daß diese Tätigkeit noch einen größeren Raum in seinem Wirken einnahm. Parallel hierzu aber laufen generalisierende Aussagen, daß Jesus das Volk belehrt habe, ohne daß der Inhalt seiner Lehre mitgeteilt wird (1,21f; 2,13; 6,6b.34; 10,1). Beides wird man zusammensehen müssen, so daß sich die Frage stellt, wie sich Lehre und Heilungstätigkeit zueinander verhalten. Angeregt durch diese Beobachtungen und bestimmte Ergebnisse der Interpretation vorausnehmend, sollen jetzt einzelne Punkte des theologischen Konzepts des Markus vorgestellt werden.

b) Nach J. Roloff[39] bildet die *Jüngerthematik* das bei Markus am deutlichsten hervortretende Erzählungsgefälle. Dabei fällt auf, daß die über die Jünger abgegebenen Urteile gegensätzlicher Natur sind. Wie schon erwähnt, sind die Jünger die ersten, denen in den Berufungsgeschichten Jesu persönliches Wort gilt. Zwölf von ihnen werden in die besondere Nachfolge berufen und mit besonderer Vollmacht betraut (3,13–19). Sie empfangen das Geheimnis des Reiches Gottes (4,10f), werden von Jesus ausgesendet (6,7ff), sind Tischgenossen beim letzten Abendmahl (14,17ff). Von diesen Auszeichnungen heben sich ihr

[38] Wundergeschichten 212. Daneben kennt Theißen 214–221 ein mythisches Stufenschema und einen biografischen Spannungsbogen. Das erste basiert auf den Gottessohn-Aussagen, der zweite auf den Passionshinweisen.

[39] EvTh 27 (1969) 84. Vgl. auch W. Bracht, Jüngerschaft und Nachfolge, in: Kirche im Werden (hrsg. J. Hainz), Paderborn 1976, 143–165.

Unverstand und ihre Unfähigkeit, Jesus und sein Wort zu begreifen, scharf ab. Der oft wiederholte Tadel, der ihnen gilt, ist nach einhelliger Meinung der Forschung von Markus verschärft worden. Um nur einige Beispiele zu nennen: Sie begreifen die Parabeln nicht (4,13; 7,18), im Seesturm versagen sie (4,35–41) in gleicher Weise wie beim Seewandel Jesu (6,51f). Nach dem Messiasbekenntnis konzentriert sich ihre Begriffsstutzigkeit auf die Leidensfrage (9,32; 10,32). Auch die Zwölf werden hart gerügt (9,35), Judas wird als »einer von den Zwölfen« gekennzeichnet (14,10.20.43). Auch Petrus versagt schmählich (8,33), wenn auch diese Tradition vorgegeben ist. Es ist darum nicht zulässig, die Zwölf wegen des Tadels von den Jüngern abzuheben. Markus weiß aber um einen größeren Jüngerkreis (2,15), wie er auch gelegentlich von drei (5,37; 7,2; 14,33) bzw. vier (13,3) Jüngern sprechen kann, die Zeugen einer besonderen Begebenheit oder Belehrung werden. Das Nebeneinander von Versagen und hoher Berufung wird man nicht als Gedankenlosigkeit hinnehmen dürfen, da Markus den Tadel forciert. Die Zwölf sind für ihn jene, die als Zeugen des Lebens Jesu die Kontinuität zwischen der Zeit Jesu und der Zeit der Kirche abzusichern haben. Der Begriff des Apostolischen und der legitimen apostolischen Verkündigung ist in dieser Vorstellung schon implizit enthalten. Der Jüngerunverstand, der auch in den Rahmen des Messiasgeheimnisses gehört, lenkt zum Kreuz hin. Echte Jüngerschaft umfaßt das Bekenntnis zum Gekreuzigten (15,39), das die Bereitschaft zur Kreuzesnachfolge einschließt. Man hat den Grundtenor des Markusevangeliums von hier aus zu bestimmen versucht und es als Ruf in die Nachfolge charakterisiert[40]. Es wäre allerdings verfehlt, wollte man das Ausweichen der Jünger vor dem Kreuz als Kennzeichen einer historischen Auseinandersetzung verstehen, die Markus mit irgendwelchen Gemeinden, die das Bekenntnis zum Gekreuzigten abgelehnt hätten, geführt habe. Der Rückzug vor dem Kreuz ist eine bleibende Gefahr, und die Schwere der Kreuzesnachfolge ist beständig. So wird man in diesem Anliegen des Markus gerade etwas sehen dürfen, was die Evangelienschrift aus der engen Bindung an eine konkrete Situation hinaushebt. Die Jüngerthematik hängt mit der gleichfalls von Markus bevorzugten Thematik des Glaubens zusammen. Die Aufforderung zu glauben, ist in der einführenden Kennzeichnung der Predigt Jesu zu lesen (1,15). Jesus aber stößt auf Unglauben, auf Herzensverhärtung (3,5). Auch die Jünger haben stumpfe Sinne (8,17f), die Wunder Jesu decken den Unglauben auf (6,2). Man fordert von ihm ein Zeichen vom Himmel (8,10–13). Daneben bleibt die Forderung des Glaubens bestehen (11,22). Markus weiß auch um die Dialektik des Glaubens, vom Rest des Unglaubens im Glaubenden, und spricht vom Glauben Jesu, der alles vermag (9,23f). Er setzt gegen ein magisches Wunderverständnis den Glauben (5,27–34). Wiederum ist richtiger Glaube, dem die Ohren und Augen geöffnet werden (7,32–37; 8,22–26), nicht

[40] Vgl. Schweizer 211–216. Grundmann, Anhang 15 und Anm. 51, deutet den Jüngerunverstand als ein kirchenkritisches Element, als Ausdruck eines ekklesiologischen Notstandes, der besteht, solange es Gemeinde Jesu auf Erden gibt.

allein im Bekenntnis der messianischen Würde Jesu begründet (8,27–29), sondern jener Blinde sieht wirklich, der ihm nach Jerusalem nachfolgt (10,46–52). Die Wunderheilungen am Tauben und Blinden haben einen symbolischen Sinn. Die unter dem Kreuz Versammelten werden aufgeteilt in solche, die nicht glauben, und andere, die zum Glauben kommen (15,32.36.39) und zum Gekreuzigten stehen. Fragt man, warum gerade die Jünger aus ihrem Unverstand herausgelöst werden sollen, so betont Markus die Gnade Gottes. Jesus hat sie in souveräner Freiheit berufen (1,16–20), zu den Zwölfen machte er, »die er wollte« (3,13), Gott überträgt ihnen das Geheimnis des Reiches Gottes (4,11 passivum divinum). Gott vermag, das Unmögliche zu wirken (10,27). Wenn die Jünger, die in der Passion ihres Meisters gänzlich versagen, nach Ostern neu gesammelt werden, verdanken sie das der Gnade des auferstandenen Herrn, der ihnen nach Galiläa vorauszieht (14,28; 16,7). Die vom Evangelisten dem Leser vorgestellte Jüngerschaft, die es nachzuvollziehen gilt, lebt aus dem Zuvorkommen Gottes und ist in die Bewährung der Kreuzesnachfolge gestellt.

Ein weiteres theologisches Thema ist für Markus *Israel und das Gottesvolk*. Man darf sich dieses Anliegen nicht dadurch verstellen lassen, daß der ὄχλος, die Volksmenge, Jesus gegenüber weitgehend in der Rolle eines Statisten verharrt, die man mit der Rolle des Chores im antiken Drama verglichen hat. Jerusalem ist im Evangelium der Sitz des ungläubigen Judentums. Von dorther kommen die jüdischen Autoritäten, um Jesus zu fangen und auf die Probe zu stellen (3,22; 7,1). Das aus Jes 6,9f genommene Verstockungswort (4,12) wird man nicht ohne einen Bezug auf Israel verstehen können. Die Ablehnung, die Jesus in seinem Heimatort Nazaret erfährt (6,1–6), wird man in gleicher Weise für die Haltung der ungläubigen Juden nehmen müssen wie die scharfe Kritik an ihrer Gesetzespraxis in 7,1–23. Eine redaktionelle Parenthese bezieht ausdrücklich »alle Juden« in diese Kritik mit ein (7,3f). Ihre Speisegebote werden für Unsinn erklärt (7,19). Die Verdikte häufen sich im letzten Teil des Evangeliums. Der Tempel, der nur hier erwähnt wird, wird durchweg negativ beurteilt. Jesu Tempelprotest mit der Austreibung des Tempelmarktes gewinnt in Verbindung mit der Symbolhandlung der Verfluchung des Feigenbaums bedrohlichen Charakter (11,12–19). Markus hat den Tempelprotest als Abschaffung des Kultes durch Jesus verstanden. Wenn er im Jüngerkreis ein Glaubensgespräch anschließt (11,20ff), ist das auf dem Hintergrund des Jerusalemer Unglaubens zu sehen. Winzergleichnis und Vollmachtsanfrage (11,27–12,12) bedeuten einen Höhepunkt des Kampfes. Die Jerusalemer Streitgespräche führt Jesus im Tempelbezirk (12,13ff; vgl. 14,49). Diese schließen erneut mit einer scharfen Kultkritik (12,32f). Jesus sagt den Untergang des Tempels voraus (13,2), nach einem in den Synhedrialprozeß eingebrachten Wort als seine eigene Tat (14,58; vgl. 15,29). Nach der markinischen Passion sind es die jüdischen Hierarchen, die Jesus zum Tod verurteilen (14,64), und ist es das Volk, das auf Anstiftung der Hohenpriester von Pilatus die Kreuzigung verlangt (15,11–15). Die Auslieferung Jesu an den Heiden Pilatus und damit seine Ausstoßung aus dem jüdischen Volk geschieht auf offizielle Weise durch das Synhedrion, dessen Fraktionen der Evangelist in 15,1 eigens aufzählt. Die Bindung des Wirkens Jesu an das jüdische Volk bringt 7,27 zum Ausdruck, aber wohl auch die ausschließliche Verwendung des Davidssohn-Prädikats bei und in Jerusalem (10,48; 12,35–37; vgl. 11,10). Dieser negativen Seite entspricht eine positive Entwicklung, die Konstituierung eines neuen Gottesvolkes. Dieses soll aus den Völkern bestehen, denen das Evangelium verkündet werden muß (13,10). Aber schon am Beginn des Wirkens Jesu sammelt sich eine neue, geistige Familie um ihn, die den Willen seines Vaters tut (3,31–35). Die Zwölf, deren Aufgabe es ist, die Zeit Jesu mit der Zeit der Kirche zu verbinden, wird man als Keimzelle oder die Stammväter der neuen Gemeinschaft verstehen dürfen. Die Syrophönikierin ist ein Erstling aus den Heiden, der Jesus durch seinen Glauben überzeugt (7,24–30). Der Tempelprotest Jesu wird begründet mit dem Profetenwort, daß der Tempel ein Bethaus für alle Völker heißen soll (11,17). Die beißenden Vorwürfe, die das Gleichnis von den bösen Weingärtnern an die Hohenpriester, Schriftgelehrten und Ältesten richtet, sind gepaart mit der Verheißung, daß andere den Weinberg empfangen werden. Man wird dabei an das neue Volk Gottes zu denken haben. Der Kenturio unter dem Kreuz, dessen Zugehörigkeit zum Heidentum Markus bewußt war, spricht das letztgültige Bekenntnis im Evangelium. Ist das neue Gottesvolk für die Heidenvölker offen, so deutet der verständige Schriftgelehrte, der dem Reich Gottes nicht fern ist, an (12,34), daß auch Juden, die gläubig werden, in dieses Volk aufgenommen werden.

Markus greift die *Reich-Gottes-Predigt* der Jesusüberlieferung auf, versieht sie aber mit einer eigenen Note. Nach dem Summarium 1,14f verkündete Jesus die Nähe des Reiches Gottes. Die unmittelbare Nähe ist so zu begreifen, daß dieses Reich, obwohl endzeitlich-eschatologisch, sich bereits jetzt, im Wirken Jesu, zu verwirklichen beginnt. Die Zukunft bestimmt die Gegenwart, aber in einer Weise, daß das in der Zukunft Vollendete in der Gegenwart anteilhaft erfahren werden kann: in den Exorzismen, in denen der Starke bezwungen wird (3,24–27). Die Basileia Gottes soll man – in seinem Leben – aufnehmen wie ein Kind (10,15). Wegen ihres Gegenwartsbezugs hat die Basileia ein Geheimnis und ist sie selbst geheimnisvoll. Dieses Mysterion ist christologisch zu deuten und gehört in den Bereich des »Messiasgeheimnisses«. Mithilfe einer redaktionellen Verknüpfung bezieht der Evangelist die Verklärungsgeschichte auf ein Naherwartungslogion, das vom baldigen Anbruch der Gottesherrschaft in Vollmacht redet (9,1–8). Auch damit ist die christologische Komponente im Basileia-Begriff angedeutet. Die eschatologische Standortbestimmung des Evangelisten ist insbesondere mit dem 13. Kapitel verbunden. Man hat es als einen Fremdkörper empfunden angesichts des Mangels eschatologischer Aussagen im Evangelium oder uneschatologisch geprägter vormarkinischer Traditionen. Für Markus 13 bleibt zu beachten, daß apokalyptische Traditionen durch den Evangelisten entapokalyptisiert, historisiert werden durch die Verpflichtung zur weltweiten Verkündigung oder die Jüngerparänese (13,10–13).

In ähnlicher Weise hat Markus eine vormarkinische apokalyptisch geprägte Redaktion der Passionsgeschichte überarbeitet, wie im besonderen anhand des Kreuzigungsberichtes zu zeigen sein wird. Auch für Markus gilt es, für das Ende bereit zu sein und die Dinge vom Ende her zu beurteilen (vgl. außerhalb des 13. Kapitels 8,38; 14,61f). Den Akzent legt er aber auf die christliche Bewältigung der Gegenwart.

Als letztes soll in dieser Vorstellung der markinischen Theologie auf das *Täuferbild* aufmerksam gemacht werden. Markus hat Johannes endgültig als den Vorläufer Jesu begriffen und als solchen in das Evangelium eingefügt. Johannes trägt die Züge des Elija, dessen Wiederkunft man vor dem Auftreten des Messias im Judentum erwartete (9,9–13; 1,6). Vorläufer ist er aber nicht bloß durch seine Predigt, sondern auch durch sein gewaltsames Geschick (1,14; 7,17–29; 9,9–13). Diese schicksalhafte Solidarität mit Jesus wird vor allem für Markus der Anlaß gewesen sein, den Täufer in den »Anfang des Evangeliums« miteinzubeziehen. (Zu weitereren Aspekten der markinischen Theologie vgl. die Exkurse: Sohn Gottes, Galiläa, Wunder Jesu, Messiasgeheimnis, Parabeltheorie.)

c) Der Versuch, einen Plan für das Evangelium zu gewinnen, wird die unter Punkt a und b erwähnten Beobachtungen berücksichtigen. Eine Übersicht über die Ereignisfolgen ergibt dieses Bild: Johannes der Täufer und Jesus werden in 1,2–15 vorgestellt, wobei der Schwerpunkt auf Jesus ruht. Die erste Begebenheit nach dem Prolog ist die Berufung von vier Jüngern (1,16–20). Jesu Auftreten in Kafarnaum und Umgebung ist gekennzeichnet durch seine Lehre und Machttaten (1,21–39). Obwohl von der Lehre nur summarisch berichtet wird, steht diese in engstem Kontakt mit seinen Exorzismen und Heilungen. Letztere veranschaulichen die διδαχή. An einen Heilungsbericht (1,40–45) schließen sich die ersten Auseinandersetzungen mit verschiedenen Gruppen an, die im ersten Todesbeschluß der Pharisäer und Herodianer ausmünden (3,6). Diese Anfangskapitel vermitteln in einem sich steigernden Maß die Vorstellung, daß Jesu Wirken immer mehr Menschen an sich zieht (1,28.37.39.45; 2,2.13.16). Einen Höhepunkt bietet der Sammelbericht 3,7–12. Die Auswahl der Zwölf wendet sich wieder dem Jüngerkreis zu (2,13–19), gefolgt von Angriffen vonseiten Jerusalemer Schriftgelehrter und der Verwandten Jesu (3,20–35). Die große Seerede Jesu, in der er in Gleichnissen zum Volk spricht (4,1–34), bietet in ihrer Verbindung mit einem Zyklus von vier Wundern (4,35–5,43) wiederum das beabsichtigte Nebeneinander von Lehre und Machttaten. Der Besuch in Nazaret (6,1–6a) ist deutlich als Reaktion auf die vorausgehend erzählten Lehren und Wunder eingesetzt (6,2: ἡ σοφία . . . καὶ αἱ δυνάμεις). Erneut bietet die Aussendung und Rückkehr der Zwölf, die durch den Bericht vom Martyrium des Täufers unterbrochen wird, eine Jüngerszene (6,6b–29). Der Abschnitt 6,30–8,26 wechselt zwischen Volks- und Jüngerperikopen. Mit 8,27 ist eine Zäsur erreicht. Jesus spricht nach dem Messiasbekenntnis des Petrus zum erstenmal von seinem Leiden (8,31). Die Folge von 8,27–10,45 ist eindrücklich durch die drei Leidensweissagungen (8,31; 9,31; 10,32–34) geprägt. Die redigierende Hand des Evangelisten erkennt man daran, daß auf die Leidensansagen jeweils Erzählungen sich anfügen, die die Verständnislosigkeit der Jünger dokumentieren: das Aufbegehren des Petrus (8,32f), der Rangstreit der Jünger (9,32ff), die Bitte der Zebedäussöhne um die ersten Plätze (10,35–45). Die mit 8,27 aufgerichtete Zäsur bedeutet, daß im darauf folgenden Teil der Leidensgedanke in den Blickpunkt tritt und der Jüngerkreis noch größere Aufmerksamkeit erhält. Die Jüngerbelehrungen häufen sich (8,31–9,1; 9,9–13; 9,33–50; 10,41–45). Auch die Volksperikopen sind mit Jüngerbelehrungen versehen (10,10–12.13–16.23–31). Das gilt auch für die Wundergeschichte dieses Abschnitts (9,14–29, hier 28f). Die Erzählung von der Heilung des Blinden von Jericho wurde vom Evangelisten als Jüngergeschichte im Sinn des Nachfolgegedankens umgestaltet (10,46–52). Sie leitet zum Einzug in Jerusalem über (11,1–11), dem sich einige dramatische Szenen anschließen (11,12–25). Das Wirken Jesu in der Hauptstadt setzt sich aus Auseinandersetzungen mit unterschiedlichen Gegnern (11,27–12,37) und einer vertrauten Jüngerbelehrung über die Eschata zusammen (Kap. 13). 12,38–44 ist ein Zwischenstück. Alles aber ist zusammengehalten durch den Tempel, in dem die Handlungen spielen bzw. auf den sie ausgerichtet sind. Die Passionsgeschichte mit dem Ausblick auf das geöffnete Grab, in dem die Osterbotschaft verkündet wird, schließt ab (14,1–16,8).

Bei der Aufstellung eines Planes ist zuzugestehen, daß die Grenzen an manchen Stellen unscharf sind. So kann der Prolog (1,2–15) für sich, aber auch als Teil des ersten Abschnitts betrachtet werden. Manche Autoren verlegen die Zäsur von 8,27 auf 8,22[41], weil die Blindenheilung symbolisch das Petrusbekenntnis vorbereitet. Geht man davon aus, daß die Jüngerthematik das am deutlichsten hervortretende Erzählgefälle darstellt, schälen sich markante Jüngergeschichten als Eröffnungsperikopen von neuen Abschnitten heraus. Die Jüngerberufung eröffnet den ersten Teil (1,16–20). Mit dem Todesbeschluß in 3,6 ist eine Ereignisfolge zu einem gewissen Ziel gekommen. Besser aber als mit dem Sammelbericht 3,7ff läßt man den zweiten Teil mit der Wahl der Zwölf (3,13–19) beginnen. Da Jesu Auftritt in Nazaret (6,1–6a), wie wir sehen konnten, einen Schlußpunkt unter die Wundergeschichten setzt, kann man die Aussendung der Zwölf (6,6b–13) als guten Neuansatz werten. Die Jüngerbefragung mit dem Petrusbekenntnis ist die Peripetie (8,27–30). Vom Jünger ist

[41] Schweizer 214; Lang, ZThK 74 (1977) 12. Eine erschöpfende Übersicht über die verschiedenen Versuche, eine Gliederung für Markus zu gewinnen, bietet Pesch, Naherwartungen 48–53. Nicht selten werden recht künstlich wirkende Gliederungskriterien verwendet. So will Carrington in seinem Kommentar die mk. Einheiten mit einem jüdischen Festkalender kombinieren. Lang, ZThK 74 (1977) 1–24 sieht das Evangelium analog zu einem antiken Drama konzipiert. Pesch, Naherwartungen 54–82, versuchte, eine Gliederung mithilfe der Auszählung der Verse zu erstellen. Zu weiteren Versuchen vgl. auch H. Sawyer, The Markan Framework. Some Suggestions for a New Assessment, SJTh 14 (1961) 279–294; D. J. Hawkin, The Symbolism and Structure of the Markan Redaction, EvQ 49 (1977) 98–110. Nüchtern urteilt Bultmann, Geschichte 375: Das Petrusbekenntnis bilde den einzigen wirklichen Abschnitt.

jetzt eine neue Entscheidung für die Nachfolge, die Kreuzesnachfolge ist, gefordert. Die Jüngergeschichte vom Blinden am Weg nach Jerusalem (10,46–52) leitet den fünften Abschnitt ein. Die eschatologische Rede Jesu kann zu ihm gezählt werden. Den sechsten und letzten Abschnitt bildet der Passionsbericht. So ergibt sich folgende Aufteilung:

Das Initium (1,1–15)

1. Jesus wirkt vollmächtig vor allem Volk (1,16–3,12)
2. Jesu Lehre und Wunder (3,13–6,6a)
3. Auf unsteter Wanderschaft (6,6b–8,26)
4. Aufforderung zur Kreuzesnachfolge (8,27–10,45)
5. Das Wirken Jesu in Jerusalem (10,46–13,37)
6. Leiden und Sieg (14,1–16,8).

3. Verfasser, Abfassungsort und -zeit.

a) Das Evangelium nennt weder den Namen seines Autors noch tritt dessen literarisches Ich an irgendeiner Stelle hervor, wie das etwa im Lukas-Prolog der Fall ist (Lk 1,3: ἔδοξε κἀμοί). Die Anonymität der Verfasserschaft ist für das Verständnis des Werks zu berücksichtigen. Das Zurücktreten des Autors, der seinen Adressaten bekannt gewesen sein dürfte, hinter das Werk weist auf eine andere Autorität hin. Es ist die die Predigt der Kirche tragende Autorität des Wortes, das der Autor in seinen bereits vorhandenen vielfältigen Auslegungen einsammelt und im Evangelium neu zur Sprache bringen wollte. Bedenkt man dies, wird das Bemühen, den Autor namhaft zu machen, entsprechend relativiert. Wenn einige Jahrzehnte nach der Abfassung des Evangeliums ein Autor genannt wird, zeigt dies eine veränderte Situation an. Die Aussage des Bischofs Papias von Hierapolis († nach 120/130), der sich dabei auf einen Presbyter Johannes beruft, verfolgt apologetische Tendenzen. Es geht darum, die Autorität und das Ansehen des ältesten Evangeliums jetzt durch die indirekte Bindung an den Apostel Petrus sicherzustellen. Als Verfasser wird Markus vorgestellt, der »zum Dolmetscher des Petrus geworden, alles, woran er sich erinnerte, sorgfältig aufschrieb, freilich nicht der Reihe nach, sowohl die Worte als auch die Taten des Herrn. Denn er hatte den Herrn weder gesehen, noch war er ihm nachgefolgt, sondern erst später, wie ich bereits sagte, dem Petrus. Dieser richtete seine Lehrvorträge nach den Bedürfnissen (der Hörer), jedoch nicht so, als wollte er eine (fortlaufende und geordnete) Zusammenstellung der Herrenworte geben. Darum fehlte auch Markus nicht darin, daß er einiges so aufschrieb, wie er es im Gedächtnis hatte. Denn er war darauf bedacht, nichts von dem Gehörten wegzulassen oder falsch wiederzugeben«. Die Interpreten[42] dieser durch Euseb[43] überlieferten Aussage des Papias sind sich weitgehend in folgenden Punkten einig: Auf den Presbyter Johannes geht nur der erste Satz zu-

[42] Zur Interpretation des Papiaszitats vgl. T. Y. Mullins, Papias on Mark's Gospel, VigChr 14 (1960) 216–224; W. C. van Unnik, Zur Papias-Notiz über Markus, ZNW 54 (1963) 276–277; J. Kürzinger, Die Aussage des Papias von Hierapolis zur literarischen Form des Markusevangeliums, BZ 21 (1977) 245–264.

[43] h.e. III, 39,15.

rück. Das Folgende (ab dem Begründungssatz) ist Deutung des Papias, die das Verfahren des Markus entschuldigt, praktisch aber als seinen Vorzug erscheinen läßt. Der kirchengeschichtliche Hintergrund ist die Auseinandersetzung mit Irrlehrern, die behaupten, sie besäßen die legitimen Überlieferungen. Mit Markus ist der Jerusalemer Judenchrist Johannes Markus (Apg 12,12), der Begleiter des Apostels Paulus (Apg 13,5.13; Kol 4,10; Phlm 24) und Schüler des Petrus (1Petr 5,13) gemeint. Der Rückbezug auf die Erinnerungen an das von Petrus Vorgetragene setzt die Meinung voraus, daß Markus sein Evangelium nach Petri Tod vermutlich in Rom verfaßte. Einig ist man sich auch darin, daß alle anderen Zeugnisse über die Entstehung des ältesten Evangeliums aus der patristischen Zeit (Eirenaios von Lyon, Tertullian, Justin, Klemens von Alexandreia, Kanon Muratori, Hieronymus)[44] von Papias abhängig sind, so daß dieser letztlich der einzige selbständige Zeuge ist. Unterschiedlich wird der Ausdruck »Dolmetscher (ἑρμηνευτής) des Petrus« gedeutet. Entweder bezieht man ihn auf eine Dolmetschertätigkeit des Markus, bei der dieser die aramäischen Reden des Petrus ins Griechische übersetzt habe, oder auf die Abfassung des schriftlichen Evangeliums, mit dem Markus die Reden vermittelt hat[45]. – Durch das Evangelium selbst wird die Auffassung des Papias weder bestätigt noch wiederlegt. Das am häufigsten vorgetragene Argument für die Auffassung des Papias ist, daß eine sekundäre Überlieferung sich direkt auf einen Apostel und nicht einen Apostelschüler berufen hätte. Gegen sie sprechen der Eindruck, daß der Verfasser des Evangeliums keine besondere Ortskenntnis Palästinas besaß, was vorab in den Kapiteln 6–8 zum Ausdruck kommt, und die Form zahlreicher in das Evangelium eingegangener Traditionen, die deren langjährigen Gebrauch in der Gemeindeunterweisung erkennen läßt. Nach R. Pesch[46] ist Papias bzw. dessen Gewährsmann von 1Petr 5,13 abhängig und der Evangelist Markus ein von Johannes Markus zu unterscheidender Judenchrist, der von Palästina nach Rom gekommen sei. Die These kompliziert den Befund unnötig und macht den Evangelisten Markus nahezu zu einem Doppelgänger des Johannes Markus. Entweder ist Johannes Markus der Autor, oder die durch Papias belegte Auffassung wurde erschlossen einmal aus 1Petr 5,13, zum anderen aus der Tatsache, daß Petrus im ältesten Evangelium immer wieder hervortritt. Das hohe Alter nicht weniger markinischer Überlieferungen wird durch diese These nicht in Frage gestellt[47].

b) Eine indirekte weitgehende Übereinstimmung in der Forschung bezüglich

[44] Die Belege werden in den Einleitungen vorgestellt. Vgl. etwa J. Schmid, Einleitung in das NT, Freiburg [6]1973, 210–216.

[45] Die zweite Auffassung begründet Kürzinger (Anm. 42) ausführlich.

[46] I, 3–11. Nach Pesch liegt eine beabsichtigte Verwechslung zweier namensidentischer Personen vor.

[47] Die Meinung von K. Niederwimmer, Johannes Markus und die Frage nach dem Verfasser des zweiten Evangeliums, ZNW 58 (1967) 172–188, hier 183f, der Autor des Evangeliums sei ein Heidenchrist gewesen, trifft nicht zu. Weder dürfte ein Heidenchrist den Zugang zu den palästinischen Traditionen noch dürfte er in dieser Zeit die entsprechende Autorität besessen haben. Zu distanzierten Aussagen über das Judentum ist ein ehemaliger Jude durchaus fähig.

des Abfassungsortes des Markusevangeliums besteht darin, daß man das Werk für heidenchristliche Gemeinden abgefaßt sieht. Wo sind diese zu suchen? Neben Galiläa[48], der Dekapolis, Tyrus und Sidon[49], Syrien[50] wird im Anschluß an die Tradition vor allem Rom genannt[51]. Die Mannigfaltigkeit der im Evangelium vorhandenen Traditionen spricht gegen Galiläa. Die Rom-Hypothese wird mit dem Hinweis auf zahlreiche Latinismen zu bekräftigen versucht. Der eindrücklichste ist 12,42, wo die Interpretation einer Münze im Anschluß an das römische Münzsystem erfolgt. Man sollte die Rom-Hypothese nicht durch weitreichende Spekulationen belasten. So betrachtet S.G.F. Brandon[52] das Markusevangelium als aus einer Auseinandersetzung mit der Jerusalemer Christenheit heraus entstanden, in welcher der in Rom sitzende Markus sich durch die Theologie des Apostels Paulus, des Deserteurs von Jerusalem, beeinflußt zeigt. Das Problem der Paulinismen im ältesten Evangelium ist inzwischen eindeutig negativ entschieden worden[53]. Eine Abfassung des Evangeliums *in* Rom ist möglich, *für* die römische Gemeinde weniger wahrscheinlich. Vielleicht formuliert man vorsichtiger: für die Heidenchristen des Westens[54].

c) Auf sichererem Boden stehen wir in der Bestimmung der Abfassungszeit. Das entscheidende Kriterium ist der Jüdische Krieg mit der Tempelzerstörung. Alle Interpreten gruppieren ihre Meinung um dieses Ereignis, sind aber geteilter Auffassung, wenn zu entscheiden ist, ob das Markusevangelium vor, in oder nach dem Krieg entstanden ist[55]. Es hängt darum viel von der Interpretation des 13. Kapitels ab. Wir werden bei dessen Erklärung sehen, daß es den Untergang des Tempels voraussetzt, ein Ereignis, das aber noch nicht lang der Vergangenheit angehören kann. Vielhauer hält auch 12,9 und 15,38 für Hinweise auf die Katastrophe Jerusalems[56]. Terminus ad quem ist die Abfassung des Mattäus- und Lukasevangeliums. Markus schrieb bald nach dem Jahr 70, vielleicht in den ersten drei Jahren danach, das Evangelium. Mit ein Anstoß für

[48] W. Marxsen, Einleitung in das NT, Gütersloh 1963, 128: »in oder in der Nähe von Galiläa«.

[49] S. Schulz, Stunde 9; J. Schreiber, Die Christologie des Markusevangeliums, ZThK 58 (1961) 154–183, hier 183, Anm. 2.

[50] W. G. Kümmel, Einleitung in das NT, Heidelberg [13]1964, 55; P. Vielhauer, Geschichte der urchristlichen Literatur, Berlin 1975, 347.

[51] Grundmann 18; W. Michaelis, Einleitung in das NT, Bern [3]1961, 55; Pesch I, 12–14.

[52] The Fall of Jerusalem and the Christian Church, London 1951, 185–205.

[53] Das grundlegende Werk ist M. Werner, Der Einfluß der paulinischen Theologie im Markusevangelium, Gießen 1923. Zur neueren Diskussion vgl. K. Romaniuk, Le problème des paulinismes dans l'Évangile de Marc, NTS 23 (1976/77) 266–274.

[54] Ähnlich Niederwimmer (Anm. 47) 187.

[55] Einige Beispiele: nach Marxsen, Einleitung 129, wurde das Evangelium während des Krieges, in den Jahren 67–69, abgefaßt; nach A. Farrer, A Study in St. Mark, London 1951, 365f, vor dem Fall Jerusalems und nach Ausbruch der Neronischen Verfolgung in den Jahren 65–69; nach Michaelis, Einleitung 56, nach dem Tod des Petrus und vor der Katastrophe Jerusalems zwischen 64–70; nach Pesch I, 14 nach dem Jahr 70; nach Schmid, Einleitung 220f, um 70. Für eine höchst unwahrscheinliche Frühdatierung um 60 plädiert A. J. Stacpoole, A Note on Dating St. Mark's Gospel, Scrip 16 (1964) 106–110.

[56] (Anm. 50) 347.

die Niederschrift kann der Tod des Petrus gewesen sein, nicht im Sinn des Papias-Zeugnisses, aber als Alarmzeichen dafür, daß die in den Gemeinden vorhandenen Jesusüberlieferungen bewahrt werden müssen[57].

[57] Ältere Quellenscheidungshypothesen und neuere Hypothesen über sekundäre Redaktionen des Mk haben sich als unzutreffend erwiesen. Hierzu vgl. Schmid, Einleitung 215f.

B Kommentar

Das Initium (1,1-15)

Literatur: Seitz, O. J. F., Praeparatio Evangelica in the Markan Prologue, JBL 82 (1963) 201–206; *Keck, L. E.*, The Introduction to Mark's Gospel, NTS 12 (1965/66) 352–370; *Pesch, R.*, Anfang des Evangeliums Jesu Christi, in: Die Zeit Jesu (FS H. Schlier), Freiburg 1970, 108–144; *Dautzenberg, G.*, Die Zeit des Evangeliums, BZ 21 (1977) 219–234.

Das Verständnis des Initiums eines Werks ist bedeutungsvoll für das Verständnis des Ganzen. Markus hat auf seine Weise sein Werk eröffnet. Die anderen Evangelisten sind ihm darin nicht gefolgt, denn sie beginnen mit einer Kindheitsgeschichte Jesu (Mt/Lk) bzw. einem »Prolog« (Lk/Joh). Umstritten ist, wie weit die Eröffnung reicht, ob bis 13 oder 15. Kompositionelle Überlegungen sprechen eher für das letztere[1]. 1–15 ist gliederungsmäßig und aufgrund terminologischer Verknüpfungen ein zusammengehöriger Abschnitt. Die Wirksamkeit Johannes' des Täufers und die Wirksamkeit Jesu werden miteinander verknüpft. Dabei wird der Täufer als der Vorläufer Jesu gesehen. Die Täufertätigkeit wird eingeleitet mit einem atl. Zitat, das als an Jesus gerichtetes Gotteswort aufgefaßt ist (2f). Johannes wird so beschrieben, daß sein Wirken (4–6) von seinem Künden abgehoben ist (7f). Diese Dreiteilung hat ihre Entsprechung in 9–15. Jesus wird nach seiner Taufe durch Johannes vom Himmel her als Gottessohn vorgestellt (9–11), wird anschließend vom Satan in der Einöde versucht (12f) und beginnt dann in Galiläa seine Predigt, die in einem Summarium zusammengefaßt wird (14f). Die Entsprechungen sind jeweils am Anfang im Gotteswort und am Schluß in der Verkündigung gut erkennbar. Die Mittelteile korrespondieren miteinander nur vage. Die Abhängigkeit von Überlieferungen verschiedenster Art ermöglichte keine glatte Parallelisierung.

Die theologische Geprägtheit des Abschnitts, die bereits im zweimaligen Gotteswort zum Ausdruck kommt, setzt sich darin fort, daß der Sohn-Gottes-Titel die beherrschende christologische Aussage ist (s. unten). Damit ist das für Markus entscheidende christologische Bekenntnis gleich am Anfang formuliert (1 und 11). Ferner binden die Begriffe »Evangelium« (1 und 14f, Inklusion) und κηρύσσειν (4.7 und 14) das Ganze zusammen. Jesus, der Gottessohn, verkündet das »Evangelium Gottes« und überbietet die Predigt des Täufers, der nur die Bußtaufe anzusagen und auf den Stärkeren hinzuweisen hat. Traditionskritisch kann man 2–15 nicht als eine dem Evangelium bereits vorgegebene Einheit auffassen[2]. Diese Meinung scheitert daran, daß man nicht

[1] Mit Keck* 358f; Pesch, Anfang 109–111; Seitz*. Bis 13 grenzen ab: Grundmann; Lohmeyer; Taylor; Robinson, Geschichtsverständnis 12; bis 11: Feneberg* 195. Eine Abgrenzung bis 8 wird heute nicht mehr erwogen.

[2] Gegen Pesch, Anfang, mit Dautzenberg, Zeit des Evangeliums 225–231.

sinnvoll erklären kann, was der Abschnitt als vorgegebener und isolierter für eine Funktion zu erfüllen hatte. Er ist nur als Initium eines größeren Werks verständlich und darum von Markus komponiert worden. Dieser fügte verschiedene Traditionen zusammen.

1. *Die Wirksamkeit Johannes des Täufers (1,1–8)*

Literatur: Yates, J. E., The Form of Mark 1,8b, NTS 4 (1957/58) 334–338; *Marxsen, W.*, Evangelist 17–32.77–101; *Best, E.*, Spirit-Baptism, NT 4 (1960) 236–243; *Gnilka, J.*, Die essenischen Tauchbäder und die Johannestaufe, RdQ 3 (1961) 185–207; *Ortega, A.*, Nueva Visión de Marcos 1,3–4, Salm 9 (1962) 599–607; *Vielhauer, P.*, Tracht und Speise Johannes des Täufers, in: *ders.*, Aufsätze zum NT, 1965 (TB 31), 47–54; *Boismard, M. E.*, Evangile des Ebionites et problème synoptique, RB 73 (1966) 321–352; *Neirynck, F.*, Une nouvelle théorie synoptique, EThL 44 (1968) 141–153; *Feneberg, W.*, Der Markusprolog, 1971 (StANT 36); *Schnackenburg, R.*, Das »Evangelium« im Verständnis des ältesten Evangelisten, in: Orientierung an Jesus (FS J. Schmid), Freiburg 1973, 309–324; *Kelliott, J.*, Ho baptizōn and Mark 1,4, ThZ 31 (1975) 14–15; *Arnold, G.*, Mk 1,1 und Eröffnungswendungen in griechischen und lateinischen Schriften, ZNW 68 (1977) 123–127; *Slomp, J.*, Are the Words »Son of God« in Mark 1,1 Original? BiTr 28 (1977) 143–150.

1 **Anfang des Evangeliums Jesu Christi des Gottessohnes.** 2 **Wie geschrieben ist bei Jesaja, dem Profeten: »Siehe, ich sende meinen Boten vor deinem Angesicht, der deinen Weg bereiten wird.** 3 **Stimme eines Rufers in der Wüste: Bereitet den Weg des Herrn, machet gerade seine Pfade!«.**
4 **Johannes der Täufer trat auf in der Wüste und verkündete die Bußtaufe zur Vergebung der Sünden.** 5 **Und ganz Judäa zog zu ihm hinaus und alle Jerusalemer, und sie wurden von ihm im Jordanfluß getauft und bekannten ihre Sünden.** 6 **Und Johannes trug ein Gewand aus Kamelhaaren und einen ledernen Gürtel um seine Hüfte und aß Heuschrecken und wilden Honig.** 7 **Und er verkündete so: Es kommt, der stärker ist als ich, hinterdrein. Ich bin nicht wert, ihm gebückt den Riemen seiner Sandalen aufzulösen.** 8 **Ich taufte euch mit Wasser, er aber wird euch mit heiligem Geist taufen.**

Analyse Nach der Überschrift in 1 folgt ein atl. Zitat, das mit einer für Markus singulären Einleitungsformel eingeführt wird (vergleichbar sind καθὼς γέγραπται mit präpositionalem Zusatz 9,13; 14,21. »Jesaja profezeite« 7,6). Obwohl als Jesajazitat bezeichnet, wird Jes 40,3 nur in 3 geboten. 2b ist ein Mischzitat aus Mal 3,1 und Ex 23,20, hat aber in Mt 11,10/Lk 7,27 seine Parallele (Q-Tradition)[3]. Da auch 7f sich mit der Q-Version berühren (vgl. Mt 3,11/Lk 3,16), wird man 2b und 7f im Zusammenhang zu sehen haben[4]. Beide Zusätze verfolgen die Absicht, die Vorläuferrolle des Täufers gegenüber dem Messias Jesus sicherzustellen. Das Mischzitat ist ein Gottesspruch an diesen Messias, 7f bieten die christologische Predigt des Johannes. Dieser ist allerdings nicht – wie in Q – der Vorläufer des kommenden Menschensohnes, sondern der Vorläufer des irdischen Jesus. Beide Zusätze sind auf das Konto des Evangelisten, nicht einer vormarkinischen Redaktion zu setzen[5]. Dies ergibt sich aus der Präzisierung der Vorläuferrolle im genannten Sinn, aber auch aus der theologischen Zielsetzung, die für Markus wichtig ist und darum von ihm gleich zu Beginn eingebracht wird, sowie aus der Absicht, 1–8 und 9–15 durch Gottessprüche am Anfang zu parallelisieren.

3–6 sind (mit der Einführungsformel in 2a) ein geschlossener Bericht, dessen Eigenheit darin besteht, daß er die gesamte Wirksamkeit eines Menschen beschreibt und noch keine erkennbarn christlichen Züge trägt. Theologisch geprägt ist er durch das Jesajazitat, das mit der Bemerkung »in der Wüste« in 4 eigens aufgegriffen wird[6]. Die Wüste, die anders als im masoretischen Text auf den Rufer bezogen ist und zum Jordanfluß (wie zu 12) in Konkurrenz steht, ist als theologischer Topos und nicht als konkreter Hinweis auf die Araba zu verstehen[7]. Die vormarkinische Überlieferung zeichnet den Täufer noch nicht als Vorläufer des Messias Jesus, sondern des Kyrios (= Gottes). Dies dürfte dem Selbstbewußtsein des historischen Täufers entsprechen[8]. Erst durch die markinische Redaktion wird der Kyrios in 3 mit Jesus identifiziert[9]. Das Jesaja-Wort verschob also die Vorläuferfunktion noch nicht vom Kommen Gottes auf das Kommen des Messias. Die Sektenregel von Qumran bestätigt diese Sicht (1QS 8,12–16). Auch hier ist Jes 40,3 auf den Auszug in die Wüste als Vorbereitung auf das Kommen Gottes bezogen. Die Verknüpfung des Täuferwirkens mit der

[3] Mt + ἐγώ, Mt/Lk + ἔμπροσθέν σου. Dies veranlaßte entsprechende Varianten im Mk-Text.

[4] Mit Pesch, Anfang 122; Klostermann; Robinson, Geschichtsverständnis 121f. – Suhl, Funktion 134–136; Marxsen, Evangelist 18; Schmidt, Rahmen 18, halten 2f für Mk-R. Nach Hahn, Hoheitstitel 379, ist das Maleachizitat das ältere. Dieses habe Jes.40,3 als Parallelaussage an sich gezogen. Lohmeyer rechnet mit der Möglichkeit, daß Mk von einem Florilegium von Bibelzitaten abhängig sei.

[5] Gegen Pesch, Anfang 122.

[6] Hahn, Hoheitstitel 378, und Wellhausen sehen darin zu Recht einen Hinweis auf einen vormarkinischen Redaktor. Diese »Kommentierung« eines atl Textes ist im Mk singulär. – Im vormarkinischen Text besteht ein engerer Zusammenhang zwischen 2a (Einführungsformel), φωνή (3) und ἐγένετο Ἰωάννης (4), der herausstellte, daß Johannes diese »Stimme eines Rufers in der Wüste« war. Vgl. Ortega*.

[7] Mit Schmidt, Rahmen 23, anders Pesch, Anfang 118.

[8] Vgl. Grundmann, Lukas 105. Nach Braun, Qumran II, 12f, hat Johannes den Endrichter angesagt, nach Schweizer, ThWNT VI, 396f, den messianischen Richter (Menschensohn?), nach J. Becker, Johannes der Täufer und Jesus von Nazaret, 1972 (BSt 63) 34–37; Pesch I, 84 den Menschensohn. Zum Kommen Gottes vgl. LXX Am 5,17; Sach 2,14; Jes 30,27; 36,17 usw.

[9] Der Jesaja-Text stimmt bis auf den Schluß mit LXX überein. Die Abwandlung von τοῦ θεοῦ ἡμῶν in αὐτοῦ ist Mk-R. zuzuschreiben. τοῦ θεοῦ ἡμῶν dringt in D it, im lateinischen Eirenaios wieder in den Text ein.

Wüste und Jes 40,3 gibt eine qumranverwandte Mentalität wieder[10]. Diese kann allerdings nicht dem historischen Täufer zugemutet werden, wohl aber seiner späteren Gemeinde, der wir wohl die vormarkinische Überlieferung im wesentlichen verdanken. Markus hat wahrscheinlich sein Vorzugswort κηρύσσων in 4 eingefügt und das Partizip βαπτίζων mit einem Artikel versehen und damit zu einer Apposition gemacht. Der Vers begann demnach ehemals: ἐγένετο Ἰωάννης βαπτίζων ἐν τῇ ἐρήμῳ βάπτισμα μετανοίας . . .[11]. Durch das Künden wird das Wirken des Täufers verchristlicht.

Die Gerichtspredigt des Täufers hat Markus nicht übernommen. 7f hat er gegenüber der Q-Fassung abgewandelt. 7a bietet Mt 3,11 in einer originaleren Form. Wenn Markus das Partizip ὁ ἐρχόμενος in ἔρχεται umwandelt und dies an den Anfang setzt, artikuliert sich seine Historisierungstendenz[12]. Es kommt ihm vor allem auf die Gegenüberstellung von Wassertaufe des Johannes und Geisttaufe des Messias an[13]. Dabei ist die zeitliche Differenz wichtig (Aorist-Futur), die in 14 aufgegriffen wird. Die Geisttaufe hebt auf die christliche Taufe ab. Die Feuertaufe wurde gestrichen[14].

Erklärung
1

Markus will das Folgende als Evangelium verstanden wissen. Prädikatlose Sätze sind als Anfänge biblischer Bücher bekannt (Spr 1,1; Hld 1,1; Koh 1,1). Markus begnügt sich aber nicht mit der Charakterisierung »Evangelium«, sondern kennzeichnet eigens dessen Anfang. Marxsen hat hier den mit Gott gegebenen Anfang angezeigt gesehen und dies mit der Rückwärtskomposition des Evangelisten begründet, in der eine Linie von Jesus über den Täufer und das Alte Testament bis zu diesem Anfang zurückverfolgt werden könne[15]. Wenn Markus auch die Vorordnung des Täufers und die des Alten Testaments, die er bereits in seinen Traditionen vorfindet, bestätigt, muß der Anfang enger an das Evangelium gebunden und als ein geschichtlicher aufgefaßt werden[16]. Das Evangelium, das nur hier und in 1,14 mit einer Genitivverbindung verknüpft, sonst aber absolut gebraucht ist (1,15; 8,35; 10,29; 13,10; 14,9), ist stets auf die Verkündigung ausgerichtet. Es schließt die Wirksamkeit des Johannes mit ein, und gerade sie ist sein Anfang. Vers 1 ist darum Zusammenfassung des gesamten markinischen Werks, nicht Überschrift des Buches, sondern Benen-

[10] Anders Braun, Qumran II, 16f, der den Zusammenhang von Wüstentheologie und Jes 40,3 als verbindendes Element zu wenig beachtet.

[11] Mk hat κηρύσσειν 12mal, Mt und Lk je 9mal. Vgl. Apg 19,4: ἐβάπτισεν βάπτισμα μετανοίας und H. Thyen, Βάπτισμα μετανοίας εἰς ἄφεσιν ἁμαρτιῶν, in: Zeit und Geschichte (FS R. Bultmann), Tübingen 1964, 97–125, hier 97, Anm. 3. Anders Pesch, Anfang 118. V 4a ist textlich uneinheitlich überliefert. Gegen The Greek NT[3] ist mit ℵ L Δ zu lesen ἐγένετο Ἰωάννης ὁ βαπτίζων ἐν τῇ ἐρήμῳ καί. In B 33 fehlt καί, in A K 565 und anderen Minuskeln der Artikel vor βαπτίζων.

[12] Vgl. Hoffmann, Studien 24f.

[13] Ob Mk die beiden Sätze 7f, die Mt 3,11 par ineinandergeschachtelt sind, auseinandernahm, oder ob Q verschränkte, läßt sich schwer feststellen. Wahrscheinlicher ist das erstere.

[14] Zur Q-Redaktion vgl. Hoffmann, Studien 19–33.

[15] Evangelist 88.

[16] Vgl. Schnackenburg, Evangelium 321–323. Die Palette verschiedenster Deutungsvorschläge zu ἀρχή ist vorgestellt bei A. Wikgren, ΑΡΧΗ ΤΟΥ ΕΥΑΓΓΕΛΙΟΥ, JBL 61 (1942) 11–20.

nung seines Inhalts[17]. Der Täufer ist gänzlich usurpiert, weil er in das christliche Evangelium aufgenommen ist.
Wie gehört Jesus in das Evangelium hinein? Grammatisch formuliert lautet die alte Streitfrage, ob der Genitiv Ἰησοῦ Χριστοῦ das Subjekt oder Objekt des Evangeliums bezeichnet. Man wird beide Aspekte zu berücksichtigen haben[18]. Markus will von Jesus Christus berichten und macht die Überlieferungen von dessen Worten und Taten zum Inhalt seiner Verkündigung. Daß Berichtetes auftaucht, ist nicht als »fast zufällig«[19], sondern als Ausdruck des empfundenen Zeitabstandes und Einholung des geschichtlich Erinnerten zu werten[20]. Darin liegt das Neue des Verständnisses des in der Missionsterminologie beheimateten Begriffs Evangelium, wie es bei Paulus vorzufinden ist. Jesus Christus ist aber nicht bloß der geschichtlich Erinnerte, sondern auch der von Kreuz und Auferstehung Bestimmte. Darum ist er auch Subjekt des Evangeliums. Dieses repräsentiert ihn[21]. Das markinische Evangelium ist Bericht als Verkündigung[22]. Der Zusatz »um des Evangeliums willen«, angehängt an »um meinetwillen« in 8,35 und 10,29, verdeutlicht beides: die zeitliche Differenz und die Repräsentanz Jesu im Evangelium[23]. Der Gottessohn als Bestimmung des schon zum Eigennamen gewordenen Jesus Christus und damit auch als Bestimmung des Evangeliums ruft das Bekenntnis des Hauptmanns unter dem Kreuz auf den Plan: »Wahrhaftig, dieser Mensch war Gottessohn« (15,39). Es spannt sich ein Bogen vom ersten Satz zu dieser Confessio am Schluß[24]. Sie beschreibt die adäquate Reaktion auf das Hören des Evangeliums Jesu Christi des Gottessohnes.
Die Streichung von υἱοῦ θεοῦ in manchen Textzeugen erklärt sich aus der ungewöhnlichen Charakterisierung des Evangeliums. Gerade dies spricht für ihre Ursprünglichkeit[25].

[17] Mit Haenchen, Weg 39.
[18] Schnackenburg, Evangelium 322 unterscheidet zwischen einer sprachlichen und einer sachlichen Entscheidung. Sprachlich liege ein gen. obj. vor, sachlich seien die objektive und subjektive Bedeutung in Betracht zu ziehen. Diese Unterscheidung ist kaum möglich.
[19] So Marxsen, Evangelist 87.
[20] Dies betonen Kertelge, Wunder Jesu 193; Pesch, Anfang 138; Schnackenburg, Evangelium 323.
[21] Marxen, Evangelist 85. Jedoch ist die Formulierung Marxsens von der Aufhebung des historischen Abstandes unter Betonung und Beibehaltung des geschichtlichen Bezuges mißverständlich, wenn dabei das Berichthafte weitgehend relativiert wird.
[22] Vgl. G. Strecker, Zur Messiasgeheimnistheorie im Markusevangelium, StEv III,2 (1964) 87–104, hier 104, der nur den Akzent anders setzt.
[23] Keck* 357 bezieht das Evangelium auf die christliche Gemeinde und läßt diese in 10,29 durch das Evangelium vertreten sein.
[24] Zur Bedeutung von 15,39 vgl. Theißen, Wundergeschichten 211–221. Dautzenberg, Zeit des Evangeliums 229, möchte den Doppelnamen Jesus Christus titular verstehen und auf die messianische Verkündigung Jesu abgehoben sehen. Der Genitiv sei ein subjectivus und bezeichne Jesus als den Verkünder des Evangeliums vom Reich Gottes (223f). Dazu vgl. zu 1,14f.
[25] Gegen Slomp*. Zu beachten ist das Fehlen des Artikels in 1,1 und 15,39. Burkill, Revelation 10, bemerkt, daß nomina sacra von den Textabschreibern abgekürzt wurden und so leicht ausgelassen werden konnten. υἱοῦ θεοῦ fehlt in ℵ* Θ und bei Origenes und wird geboten von BDW und den lateinischen Handschriften.

2 Leitete vormarkinisch die LXX-Formel καθὼς γέγραπται[26] LXX Jes 40,3 ein, so ist für den Evangelisten das Mischzitat von größerer Bedeutung. Es gibt ihm die Möglichkeit, den eben genannten Gottessohn von Gott angeredet sein zu lassen. Zudem kann er mit seiner Hilfe die Beziehung des Täufers zum Profeten Elija herstellen.
Gott hat vor Zeiten in den Schriften die Vorläuferschaft des Johannes normativ festgelegt. Die LXX-Einführungsformel, die als Ausdruck der Gesetzessprache reich belegt ist und die Norm bezeichnet, kann noch nicht im Sinn des Verheißung-Erfüllung-Schemas verstanden werden[27]. Das Berichtete entspricht der Schrift. Anredecharakter gewinnt das Zitat durch Aufnahme von Ex 23,20: »Siehe, ich sende einen Engel vor deinem Angesicht«. Angeredet ist dort das Volk Israel, dem Gott einen Engel als Schützer auf dem Weg in das Land Kanaan zusagt. Dieses Zitat ist aber bei Markus Mal 3,1 untergeordnet: »Siehe, ich sende meinen Boten, daß er den Weg bereite vor mir.« Schon in Mal 3,23f wird als dieser Bote Elija genannt, der kommen soll vor dem großen und furchtbaren Tag des Herrn. In der jüdischen Exegese wurde Elija bald als Vorbote Jahwes, bald als Vorbote des Messias angesehen[28]. Auch wurde dort Mal 3,1 mit Ex 23,20 kombiniert[29]. Diese Kombination will wohl besagen, daß die Ereignisse des Exodus sich in der Endzeit wiederholen werden[30]. Wenn Markus das Mischzitat auf die Ankunft des irdischen Jesus bezieht, so knüpft er an das Verständnis von Q an, für das die Wiederkunft des Menschensohnes Jesus im Blickpunkt stand. Der Täufer ist der erwartete Elija.

3 Jes 40,3 ist mit dem Mischzitat vor allem durch den Gedanken der Wegbereitung verwandt. Das zitierte Wort steht am Beginn des Buches Deuterojesaja, wo dem Volk die Heimkehr aus dem babylonischen Exil in Aussicht gestellt wird[31]. Die Bereitung der Gottesstraße lehnt sich wahrscheinlich an die Götterprozession in Babel an. Jahwe aber ist nicht als Götterbild präsent, das durch die Straßen getragen wird, sondern im Zug des heimkehrenden Volkes gegenwärtig und wirksam. Nach dem hebräischen Text ruft die Stimme: »In der Wüste bereitet den Weg für Jahwe! Richtet in der Öde eine Straße unserem Gott!« Im Targum[32] wird an die Stelle Jahwes das Volk gesetzt: »In der Wüste bereitet den Weg für das Volk Jahwes! Richtet in der Öde eine Straße für die Versammlung unseres Gottes!« Aber erst die LXX bietet einen Text, der eine Übertragung auf den Täufer ermöglicht, weil sie die Ortsbestimmung auf die Stimme bezieht: »Stimme eines Rufers in der Wüste: Bereitet den Weg des Herrn!« Im jüdischen Schrifttum ist diese Variante auch in anderen Zusammenhängen nachweisbar[33], so daß mit ihrer weiteren Verbreitung zu rechnen ist. Die von

[26] LXX 4Kön 14,6; 23,21; 2Chr 23,18; 25,4; Tob 1,6; TestL 5,4.

[27] Vgl. Bauer, Wörterbuch 330; Schrenk, ThWNT I, 747f; Suhl, Funktion 134–137. An das Erfüllungsschema denkt Robinson, Geschichtsverständnis 15–20.

[28] Billerbeck IV, 779–798.

[29] Billerbeck I, 597.

[30] Schürmann, Lukasevangelium I, 416f.

[31] Vgl. C. Westermann, Jesaja 1966 (ATD 19) 29–35.

[32] J. F. Stenning, The Targum of Isaiah, Oxford 1949, 130f.

[33] Billerbeck I, 96f; II, 154.

Johannes geleistete Wegbereitung bestand darin, daß er angesichts des drohenden Endes das Volk zur Umkehr rief. Da Markus von der Gerichtspredigt nichts berichtet, wird die Wegbereitung ganz im Sinn der Vorläuferschaft interpretiert, die auf den messianischen Kyrios ausgerichtet ist[34]. Es bestätigt sich, daß jetzt nicht mehr auf dem Jesajazitat, sondern auf Vers 2 der Ton liegt[35].

4 In Anlehnung an das Jesajazitat von der Stimme eines Rufers wird die Tätigkeit des Johannes als κηρύσσειν beschrieben. Dies rückt ihn in die Nähe Jesu (1,14.38f.), der Jünger (3,14; 6,12), des Evangeliums (13,10; 14,9), der Glaubensboten (1,45; 5,20; 7,36). Die christliche Färbung des Begriffs im Makrotext sieht man, wenn man seine seltene Verwendung bei den Profeten zusätzlich bedenkt[36]. Johannes weist darauf hin, daß die eschatologische Zeit bevorsteht, in der das Evangelium verkündet wird. Er verkündet die Bußtaufe zur Vergebung der Sünden. Die seine Tätigkeit prägende Taufe hat ihm den Beinamen »Täufer« eingebracht[37]. Auch das von Markus bevorzugte ὁ βαπτίζων[38] ist hier als solcher aufzufassen. Die zahlreichen Textvarianten resultieren daraus, daß man dies nicht beachtete[39]. In der Wüste hat nach der Schrift das Auftreten des Johannes zu erfolgen. An einer präzisen geografischen Angabe ist der Erzähler nicht interessiert. Darum kann man auch nicht davon ausgehen, daß Johannes das Volk nach einer Sammlung in der Wüste an den Jordan geführt habe, um es zu taufen[40]. Die Wüste ist der Ort, wo sich Gott bzw. der Messias offenbaren wird.

Johannestaufe – historisch beurteilt

Die Taufe des Johannes stellte etwas Neues dar. Dies lag einmal darin, daß Johannes taufte, zum anderen bestand das Neue in der Hinordnung der Taufe auf das bevorstehende göttliche Endgericht, von dem Markus jedoch nicht redet. Im Unterschied zur Proselytentaufe war der Täufer aktiv bei der Taufspendung beteiligt. In welcher Form, läßt sich nicht mehr sagen. Seine Rolle überschritt jedoch die eines qualifizierten Zeugen[41]. Im Unterschied zu den essenischen Tauchbädern, mit denen die Johannestaufe in mancher Hinsicht übereinstimmt, war diese ein einmaliger Akt[42]. Die Übernahme der Taufe war öffentliche Kundgabe der Buß- und Umkehrbereitschaft. Dabei war vorausgesetzt, daß die Zugehörigkeit zum Volk Israel nicht hinreicht, um das Heil zu erlangen. Die mit der Taufe verbundene, von Gott gewährte Sündenvergebung ist vermutlich so zu verstehen, daß diese in erster Linie an die Buße und nicht an den Waschungsritus gebunden war[43]. Die Taufe wäre dann das Siegel auf die Vergebung, die der Täufling für

[34] Lohmeyer bestreitet diese Ausrichtung und möchte den mark. Abschnitt auf das Kommen Gottes orientiert sehen.

[35] Darin ist ein Proprium des Mk-Berichts zu sehen. Die Parallelen Mt 3,3; Lk 3,4–6; Joh 1,23 zitieren nur Jes 40, ebenfalls Just Dial 88,7.

[36] LXX Hos 5,8; Mich 3,5; Joel 1,14; 2,1.15; 3,9; Zef 3,14; Sach 9,9; Jes 61,1. – Lohmeyer vermutet, daß der prägnante Gebrauch des Wortes von Jes 61,1f herrührt.

[37] Vgl. Jos, Ant 18,116. Zum Bericht des Josephus über den Täufer vgl. R. Schütz, Johannes der Täufer, 1967 (AThANT 50), 13–128.

[38] Mk 6,14.24. ὁ βαπτιστής 6,25; 8,28.

[39] Zum vormarkinischen Text vgl. oben Anm. 6.

[40] Haenchen, Weg 41, Anm. 6, erwägt dies als Intention des Erzählers.

[41] Vgl. Gnilka* 197–200. Gegen H. G. Marsh, The Origin and Significance of NT Baptism, Manchester 1941, 74; Wellhausen.

[42] Vgl. Gnilka* 187–205.

[43] Man sollte nicht wie Grundmann von einem eschatologischen Sakrament sprechen, auch nicht davon, daß die Johannestaufe in das eschatologische Gottesvolk aufnimmt. Diese

seine Umkehr empfing. Dies legt die Analogie des essenischen Tauchbades nahe, das ohne Umkehr als nutzlos angesehen wurde: »Nicht wird er schuldlos durch Sühneriten, kann sich nicht reinigen durch Reinigungswasser . . . Unrein, unrein bleibt er, solange er die Satzungen Gottes verachtet, sich nicht unter Zucht stellt in der Einung seines Rates« (1QS 3,4–6). Vorbild für die Johannestaufe, die wiederum die christliche Taufe beeinflußte, war nicht die jüdische Proselytentaufe, deren zeitliche Einordnung umstritten ist[44]. Eher kommen die rituellen Waschungen der Priester des Tempels in Frage[45], zu dem der Täufer wahrscheinlich in Opposition stand.

5 Die Reaktion des Volkes auf die Predigt des Johannes war eine gewaltige. Ganz Judäa und alle Jerusalemer zogen zu ihm hinaus. Von einer mächtigen Volksbewegung berichtet auch Josephus (Ant 18,118). Weil Markus im Gegensatz zu Lukas mit Judäa stets die südliche Provinz meint (3,7; 10,1; 13,14), ist die Wirksamkeit des Täufers auf den Süden konzentriert. Galiläa, das Predigtgebiet Jesu, wird nicht erfaßt. Die uneingeschränkte Annahme der Botschaft durch das Volk (πᾶσα–πάντες) dürfte übertrieben sein, aber das Jesajawort veranschaulichen wollen. Die Taufe durch Johannes erfolgt im fließenden Wasser des Jordan. Wieder ist auf eine präzisere geografische Angabe verzichtet (vgl. Joh 1,28; 3,23). Beim Empfang der Taufe bekennt der Täufling seine Sünden. Die Bußtaufe zielt ja auf deren Vergebung durch Gott. Das Sündenbekenntnis kann man sich nach Art jener Sündenbekenntnisse vorstellen, die in Qumran beim Bundeserneuerungsfest (1QS 1,22–2,1) oder im Judentum am Versöhnungstag oder bei anderer Gelegenheit gesprochen wurden[46]. Dabei war es umstritten, ob man die sündigen Taten einzeln aufzählen sollte oder nicht[47].

6 Es folgt die Beschreibung der Lebensweise des Johannes, seiner Kleidung und Ernährung. Trug er ein Gewand aus Kamelhaaren oder aus einem Kamelfell[48]? Letzteres bedeutete eine Verletzung der jüdischen Reinheitsvorschriften. Das textlich besser bezeugte Kamelhaarkleid ist die Gewandung des Wüstenbewohners und schwerlich eine Anspielung auf den Mantel des Profeten Elija[49].

Assoziation hängt vermutlich mit der Ableitung der Taufe aus der Poselytentaufe zusammen.

[44] Älteste Erwähnung Pes 8,8. Für eine vorchristliche Datierung: J. Jeremias, Die Kindertaufe in den ersten vier Jahrhunderten, Göttingen 1958, 39f; Billerbeck I,103f; H. H. Rowley, Jewish Proselyte Baptism and the Baptism of John, HUCA 15 (1940) 313–334 (314–320). Für eine nachchristliche Datierung: W. Michaelis, Zum jüdischen Hintergrund der Johannestaufe, Judaica 7 (1951) 81–120 (100–120); T. M. Taylor, The Beginning of Jewish Proselyte Baptism, NTS 2 (1955/56) 193–198.

[45] Auch N. A. Dahl, The Origin of Baptism, in: Interpretationes ad Vetus Testamentum (FS S. Mowinckel), Oslo 1955, 36–52. Zu den verschiedenen Ableitungen der Johannestaufe vgl. Gnilka* 185–187. – Feneberg* 160–174 leitet Johannes- und christliche Taufe aus den Waschungen des orthodoxen Judentums ab. Wenn sich auch das Äquivalent für βαπτίζειν in den Qumranschriften nicht findet, bleibt der Buß- und Umkehrgedanke ein wichtiges Bindeglied zwischen Johannestaufe und Qumran. Für F. stellt sich in Mk 1,4f die Johannestaufe als Abbild der christlichen Taufe und Johannes als Initiator derselben dar. Dagegen sprechen die oben gegebene traditionsgeschichtliche Analyse und Vers 8, in dem die Johannestaufe erheblich relativiert wird.

[46] Billerbeck I,113f.

[47] R. Jehuda b. Bathyra (um 110) bejahte dies, R. Aqiba († um 135) verneinte es.

[48] D liest δέρριν καμήλου und streicht den Ledergürtel. Letzteres bevorzugt Burkill, Revelation 12.

[49] Hengel, Charisma 39, Anm. 71, stellt diesen Bezug her aus einer Kombination von Sach 13,4 und 2Kön 1,8.

Noch weniger wahrscheinlich ist eine Bezugnahme auf Adam, dem nach einer rabbinischen Tradition Gott ein solches Kleid verfertigte[50]. Beim Täufer kennzeichnet das »härene Gewand« den Profeten, der nach Sach 13,4 dieses trug. Der Ledergürtel um die Hüfte wurde über dem Gewand getragen und meint keinen Lederschurz. Man wird aus dieser Angabe nicht den Schluß ziehen dürfen, daß der historische Täufer sich als Elija redivivus verstand[51]. Dazu ist sie zu allgemein. Der Zusammenhang ist auch nur über die LXX bzw. eine jüdische Auslegungstradition nahegelegt. Der Ledergürtel gehört zur normalen Tracht des Bauern und Beduinen[52]. Erst im Licht des Mischzitates in 2 könnte man die Vermutung haben, daß der Ledergurt auf Elija anspielt[53]. Jedenfalls ist die Deutung des Täufers von der Elijagestalt her christliche Interpretation. Wer nur ein Gewand und einen Gurt besaß, galt als arm[54]. Heuschrecken, die im Salzwasser gekocht und auf Kohlen geröstet werden, und wilder Honig gehören zur Nahrung des Wüstenbewohners[55]. Weil keine anderen Nahrungsmittel genannt werden, ist damit die asketische Lebensform des Täufers gekennzeichnet (Mt 11,18). Diese unterstreicht seine rauhe Gerichtspredigt. Darum braucht man ihn nicht als Kulturfeind oder Vegetarier abzustempeln[56].

7 Die messianische Predigt des Täufers, die Markus aus Q-Überlieferung bezieht, bietet das Bildwort vom Stärkeren und die Gegenüberstellung der Wasser- und Geisttaufe. Vorangestelltes ἔρχεται historisiert die Aussage vom ἐρχόμενος (Mt 3,11 = Q). Sie wird in 9 wieder aufgegriffen: ἦλθεν Ἰησοῦς[57]. So wird die Ankündigung des Täufers zum unmittelbaren Übergang zur Jesusgeschichte. Der später Kommende ist der Stärkere[58]. Dies veranschaulicht das Bild vom Lösen bzw. Ausziehen der Sandalen. Möglicherweise war in Q vom Nachtragen der Sandalen die Rede (Mt 3,11). Nach Ket 96a sollte der Schüler alle Arbeiten, die der Sklave seinem Herrn tut, seinem Lehrer tun, mit Ausnahme des Lösens des Schuhwerks[59]. Im Bild die historische Reminiszenz an ein ehemaliges Lehrer-Schüler-Verhältnis des Täufers zu Jesus, das hier umgekehrt sei, zu sehen, erscheint kaum gerechtfertigt[60]. Sicher aber wird man 7 nicht als ursprüngliches Täuferwort ansprechen dürfen. Die Ansage des bevorstehenden göttlichen Gerichts ließ in der Täuferpredigt den Vergleich mit dem kommenden Richter nicht zu. Erst der Vergleich mit einer historischen Bezugsperson ermöglichte das Bildwort, das eine christliche Bildung ist[61]. Markus verstärkt die Distanz, indem er »gebückt« einfügt.

50 Billerbeck I,97f.

51 Gegen Hengel, Charisma; mit Vielhauer* 53.

52 Dalman, Orte und Wege Jesu 93, Anm. 1; Vielhauer* 52f.

53 Positiv Pesch, Anfang 120; Robinson, Geschichtsverständnis 17; Grundmann, Schweizer; zurückhaltend Hahn, Hoheitstitel 378.

54 Hengel, Charisma.

55 Dalman, Orte und Wege Jesu 92.

56 Eine bis ins Ebioniterevangelium zurückreichende Tradition will den wilden Honig als pflanzliches Produkt verstehen. Dazu Dalman 92 und Anm. 4. Zum wilden Honig vgl. Ri 14,8; 1Sam 14,25; Ps 81,17; Spr 25,16; Dtn 32,13.

57 Hoffmann, Studien 24.

58 μου nach ὀπίσω ist mit B zu streichen. Lohmeyer bestreitet den zeitlichen Sinn von ὀπίσω, gerät aber mit einem räumlichen Sinn in erhebliche Schwierigkeiten.

59 Billerbeck I,121.

60 Gegen Hoffmann, Studien 32f.

61 Hoffmann, Studien 24.

8 Die Gegenüberstellung der Taufen stellt die Stärke des Stärkeren heraus. Johannes hat seine Tätigkeit abgeschlossen. Die Aoristform ἐβάπτισα blickt auf 4f zurück. Die Taufe mit heiligem Geist, die der Stärkere spenden wird, überbietet die Wassertaufe des Täufers. Die Vorstellung von der eschatologischen Geistausgießung ist im Alten Testament und nachbiblischen Judentum vorbereitet (Joel 3,1f) und auch als Besprengung beschrieben worden (1QS 4,21; Ez 36,25f). Die Glieder der christlichen Gemeinde haben diesen Geist bei der Taufe empfangen[62]. Die im folgenden geschilderte Taufe Jesu ist hierfür Ursprung und Vorbild. Unserem Satz liegt ein Täuferwort zugrunde, das gelautet haben wird: »Ich taufe mit Wasser, er (bzw. der Kommende) wird mit heiligem Geist und Feuer taufen«[63]. Bereits in der Q-Überlieferung trat die Anrede (doppeltes ὑμᾶς) hinzu (Mt 3,11 par)[64]. Diese läßt im unklaren, wer die Adressaten sind, weil Geist- und Feuertaufe nicht dieselben Empfänger haben können. Sie läßt aber die Johannestaufe zur Bestätigung der eigenen christlichen Bruderschaft werden, die sich im Geistbesitz weiß. Man hat Feuer und Geist trennen und den Täufer nur das eine oder andere aussagen lassen wollen[65]. Beides bedeutet eine ungerechtfertigte Verkürzung, weil die Feuertaufe allein den Täufer zum reinen Unheilsprofeten werden und die Geisttaufe allein seine Gerichtspredigt in den Hintergrund treten läßt. Das Bild von der Taufe mit Feuer ist ohne Parallele[66] und darum auf die Verbindung mit der Geisttaufe angelegt. Der Geist ist nicht als Sturm und Begleiterscheinung des Gerichts zu interpretieren, sondern ist der rettende heilige Geist[67]. Die Johannestaufe ist Antezipation der eschatologischen Geisttaufe und als solche geeignet, vor dem Feuergericht zu bewahren. Geist und Feuer sind als rettende und zerstörende Macht ebenfalls verbunden in Joel 3,1–5; 1QS 4,13 und 21. Wenn Markus die Feuertaufe streicht und die endzeitlich-eschatologische Spitze der Täuferpredigt abbricht, so überläßt er ganz Jesus die Ansage der endzeitlichen Eschata (Kap. 13).

Zusammenfassung

Faßt man die markinischen Intentionen in der einleitenden Täuferperikope zusammen, so ist vor allem darauf hinzuweisen, daß Johannes in der Rolle des Vorläufers Jesu gesehen ist. Die Ausklammerung seiner eschatologischen Gerichtsbotschaft läßt die Ankündigung des Stärkeren, der schon gekommen ist, noch mehr hervortreten. Diese Verzahnung der Täufertätigkeit mit dem Auf-

[62] Feneberg* 179 bestreitet diesen sekundären Bezug (»durch nichts gerechtfertigt«), zieht diese Bestreitung 180 aber wieder etwas zurück.

[63] Die Vermutung, daß anstelle von αὐτός das titulare Partizip ὁ ἐρχόμενος zu lesen war, äußert Hoffmann, Studien 25. Isoliert wäre der Satz sonst in seinem zweiten Teil ohne ein klares Subjekt.

[64] Mit Lohmeyer.

[65] Für die Feuertaufe allein plädiert neuerdings wieder Hoffmann, Studien 28–31, für die Geisttaufe allein Schürmann, Lukasevangelium I, 175–177. Zur Diskussion vgl. noch E. Best, Spirit-Baptism, NT 4 (1960) 236–243; A. Hamman, Le baptême par le feu, RevSR 8 (1951) 285–292; Gnilka* 204f.

[66] Vgl. Schürmann, Lukasevangelium I, 176f und Anm. 104.

[67] Das Attribut ἁγίῳ ist kein christliches Interpretament (vgl. 1QS 4,21). Darum ist 4Esr 13,10.27 keine Parallele. Mt 3,12 par wird auch zwischen Vernichtung und Rettung unterschieden.

treten Jesu ermöglicht es, in Johannes den Anfang des Evangeliums zu erblikken. Damit hat dieser endgültig seinen Platz in der christlichen Heilsbotschaft zugewiesen bekommen.

2. *Die Taufe Jesu (1,9–11)*

Literatur: Braun, H., Entscheidende Motive in den Berichten von der Taufe Jesu von Markus bis Justin, ZThK 50 (1953) 39–43; *Cranfield, C. E. B.*, The Baptism of our Lord. A Study of St. Mark 1,9–11, SJTh 8 (1955) 55–63; *Feuillet, A.*, Le symbolisme de la colombe dans les récits évangéliques du baptême, RevSR 46 (1958) 524–544; *Feuillet, A.*, Le baptême de Jésus d'après l'évangile selon s. Marc, CBQ 21 (1959) 468–490; *Schlier, H.*, Die Verkündigung der Taufe Jesu nach den Evangelien, in: Besinnung auf das NT, Freiburg 1964, 212–218; *Seethaler, P.*, Die Taube des Heiligen Geistes, BiLe 4 (1963) 115–130; *Weber, A.*, Die Taufe Jesu als Anfang nach Eusebius von Cäsarea, ThPh 41 (1966) 20–29; *Sabbe, M.*, Le baptême de Jésus, in: De Jésus aux Évangiles, Gembloux 1967, 184–211; *Bretscher, P. G.*, Exodus 4,22–23 and the Voice from Heaven, JBL (1968) 301–312; *Marshall, J. H.*, Son of God or Servant of Yahweh? A Reconsideration of Mark 1,11, NTS 15 (1968/69) 326–336; *Feuillet, A.*, La personnalité de Jésus entrevue à partir de sa soumission au rite de repentance du précurseur, RB 77 (1970) 30–49; *Keck, L. E.*, The Spirit and the Dove, NTS 17 (1970/71) 41–67; *Lentzen-Deis, F.*, Die Taufe Jesu nach den Synoptikern, 1970 (FTS 4); *Vögtle, A.*, Die sogenannte Taufperikope Mk 1,9–11. Zur Problematik der Herkunft und des ursprünglichen Sinnes, EKK.V IV, 1972, 105–139; *Richter, G.*, Zu den Tauferzählungen Mk 1,9–11 und Joh 1,32–34, ZNW 65 (1974) 43–56; *Hartmann, L.*, Taufe, Geist und Sohnschaft, in: *Fuchs, A.*, Jesus in der Verkündigung der Kirche, 1976 (SNTU 1), 89–109.

9 **Und es geschah in jenen Tagen, daß Jesus von Nazaret in Galiläa kam und im Jordan von Johannes getauft wurde.** 10 **Und sofort stieg er aus dem Wasser und sah die Himmel sich spalten und den Geist wie eine Taube auf sich herabschweben.** 11 **Und eine Stimme erscholl aus den Himmeln: Du bist mein geliebter Sohn, an dir habe ich Wohlgefallen.**

Analyse

Die Perikope bestand unabhängig von der vorausgehenden. Formal wird dies durch den Neuansatz in 9 »und es geschah in jenen Tagen«, aber auch dadurch angezeigt, daß die Taufe im Jordan durch Johannes nochmals beschrieben wird[1]. Dabei liegt keine völlige Übereinstimmung der Wörter und der Wortfolge mit 5 vor. Markus hat außer dem Eintrag von Galiläa keine erwähnenswerten Veränderungen vorgenommen. Nazaret fand er schon in seiner Vorlage, die er in diesem Zusammenhang brachte, vor[2]. An Ortsnamen hat er kein redaktionelles Interesse, wohl aber an Galiläa (vgl. Exkurs 2). Damit wird ex-

[1] Schmidt, Rahmen 29.

[2] Gegen Marxsen, Evangelist 35. Ob die Ortsangabe zum Verb oder zum Subjekt zu ziehen ist, ist umstritten. Wahrscheinlicher ist das erstere.

plizit gemacht, daß Jesus aus einer anderen Gegend kommt als die zum Täufer strömenden Scharen.

Unabhängig von der markinischen Redaktion besteht die Frage, ob die Perikope auf einer früheren Traditionsstufe umgestaltet wurde. Diese Möglichkeit wurde vor allem für die Gottesstimme in 11 in Betracht gezogen. Dibelius[3] meint, daß sie ursprünglich gelautet habe: »Du bist mein Sohn, heute habe ich dich gezeugt« (Ps 2,7), und kann sich hierbei auf den westlichen Text für par Lk 3,22 berufen. Für die markinische Vorform kann jedoch diese Version nicht in Anspruch genommen werden. Für die zweite Hälfte der Gottesstimme ist man weithin der Auffassung, daß in ihr Jes 42,1 zitiert werde[4]. Trifft dies zu, so erfolgte die Zitation entweder in Anlehnung an den masoretischen Text oder eine griechische Übersetzung, die auch Mt 12,18 überliefert wurde. Mt 12,18 aber bietet den Gottesknechttitel: ἰδοὺ ὁ παῖς μου. Dies kann ein Hinweis darauf sein, daß auch in der ersten Hälfte der Gottesstimme einmal vom Knecht die Rede war[5]. Die Vermutung erfährt eine Stütze durch Joh 1,34, wo der Zusammenhang der Taufstimme mit Jes 42,1 ebenfalls gewahrt ist: »Dieser ist der Auserwählte Gottes.«[6] Jes 42,1 fährt fort: »Ich lege meinen Geist auf ihn«. Die Perikope hätte dann davon berichtet, daß Jesus der von Gott erwählte Knecht ist, der gemäß der deuterojesajanischen Vorausschau mit dem Geist ausgerüstet wurde. Die Nähe von »Knecht« und »Sohn« ist hinlänglich bezeugt, etwa durch das Weisheitsbuch (LXX Weish 2,13.16.18)[7]. In einem hellenistisch geprägten Milieu wurde der Gottessohntitel wichtiger. Der Name »Knecht« für Jesus wurde zurückgedrängt und hat sich besonders in liturgischen Texten erhalten (Did 9,2f; 10,2). Durch den Austausch der Prädikate rückt die Perikope in ein neues Licht[8]. Der Gottessohntitel begünstigt in Verbindung mit der Geistbegabung eine Wesensaussage, wenn diese auch noch nicht vorliegt. Es ist nicht anzunehmen, daß der Vergleich mit der Taube auch erst später erfolgte, etwa zu dem Zweck, der Geistausstattung einen qualitativen Sinn zu verleihen[9]. Gerade der Vergleich (ὡς) bleibt ganz im apokalyptischen Horizont, der auch sonst die Geschichte geprägt hat, und ist somit alt. Auch absolutes τὸ πνεῦμα ist in diesem Rahmen möglich, wie 1QS 4,6 bestätigt[10].

[3] Formgeschichte 271.

[4] Abgelehnt von P. Vielhauer, Erwägungen zur Christologie des Mk, in: ders., Aufsätze zum NT, 1965 (TB 31) 205f. Für Vielhauer ist die Basis des Satzes Ps 2,7. Wie erklärt sich aber dann der Eintrag von ὁ ἀγαπητός?

[5] J. Jeremias, ThWNT V 699; Hahn, Hoheitstitel 340.

[6] Vgl. R. Schnackenburg, Johannesevangelium I, 1965 (HThK), 305.

[7] Dalman, Worte Jesu 226–230 (weitere Belege).

[8] ὁ ἀγαπητός drückt in Verbindung mit παῖς den Erwählungsgedanken aus, in Verbindung mit υἱός die Einzigkeit des Sohnes. Vgl. LXX Gen 22,2.12.16; Jes 44,2.

[9] So Hahn, Hoheitstitel 342f.

[10] Bultmann, Geschichte 268; Vielhauer (Anm. 4) 206, werten absolutes τὸ πνεῦμα als Zeichen für hellenistische Bildung. Dagegen bringt weitere Belege aus dem palästinischen Judentum Keck* 59. Wellhausen glaubt, daß in der vormarkinischen Fassung φωνή Objekt zu εἶδεν gewesen sei. Hierzu könnte man auf Offb 1,12 verweisen. Die Vermutung bleibt jedoch unsicher.

Erklärung

9

In der Perikope sind geschichtliches Ereignis und apokalyptische Vision verbunden. Das geschichtliche Ereignis ist die Taufe Jesu durch Johannes. Es bewahrt vor dem Mißverständnis, die apokalyptische Vision isoliert zu betrachten. Die Vision offenbart dem Leser, wer Jesus ist. Dieser betritt ja mit 9 den Handlungsrahmen des Evangeliums. So erfahren wir zunächst, daß er der Mann aus Nazaret ist. Für Markus ist wichtig, daß der Ort, dessen Name hier fällt, in Galiläa liegt. Aber Nazaret ist hier als der Ausgangspunkt gefaßt, von dem Jesus »in jenen Tagen« kam. Die Zeitbestimmung, zwar unbestimmt, verfeierlicht den Auftritt. Sie deutet nicht die Tage des Messias an, ist sie doch vom Standpunkt des Erzählers in die Vergangenheit gerichtet (wie 8,1)[11].

Historische Beurteilung

Die Taufe Jesu gehört nach der überwiegenden Meinung der Forschung zu den gesichertsten Daten des Lebens Jesu. Sie bereitete der Gemeinde zunehmende Schwierigkeiten, die in den anderen Evangelien erkennbar sind[12]. Wie konnte der »Stärkere« von seinem Herold getauft werden? Sollten diese Schwierigkeiten schon die Markusfassung bestimmt haben? Nicht apologetische, sondern historische Überlegungen veranlassen neuerdings Haenchen, die Historizität der Taufe Jesu in Zweifel zu ziehen. Im wesentlichen sind es zwei Gründe: 1. das Gottesbild des Täufers stimmt nicht mit dem jesuanischen überein. Der Täufer erwartet den strengen Richter, der Leistungen fordert. Jesus ruft die Gnade Gottes aus und radikalisiert von hier aus seine Forderung. 2. Die Johannestaufe war der Gefahr ausgesetzt, als magisch wirkendes Sakrament im Sinn der Durchsetzung eigener Ansprüche vor Gott mißverstanden zu werden[13]. Oben (zu V 4) wurde gezeigt, daß für die Johannestaufe ein billiges opus operatum auszuschließen ist. Der Gott Jesu aber war in der Tat anders. Von einem inneren Wandel oder einem Bekehrungserlebnis erfahren wir nichts[14]. 10f kann hierfür jedenfalls nicht beansprucht werden. Der Gegensatz zum Täufer reicht aber für eine Rivalität nicht aus, auch nicht für eine Ablehnung seiner Predigt und Taufe[15]. Daß Jesus sich taufen ließ, bleibt das bei weitem Wahrscheinlichere. Über seine Motive erfahren wir nichts.

10

Nach der Taufe steigt Jesus sogleich aus dem Wasser. Dies steht in erzählerischer Relation zum Herabsteigen des Geistes (ἀναβαίνων – καταβαῖνον) und ist letzter Teil der Taufe[16]. Es bereitet nicht die Vision vor[17], sondern verdeutlicht, daß das Kommen des Geistes nicht Wirkung der Johannestaufe ist. Die

[11] Gegen Lentzen-Deis* 31. Handelt es sich um eine liturgisierende Formel? Ganz anders ist sie Mk 13,24 verwendet.

[12] Vgl. Mt 3,13–15; Lk 3,21. Joh 1,30–34 läßt die Taufe Jesu ganz weg.

[13] Weg 58–63.

[14] U. Wilckens, Das Offenbarungsverständnis in der Geschichte des Urchristentums, in: W. Pannenberg, Offenbarung als Geschichte, Göttingen 1961, 52–54, meint, daß für die Entstehung des einzigartigen Vollmachtsbewußtseins Jesu ein inspirativ-visionäres Widerfahrnis anzunehmen sei.

[15] Dieser Gegensatz ist allerdings ein starkes Argument gegen die Auffassung, Jesus sei ehedem Schüler des Täufers gewesen. Die These wird von E. Stauffer, Jesus. Gestalt und Geschichte, 1957 (DTb 332), 56–61, ins Phantastische gesteigert.

[16] Vgl. Apg 8,39.

[17] Gegen Pesch, Anfang 124f. äthHen 78,1; ApkAbr 15,5f; Offb 4,1 ist das Hinaufsteigen Entrückungsterminus. Der Apokalyptiker wird in den Himmel entrückt. Apg 10,9–11 ist das Hinaufsteigen (auf das Dach) kein spezifischer Begriff.

folgenden Geschehnisse werden Jesus allein als Vision und Audition zuteil. Die anderen Evangelien beziehen den Täufer bzw. das Volk in die Geschehnisse mit ein. Das Aufreißen der Himmel ermöglicht das Heraustreten des Geistes und das Hörbarwerden der Stimme (vgl. Offb 4,1; sBar 22,1). Der besondere Ausdruck σχιζομένους – die Apokalyptik spricht in der Regel davon, daß der Himmel sich öffnet[18] – verleiht dem Vorgang Eigengewicht. Zum Vergleich läßt sich Jes 63,19b heranziehen: »Ach, daß du den Himmel *zerrissest* und niederführest!« Die Zeit des Wartens auf den Geist ist zu Ende. Die Realität der Geistankunft wird durch den Vergleich mit einer Taube beschrieben. Nicht hat der Geist die Gestalt einer Taube, sondern die Gestalthaftigkeit des Vorgangs ist gemeint.

Auch das Reden in Vergleichen und Bildern ist apokalyptisch. Allerdings hat der Vergleich des Geistes mit einer Taube in der jüdischen Literatur keine direkte Parallele. Er legt sich aber nahe, weil das Wirken Gottes zu einer Taube in Beziehung gesetzt werden konnte. Das älteste Beispiel ist die Taube Noahs (Gen 8,9; vgl. 4Esr 5,26). Die rabbinische Theologie kann das Schweben des Gottesgeistes über den Wassern (Gen 1,2) mit dem Schweben eines Vogels, einer Taube oder eines Adlers, veranschaulichen[19]. Vielfach wird die Taube als Symbol für Israel verwendet[20]. Diese Verwendung aber ist in 10 nicht erkennbar[21]. Der Geist kommt zu Jesus. Über die Art und Weise der Vereinigung ist nichts Näheres gesagt und sollte auch aus εἰς αὐτόν nicht herausgelesen werden[22]. Das Sichtbarwerden des Geistes ist nicht in sich selbst wichtig, sondern im Blick auf Jesus, der der alleinige Geistträger ist[23]. Man kann aber vermuten, daß der Geist bei Jesus ist, weil er verkünden soll. Das legt Jes 42,1 nahe: »Die Wahrheit wird er den Völkern künden«, aber auch TestL 18,6ff, wo eine ähnliche Szene wie Mk 1,10f beschrieben ist: »In seinem Reichtum mehren sich die Heiden an Kenntnis auf der Erde und werden durch die Gnade des Herrn erleuchtet« (9)[24].

11 Zur Vision tritt die Audition. Es ergeht eine Himmelsstimme an Jesus, die ähnlich wie Gen 15,4; Dan 4,31 Θ eingeleitet wird. Die in der rabbinischen und apokalyptischen Literatur bekannte Bath-Qol (Tochter der Stimme) war als Echo einer göttlichen Stimme gedacht und galt als nicht vollwertiger Ersatz der

[18] Ez 1,1; TestL 2,6; 5,1; 18,6; TestJud 24,2; Offb 4,1; 11,19; 19,11.

[19] Billerbeck I,123f. Die Belege der jüdischen Literatur für die Taube sind gesammelt bei Holtzmann 44f; H. Greeven, ThWNT VI 65–67. Die Ableitung der Taube aus der ägyptischen oder persischen Königsmythologie, wo ein Vogel bzw. die Taube die Gotteskraft symbolisiert, ist heute aufgegeben.

[20] Lentzen-Deis* 181f.

[21] Gegen Lentzen-Deis* 278.

[22] H. Greeven, ThWNT VI,67, Anm. 56. Über den Vereinigungsvorgang reflektiert deutlich Ev Eb frg 3: »In Gestalt einer Taube stieg er hernieder und ging in ihn ein.« Nach dem Heliand fliegt eine holde Taube dem Herrn auf die Achsel. Vgl. Bultmann, Geschichte 265, Anm. 1.

[23] Wie nach Jes 42,1 der Knecht den Geist verliehen bekommt, so nach Jes 11,2 der Messias. Für die Formulierung in 10 zieht man vielfach Jes 63,14 zu Rate. Ein direkter Einfluß der Stelle bzw. ihres Kontextes ist unwahrscheinlich. Pesch, Anfang 125f möchte wegen Jes 64,4 auf den Gerechten abgehoben sehen.

[24] Die Stelle, für die nicht sicher ist, in welchem Maß sie christlich überarbeitet wurde, bezieht sich auf den messianischen Hohenpriester.

Profetie[25]. Sie war beliebt als Zusage des Heils an einzelne[26]. Dies kann hier nicht gemeint sein. Vielmehr redet Gott unmittelbar zu seinem Sohn. Der Sohnestitel steht im Vordergrund, der – wie wir sahen – den »Knecht« verdrängte. So scheint jetzt Anlehnung an Ps 2,7 vorzuliegen. Da solche Vermutung wegen der christologischen Bedeutung jener Stelle zu Recht besteht (Apg 13,33; Hebr 1,5; 5,5; 7,28; 2Petr 1,17), ist es auffallend, daß durch vorgezogenes σύ – ἐν σοί die Anrede akzentuiert ist. »Du bist« ist als eine an die Person gerichtete Prädikationsformel aufzufassen (vgl. LXX Ps 109,4), im Gegensatz zu »Dieser ist«, was als Identifikationsformel gelten kann[27]. Es ist darum fraglich, ob das vorgezogene Du den Angeredeten von einem anderen abgehoben wissen will, nämlich Johannes dem Täufer. In Anlehnung an Ps 2,7 ist das Sohnesprädikat im Sinn der königlichen Messianologie zu deuten. Jesus ist der erwartete Retter der Endzeit. Eine Anlehnung an die Isaaktypologie ist schwerlich auszumachen[28].

Mit erheblichen Schwierigkeiten ist die allgemeine Bestimmung der Perikope verbunden. Haben wir die Messiasweihe Jesu vor uns oder seine Einsetzung zum Sohn, seine Berufung oder gar eine geschichtliche Erinnerung, die auf ihn selbst zurückgeht[29]? Letzteres ist wegen der theologischen Gestaltung, die vollständig mit überkommenen Motiven arbeitet, auszuschließen. Lentzen-Deis* bestimmt neuerdings das Ganze als Deutevision, wie sie sich auch im Targum fände[30]. Es ist aber auffallend, daß zahlreiche Parallelen zu Berufungsgeschichten weisheitlich-apokalyptischer Provenienz bestehen. Die Berufung ergeht durch eine väterliche Stimme aus dem Himmel (LibAnt 53,3–5; TestL 18,6; äthHen 65,4f), der Berufene empfängt den Geist, um Offenbarung und Erkenntnis zu vermitteln (TestL 18,7–9; LibAnt 53,5: assimilatus est patri et magistro). Auch das Prädikat ἀγαπητός hat hier seinen festen Platz (grEsrApk 31,7; 32,7)[31]. Es ist darum zu vermuten, daß unsere Perikope im Umkreis dieser Berufungsgeschichten anzusiedeln ist[32]. Es fehlt aber ein ausdrückliches Auftragswort. Der Auftrag ist in der Geistausrüstung implizit enthalten und auf die Weitergabe von Lehre und Erkenntnis zu beziehen.

25 Billerbeck I,125–135.

26 MidrKoh 9,7 (91b): »Es ging eine Himmelsstimme aus, welche zu ihm (Abba Tachna) sprach: Gehe hin, und iß dein Brot mit Freuden, denn längst hat Gott Wohlgefallen an deinen Werken.«

27 K. Berger, Die königlichen Messiastraditionen des NT, NTS 20 (1973/74) 1–44, hier 28, Anm. 108. Vgl. E. Norden, Agnostos Theos, Darmstadt 1956 (Nachdruck), 177–201.

28 Angenommen von Pesch, Anfang 128f mit Berufung auf Gen 22,2.12.16. – Freilich ist die Typologie in der vergleichbaren Stelle TestL 18,6 vorhanden: »Mit väterlicher Stimme, wie die von Abraham an Isaak.« – Ferner wurden als Background für Mk 1,11 angegeben: Ex 4,22f (Bretscher*); LXX Jer 38,20 (E. Schweizer, ThWNT VIII 355); äthHen 71,14 (Wilkens, Auferstehung 135) und noch andere Stellen, die anzugeben nicht lohnt.

29 In Auswahl seien genannt: Von Messiasweihe sprechen: Schmid; Wellhausen; Bultmann, Geschichte 268; von Einsetzung zum Sohn: Hahn, Hoheitstitel 343; von Berufungsbericht: Berger (Anm. 27) 28; das historische Interesse verteidigt Taylor 618.

30 195–227. Zugrunde gelegt sind Tg Gen 22,10 und 28,12. Zur Auseinandersetzung Vögtle* 113–116. Hartman* 96f spricht von Vision. Für ihn wurzelt die Perikope in der Taufkatechese.

31 Die Stellenangaben beziehen sich auf die Edition von Tischendorf 1866.

32 Berger (Anm. 27) 28 Anm. 108.

Für die Frage, warum diese Berufung mit der Taufe Jesu im Jordan verknüpft wurde, gibt es zwei diskutable Erklärungen. Die eine sieht die Verknüpfung in einer – nicht von diesen, sondern deren Gemeinden ausgetragenen – Rivalität zwischen Johannes und Jesus begründet. Weil die Taufe Jesu durch Johannes als Zeichen der höheren Stellung des Täufers gedeutet werden konnte und durch die Täufergemeinde gedeutet worden sei, habe man die apokalyptische Szene geschaffen, um Jesus durch Gott selbst als den Höheren anerkannt sein zu lassen[33]. Gegen die These ist einzuwenden, daß in der markinischen Perikope keine unmittelbar gegen den Täufer gerichtete Polemik festgestellt werden kann. Nur die Taufe wird vom folgenden Geschehen abgegrenzt. Das vorangestellte »Du bist« ist stilgemäß. Darum hat man in der Präsentationsszene die weitere Intention festzustellen gemeint, daß der Geistempfänger und Täufling Jesus das Urbild der christlichen Taufe sei[34]. Dabei sei eine Abgrenzung in dem Sinn wahrscheinlich, daß zwar nicht Johannes in den Schatten gestellt, aber die christliche Taufe als jene erwiesen werden soll, die die Johannestaufe abgelöst hat und als die gültige anzusehen ist. Der Haupteinwand gegen diese Interpretation ist, daß die tauftheologische Deutung der Perikope sich nicht ausgewirkt hat. So wird man die Verknüpfung von Taufe und Berufung darin zu sehen haben, daß die Christen aufgrund ihrer eigenen Taufe in der Taufe Jesu eine Berufung sehen konnten, diese Berufung aber aus verständlichen christologischen Erwägungen heraus sehr anders erzählten, nämlich als christologische Fundamentalgeschichte.[35]

Wirkungsgeschichte

Der Taufperikope ist eine lebhafte und vielschichtige Wirkungsgeschichte vorbehalten geblieben, aus der einige Stationen aufgezeichnet sein sollen[36]. Dabei ist das Taufverständnis im Sinn der christlichen Taufe ausgeprägt worden. Vor allem wurde die Ausstattung Jesu mit dem Geist zu einem christologischen Problem. Dies wird der Anlaß dafür sein, daß die Taufe Jesu nicht in das Glaubensbekenntnis aufgenommen wurde[37]. Schon der Jude Tryphon fragt, wie Jesu Präexistenz bewiesen werden könne, wo er doch mit den Kräften des heiligen Geistes, deren er bedurft habe, erfüllt wurde. Justin antwortet darauf, daß Taufe und Geistempfang um des Menschengeschlechtes willen notwendig ge-

[33] Diese These wird nachdrücklich von Vögtle* vorgetragen.

[34] Auf die christliche Taufe rekurrieren: Bultmann, Geschichte 267f; Braun* 42; Böcher, Christus Exorzista 171. Es erscheint allerdings nicht notwendig, für die Verbindung von Taufe und Geist auf Gebiete außerhalb von Palästina auszuweichen. Die eschatologische Geistspendung wird Ez 36,25f; 1QS 4,21 als Lustrationsritus beschrieben bzw. mit einem solchen in Verbindung gebracht. Bei dieser Interpretation werden die Akzente verschieden gesetzt. M. Goguel, Au seuil de l'évangile: Jean Baptiste, Paris 1928, 205–277, plädiert für eine nachträgliche Verbindung zweier Bestandteile, einer messianischen Proklamation und einem Verständnis der Taufe Jesu als Prototyp der christlichen Taufe. Bultmann, Geschichte 267–270, setzt sich für eine ursprüngliche Einheit ein. Für Thyen, Sündenvergebung 214, Anm. 2, bildet die christliche Auffassung der Taufe den Ausgangspunkt.

[35] Auch Eph 1,4–9 knüpft nicht an die synoptische Perikope von der Taufe Jesu an. Vgl. J. Gnilka, Epheserbrief, ²1977 (HThK), 74 und Anm. 6.

[36] Vgl. B. Welte, Die postbaptismale Salbung, ihr symbolischer Gehalt und ihre sakramentale Zugehörigkeit nach den Zeugnissen der alten Kirche, 1939, 7–11.

[37] Eine Ausnahme ist IgnSm 1,1.

wesen seien[38]. Eirenaios gibt später die Antwort, daß die Geistmitteilung sich nur auf den Menschen Jesus und nicht auf den Logos bezogen habe[39]. In der Gnosis wurde die Taufperikope benutzt, um Jesus und Christus zu differenzieren[40]. Bei der Taufe sei auf Jesus, einen bloßen Menschen, Christus, das heißt der Geist, herabgekommen. Vor allem scheinen sich die Basilidianer auf Markus berufen zu haben, denn sie sagten, daß nicht Jesus gekreuzigt worden sei, sondern Simon von Kyrene[41]. Damit umgehen sie das Kreuz, das den Höhepunkt der markinischen Darstellung bildet. Die adoptianische Christologie berief sich wiederholt auf die Taufe Jesu, besonders in der karolingischen Renaissance[42]. Athanasios sieht in der Taufe Jesu nicht bloß unsere Taufe abgebildet, sondern auch schon im voraus vollzogen[43]. Eusebios von Kaisareia begreift die Taufe Jesu als Anfang, weil die königliche Salbung die Erkenntnis des wahren Gottes, die Jesus vermittelte, eröffnete[44].

In der Dogmatik der Gegenwart hat K. Barth der Taufe Jesu besondere Aufmerksamkeit geschenkt[45]. Für ihn ist diese so sehr auf die christliche Taufe hingeordnet, daß sie »praktisch-faktisch« einem Taufbefehl gleichkommt. Im Blick auf Jesus ergeben sich für Barth drei Sinnbezüge: 1. Jesus unterwirft sich in der Taufe der Herrschaft Gottes und stellt sich ihr zur Verfügung. 2. Er stellt sich in die Reihe der dem Gericht Gottes anheimfallenden und auf Gottes freies Vergeben angewiesenen Menschen. 3. Er schickt sich an, im Dienst an Gott und den Menschen das Werk Gottes für den Menschen und das Werk des Menschen für Gott zu tun. Demgegenüber sieht D. Wiederkehr[46] – und dieses Urteil kann der Exeget unterschreiben – in der Taufe Jesu dessen einzelne messianische Taten in ihrer gemeinsamen Wurzel zusammengefaßt in einem ursprünglichen und begründenden Geschehen, das erst vor Ostern her seine starke christologische Formung erhielt. Die konstituierende Anrede des Sohnes Gottes und die Verleihung des Geistes seien dynamisch, nicht statisch, zu verstehen, seien mehr communicatio und nicht so sehr communitas. Dennoch zeige die Rückfrage hinter die einzelnen messianischen Akte zurück an, daß im dynamischen Denken sich das Interesse an einen Zusammenhang einstellt. Dieses lenke herüber zum Sein.

3. *Die Versuchung in der Wüste (1,12–13)*

Literatur: Holzmeister, U., Jesus lebte mit den wilden Tieren Marc. 1,13, in: Vom Wort des Lebens (FS M. Meinertz), 1951 (NTA 1. Ergänzungsbd.),

[38] Dial 87f.

[39] A. v. Harnack, Dogmengeschichte (Darmstadt 1964, Nachdruck) I 605.

[40] Harnack I 271f.286, Anm. 1. Der Jahrestag der Taufe Christi hieß bei den Basilidianern ἐπιφάνεια. Die christlich-liturgische Tradition knüpft hier an eine gnostische an.

[41] Carrington 40.

[42] Harnack, Dogmengeschichte I,118.709. II,284f.288.

[43] ebd. II,163 Anm. 2.

[44] Weber* 25–29.

[45] Dogmatik IV/4, 57–75.

[46] Mysterium Salutis III/1, Zürich 1970, 531f.

85–92; *Schnackenburg, R.*, Der Sinn der Versuchung Jesu bei den Synoptikern, TThQ 82 (1952) 297–326; *Sabbe, M.*, De tentatione Jesu in deserto, CBG 50 (1954) 459–466; *Schulze, W. A.*, Der Heilige und die wilden Tiere, ZNW 46 (1955) 280–283; *Feuillet, A.*, L'épisode de la Tentation d'après l'Évangile selon s. Marc (1,12–13), EstB 19 (1960) 49–73; *Köppen, K.-P.*, Die Auslegung der Versuchungsgeschichte unter besonderer Berücksichtigung der Alten Kirche, 1961 (BGBE 4); *Steiner, M.*, La tentation de Jésus dans l'interpretation patristique de s. Justin à Origène, 1962; *Leder, H.-G.*, Sündenfallerzählung und Versuchungsgeschichte, ZNW 54 (1963) 188–216; *Kelly, A.*, The Devil in the Desert, CBQ 26 (1964) 190–220; *Best, E.*, The Temptation and the Passion, 1965 (MSSNTS 2); *Dupont, J.*, Die Versuchungen Jesu in der Wüste, 1969 (SBS 37); *Pokorný, P.*, The Temptation Stories and their Intention, NTS 20 (1973/74) 115–127; *Kirk, J. A.*, The Messianic Role of Jesus and the Temptation Narrative, EvQ 44 (1972) 11–29.

12 **Und sogleich führt ihn der Geist in die Wüste hinaus.** 13 **Und er war vierzig Tage in der Wüste, versucht vom Satan. Und er war mit den wilden Tieren. Und die Engel dienten ihm.**

Analyse

Schon vormarkinisch war die Versuchungsgeschichte mit der Taufe Jesu verbunden. Daß erst Markus die Verbindung geschaffen habe, was durch εὐθύς sich anzeige, ist unwahrscheinlich[1]. εὐθύς hat hier (anders in 10) keinen besonderen Sinn, kennzeichnet aber vulgäre (oder mündliche?) Sprache[2]. Auch »versucht vom Satan« kann nicht Zutat des Evangelisten sein[3]. Es bliebe eine Geschichte übrig, die kaum noch Sinn besäße. Am Anfang jedoch war die Perikope selbständig[4]. Dies ist an dem gegenüber 9–11 gewandelten Stil zu erkennen (Stellung des Subjekts am Anfang des Satzes, zweimal ἦν). Man kann vermuten, daß 12 als Übergangsvers geschaffen wurde. Dies erklärte die zweimalige Erwähnung der Wüste. Auch ist der Aufenthalt in der Wüste gut vorstellbar, ohne daß dieser auf eine Anregung des Geistes zurückgeführt wird. Absolutes τὸ πνεῦμα greift dann auf 10 zurück. Ob 13 das Fragment einer ausführlicheren Geschichte darstellt, die zum Zweck des Anschlusses an 9–11 gekürzt wurde, ist nicht mehr zu entscheiden[5]. Jedenfalls darf man als Vorlage nicht den Bericht der Spruchquelle Mt 4,1–11 par annehmen, da dieser ganz anderen Inhaltes ist[6].

Erklärung 12

Unter der Führung des Geistes begibt sich Jesus in die Wüste. Was dort geschieht, entspricht der Anregung Gottes. Der Geist, der sich eben auf Jesus herabließ, ist Subjekt des Handelns. Man darf dies aber nicht im Sinn der Ge-

[1] Gegen Sundwall, Zusammensetzung 8.
[2] Vgl. Theißen, Wundergeschichten 199f und Anm. 5.
[3] Annahme von Bultmann, Geschichte 271.
[4] Mit Lohmeyer; Sundwall, Zusammensetzung 8.
[5] Vermutet von Klostermann; Schweizer; Bultmann, Geschichte 270f.
[6] Gegen Schlatter.

walt, eines Hinausstoßens und Hinauswerfens, deuten[7]. Es empfiehlt sich daher nicht, profetische Entrückungsszenen als Analogien heranzuziehen[8]. Die Wüste ist – anders als in 3f – der unheimliche Ort, wo die wilden Tiere hausen[9]. Manche Erklärer denken bei der Wüste an die zum Jordangraben abfallende Wüste Judäas[10]. Der Erzähler achtet es aber nicht für wert, eine präzise geografische Bemerkung zu machen. Die Wüste ist ein Raum der Erinnerungen und zurückliegenden Erfahrungen für den Menschen der Bibel. Erst im folgenden wird dies etwas genauer dargestellt.

13 Der Aufenthalt in der Wüste währt vierzig Tage. Diese symbolische Zahl besitzt zahlreiche Vorbilder in der biblischen Tradition. Vierzig Tage und vierzig Nächte weilt Mose beim Herrn fastend auf dem Berg Sinai (Ex 34,28). Diese Typologie greift allerdings erst Mt 4,2 auf. Vierzig Tage und Nächte wandert Elija, durch Engelspeise gestärkt, durch die Wüste zum Gottesberg Horeb (3Kön 19,1–8). Auf dieses unruhevolle Wandern dürfte Lk 4,1f Bezug nehmen. Vierzig Jahre wurde Israel auf seinem Weg von Gott durch die Wüste geleitet (Dtn 8,2). Ein Fasten Jesu wird im knappen Markusbericht nicht erwähnt. Die Versuchung durch Satan findet nicht am Schluß des Wüstenaufenthaltes statt, sondern hält die ganze Zeit an. Versuchung kann im biblischen Bereich wesentlich ein Zweifaches besagen: die Erprobung des Menschen, der in eine leidvolle Situation hineingeschickt wird (vgl. das Schicksal des Hiob), oder die Verführung zur Sünde. Obwohl Markus die Versuchung Jesu nicht näher beschreibt, ist zu vermuten, daß sie christologisch motiviert, also auf die messianische Amtsausübung bezogen ist. Satan – der von Markus bevorzugte Teufelsname – ist auch in 8,33; 3,23.26 der Widersacher des Christus[11]. Bevor Jesus also sein messianisches Amt antritt, wird er in bezug auf dieses versucht. Die wilden Tiere passen zur Wüste, sind aber hier als solche geschildert, die in der Gemeinschaft mit Jesus sind[12]. Diese umrätselte Bemerkung stimmt mit Test N 8,4 überein, weil dort die wilden Tiere die Gerechten fürchten[13]. So dürfte hier der eschatologische Tierfriede angedeutet sein, der in Jes 11,6–8; 65,25 beschrieben ist. Die Idee lebt in der apokalyptischen Literatur fort: »Die wilden Tiere sollen aus dem Walde kommen und Menschen Dienste leisten, Nattern und Drachen kriechen aus den Löchern und lassen sich von kleinen Kindern führen« (sBar 73,6). Damit ist nicht bloß angedeutet, daß Jesus die sa-

[7] Zu ἐκβάλλω hinausführen vgl. Bauer, Wörterbuch 471. Jesus ist in V 12 nicht als pneumatischer Ekstatiker gesehen. Pesch, Anfang 131, sieht ἐκβάλλει in Verbindung mit Gen 3,24.

[8] Grundmann erwähnt Ez 3,14, Schweizer 1Kön 18,12; 2Kön 2,16.

[9] Vgl. Bar 4,35; äthHen 10,4. Es ist zu wenig, die Wüste als neutralen Ort zu interpretieren, der fern ist von allem Verkehr mit den Menschen (so Schmid).

[10] Grundmann; Schlatter.

[11] Vgl. G. Baumbach, Das Verständnis des Bösen in den synoptischen Evangelien, Berlin 1963, 49f. Nur Mk 4,15 ist Satan nicht der unmittelbare Widersacher Christi.

[12] Wenn Haenchen, Weg 64; W. Schmauch, Orte der Offenbarung und Offenbarungsworte im NT, Göttingen 1956, 38f, die Gefährdung durch die Tiere betonen, muß doch gesehen werden, daß die Gefährdung beseitigt ist. Nichts deutet darauf hin, daß bei den wilden Tieren an Schlangen zu denken sei (gegen Schlatter).

[13] Zitiert von Grundmann. Vgl. TestIss 7,7; Ijob 5,22f.

tanische Versuchung überwand, sondern auch, daß mit ihm die eschatologische Zeit anhebt. Antezipatorisch hat er den Satan besiegt, er wird ihn endgültig überwinden (vgl. 2Thess 2,3–12; Offb 19,19f; 20,2.10). Der Engeldienst steht gleichfalls nicht am Ende der vierzig Tage, sondern begleitet die ganze Zeit, in der Jesus von Engeln mit Speise versorgt wurde. Das Geschilderte geht über Ps 91,11f hinaus. Nach Mk 13,27 stehen die Engel im Dienst des Menschensohnes.

Die zahlreichen atl. Verweise haben bereits deutlich gemacht, daß die Erzählung von biblischen Motiven gespeist ist. Läßt sich eine übergreifende Form ermitteln? Die Geschichte besitzt zwar Parallelen zur Elija-Tradition (Engelspeise, vierzig Tage), zu dieser will aber nicht die Gemeinschaft mit den wilden Tieren passen[14]. Am nächsten liegt die Adamtypologie[15]. Adam lebte im Paradies in der Gemeinschaft mit den Tieren[16] und wurde von der Schlange – sie wurde später zum Teufel in Beziehung gesetzt oder mit ihm identifiziert[17] – verführt. Die jüdische Adamspekulation kennt auch die Nachricht, daß die Dienstengel den ersten Menschen mit Speise und Trank verköstigten (bSanh 59b)[18]. Wenn somit Jesus Adam gegenübergestellt erscheint, entspricht das der verbreiteten Vorstellung, daß die Dinge am Ende denen am Anfang korrespondieren. Jesus ist der neue Adam, der das paradiesische Zeitalter ermöglicht hat[19]. In Verbindung mit der Taufperikope kann man der Versuchung Jesu auch ein paränetisches Anliegen abgewinnen. Der christliche Täufling muß damit rechnen, von Satan versucht und vom eingeschlagenen Weg abgebracht zu werden[20]. Eine historische Erinnerung – Aufenthalt Jesu in der Wüste[21]? – ist der Überlieferung nicht mit Sicherheit zu entnehmen.

Zusammenfassung

Im markinischen Kontext gewinnt die Perikope von der Taufe Jesu mit der Anrede durch die himmlische Stimme des Vaters den Rang einer Präsentation der das Evangelium bestimmenden Hauptperson. Der Leser soll ausdrücklich von vornherein wissen, wer Jesus ist. Es wird sich freilich erst im Lauf der weiteren Geschichten abklären, wie dieses Gottessohnsein und sein Wohlgefallen bei Gott sich des näheren versteht und daß es vor allem auch mit der Bereitschaft Jesu zu tun hat, zum Kreuz zu gehen. Der das Evangelium vernimmt, soll zum Bekenntnis Jesu als des Gottessohnes geführt (vgl. 15,39) bzw. in diesem Be-

14 Hahn, Hoheitstitel 345f und Anm. 2, spricht von einer »Mose-Elia-Typologie«. Skeptisch ist Haenchen, Weg 64.

15 J. Jeremias, ThWNT I,141; Pesch, Anfang 131–133; Pokorný* 120–122.

16 Gen 2,19f. Nach ApkMos 24 stehen die Tiere, deren er Herr war, nach der Gebotsübertretung gegen Adam auf. VitAd 37–39; ApkMos 10–12 kämpfen die Tiere dagegen gegen Seth. Nach TestL 18,10–12 öffnet der hohepriesterliche Messias wieder die Tore des Paradieses. Aus der Verwendung desselben Motivs in verschiedenen Zusammenhängen ergibt sich, daß es nicht an eine bestimmte Heilsgestalt gebunden war. Jesus ist darum hier nicht als Hoherpriester dargestellt. So G. Friedrich, Beobachtungen zur messianischen Hohepriestererwartung in den Synoptikern, ZThK 53 (1956) 265–311.285.

17 Billerbeck I,136.138f; ApkMos 16.

18 Nach VitAd 4 genoß Adam im Paradies Engelspeise.

19 Manche Autoren heben noch auf eine Parallele zwischen Jesu und Israels Wüstenaufenthalt ab (Carrington, Feuillet). Dies ist abzulehnen.

20 Pokorný* 122.

21 So Taylor 163.

kenntnis bestärkt werden. Die Versuchung, die Jesus anschließend durch Satan erfährt, ist zwar ein Hinweis darauf, daß Jesus auch im weiteren Verlauf seines Wirkens, das nun beginnen soll, angefochten werden wird, aber diese zukünftigen Anfechtungen werden nicht satanisch begründet. Es ist nicht möglich, ein dualistisches, durch Gott und Satan bestimmtes Geschichtsverständnis für das Markusevangelium zu entwickeln[22]. Eher dürfte es so sein, daß das Bestehen in der Versuchung am Beginn prinzipielle Bedeutung hat. Jesus kann nunmehr machtvoll sein Amt ausüben, den Starken niederzwingen (3,27) und die Basileia Gottes nahebringen.

Wirkungsgeschichte

In der Auslegungsgeschichte gewinnt die Adam-Christus-Parallele zunehmende Bedeutung. Schon Justin, dial. 103,6, greift sie auf: »Wie er (Satan) nämlich Adam betrogen hatte, so meinte er auch mit Jesus verfahren zu können«. Dabei kommt das Motiv vom unwissenden Teufel auf, der die wahre Natur Jesu erkunden wollte[23]. Jesus aber hat Satan getäuscht[24]. Auch die wilden Tiere und die Engel werden mit den Naturen Christi in Verbindung gebracht. Nach Leo d. Gr. deutet die Gemeinschaft mit den Tieren auf die menschliche, der Dienst der Engel auf die göttliche Natur in Christus[25]. Daß Jesus überhaupt versucht werden konnte, wird zum Problem. Dabei betont man, daß die Versuchung ihn nur als Mensch betraf. Hätte Gott gesiegt, hätten wir davon keinen Nutzen[26]. Bei Chrysostomos wird Christus zum Vorbild. Keiner, der nach der Taufe in schwere Versuchung gerät, soll erschrecken. Es widerfährt ihm nur das, was auch dem Herrn geschah[27]. Luther kann in Verbindung mit der Versuchung Jesu das Problem des Bösen behandeln und von einer gewollten Passivität Gottes sprechen, der es Satan nicht wehrt, seine furchtbare Macht auszuüben[28].

Das wahre Menschsein Christi ist ein bevorzugtes Thema, das die systematische Theologie aufgreift, wenn sie heute auf die Versuchung Christi zu sprechen kommt: »Da Jesus als der Christus endliche Freiheit ist, ist er realer Versuchung ausgesetzt. *Möglichkeit* ist Versuchung. Und Jesus würde nicht die wesenhafte Gott-Mensch-Einheit repräsentieren ohne die Möglichkeit echter Versuchung.«[29] P. Tillich erblickt in dem wiederholten Versuch, den ernsthaften Charakter der Versuchungen des Christus zu leugnen, eine monophysitische Tendenz, die Jesus seiner realen Endlichkeit beraubt und ihm eine göttliche Transzendenz jenseits von Freiheit und Schicksal zuspricht. In einem anderen Kontext, der nichttheologisch oder besser nachtheologisch ist, lebt die utopische Erwartung von der Wiedereröffnung des Paradieses kräftig auf. E. Bloch resümiert seinen Streifzug durch die utopischen Erwartungen in der Menschheitsgeschichte: »Das Morgen im Heute lebt, es wird immer nach ihm gefragt.

[22] So Robinson, Geschichtsverständnis passim.
[23] Köppen* 85f (Theodoret von Cyrus).
[24] Köppen* 89f (Anbrosius, Origenes).
[25] Köppen* 73.
[26] Köppen* 86.
[27] Köppen* 6.
[28] Köppen* 112.
[29] P. Tillich, Systematische Theologie II, Stuttgart 1958, 139. Vgl. Barth, Dogmatik IV/1, 287. C. Schütz, Mysterium Salutis III/2, 139–142, betont den Sieg Christi.

Die Gesichter, die sich in die utopische Richtung wandten, waren zwar zu jeder Zeit verschieden . . . Dagegen die *Richtung* ist hier überall verwandt, ja in ihrem verdeckten Ziel die gleiche; sie erscheint als das einzig Unveränderliche in der Geschichte. Glück, Freiheit, Nicht-Entfremdung, Goldenes Zeitalter, Land, wo Milch und Honig fließt . . .«[30] Dies alles sei Vorgeschichte. Der Mensch stehe noch vor Erschaffung der Welt. Die wirkliche Genesis sei nicht am Anfang, sondern am Ende. Sie beginne dort, wo Gesellschaft und Dasein sich an der Wurzel fassen, radikal werden. Die Wurzel der Geschichte aber sei der arbeitende, die Gegebenheiten umbildende und überholende Mensch[31]. Der Christ sieht den Anfang mit Jesus gesetzt, weil dieser die Endzeit einleite.

1. Exkurs: Sohn Gottes

Sohn Gottes ist bei Markus ein christologischer Hoheitstitel neben vielen anderen. Durch seine besondere Plazierung am Anfang (1,1.11), in der Mitte (9,7) und am Schluß (15,39) aber ist zu erkennen gegeben, daß er vom Evangelisten favorisiert wurde. Insgesamt begegnet er achtmal (noch 3,11; 5,7; 12,6; 14,61)[1]. Hinzu kommt 13,32, wo Jesus »der Sohn« genannt wird. Von diesen Stellen schreiben wir drei der markinischen Redaktion zu (1,1; 3,11; 15,39). In 12,6 schafft Markus durch das hinzugefügte ἀγαπητόν eine Angleichung an 1,11 und 9,7 und deutet sein Interesse an, die aus verschiedenen Überlieferungen aufgenommene christologische Prädikation in einem vereinheitlichenden Sinn zu begreifen.
Der Sohnesbegriff besitzt im griechischen Denken eine andere Prägung wie im hebräischen. Im Griechischen ist seine Bedeutung fast ganz auf die physische Abstammung eingeschränkt. Im Hebräischen umfaßt er über leibliche Nachkommen hinaus mannigfaltige Zuordnungen, die von der Verwandtschaft über die Zugehörigkeit zur gleichen Gruppe, zum gleichen Beruf, zum gleichen Volk bis zur Zuordnung zu Gott reichen können. So ist auch die Rede von einem Gottessohn oder von Göttersöhnen im semitischen und griechischen Bereich verschieden. Das Griechentum weiß vom Göttervater Zeus zu berichten, daß er viele göttliche oder halbgöttliche Söhne gezeugt habe. Die physische Abstammung tritt hier klar in Erscheinung. Auf einer anderen Ebene liegt die Vorstellung der stoischen Philosophie, daß der Mensch aufgrund seiner Vernunft ein Abkömmling Gottes sei und göttlichen Samen in sich trage. Beide Vorstellungsbereiche kommen als Anknüpfungspunkt für das Neue Testament nicht in Frage. Die Berufung auf das griechische Konzept des ϑεῖος ἀνήϱ ist mit Zurückhaltung zu beurteilen[2]. In vorchristlicher Zeit ist ϑεῖος ἀνήϱ kein feststehender Begriff. Vor allem läßt es sich nicht belegen, daß die »göttlichen Menschen« auch nur in der Regel Göttersöhne seien.

30 Das Prinzip Hoffnung, 1959, 1627.
31 1628.
1 Dabei wechseln die Modi: Gott redet Jesus als »mein geliebter Sohn« an (1,11; 9,7); die Dämonen sprechen von ihm als dem »Sohn des höchsten Gottes« (5,7); der Hohepriester fragt, ob Jesus »der Christus, der Sohn des Hochgepriesenen« sei (14,61). Die Sache, um die es geht, ist jeweils die gleiche. Die Bevorzugung des Sohnestitels ist auch in 8,38 zu sehen, wo Mk redaktionell die Form: Vater des Menschensohnes gebildet hat, die auf den Gottessohntitel hinausläuft.
2 Vgl. Bieler, ΘΕΙΟΣ ΑΝΗΡ.

Die Behauptung, ein sterblicher Mensch sei Sohn eines Gottes, ist – abgesehen von Götter- und Heldensagen – nur in bestimmten Grenzen nachzuweisen: bei den Ärzten als Funktionsbezeichnung mit Hinweis auf die Gründergottheit des Ärztestandes Asklepios und im Herrscherkult, der unter orientalischem Einfluß steht. Die Belege aus der Gnosis und der neupythagoreischen und neuplatonischen Philosophenbiographie sind späteren Datums. Die göttliche Abkunft führt in den Personallegenden nicht bis zur Sohnesprädikation[3]. Als Vorfeld für die neutestamentliche Sohneschristologie kommt das biblische Judentum in Frage. Im Alten Testament können die Engel als Mitglieder des himmlischen Hofstaates Göttersöhne genannt werden, (z.B. Gen 6,2.4; Ijob 1,6; 38,7; Ps 89,7). Die Unterordnung unter Gott ist völlig gewahrt. Das Volk Israel wird als das von Gott in Liebe auserwählte Volk von diesem als »mein erstgeborener Sohn« angesprochen (Ex 4,22)[4]. In der Weisheitsliteratur gilt der Weise (Sir 4,10)[5], vor allem aber der vorbildlich leidende Gerechte als Sohn Gottes (Weish 2,13–18). Nach bestandener Drangsal wird er den Söhnen Gottes, das heißt, den Engeln zugesellt (Weish 5,5). Für die Ausbildung der Christologie wurden die auf den israelitischen König bezogenen Stellen belangvoll, nach denen dieser von Gott als Sohn angenommen oder am Tag seiner Königsinthronisation zum Sohn Gottes gemacht wird. Die Natansweissagung 2Sam 7,12–14 und Ps 2,7 ist hier besonders zu erwähnen. Die Formulierung »Mein Sohn bist du, heute habe ich dich gezeugt« schließt den Gedanken einer physischen Sohnschaft (heute!) ebenso aus wie sie über die juristischen Begriffe der Legitimation und Adoption hinausgreift[6]. Die vieldiskutierte Frage, ob im Judentum der neutestamentlichen Ära der Gottessohnname als Titel für den Messias bereitlag, kann mit Hinweis auf die Qumranhandschriften heute präziser beantwortet werden. In 4Qflor, einer Sammlung messianischer Bibelstellen, wird die Natansweissagung auf den »Sproß Davids«, mit dem der königliche Messias gemeint ist, übertragen (4Qflor 10–14). Psalm 2, der wenig später zitiert wird, ist durch das Fragment nur in seinem Anfang überliefert, so daß Vers 7 nicht mehr erscheint. Auch 1QSa 2,11, wo sehr wahrscheinlich von der Geburt des Messias die Rede ist – leider ist der Text verstümmelt – kann im Sinn der Anwendung von Ps 2,7 auf die Messianologie verstanden werden. Die Belege erweisen, daß der titulare Gebrauch des Sohnes Gottes für den Messias zumindest vorbereitet war, wenn er sich nicht schon in einem gewissen Sinn eingebürgert haben sollte[7]. Erwähnenswert bleibt noch das aus der späteren jüdischen Mystik stammende 3. hebräische Henochbuch, nach dem Henoch, in den Himmel entrückt, in einen feurigen Engel verwandelt und auf einen Thron neben Gott gesetzt wird. Mit dem Beinamen »kleiner Jahwe« belegt, fungiert er als Bevollmächtigter Gottes. Wenn er auch *naʿar* (= Jüngling) heißt, könnte dies sekundäre Substitution des Sohnesnamens sein, der im neutesta-

[3] Vgl. W. von Martitz, ThWNT VIII,334–340.

[4] Vgl. Jer 31,9.20; Hos 11,1. Die Gesamtheit der Israeliten als Söhne Jahwes: Dtn 14,1; 32,5.19; Jes 43,6; 45,11 u. ö.

[5] Die hellenistisch-jüdische Missionsschrift Josef und Aseneth bezeichnet Josef wiederholt als Sohn Gottes (6,2–6; 13,10; 21,3). Das Milieu entspricht hier der atl. Weisheit.

[6] Vgl. 1Chr 17,13; 22,10; 28,6; Jes 9,5.

[7] Hahn, Hoheitstitel 285, erwähnt eine Baraita aus bSukka 52a, die in das 2. Jh. n. Chr. zurückreicht und Ps 2,7 ausdrücklich auf den davidischen Messias bezieht. – Ein Daniel-Apokryphon aus Qumran-Höhle 4 enthält die Bezeichnung Sohn Gottes bzw. Sohn des großen Gottes mehrfach. Ihr Bezug ist umstritten. Geht er auf einen seleukidischen oder einen jüdischen Herrscher oder kollektivisch auf das jüdische Volk zurück? Vgl. M. Hengel, Der Sohn Gottes, Tübingen 1975, 71f.

mentlichen Judentum wegen der Auseinandersetzung mit dem Christentum suspekt wurde[8].

Will man dem neutestamentlichen Gottessohnbekenntnis gerecht werden, muß man von den Anfängen her neben der Anknüpfung an bereitliegende Vorstellungen die Eigenständigkeit in den Blick nehmen. Als Anschlußstelle ist insbesondere die königliche Messianologie anzusehen[9], die, inspiriert durch den messianischen Schriftbeweis, Gottessohn und Messias zueinander in Beziehung brachte. Das vorpaulinische Christusbekenntnis im Präskript des Römerbriefes (Röm 1,3f) stellt zwei Seinsstufen Jesu Christi nebeneinander, die irdische und die himmlische. Ist er auf der ersten als Davidssohn charakterisiert, so wird er auf der zweiten zum Gottessohn in Vollmacht eingesetzt. Die vollmächtige Einsetzung zur Sohnschaft, die deutlich messianologisch bestimmt ist, erfolgte zum Zeitpunkt der Auferstehung. Die Abstammung aus dem »Samen Davids« und der Titel Gottessohn lassen die Natanweissagung als Hintergrund des Bekenntnisses wahrnehmen. Im Blick auf die christologischen Sohnes-Stellen des zweiten Evangeliums ist für Mk 1,11 mit einer Einwirkung von Ps 2,7 zu rechnen, wenngleich hier der Knechtstitel durch den Gottessohnnamen verdrängt sein dürfte. Wird man aller Wahrscheinlichkeit nach annehmen können, daß das älteste Bekenntnis zu Jesus dem Gottessohn im Glauben an seine Auferstehung wurzelt (vgl. Röm 1,4)[10], so ist in den diesbezüglichen Traditionen bei Markus diese Verwurzelung kaum noch zu erkennen. Die Verklärungsperikope 9,2–8, die eine Art Inthronisation Jesu zum Gottessohn wiedergibt, läßt deren Zeitpunkt offen. Der Evangelist stellt durch Vers 9 den Bezug zur Auferstehung wieder her. Nach 1,9–11 ist die Einsetzung zum messianologisch bestimmten Gottessohn auf den Zeitpunkt des Beginns der öffentlichen Tätigkeit vorverlegt. Die anderen Traditionen setzen Jesu Gottessohnschaft schon voraus. Die Prädizierung Jesu als des »geliebten Sohnes« in 1,11; 9,7 stellt sein einzigartiges Gottesverhältnis heraus, das vergleichbare Relationen anderer in den Schatten stellt. Diese Prädizierung, von Markus in das Winzergleichnis übertragen (12,6), beleuchtet die Stellung Jesu insofern in einem anderen Licht, als dieser im Anschluß an die von Gott gesandten Profeten als letzter Bote Gottes erscheint. Der Präexistenzgedanke fehlt hier wie auch sonst in den dem Evangelisten vorgegebenen Überlieferungen, wie er ihn auch selbst noch nicht konzipierte[11]. Es ist schwierig, die markinischen Überlieferungen in ein traditionsgeschichtliches Verhältnis zueinander zu rücken. Nach Hahn[12] folgte auf die anfängliche Verwendung des Titels Gottessohn im Horizont der königlichen Messiasvorstellung ein Gebrauch, der an die Machttaten und Exorzismen anschloß, die man als durch den Jesus verliehenen Geist gewirkt ansah. Der Gebrauch habe an jene θεῖος-ἀνήρ-Konzeption anschließen können, die sich durch die Uminterpretation der hellenistischen Vorlage im hellenistischen Judenchristentum ergeben habe. Hierzu seien Mk 1,23–27; 5,1–20 und auch 1,9–11 zu zählen. Im hellenistischen Heidenchristentum schließlich sei die Geistbegabung nicht nur im Sinn einer Ausrüstung, sondern einer wesensmäßigen Durchdringung aufgefaßt worden. Die Gottessohnschaft sei zur ontologischen Qualität entwickelt. Zu diesem Endstadium werden Mk 9,2–8; 5,25–34; 6,47–52 gerechnet.

[8] Zum Ganzen vgl. die wertvolle Übersicht bei Hengel, a.a.O., 67–89.

[9] Zu anderen Versuchen vgl. Hahn, Hoheitstitel 281f.

[10] Für Hahn, Hoheitstitel 287–292, ist die älteste Gottessohn-Schicht auf den zur Parusie wiederkehrenden Jesus bezogen. Einziger überzeugender alter Text ist allerdings nur 1Thess 1,10.

[11] Mit P. Vielhauer, Erwägungen zur Christologie des Markusevangeliums, in: ders., Aufsätze zum NT, 1965 (TB 31) 199–214, hier 200.

[12] Hoheitstitel 287–319.

Schwierigkeiten gegenüber dieser Entwicklungsgeschichte bereitet die Tatsache, daß in den angeführten Wundergeschichten die Wunder nicht auf den Geist Gottes, der in Jesus ist, zurückgeführt werden und daß in 5,25–34; 6,47–52 der Gottessohntitel gar nicht vorkommt[13]. So warnt auch Hengel vor einer zu weitgehenden Differenzierung und Auffächerung: »Der antike Mensch dachte im Bereich des Mythos gerade nicht analytisch differenzierend wie wir, sondern im Sinn der ›Vielfalt der Annäherungsweisen‹ kombinierend und akkumulativ«[14]. Wir werden uns darum mit der Beobachtung begnügen müssen, daß Jesus in vormarkinischen Überlieferungen einmal als königlicher Messias (1,11; 9,7; 14,61) und zum anderen als charismatischer Wundertäter (5,7) mit dem Gottessohntitel bedacht wird. Die Entwicklung zu einer wesensmäßigen Gottessohnschaft ist in 1,9–11 vorbereitet[15], wo bleibender Geistbesitz und Gottessohn verbunden sind, aber auch dadurch eingeleitet, daß der Gottessohntitel sich verselbständigt und in Perikopen wie 1,9–11; 9,2–8, die Jesu Bedeutung zusammenfassen, geeignet erscheint, diese Lebenssumme zu veranschaulichen. Eine weitere Stufe in der Entwicklung ist der Glaubenssatz von der Jungfrauengeburt Jesu, der im Hintergrund von Mk 6,3 stehen kann. Der Sohnestitel[16], der herkommensmäßig vom Gottessohn unterschieden werden muß und bei Markus nur an einer einzigen Stelle begegnet (13,32), ist durch die Gegenüberstellung von Vater und Sohn gekennzeichnet. Der Sohn befindet sich in Unterordnung zum Vater, steht aber gleichzeitig in einer einzigartigen Relation zu ihm (vgl. Mt 11,27/Lk 10,22). Diese Sohnestitulatur hat im außerchristlichen Bereich keine Analogie und muß als christliche Eigenprägung genommen werden. Als wichtige Voraussetzung hat die Gebetsanrede Abba zu gelten (Mk 14,36), die in das Leben des irdischen Jesus zurückreicht. Sie wird darüber hinaus auch das Bekenntni zu Jesus, dem Gottessohn, angeregt haben[17].

Markus knüpft an die ihm vorgegebenen Gottessohnvorstellungen an. Jesus ist für ihn Sohn Gottes sowohl als charismatischer Wundertäter (3,11) als auch als königlicher Messias und endzeitlicher Heilbringer (15,39; vgl. 32). Er ist dies von vornherein, so daß Markus sein Werk Evangelium von Jesus Christus, dem Gottessohn, nennen kann (1,1). Gibt es ein übergreifendes Konzept im markinischen Gottessohn-Verständnis? Nach P. Vielhauer markieren 1,11; 9,7; 15,39 Apotheose, Präsentation und Inthronisation im Anschluß an ein übernommenes altägyptisches Thronbesteigungszeremoniell[18]. Eine Gottessohnwerdung Jesu aber ist für Markus auszuschließen, abgesehen davon, daß die Kenntnis des besagten Zeremoniells fraglich ist. Für C. Burger hat das Christusbekenntnis in Röm 1,3f bei der Abfassung des Evangeliums Pate gestanden. Im Anschluß an Vielhauer meint Burger, Markus überforme die ϑεῖος-ἀνήρ-Vorstellung des Überlieferungsstoffes durch das Konzept von Jesus, dem eschatologischen König, der als Gottessohn eingesetzt wird. Dies entspreche Röm 1,4. Burger muß allerdings zugeben, daß der Evangelist den Zeitpunkt dieser Einsetzung nach vorn verschoben habe[19]. Nach G. Theißen[20] faßt das Bekenntnis des Hauptmanns unter dem Kreuz (15,39) in einem übergreifenden kompositionellen Duktus alles Voraufgehende zusammen und wird so zu einer Art Resümee des Evangeliums. Theißen vermutet darüber

[13] Auch im Griechentum verbinden sich ϑεῖος ἀνήρ und Gottessohntitel nicht. Vgl. W. von Martitz, ThWNT VIII,340. Mk 9,2–8 ist aus jüdischen und insbesondere apokalyptischen Vorstellungen erklärbar. Vgl. Band 2 dieses Kommentars z. St.

[14] (Anm. 7) 90.

[15] Mit Hahn, Hoheitstitel 301f.

[16] Hahn, Hoheitstitel 319–333.

[17] Vgl. Hengel (Anm. 7) 99.

[18] (Anm. 11) 210–214.

[19] Davidssohn 66–70.

[20] Wundergeschichten 211–214.

hinaus, daß der Evangelist in Wundergeschichten bewußt Akklamationsschlüsse mit christologischen Titeln vermieden bzw. umgewandelt habe, um die Schlußakklamation zur vollen Geltung bringen zu können. Bleibt letzteres zu hypothetisch, so ist 15,39 im Evangelium ohne Zweifel von hoher Bedeutung. Insbesondere klärt es die Vorstellung von der Gottessohnschaft Jesu insofern ab, als von diesem Ende her erkannt wird, daß Jesus als dem Gekreuzigten die Würde des Gottessohnes entspricht. Um einen ähnlichen Verweiszusammenhang geht es, wenn die Aufforderung, den Gottessohn zu hören (9,7), im markinischen Kontext in ihrem Bezug zum Leidensgedanken zu sehen ist (8,31–38). Somit ordnet sich das markinische Gottessohnverständnis letztlich in das christologische Konzept vom Messiasgeheimnis ein[21].

4. *Der Beginn der Verkündigung Jesu in Galiläa (1,14–15)*

Literatur: Schnackenburg, R., Gottes Herrschaft und Reich, Freiburg [4]1965; *Mußner, F.*, Gottesherrschaft und Sendung Jesu nach Mk 1,14f, in: Praesentia Salutis, Düsseldorf 1967, 81–98; *Schulz, S.*, Stunde, 143–156; *Flender, H.*, Die Botschaft Jesu von der Herrschaft Gottes, München 1968; *Stuhlmacher, P.*, Evangelium I, 234–238; *Zeller, D.*, Jesus als Mittler des Glaubens nach dem Markussevangelium, BiLe 9 (1968) 278–286; *Strecker, G.*, Literarkritische Überlegungen zum εὐαγγέλιον-Begriff im Markusevangelium, in: NT und Geschichte (FS O. Cullmann), Zürich 1972, 91–104; *Egger, W.*, Frohbotschaft 39–64.

14 **Und nachdem Johannes hingegeben worden war, kam Jesus nach Galiläa, verkündete das Evangelium Gottes und sprach:** 15 **Erfüllt hat sich die Zeit und genaht ist die Herrschaft Gottes. Kehrt um und glaubt dem Evangelium!**

Analyse Dieses Summarium der Verkündigung Jesu besitzt einen klaren Aufbau, insofern auf deren allgemeine Zusammenfassung in 14 (Evangelium Gottes) die wörtliche Explikation in 15 folgt. 14 ist 4 angeglichen (κηρύσσων + Objekt). Damit deuten sich die übergreifenden Gesichtspunkte an. Die wörtliche Rede in 15 ist ein Doppelstichos. Die Nähe der Gottesherrschaft verhält sich zur Erfüllung der Zeit wie der Glaube zur Umkehr. So ist damit zu rechnen, daß 15 von Anfang an als Einheit konzipiert war. Literarkritisch erfuhr das Summarium die verschiedensten Beurteilungen[1]. Während im Anschluß an Bultmann (»ganz sekundäre Bildung«) zahlreiche Forscher das Ganze für markinische Bildung halten[2], bahnt sich neuerdings eine differenziertere Betrachtungsweise an. Singulär für Markus ist die Rede vom Evangelium Gottes. Obwohl Markus auf den Glauben abhebt, ist die Formulierung πιστεύετε ἐν τῷ εὐαγ-

[21] Vgl. unten Exkurs Messiasgeheimnis.

[1] Wendling, Entstehung 3, hielt 14a für den Schluß eines zusammenhängenden Berichtes 4–14a, 14b und 15 für ein Stück Evangelistenarbeit.

[2] Bultmann, Geschichte 124; auch Schmidt, Rahmen 33; Haenchen, Weg 73; Strecker* 93–97.

γελίῳ unmarkinisch. Der Evangelist redet meist objektlos vom Glauben und bevorzugt εἰς. Die Formulierung versteht sich als Semitismus[3]. Ist 15 markinische Vorgabe, so häufen sich in 14 Besonderheiten des Redaktors. μετά mit Akkusativ ist markinischer Stil (9mal), Galiläa Vorzugswort. Die Abgrenzung des Täufers als des Vorläufers Jesu erkannten wir bereits als ein prägendes Anliegen (vgl. 9,9–13). Mit παραδιδόναι gewinnt Markus die Möglichkeit, die Schicksale beider einander anzugleichen[4]. κηρύσσειν ist zwar Term der Missionssprache, aber von Markus bewußt aufgegriffen[5]. Die Wendung ἦλθεν ὁ Ἰησοῦς ist vermutlich 9 angeglichen. Das »Evangelium Gottes« in 14 entnimmt der Evangelist 15, wo das objektlose Evangelium nach der Gottesherrschaft sachlich als Evangelium Gottes ausgewiesen ist[6]. Vielleicht redete die Vorlage von εὐαγγελίῳ αὐτοῦ[7].
»Das Evangelium Gottes verkünden« entspricht der hellenistischen Missionssprache (1Thess 2,9; vgl. Gal 2,2). Die Proklamation der Nähe der Gottesherrschaft greift auf palästinische Tradition zurück (Mt 10,7; Lk 10,9). So mischen sich in 14f beide Überlieferungen[8]. Man wird hier kaum ein ipsissimum verbum Jesu entdecken können[9], wohl aber eine sinnvolle Neuformulierung seiner Basileiapredigt.

Erklärung 14

Johannes der Täufer wird erneut als der Vorläufer Jesu gekennzeichnet. *Nach* dessen Wirken beginnt Jesus seine öffentliche Tätigkeit. Wenn die zeitliche Absetzung auch mit den historischen Gegebenheiten übereinstimmen wird, erfolgt sie hier nicht um der Historie, sondern um eines heilsgeschichtlichen Schematismus willen[10]. Jesus konnte nicht beginnen, ehe nicht der Vorläufer von der Bühne abgetreten war. Das gewaltsame Ende des Johannes deutet bereits von ferne das Schicksal Jesu an. Es war darum ein Dahingeben durch Gott. Hinter dem passivischen παραδοθῆναι muß das Handeln Gottes gesehen werden. Das Wort bezeichnet in den Leidensankündigungen auch das Schicksal des Menschensohnes (9,31; 10,33; 14,41). Auch räumlich ist das Tätigkeitsfeld Jesu von dem des Johannes getrennt. Nachdem er von seiner Heimat Galiläa zum Täufer an den Jordan gezogen war, kehrt er jetzt wieder dahin zurück, um Galiläa zur Heimat des Evangeliums zu machen.
Wie ist das für Markus singuläre Evangelium Gottes zu verstehen? Jesus eröffnet die Verkündigung, die die christliche Gemeinde jetzt weiterführt. Der Evangelist ist sich des zeitlichen Abstandes bewußt, der zwischen ihm und Jesus liegt. Er nivelliert die zeitliche Differenz nicht, auch wenn ihm die Kontinuität wichtig erscheint. Darum verkündigt Jesus nicht das εὐαγγέλιον Χρι-

[3] Schnackenburg, Evangelium 320f; Cranfield; Doudna, The Greek 79.
[4] Vgl. Popkes, Christus traditus 143–145, der sich für markinische Redaktion einsetzt.
[5] F. Hahn, Das Verständnis der Mission im NT, 1963 (WMANT 13), 60, sieht das Vorgegebensein und das markinische Interesse.
[6] Schnackenburg, Evangelium 320.
[7] Dies ist die Lesart des Syrosinaiticus.
[8] Stuhlmacher, Evangelium I, 238.
[9] Pesch, Anfang 135f hält den Ruf »Erfüllt hat sich die Zeit und genaht ist die Herrschaft Gottes« für ein authentisches Jesuswort. μετανοεῖτε könne durchaus dazugehört haben.
[10] Vgl. Schmidt, Rahmen 34; Haenchen, Weg 74f.

στοῦ (1,1), sondern eben das εὐαγγέλιον θεοῦ. In Verbindung mit der Königsherrschaft Gottes begreift sich der Hintergrund dieses Evangeliums am besten von Deuterojesaja her. Zwar findet sich in Jes 52,7; 61,6 nur das Verb εὐαγγελίζεσθαι, bedeutungsvoll aber ist die Verbindung mit dem Königtum Gottes an der ersten Stelle. Schon in der jüdischen Theologie sind die Gedanken weiterentwickelt worden[11]. Jesus steht so als der deuterojesajanische Freudenbote vor uns, von dem es im Targum zu Jes 52,7 heißt: »Wie herrlich sind auf den Bergen des Landes Israel die Füße dessen, der gute Botschaft bringt, der Frieden verkündet, Gutes ansagt, der Erlösung verkündet, der zur Gemeinde Zions sagt: Die Königsherrschaft deines Gottes ist offenbar geworden.« Dennoch ist Jesus mehr als der Bringer oder Herold des Evangeliums Gottes. Die christologische Implikation liegt im Bezug Jesu zur Gottesherrschaft.

15 Ihre Nähe ist ermöglicht worden durch die Erfüllung der Zeit. Das Verständnis dieses Halbsatzes hängt ab von der Beachtung des Unterschiedes zwischen Chronos (Zeitraum, Zeitdauer) und dem hier verwendeten Kairos (die festgesetzte Zeit, der Zeitpunkt). Darum darf man nicht nach Gal 4,4 interpretieren: »Als die Fülle des Chronos gekommen war . . .« – Es gibt einen Kairos der Feigen (Mk 11,13), der Ernte (12,2). Die Wendung vom erfüllten Kairos stimmt überein mit profetisch-apokalyptischer Sprache. Hinter ihr steht das Wissen, daß Gott die Zeiten festlegt (vgl. Dan 7,22; Ez 7,12; 9,1; Klgl 4,18; Offb 1,3; 1Petr 1,11; TestN 7,1). So hat Gott den Zeitpunkt des Auftretens Jesu im voraus bestimmt. Mit ihm vollzieht sich die Zeitenwende, der Anbruch der Endzeit. Darum ist die Nähe der Gottesherrschaft zeitlich eindeutig festgemacht[12]. Es gab einen ausgedehnten Streit darüber, wie die »Nähe« aufzufassen sei, als etwas unmittelbar Bevorstehendes, als nächste Nähe oder als etwas schon Gegenwärtiges. Dabei hat man in der Regel das Verhältnis Jesu selber zur Naherwartung zu bestimmen gesucht[13]. Aber auch im Blick auf das markinische Verständnis geht der Streit weiter. Dies hängt vor allem zusammen mit einer unterschiedlichen Basileia-Interpretation. So geht ἐγγίζειν nach Marxsen auf ein »nahes, aber noch nicht eingetretenes Ereignis«, und es liege auf der Hand, was im Sinn des Evangelisten damit gemeint sei: die Parusie[14]. Haenchen dagegen findet diese Interpretation unerträglich und erklärt sich dafür, daß gemäß der erfüllten Zeit die Gottesherrschaft nicht bloß nahe, sondern wirklich da ist. Die Gottesherrschaft stelle sich nicht dar als kosmisches Ereignis mit herabstoßen-

[11] Stuhlmacher, Evangelium I, 148–150.

[12] Wellhausen zieht als Analogie den Koran Sure 53,57 heran: »Die Katastrophe, die zu erwarten ist, steht nahe bevor« (vgl. Sure 54,1: »Die Stunde [des Gerichts] ist [schon] nahegerückt . . .«). Sicher leben im Koran apokalyptische Traditionen fort. Vgl. R. Paret, Der Koran. Kommentar und Konkordanz, Stuttgart 1971, 463. Der Unterschied zu Jesus liegt in der Basileiabotschaft und deren Gebundensein an Jesus. Dautzenberg, BZ 21 (1977) 233 vermutet für V 15a Anlehnung an Jes 61,2.

[13] Exponenten dieser Diskussion waren C. H. Dodd, The Parables of the Kingdom, London 1936, 34–80, und W. G. Kümmel, Verheißung und Erfüllung, ³1956 (AThANT 6), 13–18.

[14] Evangelist 89. Marxsen zitiert hier Kümmel. Das ist deswegen befremdlich, weil es Marxsen konsequent auf den Redaktor Markus ankommt, während Kümmel die eschatologische Verheißung Jesu ermitteln will.

den Engelscharen, himmlischer Posaune und geöffneten Gräbern, sondern als ein verborgener Anfang, den nicht jedes Auge wahrnahm, sondern nur der Glaube[15]. Nachdem der festgesetzte Zeitpunkt eingetreten ist, kann die Nähe nur so aufgefaßt werden, daß die Gottesherrschaft angekommen ist und sich *von jetzt ab* durchzusetzen beginnt. Sie ist präsentisch und endzeitlich. Mit diesem Verständnis knüpft Markus an eine Basileiaverkündigung an, die bereits in der Spruchquelle vorzufinden ist und die in dieser spanungsvollen Verbindung von Gegenwart und Zukunft auf Jesus zurückgehen dürfte. Weil sie gegenwärtige Herrschaft ist, kann von ihrem Mysterium gesprochen werden (4,11). Dieses schließt den mit Jesus unter den Menschen wirkenden Gottessohn mit ein und hebt auf die christologische Komponente der Basileia ab. Auch die sogenannten Wachstumsgleichnisse im 4. Kapitel hat Markus – wie zu zeigen sein wird – auf dem Hintergrund der Spannung von Gegenwart und Zukunft verstanden, ohne jedoch die Gottesherrschaft mit der Kirche gleichzusetzen[16]. Die Basileia findet ihre volle Verwirklichung erst am Ende und wird dann auch für Markus zu einem kosmischen Ereignis. Sie weitet sich zum alles umfassenden Gottesreich, in das der Mensch eintritt, um ewiges Leben zu erlangen[17]. Gegenwärtig andringende und zum vollendenden Gottesreich hindrängende Gottesherrschaft verlangt eine Entscheidung[18]. Sie umfaßt Umkehr und Glaube.

Die Umkehr bleibt im ältesten Evangelium eigenartig unbestimmt. Gegenüber dem βάπτισμα μετανοίας Johannes des Täufers ruft Jesus zur Umkehr angesichts der nahenden Gottesherrschaft auf und setzen die Zwölf diesen Ruf fort (6,12). Nur an diesen beiden Stellen begegnen wir dem Wort, wobei zu vermerken ist, daß das konkretere Verbum verwendet wird (vgl. das analoge ἐπιστρέφομαι in 4,12). Das geprägte Wort entspringt profetischer Tradition[19]. Während μετανοεῖν in der Profangräzität über den banalen Sinn von »seine Meinung ändern« kaum hinauskommt und eine Haltung beschreibt, die wenigstens teilweise als nicht nachahmenswert angesehen wurde, muß das Wort hier von seiner biblischen Tradition her verstanden werden. Dann wäre seine Wiedergabe mit »umdenken« trotz des entsprechenden Wortstammes zu schwach und noch zu hellenistisch empfunden. Gemeint ist die Kehre des Lebens, die den Lebensweg radikal umwenden will und den gedanklichen Bereich selbstverständlich miteinbezieht und die sich im praktischen Leben auswirken muß. Ziel der Wendung auf dem Weg, der also bis dahin ein falscher war, ist Gott, weil die Gottesherrschaft hier alle Bezirke des menschlichen Lebens des

[15] Weg 73 Anm. 1a.

[16] Diese Identifizierung empfiehlt neuerdings Schulz, Stunde 154f.

[17] In Mk 9,42–45 steht das Reich Gottes parallel zum (ewigen) Leben.

[18] Zur Vorgeschichte des Basileiabegriffs vgl. vor allem Schnackenburg, Herrschaft 23–47, der das Königtum Gottes im apokalyptischen, qumranischen und rabbinischen Judentum ausführlich darstellt. Nach Billerbeck I,183 nimmt das Gottesreich im rabbinischen Judentum bei weitem nicht die zentrale Bedeutung ein. Nach Schnackenburg, Herrschaft 23, durchtränkte die Idee der Gottesherrschaft trotz ihres numerisch vielleicht nicht zu großen Vorkommens die gesamte jüdische Eschatologie.

[19] Würthwein-Behm, ThWNT IV,972–1004.

einzelnen, den privaten und öffentlichen, den ethischen und politischen, umgreift. Die überbietende Forderung ist der Glaube. Es besteht keine Veranlassung, vom Verständnis »glaubt dem Evangelium« abzugehen und durch ein »aufgrund des Evangeliums« zu ersetzen. Diese Auslegung mancher protestantischer Autoren[20] geschieht offenkundig von Paulus her. Vielmehr ist auch bei Markus das persönliche Verhältnis, das der Glaubende zu Jesus im Glauben gewinnt, nicht geschmälert, weil Jesus der Freudenbote ist. Glauben gewinnt hier stärker die Nuance des Vertrauens. Mit dem Glauben rechtfertigt der Mensch das Evangelium und bezeugt den in ihm erhobenen Anspruch als wahr. Glaube gehört wesentlich zum Evangelium »nach Markus«, weil dieser Prozeß der Rechtfertigung des Evangeliums in Annahme und Ablehnung die Konzeption des gesamten markinischen Werks bis zum Schluß entscheidend geprägt hat.

Wirkungsgeschichte

Der Basileiabegriff erwies sich als einer der fruchtbarsten für die gesamte spätere Theologie. Es wäre möglich, mit seiner Hilfe eine Theologiegeschichte zu entwerfen. Die systematische Theologie der Gegenwart im protestantischen Raum beschäftigt sich lebhaft mit ihm, in der katholischen Systematik scheint er weitgehend vergessen zu sein. Dies hat vermutlich seine besonderen Gründe, die hier nur angedeutet werden können. Die Entwicklung der Basileiatheologie ist von Anfang an – wie es sich bereits durch Markus nahelegt – geprägt durch die Frage, wie sich Gottesherrschaft und Gottesreich, gegenwärtige und zukünftige Basileia, zueinander verhalten[21]. Das Problem verschärft sich durch die Verzögerung des Endes und die sich dehnende Zeit. Die als Fülle der Zeit erfahrene Offenbarung des Christus rückt in die Mitte der Zeit, die die folgenden Zeiten bestimmt und normiert. Die präsentische Gottesherrschaft wird auf die Kirche bezogen, und dies in einer Weise, die das endzeitlich-eschatologische Gottesreich immer stärker in den Hintergrund treten läßt. Der Weg ließe sich vom 2. Clemensbrief und dem Pastor Hermae, wo sich die Annäherung von Basileia und Ekklesia vertieft[22], über die Lehre von den duae civitates Augustins, die Zwei-Reiche-Lehre Luthers bis in die systematischen Handbücher der Gegenwart verfolgen. Dabei müßte geprüft werden, ob der Vorwurf der Enteschatologisierung des eschatologischen Begriffs zu Recht besteht und in welchem Maß er berechtigt ist[23]. Die βασιλεία τοῦ θεοῦ wird zu einem Terminus der Ekklesiologie. Die Wiederentdeckung der eschatologischen Qualität der Basileia durch J. Weiss um die letzte Jahrhundertwende kam einer Revolution gleich[24]. J. Kaftan formulierte im Kolleg – und sein Hörer R. Bultmann hat

[20] Schlatter; Lohmeyer. Marxsen, Evangelist 90, versucht mit seiner auf die Parusie bezogenen Interpretation zu vermitteln: »Glaubet an das Evangelium (= den wiederkommenden Herrn) auf Grund des Evangeliums (= *seiner* Verkündigung der Wiederkunft)«.

[21] Vgl. A. v. Harnack, Dogmengeschichte I, Darmstadt 1964, 148–151. – Zur theologischen Sprachregelung in der Basileiaterminologie (Königsherrschaft Gottes, Königtum Gottes, Gottesreich usw.) vgl. Schnackenburg, Herrschaft 247f.

[22] R. Schnackenburg, LThK ²II,30.

[23] Vgl. F. Lau, RGG³ VI, 1948; H.-D. Wendland, Die Weltherrschaft Christi und die zwei Reiche, in: Kosmos und Ekklesia (FS W. Stählin), 1953, 23–39.

[24] J. Weiss, Die Predigt Jesu vom Reiche Gottes, Göttingen ²1900, ³1964.

es aufgezeichnet[25]: »Ist das Reich Gottes eine eschatologische Größe, so ist es ein für die Dogmatik unbrauchbarer Begriff.« In den katholischen Dogmatiken verschwindet der Begriff weitgehend, oder er wird weiter mit der Kirche gleichgesetzt[26]. M. J. Scheeben behandelt zwar das Reich Christi ausführlich, weniger das Reich Gottes[27]. K. Barth sagt wie zum Trotz: »Der in der protestantischen Theologie oft zu eilfertig und zu unsorgfältig bestrittene Satz ist darum nicht zu unterdrücken: das *Reich Gottes* ist die *Gemeinde*.« Gleich darauf wird präzisiert: »Die Gemeinde ist nicht das Reich Gottes. Aber das Reich Gottes ist – in seiner irdisch-geschichtlichen Existenzform von Sündern unter Sündern verkündigt und geglaubt, indem Unheilige in Erkenntnis seines Anbruchs Gottes Heilige sein dürfen – die Gemeinde.«[28]

Wesentliches hat P. Tillich zu einer modernen Basileiatheologie beigetragen[29]. Grundlegend ist das Spannungsverhältnis von Gegenwart und Zukunft, von zu aktualisierender und zu erwartender Basileia. Vereinseitigt man das erste, gerät man in die Fragwürdigkeiten einer utopischen Geschichtsdeutung, die das Vorläufige zum Endgültigen macht. Schaltet man das erste aus, so verfällt man einer »transzendentalistischen« Geschichtsbetrachtung, die das Reich Gottes zu einer statischen Größe werden läßt[30]. Alles wird dann von der Zukunft erwartet, die Welt wird pessimistisch beurteilt und unverändert gelassen (wie in der Apokalyptik). Die Basileia hingegen vermag zugleich immanente und transzendente Elemente zum Ausdruck zu bringen und wird so »zu einem höchst kritischen Symbol für den politischen und kirchlichen Absolutismus.«[31] Der Kirche bzw. den Kirchen als Repräsentanten des Reiches Gottes, die dieses offenbaren und auch verhüllen, kommt die Aufgabe zu, das gleichzeitige Bewußtsein von der Gegenwart des Reiches Gottes und seiner Erwartung lebendig zu halten[32].

2. Exkurs: Galiläa

Galiläa[1], wahrscheinlich von hebräischem *galil* (= Kreis) abzuleiten, war die nördlichste der drei Landschaften Palästinas und einst den Stämmen Zabulon, Issakar, Asser und Naphtali zugesprochen. Im Osten bildeten der See Gennesaret und der Jordan die Grenze, im Westen die Stadt und der Bezirk Ptolemais. Nach Norden schloß sich das Gebiet von Tyrus an. Nach Süden endete Galiläa an der großen Ebene, die am Karmel beginnt und im Jordantal bei Skythopolis abschließt. Die Bevölkerung zur Zeit Jesu bestand be-

[25] Im Geleitwort zur 3. Auflage des genannten Buches von J. Weiss.

[26] A. Lang, Der Auftrag der Kirche, ²1958, 22–43, verwechselt in starkem Maß Basileia und Ekklesia.

[27] Zum Reich Christi vgl. M. J. Scheeben, Die Mysterien des Christentums, 1941, 331ff. Zum Reich Gottes: Handbuch der katholischen Dogmatik, 2 Bde., 1948, Register.

[28] Dogmatik IV/2,742.

[29] Systematische Theologie III, Stuttgart 1966, 398–477.

[30] 405f.

[31] 407.

[32] 443f.

[1] Vgl. G. Schrenk, Galiläa zur Zeit Jesu, Basel 1941; A. Oepke, Das Bevölkerungsproblem Galiläas, ThLBl 62 (1941) 201–205; A. Alt, Galiläische Probleme, PJ 33 (1937) 52–88; 34 (1938) 80–93; 35 (1939) 64–82; 36 (1940) 78–92.

sonders in den Dörfern und im Innern des Landes aus Juden, die hellenisierten Städte und Domänen im Westen waren stärker heidnisch durchsetzt. Der Hellenisierungsprozeß wurde vorangetrieben durch die hellenisierten Städte, die heidnischen und halbheidnischen Gebiete, die Galiläa wie eine Insel umgaben, die Hellenisierungspolitik Herodes' des Großen und seiner Söhne und landfremde, hellenistische Großgrundbesitzer, die weite Teile des fruchtbaren Landes in Besitz genommen hatten. Seit 38 v. Chr. war Galiläa im festen Besitz von Herodes. Nach dessen Tod bildete Galiläa zusammen mit Peräa eine von Judäa politisch getrennte Tetrarchie, die Herodes Antipas bis 39 n. Chr. regierte. Antipas verlegte seine Residenz von Sepphoris, 6 km nördlich von Nazaret gelegen[2], nach Tiberias am See. Der Bevölkerung Galiläas rühmt Josephus Tapferkeit und Kampflust nach[3]. Nach dem Talmud würde sie die Ehre höher einschätzen als den Besitz (*mamon*)[4]. Wenn ihre Aussprache, besonders in den Konsonanten, ungenau klang, ist das auf den Einfluß der griechischen Sprache zurückzuführen, die hier vielfach gebraucht wurde und auf das Aramäische abfärbte[5]. Von der Schönheit und Fruchtbarkeit des Landes erzählt Josephus[6]. Das ausgeglichene Klima gestatte jede Art von Pflanzenwuchs. Er erwähnt Nußbäume, Palmen, Feigen- und Ölbäume, Weintrauben und alle Arten von Obst. Wegen der Latifundien lebten die Galiläer zu einem beträchtlichen Teil in wirtschaftlicher Abhängigkeit. Der Ruf nach Unabhängigkeit war hier stärker als in den anderen Teilen Palästinas.

Im *Markusevangelium* wird Galiläa betont. Es ist das Herkunftsland Jesu (1,9) und die Heimat des Evangeliums (1,14.39), wo sich Jesu Ruf rasch verbreitet (1,28). Am Meer von Galiläa beruft er seine ersten Jünger (1,16). Aus Galiläa und den umliegenden Provinzen versammeln sich große Volksscharen bei ihm (3,7f). Dann sehen wir ihn auf dem Marsch von Galiläa nach Jerusalem zum Leiden (7,31; 9,30; 15,41). Der Auferweckte geht den Jüngern, die sich in seiner Passion zerstreut haben, nach Galiläa voraus, um sie dort neu zu sammeln (14,28; 16,7). Weil alle angeführten Stellen der markinischen Redaktion verdankt sind[7], hat man gefragt, ob sich im zweiten Evangelium hinter Galiläa eine theologische Bedeutung verbirgt. Verschiedene Antworten sind gegeben worden. Für Lohmeyer[8] ist Galiläa zur Zeit des Markus terra christiana und Sitz einer mit Jerusalem konkurrierenden Urgemeinde, deren Zentrum Damaskus sei. Marxsen[9] hat diese Sicht ausgebaut und auf eine kerygmatische Ebene gehoben. Galiläa sei nicht bloß das Land, wo Jesus verkündete, sondern auch das Verkündigungsgebiet der markinischen Gemeinden. »Es ist der Ort, wo er gewirkt hat, wo er – in der Verkündigung verborgen – jetzt wirkt, wo er bei seiner Parusie wirken wird«[10]. Jedoch, von galiläischen Christengemeinden wissen wir nicht viel, und das Bild, das Markus von Galiläa zeichnet, ist zu wenig plastisch, als daß man ihn oder seine Gemeinden dort vermuten möchte. Darüber hinaus ist eine auf Galiläa gerichtete Parusieerwartung höchst fragwürdig (vgl. zu 16,7). Nach H. R. Preuß[11] betont Markus einfach die galiläische Tätigkeit Jesu, die bei Markus zur klassischen Periode mit Modellcharakter werde. Wie schon andeutungsweise Preuß bringt L. Schenke[12] Galiläa mit dem Messiasgeheimnis in Verbindung. Ga-

[2] Vgl. B. Schwank, Das Theater von Sepphoris und die Jugendjahre Jesu, LebZeug 32 (1977) 78–86.
[3] Bell 3,42.
[4] jKet 29b.
[5] Vgl. Dalman, Orte und Wege 7.
[6] Bell 3,516–521.
[7] Vorgegeben sind 6,21 und 14,70 (Γαλιλαῖος).
[8] Galiläa und Jerusalem passim. Vgl. jetzt K. Tagawa. »Galilée et Jerusalem«: l'attention portée par l' évangéliste Marc á l' histoire de son temps, RHPhR 57 (1977) 439-470.
[9] Evangelist 47–61.
[10] 60.
[11] Galiläa. Ähnlich Pesch I,104.
[12] Studien 452–460.

liläa sei das Land, wo dieses Geheimnis nachösterlich gelüftet werden soll. Für andere deutet die Ausrichtung auf Galiläa die Orientierung des Markus auf die Heidenmission an[13]. Will man das markinische Galiläa-Konzept, von dem gesprochen werden darf, recht verstehen, hat man die doppelte Linie, die Markus zeichnet, zu berücksichtigen: Der geschichtlich zu verstehende Weg, der das Wirken Jesu prägte und in dessen Verlauf er noch nicht erkannt wurde[14], führte von Galiläa nach Jerusalem. Danach sind die Jünger die umgekehrte Richtung gewiesen. In Galiläa, wo er das Zentrum seiner Tätigkeit besaß, sollen sie ihn voll begreifen. Dies wird also erst nach Kreuz und Auferstehung ermöglicht sein. Die von Jerusalem wegführende Linie kann als Hinweis auf die Hinwendung zu den Heiden, die Markus an anderer Stelle ausdrücklich formuliert (13,10), zusätzlich aufgefaßt werden[15].

I. Jesus wirkt vollmächtig vor allem Volk (1,16–3,12)

Dieser Abschnitt hebt mit der Berufung der ersten Jünger an. Auf der Jüngerschaft liegt von Beginn das besondere Interesse des Evangelisten. Es folgen zwei beeindruckende Offenbarungsszenen, der Exorzismus in der Synagoge und die Befreiung eines Mannes vom Aussatz. Eingestreut sind eine kleine Heilungsgeschichte und Bemerkungen, die einen Abend und eine Nacht in und nahe der Stadt betreffen (1,32–39). Die »galiläischen Streitgespräche« (2,1–3,6) führen Jesus in erste und ernste Auseinandersetzungen mit seinen Gegnern, die an seiner Vollmacht Anstoß nehmen. Folglich sinnen sie am Ende auf seinen Tod. Den Abschluß des Abschnittes bildet wieder – wie schon im Initium – ein Sammelbericht (3,7–12). Daß es Markus auf die in Jesus geschehende Offenbarung ankommt, deuten Offenbarungswort und Schweigegebot an (3,11f). Schauplatz des Geschehens ist das Meer von Galiläa (1,16; 2,13; 3,7), Kafarnaum (1,21; 2,1), die Stadt (1,33), die Synagoge (1,23; 3,1), die Saatfelder (2,23), ja ganz Galiläa mit seinen Synagogen (1,39), kurzum: die kleine ländliche Welt, die Stätte der Offenbarung werden sollte.

1. Die Berufung der ersten vier Jünger (1,16–20)

Literatur: Bieder, W., Die Berufung im NT, 1961 (AThANT 38); *Schulz, A.*, Nachfolgen und Nachahmen, 1962 (StANT 6); *Betz, H. D.*, Nachfolge und Nachahmung Jesu Christi im NT, 1967 (BHTh 36); *Pesch, R.*, Berufung und Sendung, Nachfolge und Mission, ZKT 91 (1969) 1–31.

16 **Und als er am Meer von Galiläa entlangging, sah er Simon und Andreas, den Bruder Simons, wie sie (das Wurfnetz) um sich warfen. Denn**

[13] G. H. Boobyer, Galilee and Galileans in St. Mark's Gospel, BJRL 35 (1952/53) 334–348. Vgl. die Übersicht bei Schenke, Studien 442–452.

[14] Vgl. den Exkurs Messiasgeheimnis.

[15] Vgl. unten zu 16,7.

sie waren Fischer. 17 **Und Jesus sagte ihnen: Hierher, mir nach! Und ich werde euch zu Menschenfischern machen.** 18 **Und sogleich verließen sie die Netze und folgten ihm nach.**
19 **Und als er ein wenig weiterging, sah er Jakobus, den (Sohn) des Zebedäus, und Johannes, seinen Bruder, wie sie im Boot die Netze herrichteten.** 20 **Und sogleich rief er sie. Und sie verließen ihren Vater Zebedäus im Boot mit den Lohnknechten und gingen weg, ihm nach.**

Analyse Die Überlieferung bestand vormarkinisch für sich. Es gab keinen Traditionsabschnitt 1,16–38[1]. Wenn dieser Abschnitt auch durch den Gebrauch des Namens Simon ausgezeichnet ist, eine engere zeitliche Verknüpfung beginnt erst mit 21ff[2]. Weil die Geschichte von zwei Berufungen erzählt wird, entsteht die Frage, ob die Berufung der Zebedäussöhne erst später mit der Berufung Simons und seines Bruders Andreas verknüpft wurde. Das Hauptargument für eine Trennung lautet, daß die Tätigkeit des ersten Brüderpaares, der Fischfang, eine nächtliche Beschäftigung ist, während die Netze bei Tag wieder hergerichtet werden. Der kompositionelle Aufbau aber spricht klar für eine zusammenhängende Tradition. Nicht nur der rhythmische Gleichklang im strukturellen Aufbau bis hinein in die Tempus- und Verbformen ist eine wichtige Beobachtung, sondern vor allem auch die sorgfältige, auf die Auslassung von Wiederholungen bedachte Erzählweise verdient Beachtung. Der wörtliche Anruf Jesu ist der ersten Berufung vorbehalten, die zweite begnügt sich mit einem »und er rief sie«. Fällt im ersten Teil das entscheidende Wort »nachfolgen«, so wechselt der zweite zum ἀπέρχεσθαι. Unterschiedensein und Gleichklang bilden also eine abgewogene Einheit, für die eine chronografische Betrachtungsweise, die den Unterschied von Abend und Morgen berücksichtigt, nicht von Bedeutung war.

Markus hat die Perikope nahezu unverändert gelassen und seine Intentionen vorab durch ihre Einordnung angedeutet. »Entlang am Meer von Galiläa« in 16 aber ist als sein redaktioneller Zusatz zu betrachten. παρά mit Akkusativ entspricht seinen Stil (2,13; 4,1; 5,21), Mt 4,18 hat die harte Formulierung παράγων παρά geglättet. »Das Meer von Galiläa« dürfte eine auf Markus zurückzuführende Bezeichnung des Sees sein[3], der im Alten Testament Meer Kinneret (Num 34,11; Jos 13,27), Kinroth (Jos 12,3) – vermutlich nach der an der Westküste gelegenen Stadt –, in den Targumim Meer Gennesar und bei Josephus der See oder die Wasser Gennesaret, Gennesar o.ä. heißt[4]. Die vormarkinische Tradition besaß also keine eigene Ortsangabe[5], wie ihr ja auch jede

[1] Anders Jeremias, Abendmahlsworte 86, Anm. 1.

[2] Mit Kuhn, Sammlungen 16.

[3] Noch Mk 7,31 und an den parallelen Stellen Mt 4,18; 15,29. Joh 6,1: »Meer von Galiläa von Tiberias«. Es bestehen allerdings zahlreiche Textvarianten.

[4] Billerbeck I,184–186. – Ob εὐθύς in 20 redaktionell ist oder nicht, ist belanglos. Hirsch, Frühgeschichte I,6, hält αὐτοὺς ἐν τῷ πλοίῳ in 19 für Zutat, die im Blick auf 20 erfolgt sei.

[5] Darum lenkt Lohmeyer ab, wenn er das Geschehen an das Westufer des Sees verlegt wissen will.

Zeitangabe fehlt. Das ist bei der Interpretation zu berücksichtigen, da Markus durch die Einordnung einen gewissen Zeitrahmen schafft.

Erklärung 16–18

Jesus ist der die Erzählung Beherrschende. Er geht vorüber, sieht die Männer bei ihrer Arbeit und spricht sie gebieterisch an. Das Gehen, Sehen, Sprechen, Hören, Kommen, die elementaren Funktionen menschlichen Handelns, bestimmen weitgehend die Sprache unseres Evangeliums. Er ruft sie als Fremder, denn diese Begegnung ist die erste. Er ist bestimmendes Subjekt des Ganzen. Die Angerufenen werden erst im letzten Satz Subjekt, indem sie im Gehorsam dem Anruf entsprechen. Die beherrschende Stellung Jesu ist um so beeindrukkender, als die Erzählperspektive die der Angerufenen ist[6]. Der Blick Jesu ist der erwählende. Simon erhält hier noch nicht den Namen Petrus, obwohl Markus diesen bevorzugt. Der Ruf trifft sie bei ihrer alltäglichen Arbeit, er trifft sie gemeinsam. Der Doppelruf ist im Makrotext in Verbindung mit der Kollegiatmission zu sehen, in der die Jünger zu zweit ausgesendet werden (6,7)[7]. Als Fischer sind sie – abends und nachts – mit dem Auswerfen des kreisrunden Wurfnetzes beschäftigt. Die Formulierung bedient sich vermutlich eines Fachwortes der Fischersprache. Mt 4,18 hat es verdeutlicht[8]. Über das Ansehen, das die Fischer genossen, sind wir nicht genau im Bild. Es bestehen unterschiedliche Urteile. Nach Qid 4,13 war ihr Ansehen ein schlechtes, nach Rabbi Jehuda (um 150) galten sie als fromm[9]. Nach Vergil, Metam. 3,585ff, gehören sie zur Schicht der Armen. Jesus ruft sie in die Nachfolge. »Hierher, mir nach!« findet sich wörtlich in LXX 4Kön 6,19 als Wort des Profeten Elischa an die Aramäer, hat aber dort mit dem Nachfolgegedanken nichts zu tun. Darum ist keine Zitierung anzunehmen[10]. Den Ruf wird Simon nochmals vernehmen, nachdem er aus der Nachfolge herauszufallen droht (8,33). Die Nachfolge führt die beiden Männer einem neuen Beruf zu, der ihnen mit Hilfe ihres alten Berufes erläutert wird. Wie sie bisher Fische fingen, sollen sie in Zukunft (ποιήσω) Menschen fangen. Dieses Wort in Verbindung mit dem Gottesreich zu sehen, denn für es sollen Menschen gewonnen werden. Der damit erwiesene positive Sinn des Bildwortes hat keine Parallele, weil es zwar bekannt gewesen sein dürfte, jedoch stets negativ verwendet wurde[11]. In der Qumranliteratur ist von denen die Rede, die das Netz spannten (1QH 3,26), oder den »vielen Fischern, die das Netz ausbreiten auf der Wasserfläche« und den Beter in Grauen versetzen (1QH 5,7f)[12]. In Jer 16,16 hören wir von Menschenfischern und

[6] Schmidt, Rahmen 44.

[7] Bieder* 9 sieht in der Berufung der Brüder den Gemeinschaftsgedanken ausgedrückt, daß sich neue Gemeinschaft konstituiert. Er bedient sich dabei der Barth'schen Unterscheidung zwischen dem Einzelnen und dem Vereinzelten: »Jesus beruft wohl auch Einzelne, aber nicht Vereinzelte.«

[8] Die interpretierende Lesart βάλλοντας ἀμφίβληστρον in EFGSist Übernahme aus Mt 4,18. ἀμφιβάλλω heißt herumwerfen, im Bogen auswerfen.

[9] Billerbeck I,187.

[10] Erwogen von Pesch, Berufung 15.

[11] Das Vergleichsmaterial ist ausführlich zusammengestellt bei Hengel, Charisma 85f und Anm. 148a, 150, 151.

[12] Hengel, Charisma 86f, interpretiert auf dem Hintergrund dieser Qumran-Logien im positiven Sinn, daß »die Jünger im Zeichen der anbrechenden Gottesherrschaft und im Auftrag ihres Meisters – wie Jesus selbst – dem

Menschenjägern, Feinden Israels, die den Angehörigen des Volks auflauern, um sie zu vernichten. Sollte im Jesuslogion eine Umkehrung dieses Profetenwortes vorliegen, daß jetzt die Sammlung der Zerstreuten erfolgt[13]? Die Bezeichnung der Gläubigen als eingefangene Fische wurde offenbar zu einem Term urchristlicher Missionssprache (Lk 5,6; Joh 21,6)[14]. Nachfolge bedeutet für die beiden Männer persönlichen Anschluß an Jesus, teilhaben an seinem Leben. Ähnlich schloß sich schon der Gelehrtenschüler dem von ihm erkorenen Rabbi an[15]. Die schon oft herausgestellten Unterschiede aber bestehen insbesondere darin, daß der Jünger Jesu von diesem gerufen wird, in Vollmacht gerufen wird. Wie Jesus dabei sich nicht auf einen Auftrag Gottes beruft, sondern aus eigener Autorität Jünger bestellt, so lernt der Jünger bei ihm auch nicht die Tora wie der Gelehrtenschüler, sondern er lernt ihn selbst kennen und seine Lehre. Beides gehört engstens zusammen (vgl. 8,34).

19–20 Die analoge Szene der Doppelberufung des Jakobus und Johannes konnte kürzer ausfallen. Beide werden bei Markus mit Ausnahme von 9,38 stets zusammen genannt und bilden darüber hinaus mit Petrus eine Gruppe der Drei (5,37; 9,2; 14,33). Im Gegensatz zu Simon und Andreas haben sie semitische Namen. Sie sind als Söhne des Zebedäus bekannt (3,17; 10,35), aber nur hier tritt ihr Vater in Erscheinung. Das Vatermotiv radikalisiert den Nachfolgegedanken, das Verbleiben der Lohnknechte beim Vater allerdings mildert wieder ab. Dies bestätigt Mt 4,22, der die Lohnknechte nicht mehr erwähnt, um zu radikalisieren. Es dürfte kaum die Absicht des Erzählers gewesen sein, mit den Lohnknechten und dem »Kutter« auf reichere Familienverhältnisse bei Zebedäus gegenüber Simon und Andreas aufmerksam machen zu wollen. Nachfolge schließt für Jakobus und Johannes Trennung vom Vater mit ein.

Der strukturelle Gleichklang der beiden Berufungserzählungen in 16–18 und 19f, der nochmals in der Berufung des Levi 2,14 vorkommt, macht die Frage nach einem dahinterliegenden Schema notwendig. Das einzige vergleichbare, aber eindeutige Vorbild ist die Berufung des Elischa durch Elija in 1Kön 19,19–21. Die parallelen Strukturelemente sind die folgenden:

»Auf dem Rückweg traf er (Elija) Elischa, den Sohn Safars, wie er gerade pflügte . . . Elija ging auf ihn zu und warf seinen Mantel über ihn. Da ließ er die Rinder stehen, eilte Elija nach und sagte: Laß mich noch von Vater und Mutter Abschied nehmen, dann will ich dir nachfolgen . . . Dann machte er sich auf, folgte Elija nach und wurde sein Diener.«

Ruf des Profeten, der den Gerufenen bei der alltäglichen Arbeit antrifft, die Erwähnung des Vaters (und der Mutter), die Befolgung des Rufes sind die

›Starken‹ seine Beute abgewinnen und die Gebundenen freimachen sollten«. Eine polemische Note – Auseinandersetzung mit dem Reich Satans – ist jedoch im Menschenfischerwort nicht zu bemerken.

13 Nach Pesch, Berufung 21f paßte dieses Verständnis bestens. Er muß aber gleichfalls eine Deutung gegen den ursprünglichen Sinn (des Jeremiawortes) annehmen.

14 Diog. Laert. 4,16f; 8,36 verwendet »erjagen« im Sinn von »jemand für eine Lehre einfangen«.

15 Zur Nachfolge im AT und Rabbinat vgl. Schulz* 17–32.

übereinstimmenden Elemente. Hinzu kommen hier noch ein Berufungsgestus und die Verzögerung durch das Abschiednehmenwollen. Das Vorbild läßt Mk 1,16–20 der Form nach eindeutig als Berufungsgeschichte bestimmen. Es ist fraglich, ob diese Form in der jüdischen Theologie weiterexistierte. Nach Hengel wurde die elijanische Form der Berufung dort bewußt nicht rezipiert[16]. Im Evangelium dient sie dazu, die charismatische Vollmacht im Wirken Jesu auszudrücken. Wir werden damit zu rechnen haben, daß der Erzähler der vormarkinischen Überlieferung unmittelbar an 1Kön 19 anschließt und so eine christliche Form der Berufungsgeschichte gestaltet[17]. Darum trifft es zu, diese als ideale Szene zu bezeichnen[18].

Historische Beurteilung

Dennoch sind bei aller Schemahaftigkeit historische Details zu erkennen. Außer allen genannten Personennamen sind diese der Beruf der Männer, ihre Beheimatung am See und vor allem die charismatische Vollmacht Jesu, in seine eigene Nachfolge zu bestellen. »Historisch« wird sich der Anschluß dieser Männer an Jesus allmählicher und verwickelter vollzogen haben. Heute ist insbesondere die Frage umstritten, ob das Menschenfischerwort ein authentisches Jesuswort ist. Mit seiner Beurteilung hängt auch die Bestimmung der Überlieferung – hellenistisch oder galiläisch – zusammen[19]. Seine Struktur (Imperativ + καί + Futurform) ist semitisch, wenn auch wegen des konkreten Befehls weniger typisch. Als ausgesprochen semitisch gilt es, wenn in dieser Struktur der Imperativ uneigentlich gemeint ist (z.B. Joh 2,19b)[20]. Dennoch läßt das strukturelle Kriterium die Auffassung als berechtigt erscheinen, von einer palästinischen und somit galiläischen Tradition zu sprechen. Weil Logion und Geschichte von Beginn zusammengehören, gilt dies für die ganze Perikope[21]. Das Menschenfischerwort spiegelt zwar die Missionspraxis der Gemeinde, ist aber sicher jesuanisch[22]. Mit dem Wort wird klar, daß die Nachfolge in eine besondere Aufgabe entläßt: missionarisch Menschen zu werben.

Zusammenfassung

Für Markus tritt der Gedanke der Mission ein wenig zurück. Eine Verbindung zwischen dem von ihm eingefügten Galiläa und einer missionarischen Arbeit unter den Heiden ist nicht deutlich auszumachen[23]. Die Geschichte gewinnt vielmehr nach dem Summarium in 14f stärkere paradigmatische Bedeutung[24]. Sie verdeutlicht, wie in der bedingungslosen Nachfolge Jesu Umkehr und Glaube verwirklicht werden können. Dabei ist vorausgesetzt, daß auch »Nachfolge des Erhöhten« möglich und geboten ist. Die vier ersten Jünger erscheinen außer in Kapitel 1 nochmals als Adressaten der eschatologischen Belehrung

[16] Charisma 19.
[17] In ihr ist die Vollmacht noch unterstrichen durch das erwählende Sehen, Befehlen, Beauftragen.
[18] Bultmann, Geschichte 27.
[19] Für Haenchen, Weg 82, ist die Geschichte hellenistisch wegen eines dem Aristipp zugesprochenen parallelen Wortes zum Menschenfischerlogion. Dieses Wort ist aber nach Hengel, Charisma 86, Anm. 151, eine sekundäre Bildung und wahrscheinlich von Mk 1,17 beeinflußt.
[20] Vgl. Beyer, Semitische Syntax 252.
[21] Pesch, Berufung 24.
[22] Vgl. Lk 5,6; Joh 21,6; Hengel, Charisma 85f; Pesch, Berufung 21; ders. I,113.
[23] Von Pesch, Berufung 30 vorausgesetzt.
[24] Ähnlich Schmahl, Die Zwölf, 116.

(13,3). Wie sie die Ersten sind, auf die Jesus trifft, hören sie von der endzeitlich-letzten Parusie des Menschensohnes (13,26). Zu einer besonderen Inklusion benutzt der Evangelist Simon-Petrus, welcher der erst- und letztgenannte Jünger ist (16,7).

2. *Der Exorzismus in der Synagoge von Kafarnaum (1,21–28)*

Literatur: Daube, D., Exousia in Mark 1,22 and 27, JThS 39 (1938) 45–59; *Mußner, F.*, Ein Wortspiel in Mk 1,24?, BZ 4 (1960) 285–286; *Kee, H. C.*, The Terminology of Mark's Exorcism Stories, NTS 14 (1967/68) 232–246; *Pesch, R.*, Ein Tag vollmächtigen Wirkens Jesu in Kapharnaum (Mk 1,21–34.35–39), BiLe 9 (1968) 114–128.177–195.261–277; *Kertelge*, Wunder Jesu, 50–60; *Stein, R. H.*, The »Redaktionsgeschichtlich« Investigation of a Markan Seam, ZNW 61 (1970) 70–94; *Schenke*, Wundererzählungen, 95–108; *Dideberg, D. – Mourlon Beernaert, P.*, »Jésus vint en Galilée«, NRTh 98 (1976) 306–323; *Ambrozic, A. M.*, New Teaching with Power (Mk 1,27), in: Word and Spirit (FS D. M. Stanley), (1975) 113–149; *Guillemette, P.*, Mc 1,24 est-il une formule défense magique?, ScEs 30 (1978) 81–96

21 **Und sie kommen nach Kafarnaum. Und sogleich ging er am Sabbat in die Synagoge und lehrte.** 22 **Und sie gerieten außer sich über seine Lehre. Denn er lehrte sie wie einer, der Vollmacht hat, und nicht wie die Schriftgelehrten.** 23 **Und sogleich war in ihrer Synagoge ein Mensch in unreinem Geist (gefangen). Und er schrie auf** 24 **und sprach: Was (gibt es zwischen) uns und dir, Jesus, Nazarener? Bist du gekommen, uns zu vernichten? Ich kenne dich, wer du bist: der Heilige Gottes.** 25 **Und Jesus fuhr ihn an und sprach: Verstumme, und fahre aus von ihm!** 26 **Und der unreine Geist zerrte ihn, und einen lauten Schrei ausstoßend, fuhr er aus ihm aus.** 27 **Und alle gerieten in Schrecken, so daß sie einander fragten: Was ist dies? Eine neue Lehre in Vollmacht! Und den unreinen Geistern gebietet er, und sie gehorchen ihm.** 28 **Und die Kunde von ihm verbreitete sich sogleich überall in der ganzen Umgebung Galiläas.**

Analyse Orts- und Zeitwechsel – Kafarnaum, Sabbat, Synagoge – markieren den Perikopenbeginn. Die Trennung von der Ankunft in Kafarnaum und dem Gang in die Synagoge (zwei Komposita mit εἰς in 21) lassen die Vermutung redaktioneller Überarbeitung aufkommen, die um den Anschluß an das Voraufgehende bemüht war. In 22 wird Jesu vollmächtige Lehre und ihre Reaktion bei den Hörern festgestellt, aber nichts über den Inhalt der Lehre gesagt. 23–28 erzählen eine klassische Exorzismusgeschichte, die deren wesentliche Elemente enthält: Auftritt des Dämonischen, Abwehrversuch, Austreibungsbefehl des Exorzisten, Ausfahrt des Dämons und bestätigende Reaktion der anwesenden Menge. In der anerkennenden Rede der Anwesenden wird wieder auf die Lehre Jesu Bezug genommen, so daß eine Inklusion zwischen 22 und 27 besteht.

Handelnde Personen sind Jesus und der unreine Geist sowie die in der Synagoge Anwesenden (27: ἅπαντες). Der dämonisierte Mensch tritt ganz hinter den ihn beherrschenden Dämon zurück. Die Jünger sind nur im Eingangssatz als Begleiter Jesu mitgedacht. Dann verschwinden sie, um allerdings gleich anschließend wieder hervorzutreten (29). Auch dies spricht für Überarbeitung. Die Geschichte wird in der Vergangenheitsform erzählt. Die einzige Ausnahme bildet wieder der Eingangssatz, der im Präsens gehalten ist. Vers 22 enthält einen Begründungssatz. Wir werden noch öfter sehen, daß unser Evangelist solche erklärenden Sätze (mit γάρ) liebt.

Wie sah die Vorlage des Markus aus? Redaktionelle Eingriffe wurden immer wieder in 21–23 und 27f vermutet. K. L. Schmidt mahnt zur Zurückhaltung[1]. Der Eingangssatz ist markinisch. Die Ortsangabe ist zwar traditionell, gehört aber zu 1,29ff[2]. Kafarnaum ist für die Bestimmung des Hauses des Simon notwendig, nicht für die Synagoge. Markus hat demnach Exorzismus und Heilung in Simons Haus mit Hilfe von 21a verbunden[3]. Der ursprüngliche Eingang der Exorzismusgeschichte ist 21b (vgl. 3,1), nur könnte Markus ἐδίδασκεν hinzugefügt und ursprüngliches εἰσῆλθεν in das Partizip verwandelt haben[4]. 22 ist ganz redaktionell. Die Lehre Jesu ist sein besonderes Anliegen[5], die Schriftgelehrten erwähnt Markus unter den Synoptikern am häufigsten[6]. Schwierig ist 27 zu bestimmen. Pesch rechnet damit, daß der Satz in der Vorlage lautete: »*Wer ist dieser?*« – »Eine neue Lehre in Vollmacht« sei Ergänzung des Evangelisten[7]. Dem hat Theißen widersprochen und 27 ganz der Vorlage zugewiesen mit der Begründung, daß die »neue Lehre« Missionsterminus sei (Apg 17,19) und ausgezeichnet zur Geschichte passe, wenn man diese im Missionshorizont belasse[8]. Obwohl eine sichere Entscheidung nicht möglich ist, verdient der Theißensche Vorschlag den Vorzug, da Markus vom Neuen nur noch in 2,21f redet (hier Tradition). Galiläa allerdings im Schlußsatz stammt wieder von seiner Hand.

Die Exorzismusgeschichte weist zahlreiche semitisierende Formelemente auf. τοῖς σάββασιν (= am Sabbat) beruht auf Transskription von aramäischem *schabtha*/σάββατα. Vor allem ist das Nebeneinander von Ἰησοῦ Ναζαρηνέ und ὁ ἅγιος τοῦ θεοῦ wohl abhängig vom Gleichklang *Jeschua Hanesri – nazri ha-elohim*[9]. Semitisierend wirken auch οἶδά σε τίς εἶ, ὁ ἅγιος τοῦ θεοῦ statt οἶδα σὺ εἶ ὁ ἅγ. τ.θ. (Hyperbaton), φωνῇ μεγάλῃ statt eines Adverbs,

[1] Rahmen 50.

[2] Mit Hirsch, Frühgeschichte I. 5; Pesch, Tag 117.

[3] Sundwall, Zusammensetzung 9, meint, daß Exorzismus und Heilung als Paar schon in der Tradition umgingen.

[4] διδάσκω bei Mk 17mal, in der synoptischen Tradition 40mal (Gaston), außerdem von Mk in Rahmenbemerkungen bevorzugt. Ebenso könnte ἐδίδασκεν zur Tradition gehört haben, weil damit zu rechnen ist, daß die Lehre schon in ihr vorkam (s. unten zu 27).

[5] διδαχή Mk 5mal, syn. Tradition 7mal (Gaston).

[6] γραμματεύς Mk 21mal, syn. Tradition 42mal (Gaston). – In 23 ist εὐθύς nach Kertelge, Wunder Jesu 50, redaktionell.

[7] 118. Ebenso Schenke, Wundererzählungen 98.

[8] Wundergeschichten 165.

[9] Mußner*.

ἄνθρωπος ἐν πνεύματι. Dies spricht dafür, daß die Vorlage auf palästinischem Boden entstand[10].

Erklärung 21–22

Ort der Szene ist Kafarnaum. Markus weiß um die Lage dieses im Alten Testament überhaupt nicht, bei Josephus und in der rabbinischen Literatur nur selten erwähnten Ortes in Galiläa[11]. Wenn seine genaue Plazierung umstritten ist, so setzt sich seine Identifizierung mit Tell-chum, am Nordwestrand des Sees Gennesaret gelegen, gegenüber dem weiter südlichen Chân Minje mehr und mehr durch. Der Ort muß ein besonderer Stützpunkt der Wirksamkeit Jesu gewesen sein (Mt 11,23f), wenn er in unserem Evangelium auch nur noch in 2,1 und 9,33 genannt wird. Am Sabbat geht Jesus, wie es jüdischer Brauch ist, in die Synagoge (3,1f; 6,2)[12]. Die für die Sabbatversammlungen eingerichteten Versammlungshäuser – ältere Bezeichnung προσευχή – waren gern außerhalb der Ortschaft am Wasser errichtet und dienten insbesondere der Unterweisung in der Tora. Der Gottesdienst umfaßte neben Gebeten und Segnungen die Schriftlesung aus Tora und Profeten und die anschließende Predigt. Jedes geeignete Gemeindemitglied konnte dazu aufgefordert werden. Wenn Jesus als Lehrer in der Synagoge auftritt, ist für den Erzähler die Missionssituation seiner Gemeinden eingeblendet. Was sich damals ereignete, geschieht auch noch heute. Der Verzicht auf eine nähere Darstellung dessen, was Jesus lehrte, ist offenbar deswegen als Mangel empfunden worden, weil man das Markusevangelium von Mattäus aus betrachtete[13]. Für unseren Evangelisten ist der Inhalt der Lehre vom Kontext her bestimmt. In 14f ist die Verkündigung Jesu programmatisch vorgestellt worden. Der Vergleich mit der Lehre der Schriftgelehrten lenkt den Blick des Lesers auf das Folgende, wo Jesus mit jüdischen Auffassungen und Einwänden sich auseinandersetzt. Vers 22 hat Bedeutung für den ganzen Abschnitt bis 3,12[14]. Die Leute geraten beim Hören der Lehre außer Fassung (wie 6,2; 11,18). Das gleiche Verbum wird für die Wirkung eines schockierenden Wortes (10,26) oder einer machtvollen Tat (7,37) verwendet.

[10] Pesch, Tag 125, spricht von jüdisch-hellenistischem Boden und denkt wahrscheinlich an nichtpalästinisches Gebiet.

[11] Kafarnaum ist die alte, Kapernaum (so überliefert in CEFGHS) die antiochenische Aussprache (Bl-Debr § 39,2). Jos Vit 72, erwähnt ein Dorf Kefarnome, Bell 3,519 eine Quelle Kafarnaum im Land Gennesaret. Zur Lage vgl. C. Kopp, LThK ²V,1318f; Billerbeck I,159; G. Dalman, Orte und Wege 149–171.

[12] Vgl. Billerbeck IV,115–152 (Das altjüdische Synagogeninstitut).

[13] Besonders deutlich bei Schlatter 45.

[14] Ähnlich Theißen, Wundergeschichten 208. Zur periphrastischen Konstruktion, die auf eine kontinuierliche und dauernde Handlung abzielt, vgl. G. Björck, HN ΔΙΔΑΣΚΩΝ. Die periphrastischen Konstruktionen im Griechischen, Uppsala 1940, 41ff.61.

3. Exkurs: Die Schriftgelehrten

Die *Schriftgelehrten*[15] bildeten einen eigenen Stand, der berufsmäßig mit dem Gesetz beschäftigt war. Als erster »Schriftgelehrter« gilt Esra, der »bewandert im Gesetz des Mose« ist (LXX Esr 8,3). War Esra noch Priester und Gesetzeslehrer zugleich, so bildet sich besonders seit der Makkabäerzeit ein Laienstand der Schriftgelehrten heraus, der zu den Priestern wegen deren Bereitschaft, mit den Heiden zu paktieren, in einen relativen Gegensatz tritt. Dies gilt nicht für die Qumrangemeinde. Seit dem Auseinandergehen in eine pharisäische und sadduzäische Richtung gehören die Schriftgelehrten mehr den Pharisäern an. Jedoch hat es auch sadduzäische Schriftgelehrte gegeben. Mk 2,16 redet sinnvoll von »Schriftgelehrten der Pharisäer«. Den Schriftgelehrten oblag hinsichtlich des Gesetzes eine dreifache Aufgabe. Sie hatten die in der Regel allgemein gehaltenen Toravorschriften theoretisch weiter zu entwickeln, um sie in veränderten Zeitverhältnissen anwendbar zu machen. Sie mußten Schüler im Gesetz unterrichten und schließlich als juristisch gebildete Beisitzer in den Gerichten Recht sprechen. Weil die Mose-Tora aber nicht bloß Gesetz, sondern auch geschichtlichen und erbaulichen Stoff enthielt, waren die Schriftgelehrten neben der Halachah, der Rechtspraxis, auch mit der Haggada, der Weiterbildung der religiösen Überlieferung beschäftigt. So waren sie die bevorzugten Lehrer des Volkes in den Synagogen. Ihr politischer und religiöser Einfluß zur Zeit Jesu war groß. Ihnen gebührte die Anrede »Rabbi«, die allerdings erst später zum offiziellen Titel geworden sein dürfte. Man muß damit rechnen, daß sie auch in ihren Kreisen Geheimlehren weitergaben. Von hier aus stellt sich die Frage nach einer Abgrenzung der pharisäischen zur apokalyptischen Bewegung[16]. Zentrum der Schriftgelehrsamkeit bis zum Jahr 70 war Jerusalem (vgl. Mk 3,22; 7,1), im großen Synhedrium bildeten die Schriftgelehrten eine eigene Fraktion. Jedoch gab es diese gelehrten Männer auch in Galiläa und in der Diaspora, wie jüdische Grabinschriften der späteren Kaiserzeit in Rom beweisen[17]. Markus erwähnt die Schriftgelehrten allein (1,22; 2,6; 3,22; 9,11.14; 12,35.38), zusammen mit den Pharisäern (2,16; 7,1.5), den Hohenpriestern (10,33; 11,18; 14,1; 15,31), oder den Ältesten und Hohenpriestern (8,31; 11,27; 14,43.53; 15,1). Mit Ausnahme von 12,28ff, wo ein einzelner Schriftgelehrter auftritt, treten sie immer als Gegner Jesu auf den Plan.

Die vollmächtige Lehre Jesu, welche die Lehre der Schriftgelehrten übertrifft, könnte darauf basieren, daß Jesus aus unmittelbarer Autorität redet, während diese Gesetz und Überlieferung auslegen[18]. Zu gekünstelt ist Daubes Meinung, daß dem galiläischen Volk Jesus wie ein ordinierter Rabbi vorgekommen sei, während die in der Provinz Galiläa auftretenden Schriftgelehrten dies in der

[15] J. Jeremias, Jerusalem zur Zeit Jesu, Göttingen ²1958, II A,27–32; B,101–114.122–127; Schürer II,372–389; Hengel, Judentum und Hellenismus 242–248.

[16] Vgl. Jeremias (Anm. 15) II B,106f.

[17] Antiker jüdischer Friedhof in der Vigna Randanini in Rom. Vgl. Schürer II,375 Anm. 7. Für S. G. F. Brandon, The Fall of Jerusalem and the Christian Church, London 1951, 190, hängt das häufige Vorkommen der Schriftgelehrten bei Mk mit dem durch die archäologischen Zeugnisse bestätigten Bekanntsein der Schriftgelehrten im heidnischen Raum zusammen.

[18] Grundmann zitiert hierfür Pesikta 126a, wonach es ein Lehren aus dem Mund eines anderen und ein Lehren aus dem Mund der Allmacht gibt.

Mehrzahl nicht gewesen seien[19]. Für Markus erweist sich die Vollmacht des Wortes Jesu darin, daß es von vollmächtigen Taten begleitet ist. Die Niederwerfung der bösen Geister bekundet, daß Gottes Herrschaft ankommt (3,24–27)[20]. Mit dem Anbruch der Basileia hebt das Neue an. Die Tat expliziert das Wort. Auf diesem Hintergrund ist die Exorzismusgeschichte zu lesen.

23–26 »Im Evangelium Jesu vollendete sich der Zug auf Rationalisierung, Versittlichung und Vermenschlichung der Gottesidee, der von den ältesten Zeiten der Überlieferung Alt-Israels an und vornehmlich in Profeten und Psalmen lebendig war . . . Nur wäre es auch hier wieder gefehlt, wenn man meinen wollte, diese Rationalisierung sei eine *Ausscheidung* des Numinosen.« R. Otto[21] ist gerade im Hinblick auf Markus recht zu geben, wenn er sagt, daß man dies nur verkennen könne, wenn man die Basileia in der Verkündigung Jesu nicht ernst nimmt, jenes denkbar numinoseste Objekt, »die Wundergröße schlechthin«, allem Jetzigen und Hiesigen entgegengesetzt, umdämmert und umwoben von allen Motiven religiöser Scheu. Es ist kein Zufall, wenn Jesus sein Wirken in der Öffentlichkeit mit einem Exorzismus beginnt. Die Erzählung ist stilgerecht, meidet aber weitestgehend aktive Handlungen des Exorzisten außer seinem Wort. Der Mensch »im unreinen Geist« ist sofort in der Synagoge zur Stelle, als habe der Geist die Ankunft Jesu gewittert. Von den verschiedenen möglichen Namen für diese Wesen bevorzugt Markus »unreiner Geist« und »Dämon«[22]. Der Aufschrei artikuliert sich zu Abwehr und Bekenntnis. Beides wiederholt sich in dieser Form im Evangelium nicht mehr, obwohl es einen öfter wiederkehrenden Zug dieser Geschichten ausmacht, daß die Dämonen Jesus erkennen (3,11; 5,7). Die abwehrende Frage, die formelhaft ist und wiederholt im Alten Testament vorkommt (Ri 11,12; 2Sam 16,10; 1Kön 17,18; 2Kön 9,18), lehnt die Gemeinschaft ab und äußert Entrüstung. Wer fragt, was er mit einem anderen zu schaffen habe, will mit ihm nichts zu schaffen haben. Die zweite Frage, bei der der unreine Geist in die Wir-Form fällt und somit für seine ganze Art redet[23], könnte auch als Feststellung aufgefaßt werden[24]. Jesu Kommen ist grundsätzlich gemeint und bezieht sich nicht bloß auf seine Ankunft in der Synagoge von Kafarnaum. Seine Sendung hat die Vernichtung des dämonischen Wesens zum Ziel. Mit der Offenbarung seines Wissens versucht der unreine Geist wie mit einem Zauber Macht über Jesus zu gewinnen[25]. Er erkennt ihn als den Heiligen Gottes. Dabei ist zutreffend vermutet worden, daß

[19] Daube* versteht ἐξουσία (= *rschuth*) als die dem ordinierten Rabbi verliehene Autorität.

[20] Vgl. AssMos 10,1: »Und über aller seiner Kreatur erscheint sein Königtum. Dann gibt es keinen Satan mehr . . .«

[21] Das Heilige, [14]1926, 109.

[22] Beides je 12mal. Weitere Namen in der rabbinischen Literatur bei Billerbeck IV,501f. Von »unreinen Geistern« reden TestS 4,9; TestB 5,2.

[23] Grundmann interpretiert zu modern, wenn er das Wir als Bewußtseinsspaltung in wirkliches und eingebildetes Ich auslegt.

[24] R. H. Lightfoot, A Consideration of Three Passages in St. Mark's Gospel, in: In memoriam E. Lohmeyer, 1951, 110–115.110.

[25] Parallelen bei Bultmann, Geschichte 239. O. Bauernfeind, Die Worte der Dämonen im Markusevangelium, 1927 (BWAT III/8), 15, zitiert eine nahezu wörtliche Parallele aus einem Zauberpapyrus: »Ich kenne dich, Hermes, wer du bist und woher du bist.«

zwischen Nazarener (Herkunftsname) und dem titularen »der Heilige Gottes« ein Wortspiel vorliegt, das durch den dazwischenliegenden Begriff Naziräer (vgl. Nazoräer) vermittelt ist[26]. Ob Nazarener oder Nazoräer die ältere Bezeichnung ist, ist schwer zu entscheiden[27]. Markus bevorzugt jedenfalls das erstere (10,47; 14,67; 16,6). Was der Dämon erkennt, trifft zu. Die Erkenntnis wird zu einer Offenbarungsszene. »Heiliger Gottes« als Christúsbezeichnung finden wir außer par Lk 4,34 nur noch im Petrusbekenntnis Joh 6,69 vor. Den gleichen Titel erhält Samson nach LXX Ri 16,17B. Weil Aaron in LXX Ps 105,16 »der Heilige des Herrn« heißt, wollen manche Interpreten hier die hohepriesterliche Würde Jesu bezeichnet sehen[28]. Sie können sich auf TestL 18,12 berufen, wo dem messianischen Hohenpriester die Aufgabe zugeschrieben wird, Beliar zu binden. Die gleiche Funktion erhält aber in äthHen 55,4 der Erwählte (hier der Menschensohn). Heilig können im Alten Testament auch genannt werden Mose (Weish 11,1)[29], der Fromme (LXX Ps 15,10), das Volk Israel (Dtn 7,6; 14,2.21; 26,19 usw.)[30]. Elischa heißt »heiliger Gottesmann« (2Kön 4,9), Elija »Mann Gottes« (1Kön 17,18). Weil an dieser Stelle auch die abwehrende Formel vorkommt, möchte man eine Einflußnahme elijanischer Tradition vermuten. Am nächsten liegt die Auskunft, daß mit der Anrede »der Heilige Gottes« auf die charismatische Vollmacht hingelenkt wird, die sich in Jesu Exorzismen offenbart[31]. Auch dies spricht für ein hohes Alter unserer Überlieferung. Jesu gebietendes Wort bringt den Dämon zum Schweigen. Es muß beachtet werden, daß mit ἐπιτιμᾶν (auch 4,39; 9,25) jenes Wort aufgegriffen ist, das die griechische Bibel für das machtvolle Schelten Jahwes gebraucht[32]. Jesus tritt an die Stelle Jahwes. Sein gebieterischer Ruf tritt in Gegensatz zum Beschwören (ὁρκίζω), das für den griechischen Zauber charakteristisch ist und in Mk 5,7 begegnet[33]. Dieser Unterschied läßt die Absicht deutlich werden, Jesus im Anschluß an altbiblische Vorstellungen als den Herrn der Natur und der in ihr wirkenden Mächte zu zeichnen. Die Aufforderung zu verstummen – in der vorgegebenen Geschichte ein stilgemäßer Zug (4,39) – wird bei Markus zum »Schweigegebot«[34]. Damit berühren wir zum erstenmal die markinische Geheimnistheorie (vgl. Exkurs Messiasgeheimnis). Der Dämon ist angewiesen, seine Erkenntnis vom Wesen Jesu für sich zu behalten. Über die Epifanie senkt sich der Schleier des Geheimnisses. Mit einer letzten dem

[26] Vgl. Ri 13,7 A und B den Austausch von ναζιραῖον θεοῦ und ἅγιον θεοῦ.

[27] Preuß, Galiläa 8–10, hält Ναζωραῖος für das ältere.

[28] Lohmeyer; Grundmann; Friedrich, ZThK 53 (1956) 275–278.

[29] Mose erscheint hier als »heiliger Profet«.

[30] Betont von Lagrange.

[31] Hahn, Hoheitstitel 235–238, sieht das Charismatische in Verbindung mit dem eschatologischen Profetenamt Jesu. Ähnlich Pesch, Tag 124.

[32] Die LXX verwendet neben dem Verb das Substantiv ἐπιτίμησις, das das NT nicht kennt: LXX Ps 105,9; 118,21; Sach 3,2; Ijob 26,11; 2Kön 22,16 usw.

[33] Auf den Unterschied macht Kee* 240–242 aufmerksam. Nach Kee* 235–240 schließen dagegen die rabbinischen Exorzismusgeschichten an die hellenistischen an.

[34] Der Makrotext verstärkt diese Uminterpretierung dadurch, daß ἐπιτιμᾶν auch sonst Schweigegebote einleitet (3,12; 8,30).

[35] Die Feststellung in 27b ist wieder von grundsätzlicher Art.

Menschen, der bisher seine Behausung war, zufügenden Qual (9,26), fährt der unreine Geist aus. Sein Schrei wirkt wie ein Todesschrei (vgl. 9,26).

27–28 Die Reaktion der Anwesenden in der Synagoge auf den Einbruch des Numinosen in ihre Welt ist das Erschrecken. Das seltene θαμβέομαι – nur hier in einer Wundergeschichte – kann auch das Erschrecken der Jünger über ein Wort Jesu beschreiben (10,24.32). Die neue Lehre in Vollmacht, die die Menge bestätigen muß, tat sich kund im Gehorsam der unreinen Geister gegenüber Jesu Gebot[35]. Die Reaktion macht die Geschichte durchsichtig. Sie erweist sich als Missionsgeschichte, insofern in der Reaktion Synagogenversammlung einst und christliche Missionsversammlung auf der Ebene des Erzählers in eins fließen[36]. Letztere hörte die Geschichte und erkennt die neue Lehre. Markus sieht die Neuheit im Anbruch der Gottesherrschaft, die sich im Sieg über die Dämonen durchsetzt. Auch die Ausbreitung der fama Jesu in der ganzen Umgebung ist als Missionsnotiz zu werten. Wenn dies Markus auf Galiläa hin präzisiert, so ist umstritten, ob er über den Raum Galiläas hinausdenkt oder nicht (dann genit. epexegeticus)[37]. Auf jeden Fall meldet er erneut sein Interesse an Galiläa an.

Historische Beurteilung und Zusammenfassung

Als Missionsgeschichte bietet die Überlieferung nicht ein historisches Detail des Lebens Jesu, wohl aber die in das Schema gefaßte allgemeine Erinnerung an seine exorzistische Tätigkeit. Für Markus wurde sie unter folgenden Gesichtspunkten von Bedeutung. Er benutzt sie als Auftakt der öffentlichen Tätigkeit Jesu und zur machtvollen Demonstration seiner neuen Lehre vom Gottesreich[38]. Diese stellt die Schriftgelehrten, die als Opponenten gleich am Anfang eingebracht werden, in den Schatten. Im Exorzismus offenbart sich Jesu Würde, jedoch soll das Wissen um ihn nicht verbreitet werden[39]. Neben den theologischen Intentionen wird die Historisierungstendenz des Evangelisten deutlich. Er bindet die Geschichte an die Synagoge von Kafernaum.

3. *Die Heilung in Simons Haus (1,29–31)*

Literatur: Lamarche, P., La guérison de la belle-mère de Pierre et le genre littéraire des évangiles, NRTh 87 (1965) 515–526; *Léon-Dufour, X.,* La guérison de la belle-mère de Simon-Pierre, EstB 24 (1965) 193–216.

29 **Und sogleich, wie sie aus der Synagoge hinausgingen, kamen sie in das Haus des Simon und Andreas mit Jakobus und Johannes.** 30 **Die Schwiegermutter Simons aber lag fieberkrank danieder. Und sie spre-**

[36] Theißen, Wundergeschichten 165.

[37] Schmidt, Rahmen 51, vertritt die eine, Wellhausen die andere Auffassung.

[38] Auch in den Test XII werden die Befreiung von dämonischer Bedrohung und Endzeit zusammengeschaut. Vgl. K. Thraede, RAC VII,57.

[39] Zweifelhaft dürfte sein, ob Mk die verschiedenen christologischen Titel einebnete, so daß man – mit Kertelge, Wunder Jesu 56 – sagt, er habe ὁ ἅγιος τοῦ θεοῦ im Sinn des Gottessohntitels verstanden.

chen sogleich von ihr mit ihm. 31 **Und er trat heran und richtete sie auf, die Hand ergreifend. Und es verließ sie das Fieber. Und sie bediente sie.**

Analyse

Die Wundergeschichte ist wohl die kürzeste der evangelischen Überlieferung. Dennoch enthält sie die erforderlichen Elemente ihrer Gattung. Auf eine Exposition, in der der Wundertäter kommt und die Situation der Kranken geschildert wird, folgen Heilung und deren Bestätigung. Der Dienst der Frau am Schluß hat diese Wirkung. Die Erzählform ist bündig. Die Sätze, in Vergangenheitstempora gefaßt, sind durch καί gleichtönend miteinander verbunden. Nur das Sprechen der Jünger mit Jesus in 30 ist präsentisch vorgestellt. Gegenüber der Masse der synoptischen Wunderüberlieferung ist dies die einzige Geschichte dieser Art, die im engsten Jüngerkreis spielt. Von hier aus gewinnt sie örtliches und personelles Detail: das Haus des Simon, in dem dessen Schwiegermutter krank daniederliegt, ist Schauplatz der Handlung.
Kopflastig wirkt der Übergang. Die Anwesenheit der vielen Jünger ist gar nicht erforderlich. Da es die Vier sind, die nach 16–20 berufen wurden, ist ihre vollständige Aufzählung der Markusredaktion zuzuschreiben. Der Evangelist will – im Rahmen des ihm Möglichen – einen fortlaufenden Erzählfaden herstellen. Der gleichen Intention ist es verdankt, daß das Hinausgehen aus der Synagoge eigens erwähnt wird. Seit A. Klostermann wird immer wieder die Auffassung vertreten, die Geschichte sei ursprünglich in der 1. Person Plural erzählt (Petrusgeschichte) und erst später in die 3. Person umgeformt worden[1]. Dies ist reine Vermutung. Da wir bereits oben erkannten, daß die Exorzismusgeschichte eine selbständige Tradition darstellt und Kafarnaum in 21 zu Simons Haus gehört, werden wir uns den Beginn der vormarkinischen Geschichte so vorzustellen haben: »Und er (bzw. Jesus) kam nach Kafarnaum in Simons Haus. Dessen Schwiegermutter aber lag fieberkrank danieder . . .« Alles andere hat Markus unverändert gelassen. Möglicherweise lautete der Schluß: »Und sie bediente ihn.« Die zu Jesus über die Kranke sprechen – das jetzt unbestimmte Subjekt von λέγουσιν in 30 – waren dann die im Haus Anwesenden.

Erklärung

Nach dem Exorzismus in der Synagoge begibt sich Jesus mit den vier Jüngern, die also als seine Begleiter gedacht gewesen waren, in das Haus des Simon und Andreas. Das Haus (οἰκία und οἶκος) – ein besonderes wie hier oder ein nicht näher bestimmtes – ist bei Markus immer wieder Aufenthaltsort Jesu und der Jünger und Stätte seines Wirkens. Die Tradition bevorzugt dabei das Haus als

[1] Vgl. Schmidt, Rahmen 56, Anm. 1; Klostermann bevorzugt die Lesart ἐξελθὼν ἦλθεν (B λ φ it) und hält καὶ Ἀνδρέου μετὰ Ἰακώβου καὶ Ἰωάννου für eine späte Glossierung. Das ist eine willkürliche Annahme. – Für die mark. Redaktionsarbeit in 29 ist zu bedenken, daß μετά die beiden Brüderpaare gemäß der Berufungsgeschichte voneinander absetzt und ἐξέρχομαι mark. Vorzugswort ist und gern in Rahmenbemerkungen vorkommt. Nach Gaston ist das Verhältnis syn. Überlieferung/Mk 95:38. Eine Rückübersetzung von ἐξελθόντες ἦλθον ins Aramäische, wie sie Klostermann; Haenchen, Weg 89, ins Auge fassen, hilft nicht viel weiter.

Ort der Jüngerunterweisung (7,17; 9,28.33; 10,10). Dies wird damit zusammenhängen, daß in den Gemeinden die Häuser als Versammlungsstätten für Katechese und Gottesdienst dienten. Wenn im Haus Simons die erste Krankenheilung geschieht, sind die Jünger Zeugen davon. Die Schwiegermutter Simons, die mit ihm zusammenlebt, ist fieberkrank. Diese für uns ziemlich unbestimmte, aber für den antiken Leser die Gefährlichkeit ihres Zustandes zur Genüge andeutende Schilderung der Krankheit wird durch das seltene Verbum »daniederliegen« unterstrichen[2]. Sie ist an das Lager gefesselt. Fieber wurde in der Antike als widernatürliche Hitze definiert[3]. Eine Baraitha nennt die Fieberhitze ein Feuer, welches trinkt und nicht ißt[4]. Natürlich sprechen sie – die Jünger, vormarkinisch die Angehörigen – zu Jesus nicht, weil sie die Behinderung als Entschuldigung für fehlende Gastlichkeit anführen[5], sondern ihn auf den Krankheitsfall aufmerksam machen wollen. Die Heilung geschieht durch den bekannten Gestus des Handergreifens und Aufrichtens[6]. Vom Wundertäter strömt die heilende Kraft aus. Allerdings bedient sich Jesus hier keines Wortes und vor allem spricht er kein Gebet, wie in einer ähnlichen Lage der Apostel Paulus, der unter Handauflegung und Gebet den Poplius auf der Insel Malta von Fieber und Krankheit befreit (Apg 28,8), oder Rabbi Chanina ben Dosa, der für einen Fieberkranken um Erbarmen fleht[7]. Jesus heilt aus eigener Kraft. Vielleicht will das nur hier bei Markus in einer Heilungsgeschichte begegnende Herantreten Jesu (προσελθών) andeuten, daß die Frau im Frauengemach des Hauses ihr Lager hatte. Der Seitenreferent Lukas hat die Heilung exorzistischer gestaltet (4,39: »er herrschte das Fieber an« wie einen Dämon), obwohl die Krankheitsverursachung durch Dämonen nach verbreitetem Verständnis auch für Markus vorausgesetzt werden kann[8]. Daß die Frau sofort die Bedienung der Gäste übernehmen kann, demonstriert vor aller Augen ihre wiederhergestellte Gesundheit. Markus hat diesen Dienst kaum als einen – von jetzt ab – ständigen gedacht[9], vielleicht die Vorlage, vor allem, wenn diese »und sie bediente ihn« geboten hat.

Historische Beurteilung

Die der Überlieferung eigene Christologie ist die von Jesus dem Wundertäter, der über die Macht, Krankheiten zu bannen, verfügt. Die Frage, warum diese Geschichte, die in ihrer Knappheit kein besonderes kerygmatisches Anliegen erkennen läßt, überhaupt weitergegeben wurde, ist dahingehend zu beantworten, daß ihr Überlieferungswert in ihrer Bindung an das Haus und die Familie

[2] κατάκειμαι nur hier und 2,7 bei Mk in Heilungsgeschichten. Joh 4,52 ist das Fieber Zeichen einer tödlichen Krankheit.

[3] H.-J. Horn, RAC VII,877–909,879. Den Ausgangspunkt des Fiebers erblickte man im Herzen.

[4] Joma 21b bei Billerbeck I,479.

[5] So Lagrange; Lohmeyer.

[6] Vgl. Mk 9,27; 5,41. ἐγείρω wird häufiger imperativisch verwendet: 2,9.11; 5,41; 3,3. Zum Stil vgl. Bultmann, Geschichte 237f. Kodex D hat den Text geändert: »er streckte die Hand aus, ergriff sie und richtete sie auf.«

[7] bBer 34b Baraitha bei Billerbeck II,441.

[8] Vgl. Böcher, Christus Exorcista 81–83.

[9] So Schweizer. Nach Billerbeck I,480 war das Dienen der Frauen bei Tisch verpönt, um sie nicht an den Aufenthalt unter Männern zu gewöhnen. Dies gilt aber kaum für die häusliche Szene.

Simons gesehen worden sein dürfte[10]. Darum kann davon ausgegangen werden, daß sie die geschichtliche Erinnerung an eine Simons Schwiegermutter zuteilgewordene Heilung in Kafarnaum aufbewahrt hat. Daraus läßt sich folgern, daß Simon, der als Mann aus Betsaida galt (Joh 1,44), (bei seiner Verheiratung?) in das Haus seiner Schwiegereltern nach Kafarnaum umgezogen war. Weitere Schlüsse erscheinen nicht gerechtfertigt. Simon war weder Witwer[11] – dagegen spricht 1Kor 9,5 –, noch ist dies Jesu erste Heilung, die ihn gewahr werden ließ, welche Heilungskräfte Gott ihm geschenkt hat[12]. Die Stellung der Geschichte am Anfang ist redaktionell.

Zusammenfassung

Markus bringt die Geschichte an dieser Stelle, weil sie ihm die Möglichkeit gibt, die Ausdehnung des Wirkens Jesu von der Berufung der ersten vier Jünger über die Synagoge und das Haus in eine sich weitende Öffentlichkeit zu zeichnen. Für die Heilung im häuslich-familiären Rahmen von Simons Familie sah er hier am Anfang den besten Platz. Auch das Nebeneinander von Exorzismus und Krankenheilung dürfte beabsichtigt sein. Jesu Vollmacht erweist sich auf vielfältige Weise[13].

4. *Heilungen am Abend (1,32–34)*

Literatur: Schürmann, H., Der »Bericht vom Anfang«: Traditionsgeschichtliche Untersuchungen zu den synoptischen Evangelien, Düsseldorf 1968, 69–80; *Wichelhaus, M.* Am ersten Tag der Woche, NT 11 (1969) 45–66; *Schenke,* Wundererzählungen, 112–115.

32 **Als es aber Abend wurde, da die Sonne unterging, brachten sie alle Kranken und Besessenen zu ihm.** 33 **Und die ganze Stadt war bei der Tür versammelt.** 34 **Und er heilte viele, die an mancherlei Krankheiten litten. Und viel Dämonen trieb er aus. Und er erlaubte nicht, daß die Dämonen reden, weil sie ihn kannten.**

Analyse

Die Szene weitet sich. An die Heilung der einzelnen Person schließen sich Massenheilungen. Trotz einer präzis wirkenden Zeit- (Abenddämmerung) und Ortsangabe (an der Tür) ist die Schilderung blaß und allgemein. Das Schweigegebot am Schluß ist typisch markinisch. Immer wieder unternahm man den Versuch, eine markinische Vorlage herauszuschälen. Anknüpfungspunkt war wiederholt die doppelte Zeitangabe in 32. Die Verteilung auf Tradition und Re-

[10] Pesch, Tag 272–274, bewertete die Überlieferung, die er mit 1,32ff zusammenschaut, als Gemeindegründungstradition für Kafarnaum. Anders ders. I,129.

[11] Lohmeyer: weil »die Schwiegermutter die Hausfrauenpflichten erfüllt«.

[12] Haenchen, Weg 89.

[13] Pesch, Tag 185.

daktion fällt in den verschiedenen Analysen recht unterschiedlich aus[1]. Einigkeit besteht darin, daß 34b redaktionell ist. Formkritisch betrachtet haben wir einen Sammelbericht vor uns, der das Einzelne ins Allgemeine erhebt. Sinnvoll ist ein solcher in einem größeren Textzusammenhang[2]. Der Verdacht regt sich, daß die ganze Einheit vom Evangelisten gestaltet ist. Die Einzelanalyse kann diesen Eindruck nur bestätigen. Die doppelte Zeitangabe darf nicht auseinandergerissen werden. Die zweite erläutert die erste und malt sie aus. Kaum wird es Markus darauf angekommen sein sicherzustellen, daß Jesus nicht das Sabbatgebot verletzte. Zwar hat er von Sabbatkonflikten berichtet, aber nicht von deren Verhinderung. Es ist sogar zu fragen, ob er die jüdische Tagesberechnung, die den Tag mit dem Abend beginnen ließ, zur Geltung bringen will[3]. ὀψίας (δὲ) γενομένης dient bei Markus stets zur Verknüpfung eines Erzählfadens (4,35; 6,47; 14,17; 15,42).

φέρω, πᾶς, πολύς sind nach Gaston markinische Vorzugswörter[4]. Die Versammlung vor der Tür, die so konkret anmutet, wird in 2,2 vom Redaktor erneut eingebracht. οἱ κακῶς ἔχοντες (6,55), θεραπεύω (3,10; vgl. 6,5b red) begegnet auch sonst in Sammelberichten. Die conjugatio periphrastica in 33 entspricht dem Markus-Stil. Dasselbe gilt unbestritten für das Schweigegebot in 34b. Es läßt sich also kein vormarkinischer Tag in Kafarnaum eruieren. Dieser ist vom Evangelisten geschaffen[5]. Wenn dies – von der Passionsgeschichte abgesehen – sonst nicht geschehen ist, daß verschiedene Ereignisse zeitlich zusammengebündelt werden, so erfolgte es hier, weil der erste Tag in Kafarnaum für Markus paradigmatische Bedeutung hat.

Erklärung

Der Sabbat, der durch den Synagogenbesuch und die Heilung in Simons Haus ausgezeichnet war, geht zur Neige. Mit Sonnenuntergang endet der Ruhetag. Und so können jetzt die Leute ihre Kranken zu Jesus bringen, dessen Ruf als Wundertäter sich zu verbreiten beginnt. Exorzismus und Heilung hatten vorausgehend bereits im einzelnen geschildert, was sich jetzt an vielen wiederholt. In umgekehrter Reihenfolge werden die Kranken vor den Besessenen genannt,

[1] Kertelge, Wunder Jesu 31f, hält 32 (ohne καὶ τοὺς δαιμονιζομένους) und Reste von 34 für die Vorlage. Pesch, Tag 186–195 rechnet 32 (ohne die erste Zeitangabe und καὶ τοὺς δαιμον.), 33 und 34a zusammen mit der Heilung in Simons Haus zu einem Bericht vom »Tag in Kafarnaum«. Ihm folgt Schenke, Wundererzählungen. Schürmann* bindet 32–34a mit der Exorzismusgeschichte zusammen.

[2] Dies betont Theißen, Wundergeschichten 205 und Anm. 12. Der Einwand, Markus hätte in einer zusammenfassenden Beschreibung des Wirkens Jesu auf seine Lehre abgehoben (Pesch, Tag 187; Schenke, Wundererzählungen 112), übersieht, daß dies in 39 geschieht. Pesch, Tag 274; Schenke 122 halten die von ihnen eruierte Tradition ebenfalls für nicht lebensfähig und verknüpfen sie mit der Heilung in Simons Haus zu einer Gemeindegründungstradition von Kafarnaum. Diese formgeschichtliche Deutung ist unklar und bedarf der Klärung. Ihre Anwendung erscheint für den Fall, daß sie überhaupt berechtigt ist, gerade hier schwierig. Beide Autoren erblicken zu Recht in der Heilungsgeschichte eine historische Erinnerung.

[3] Vgl. Schenke, Wundererzählungen 113.

[4] φέρω bei Mk 15mal (syn. Überlieferung 22mal); πᾶς 66:311; πολύς 60:145. Letzteres wird von Mk in Editorial sentences bevorzugt (22mal).

[5] Mit Kuhn, Sammlungen 17f; Sundwall, Zusammensetzung 10.

wobei das griechische Wort für letztere (δαιμονιζομένους) typisch hellenistisch empfunden ist[6]. Vor Simons Tür versammelt sich die ganze Stadt. Kafarnaum gilt Markus als bedeutender Ort. Die Unterscheidung, daß sich *alle* Kranken versammeln, von denen *viele* geheilt werden, darf wohl beachtet werden[7]. Es bleiben Ungeheilte zurück. Aber nicht darauf kommt es an. Ein glaubwürdiges Bild soll vermittelt werden. Ein ähnliches Bild, daß viele kommen, wird sich in der christlichen Missionsarbeit wiederholt haben. Aber es genügt nicht, zu Jesus zu kommen, um sich von ihm heilen zu lassen. Das Schweigegebot rückt die Offenbarung, die in den Wundern geschieht, in das Zwielicht des Geheimnisses. Deutlich hat der Evangelist 34b an die Szene in der Synagoge 24f angeglichen und diese damit interpretiert. Nur in diesem Schweigegebot kommt das Verb οἶδα vor, wie im Bekenntnis des unreinen Geistes in der Synagoge. Der Befehl zu verstummen wird bei Markus zum Befehl zu schweigen. Wegen des engen Bezugs zu 24 kann im Schweigegebot eine Explikation des Wissens der Dämonen fehlen. Es geht um das Verständnis der Person Jesu. Dieses ist den Menschen verhüllt.

Zusammenfassung

Markus schuf den Sammelbericht an dieser Stelle, um zunächst anhand des Beispiels einer Stadt zu zeigen, wie Jesu Tätigkeit die Menschen erfaßt und wie sich Gottes Herrschaft als helfende und rettende Macht an den Kranken und Besessenen erweist. »Erlösung« konkretisiert sich auch im physischen Bereich und erfaßt die Wurzeln der Bedrohung, die das damalige Weltbild in den Dämonen erblickte. Darüber hinaus zielt der Evangelist auf die Vermittlung der in Jesus gegebenen Offenbarung Gottes ab. Sie zu verstehen, bedarf es mehr als nur die eigene Not vor ihm auszubreiten. Dies deutet das erste Schweigegebot an. Wir werden auf die Entfaltung dieser Linie zu achten haben.

5. *Jesu Morgengebet und Auszug nach Galiläa (1,35–39)*

35 **Und sehr früh, noch bei Nacht, stand er auf, ging hinaus und begab sich fort an einen einsamen Ort. Und dort betete er.** 36 **Und Simon und die bei ihm (waren) verfolgten ihn** 37 **und fanden ihn und sagen ihm: Alle suchen dich.** 38 **Und er sagt ihnen: Wir wollen anderswohin gehen, in die benachbarten Ortschaften, daß ich auch dort verkünde. Denn dazu bin ich ausgezogen.** 39 **Und er verkündete in ihren Synagogen in ganz Galiläa und trieb die Dämonen aus.**

Analyse

Der vorliegende Text wirkt wie eine biografische Szene. Jesus und Simon und dessen Begleiter treten auf. Bleibt zunächst unbestimmt, ob letztere Simons

[6] Das Wort noch Mk 5,15–18; JosAnt 8,47. Nach W. Foerster: ThWNT II 14f ist in der zwischentestamentlichen jüdischen Literatur es am gebräuchlichsten, von Geistern zu sprechen, von Dämonen ist selten die Rede (grBar 16,1; äthHen 19,1; Jub 10,1; ApkAbr 26B).

[7] πολλούς in 34 ist nicht inklusiv im Sinn von »alle« zu verstehen (gegen Lohmeyer).

Verwandte oder die Jünger sind, so setzt Jesu Wort an sie voraus, daß es die Jünger sein müssen. Prägend ist der Ortswechsel von der einsamen Gebetsstätte zur Öffentlichkeit von ganz Galiläa. Damit wird die Stadt Kafarnaum vorübergehend verlassen. Simon und seine Gefährten machen sich zum Sprecher der Stadtleute. Als vormarkinische Tradition gelten vielfach 35–38[1], 39 wird weitgehend dem Evangelisten zugewiesen[2] oder als kleines Summarium aufgefaßt[3]. Man hat aber zur Beurteilung der Perikope davon auszugehen, daß sie in einem solchen Maß vom Kontext abhängig ist, daß sie allein als nicht lebensfähig angesprochen werden muß. Die Verfolgung Jesu durch Simon und die anderen und die Erklärung hierfür setzt eine Situation voraus, in der Jesus die Menge beeindruckte[4]. Wenn diese auch anderswo gesucht werden könnte, ist das Vorausgehende das Nächstliegende. Vor allem bedeuten die Worte Jesu den Übergang zum Folgenden. Jesus löst sich von der Stadt seines ersten Auftretens und wendet sich dem ganzen Gebiet Galiläa zu. Stilistisch kann der Abschnitt gleichfalls dem Evangelisten zugemutet werden. ἐξέρχομαι, κηρύσσω, Γαλιλαία sind Vorzugswörter des Evangelisten[5], ἀπέρχομαι gebraucht er gern in Editorial sentences[6]. Insbesondere tritt uns hier zum erstenmal das Motiv des Jüngerunverständnisses entgegen, das für das markinische Konzept charakteristisch ist. Die befriedigendste Lösung ist, 35–39 als markinische Komposition zu begreifen[7]. Das Motiv vom Gebet Jesu konnte er aus anderen Überlieferungen ohne weiteres übertragen (14,32ff).

Erklärung

Wieder präzisiert in einer doppelten Zeitangabe die zweite die erste. Noch nächtens geht Jesus hinaus, dem Kontext entsprechend aus Simons Haus, wo er genächtigt hat, um an einem einsamen Ort zu beten. Dieser Weggang darf nicht psychologisiert werden; weder ist er eine Flucht vor einer begeisterten Anerkennung, noch eine Verweigerung weiterer Heilungen. Auch der Hinweis auf das Morgengebet als jüdischer Sitte lenkt ab[8]. Alle anderen schlafen ja noch. Vielmehr will der Evangelist das Besondere des Tuns Jesu herausstellen. Gebet und Verkündigungsauftrag stehen in einem unlöslichen Zusammenhang. Das Beten ist als lautes Sprechen zu denken. Jesus betet an einsamem Ort, auf dem Berg (6,46), auch vor den Jüngern (14,32ff). Simon und die anderen Jünger, die seinen Fortgang bemerkten, stellen ihm nach. Daß ihr Verhalten nicht akzeptiert werden kann und ein unerleuchtetes ist, deutet das Wort »verfolgen«[9], aber auch ihre eigene Rede an. Das »Suchen« ist mit selbstsüch-

1 Schweizer 25; Pesch, Tag 261–271.
2 Auch Schmidt, Rahmen 59.
3 Taylor 182.
4 Daß der Jünger hier Simon genannt wird, spricht nicht für Tradition, da Mk den Petrusnamen bis 3,16 konsequent meidet.
5 Das Verhältnis Mk/syn. Tradition für κηρύσσω ist nach Gaston 12:23.
6 Hier 6mal, insgesamt bei Mk 22mal. Es ist darum nicht zutreffend, καὶ ἀπῆλθεν mit B 28 zu streichen (gegen O. Linton NTS 14 [1967/68] 351). Zum ἔρημος τόπος vgl. 1,45.
7 Mit Bultmann, Geschichte 167; Kuhn, Sammlungen 17f. Sundwall, Zusammensetzung 10, hält 35–39 für einen sekundär abgefaßten Bericht.
8 Bei Lohmeyer.
9 Nach Bauer, Wörterbuch s.v., hat καταδιώκω fast stets negativen Klang. Ebenso Wettstein, z. St.: hostili animo aliquem persequi.

tigen Wünschen gemischt (wie 3,32 und Joh 6,24). Es schließt die Aufforderung, noch in der Stadt zu verweilen, mit ein. Jesus dagegen ruft die Jünger auf, ihn in seiner Verkündigungstätigkeit in die anderen Orte zu begleiten. Noch ist das Verkünden seine alleinige Aufgabe. Das seltene κωμοπόλεις[10] – nur hier im Neuen Testament – bezeichnet neben der in der Regel ummauerten Stadt und dem offenen Wohnplatz des Dorfes ein Mittelding, ein stadtähnliches Dorf oder eine Stadt, die verfassungsmäßig nur die Stellung eines Dorfes hat. Die Begründung, daß Jesus zu dieser umfassenden Mission ausgezogen sei, beschreibt seine Aufgabe insgesamt und ist mehr als eine Erklärung für seinen Weggang aus Kafarnaum. Die Formulierung klingt johanneisch, hat sich aber noch nicht zur Höhe des Präexistenzgedankens entwickelt. Wichtig ist, daß Jesus in »ihren Synagogen« verkündet. Dies schließt zwar an 1,21 an und erhebt den besonderen Fall nach Art des Sammelberichtes ins Allgemeine[11], reflektiert aber die Verkündigungssituation der missionierenden Gemeinde und entspricht nicht dem Wirken des irdischen Jesus. Dieser sprach die Menschen an, wo er sie antraf[12]. Die Synagoge ist bevorzugter Anknüpfungspunkt für den Glaubensboten in der Diaspora. Man wird sogar vermuten dürfen, daß der Wechsel von der Stadt als Zentrum in ihre Umgebung christlicher Missionsarbeit entspricht. Galiläa ist die Verkündigungsprovinz Jesu. Exorzismen bestätigen seine Predigt.
Im Übergangsstück 35–39 ließen sich folgende Anliegen des Markus erkennen: Jesus erfaßt mit seiner Tätigkeit ganz Galiläa. Das Unverständnis der Jünger tritt ihm dabei erstmalig entgegen. Verkündigung und machtvolles Wirken sind eine Einheit.

6. *Ein Aussätziger wird zum Verkünder (1,40–45)*

Literatur: Lake, K., ΕΜΒΡΙΜΗΣΑΜΕΝΟΣ and ΟΡΓΙΣΘΕΙΣ, Mark 1,40–43, HThR 16 (1923) 197f; *Bonner, C.*, Traces of Thaumaturgic Technique in the Miracles, HThR 20 (1927) 171–181; *Loos van der*, Miracles, 464–494; *Minette de Tillesse*, Le secret messianique, 41–51; *Kertelge*, Wunder Jesu, 62–75; *Pesch, R.*, Jesu ureigene Taten? 1970 (QD 52), 52–87; *Schenke*, Wundererzählungen, 130–145; *Elliot, J. K.*, Is ὁ ἐξελθών a Title for Jesus in Mark 1,45? JThS NS 27 (1976) 402–405.

40 **Und ein Aussätziger kommt zu ihm, bittet ihn kniefällig und spricht zu ihm: Wenn du willst, kannst du mich rein machen.** 41 **Und voll Zorn streckte er seine Hand aus, berührte (ihn) und sagt ihm: Ich will, sei rein!** 42 **Und sogleich wich der Aussatz von ihm, und er war rein.** 43 **Und er fuhr ihn an, drängte ihn sogleich hinaus** 44 **und**

[10] Billerbeck II,3f; Schürer II,227.

[11] In 39 ist die Lesart ἦν κηρύσσων (C EFGH D latt sy) gegenüber ἦλθεν κηρύσσων (BCL 33 Θ) zu bevorzugen. Sie drückt das Dauernde aus. ἦλθεν ist Korrektur wegen der Härte der Verbindung mit εἰς (Klostermann).

[12] Haenchen, Weg 93.

spricht zu ihm: Sieh' zu, daß du keinem etwas sagst, sondern geh', zeige dich dem Priester, und opfere für deine Reinigung, was Mose vorgeschrieben hat, ihnen zum Zeugnis! 45 **Er aber ging hinaus, begann eifrig zu verkünden und das Wort bekanntzumachen, so daß er nicht mehr öffentlich in eine Stadt hineingehen konnte, sondern draußen an einsamen Orten blieb. Und sie kamen zu ihm von überallher.**

Analyse Die Geschichte beginnt diesmal nicht mit einem Ortswechsel Jesu, sondern mit dem Kommen eines Kranken zu ihm, wie das in zahlreichen Heilungsgeschichten der Fall ist. 40–42 erzählen auch eine solche und bedienen sich weitgehend der Terminologie dieser Geschichten. 43 bietet ein Schweigegebot. In 44 lesen wir den Auftrag an den Geheilten, zum Priester zu gehen, um sich die Heilung bestätigen zu lassen, wie es das Gesetz vorschrieb. Dieser Auftrag scheint im Widerspruch zum Schweigegebot zu stehen. Er lenkt die Aufmerksamkeit des Lesers auf eine andere Problematik, die mit der Einhaltung der Toravorschriften verbunden ist. Am Ende hört man weder etwas davon, daß der Geheilte zum Priester gegangen wäre, noch, daß er sich an das Schweigegebot gehalten hat, sondern wir werden im Gegenteil darüber unterrichtet, daß er statt zu schweigen, die Sache in breitester Öffentlichkeit bekanntmachte. Jesus gerät auf diese Weise in Verlegenheit, so daß er sich zurückzieht, aber auch dort nicht unbemerkt bleiben kann. Es nimmt nicht wunder, daß die widersprüchlich wirkende Struktur der Geschichte, die – in sich betrachtet – keinen besonderen Ort der Handlung und keine besondere Zeit kennt und auch die Jünger nicht erwähnt, die Erklärer zu den verschiedensten Eingriffen veranlaßte. So hat man geglaubt, Jesus habe den Aussätzigen nicht geheilt, sondern ihm nur die Genesung bestätigt, um ihm den Gang nach Jerusalem zu ersparen, ihn aber dann davongejagt[1]. Sicher kann man sagen, daß uns dann die Geschichte nicht überliefert wäre. Oder man meinte, daß Jesus den Glauben des Aussätzigen erproben wollte, als er ihn zum Priester schickte. Klostermann erreicht dieses Verständnis, indem er 42 als sekundär ansieht. Oder man rechnete mit zwei Fassungen der Geschichte – die eine mit Schweigegebot, die andere mit dem Auftrag, zum Priester zu gehen –, die in 40–45 vereinigt vorlägen[2].

40–42 hat Markus unverändert übernommen. Sorgfältig sind Bitte und Heilung aufeinander abgestimmt. Handlung und Rede des Aussätzigen und des Wundertäters korrespondieren miteinander. Schwierig ist die Beurteilung von 43f. Das Schweigegbot in 44a hängt aber mit 43 zusammen. Das Anfahren und Wegstoßen leitet das Schweigegebot ein. Zum Auftrag, zum Priester zu gehen, paßt es nicht. Das heißt, wenn man 44a der Redaktion zuschrieben will, dann muß man dies auch mit 43 tun[3]. Jedoch stimmen Schweigegebot und Auftrag

[1] Holtzmann, Synoptiker 53, mit Berufung darauf, das καθαρίζειν in LXX Lev 13 durchweg »für rein erklären« bedeutet. Ähnlich Hirsch, Frühgeschichte I,8. Nach H. hat Jesus der Bitte des Aussätzigen nicht entsprochen.

[2] Lohmeyer.

[3] Konsequent Bultmann, Geschichte 227. – Kertelge, Wunder Jesu 68, rechnet damit, daß 43 sekundäre Dublette zu 41 ist.

durchaus zusammen[4]. Das Schweigegebot ist ein Stilelement von Wundergeschichten und will die Wunderhandlung mit Schweigen umgeben[5]. Außerdem ist die Formulierung dieses Gebotes für Markus singulär (μηδενὶ μηδέν). Für Markus ist charakteristisch, daß er das Schweigen unmittelbar auf die Person Jesu bezieht (wie 1,34: »weil sie *ihn* kannten«)[6]. Der Auftrag, zum Priester zu gehen, ist dann die Bestätigung der Heilung. Nicht soll der Priester von der Heilung erfahren. Vielmehr soll er die Genesung bezeugen und damit – allerdings ohne sein Wissen – auch die Heilung. Die Formel »ihnen zum Zeugnis«, die sich auf das die Bestätigung begleitende Opfer bezieht, ist positiv zu verstehen. Damit ist ein echter Abschluß der Geschichte erreicht[7]. Weil das Weisungswort Jesu eine Gesetzesfrage berührt, wird man sie als apoftegmatische Wundergeschichte zu bestimmen haben. Sie spiegelt palästinisches judenchristliches Milieu zu einer Zeit wider, als der Tempel noch intakt war, und für die judenchristlichen Gemeinden die Frage aufkam, wie man sich bestimmten Gesetzesfragen gegenüber zu verhalten habe. Die Einhaltung der Gesetzesvorschrift wird verlangt, die Gesetzesvorschrift aber relativiert. Dies läßt sich darin erkennen, daß sie auf Mose – und nicht auf Gott – zurückgeführt wird[8]. 45 hat als markinischer Zusatz zu gelten[9]. Er verändert die Form der Geschichte, indem er sie von einer apoftegmatischen zu einer missionarischen Wundergeschichte werden läßt. Außerdem besitzt er eine Anzahl markinischer Stileigenheiten[10]. Wichtig ist, daß er mit dem Rückzug Jesu die Geheimnistheorie aufnimmt und die dem Evangelisten zuzurechnende Durchbrechung des Schweigegebotes enthält (7,36). Außerdem will er eine Überleitung sein. Daß Jesus nicht öffentlich in eine Stadt hineingehen kann entspricht der Bemerkung in 2,1, die Leute in Kafarnaum hätten in Erfahrung gebracht, daß er wieder da ist.

[4] Mit unterschiedlichen Erklärungen Dibelius, Formgeschichte 70; Ebeling, Messiasgeheimnis 137f; Pesch, Taten 57f; Burkill, Revelation 84f. Anders Schenke, Wundererzählungen 132f.

[5] Theißen, Wundergeschichten 143–154, mit reichlichem Belegmaterial.

[6] Mk 1,34; 3,12; 8,30. Beobachtung von Theißen, Wundergeschichten 153. Dort auch zu 9,9.

[7] Vgl. den Schweigebefehl als Schluß in 5,43.

[8] Vgl. Theißen, Wundergeschichten 148f, der zusätzlich im Schweigegebot den Rat enthalten sieht: »Wer am jüdischen Kult teilnehmen will, tut in späteren Zeiten gut daran, sein Christentum zu verschweigen.« Dies dürfte eine Überinterpretation sein. – H.-W. Kuhn, Zum Problem des Verhältnisses der markinischen Redaktion zur israelitisch-jüdischen Tradition, in: Tradition und Glaube (FS K. G. Kuhn), Göttingen 1971, 299–309. 305–307, hält 43–45 für Mk-R und für ein Pendant zu 12,28–34. Obwohl Mk ein bestimmtes Gesetzesverständnis hat, ist ihm dieses Interesse an einer speziellen Tora nicht zuzutrauen. Ebenso urteilt U. Luz, Das Geheimnismotiv und die markinische Christologie, ZNW 56 (1965) 9–30. 15: »völlig undenkbar«. – Der hellenistisch-volkstümliche Erzählstil der Geschichte spricht nicht gegen ihren palästinischen Ursprung.

[9] Pesch, Taten 59 – ähnlich Schenke, Wundererzählungen 133f – erblickt in 45 einen traditionellen Kern in weitgehender Übereinstimmung mit Schmidt, Rahmen 66f. – Klostermann möchte als das Subjekt von 45a Jesus ansehen!

[10] Nach Gaston sind von Mk in Editorial sentences bevorzugt: ἄρχω, λόγος (ὥστε, ἔρχομαι), πρός. Das in Klammern Stehende mit Einschränkung. μηκέτι, δύναμαι sind mark. Vorzugsvokabeln, die Verkündigung ist besonderes mk Anliegen.

Erklärung 40–42

Dies ist die einzige Erzählung von der Heilung eines Aussätzigen bei Markus. Darin liegt ihre Besonderheit. Sie berichtet also von einer überragenden Wundertat[11].

4. Exkurs: Der Aussatz

Der *Aussatz*[12] wird in der Bibel und im Judentum als eines der schlimmsten Übel angesehen, das den Menschen treffen kann. Lev 13f und der Mischnatraktat Negaim handeln ausführlich von ihm. Wer vom Aussatz geschlagen war, galt als lebendig Toter (Num 12,12; bSanh 47a). Seine Heilung kam der Auferweckung eines Toten gleich. Der Aussätzige wurde für unrein erklärt und abgesondert. Nach Lev 13,45f hatte er in zerrissenen Kleidern einherzugehen, sein Haupthaar aufgelöst zu tragen, seinen Bart zu verhüllen und »Unrein! Unrein!« zu rufen. Zur Zeit Jesu wurde die Absonderung in der Weise geregelt, daß die Aussätzigen Jerusalem und die seit alters mit Mauern umgebenen Städte nicht betreten durften. In den übrigen Ortschaften durften sie weilen, mußten aber für sich leben. Die Begegnung mit einem Aussätzigen machte unrein. Die Reinheitsvorschriften waren kultisch motiviert. Israel sollte ein reines Volk für Jahwe sein. Die rabbinische Theologie betrachtete den Aussatz als göttliche Strafe für begangene Sünden und demzufolge den Aussätzigen als Sünder. Auch in die Qumrangemeinde durfte jener nicht kommen, »der mit einer von all den Unreinheiten des Menschen geschlagen ist« (1QSa 2,3f)[13]. Schon in Lev 13f werden verschiedene Arten von Aussatz unterschieden. Problematisch ist der Aussatz an Kleidern und Häusern (Lev 13,47ff; 14,33ff). Sicher war der Begriff des Aussatzes recht weit gefaßt. Dies gilt auch für die Differenzierungen in der Mischna (bis zu 72 Arten). Seriöser ist die Unterteilung Galens in sechs Arten. Der vom Aussatz Genesene hatte die Genesung vom Priester bestätigen zu lassen. Weil damit ein Opfer verbunden war, war der Ort hierfür allein der Tempel in Jerusalem.

Mit flehender, kniefälliger Gebärde (wie 10,17) bittet der Aussätzige Jesus um Hilfe[14]. In der Bitte bekundet er seinen Glauben. Der Wille Jesu, der in einer Heilungsgeschichte bei Markus nur hier angesprochen wird, ist Ausdruck seiner Vollmacht und darum christologisch zu interpretieren. Aus diesem Willen werden die Toten erweckt. Die Reaktion Jesu – leider ist der Text unsicher – ist Erbarmen oder Zorn[15]. Sein Erbarmen gilt der menschlichen Not (6,34; 8,2; 9,22), sein Zorn dem Bösen (3,5). Hält man den Zorn für das Ursprüngliche, so

[11] Vgl. die vorzügliche Interpretation bei Pesch, Taten 60–76.

[12] Billerbeck IV,745–763 (Exkurs: Aussatz und Aussätzige); van der Loos, Miracles 464–479; E. W. Bayer, RAC I,1023–1028.

[13] In Qumran wird der Ausschluß radikalisiert und auf zahlreiche physische Gebrechen übertragen. Vgl. 1QM 7,4f.

[14] Die Anrede »Herr« (CWΘ it) ist Einfluß von Mt 8,2 par. Dazu Bl-Debr § 470,1. – Papyrus Egerton überliefert die Geschichte mit der paraphrasierenden Einleitungsrede: »Lehrer Je[sus], ich wanderte [mit] Aus[sätzigen] und aß mit [ihnen] in der Herberge und wurde selbst l[eprakrank].« Ergänzungen nach Aland, Synopsis 60.

[15] ὀργισθείς lesen Da ff^2 r. Obwohl die Lesart relativ schwach bezeugt ist, wird sie heute von den meisten Kommentatoren bevorzugt. Haenchen, Weg 96, hält σπλαγχνισθείς für ursprünglich, weil schwieriger und zu 43 in Widerspruch stehend.

kann seine Ursache in der durch böse Mächte gestörten Schöpfungsordnung gesucht werden, wie sie sich im Anblick des Aussätzigen dokumentiert. Der Zorn und die Erregung sind aber auch Äußerung der wirksam werdenden Wunderkraft (7,34; Joh 11,33.38)[16]. Da die entsprechende Bemerkung bei Mt 8,3; Lk 5,13 gestrichen ist, darf man vermuten, daß diese ὀργισθείς lasen und dies als anstößig empfanden. Ausstrecken der Hand und Berührung sind vollmächtige Heilunsgebärden, in Wundergeschichten vielfältig bezeugt[17]. Die Berührung ist nicht Verletzung der jüdischen Reinheitsvorschrift, sondern Übertragung der heilenden Kraft. Aus dem gleichen Grund ist öfter die Rede davon, daß die Kranken Jesus berühren[18]. Eine griechische Inschrift spricht vom »Gott mit der schmerzmildernden Hand«[19]. Pesch möchte das Ausstrekken der Hand mit den Wundern des Exodus in Verbindung sehen (Ex 4,4; 7,19; 8,1; 9,22f; 14,16.26f)[20]. Die Heilung vom Aussatz tritt unmittelbar ein. Von den beiden im Alten Testament überlieferten Erzählungen von Aussätzigenheilungen unterscheidet sich unsere Geschichte in mancherlei Hinsicht. Mose heilt Mirjam unter lautem Flehen zu Gott und nach einer Frist von sieben Tagen (Num 12,4–6). Elischa gewährt dem Syrer Naaman die Heilung, der sich siebenmal im Jordan baden muß (2Kön 5,8–14). Von Bedeutung aber ist, daß die Heilung als Tat Gottes ausgewiesen wird (5,15) und dem Naaman bekundet, »daß es einen Profeten in Israel gibt« (5,8). Es ist damit zu rechnen, daß unsere Perikope auf dem Hintergrund der Elischa-Tradition zu sehen ist. Jesus ist dann vorgestellt als Endzeitprofet, der die charismatische Heilungsvollmacht besitzt[21].

43–44

Nach erfolgter Heilung wird der Geheilte sogleich weggedrängt. Wenn Jesus ihn dabei anfährt – ἐμβριμάομαι ist eine Äußerung des Zornes und Unwillens[22] –, so ist das kein gegen den Geheilten gerichteter Tadel, der die Wunderkräfte Jesu magisch mißverstanden hätte, sondern eine Gebärde, die dem anschließenden Schweigegebot Nachdruck verleiht. Dieses muß darum in einem absoluten Sinn verstanden werden und kann nicht als ein befristetes gedacht sein, daß er schweigen solle, bis der Priester seine Reinigung bestätigt hat[23]. Natürlich soll auch der Priester nicht hören, wer den Mann vom Aussatz befreite, sondern dieser ist angewiesen, die Vorschrift des Gesetzes zu erfüllen. Die offizielle Anerkennung der Reinigung wird dann, auch wenn sie nicht erzählt ist, zum Beleg dafür, daß die Heilung erfolgte. Mose wird sonst nur in

[16] Vgl. Bonner*.
[17] O. Weinreich, Antike Heilungswunder, 1909 (RVV 8/1), 1–37. Das Ausstrecken der Hand entwickelt sich zum Segensgestus (13f). Auch Bauer, Wörterbuch 203f. Ein Dokument bei Dittenberger, Sylloge Inscr. Graec. 1170,23 nennt ausdrücklich die rechte Hand, an die stets zu denken ist.
[18] Mk 3,10; 5,27–31; 6,56; 8,22.
[19] Bei Weinreich (Anm. 17) 16.
[20] Taten 68. Vgl. Lagrange.
[21] Pesch, Taten 76–78, der das Konzept vom Endzeitprofeten dort zum Zug gekommen sieht, wo Schweigegebote auftauchen.
[22] Noch Mk 14,5. In LXX Klgl 2,6 vom Zorn Gottes. Das Wort trägt keinen exorzistischen Zug in die Geschichte ein (Kertelge, Wunder Jesu 72f), wenn es auch mit ἐκβάλλω verbunden ist. Letzteres auch Mk 5,40; 11,15 ohne Bezug auf einen Exorzismus.
[23] So Dibelius, Formgeschichte 70, Anm. 1.

Debatten mit den jüdischen Gesetzeslehrern genannt (7,10; 10,3f; 12,19.26). Dies ist ein Zeichen dafür, daß die Gesetzesproblematik auch hier bestimmend ist. »Zeige dich dem Priester« könnte aus Lev 13,49 stammen. Weil dort der Kleideraussatz verhandelt ist, wird die Übereinstimmung eine zufällige sein. Das formelhafte »ihnen zum Zeugnis« weitet den Horizont der Adressaten des Gesendeten, der das erforderliche Opfer darbringen soll. Alle, die sich dem Gesetz verpflichtet fühlen, sind angesprochen. Sie sollen erkennen, daß die christliche Gemeinde, die sich hier auf Jesus beruft, das Gesetz nicht bricht. Die Formel εἰς μαρτύριον, die positiv und negativ gebraucht werden kann (Spr 29,14; Hos 2,14; Mich 1,2; 7,18; Jub 1,7f; 4,19; 10,17; sBar 84,7), vormarkinisch positiv war, kann im Makrotext des Markus belastend gemeint sein[24]. Dies ergibt sich von 6,11; 13,9 her, wo sie sicher negativ aufgefaßt ist.

45 Der Geheilte hält sich nicht an das ihm auferlegte Schweigegebot, sondern wird zum Verkünder. Damit hat die Geschichte einen neuen Kontrast gewonnen: der bislang von der Gesellschaft Ausgeschlossene wird zum Verbreiter des Ruhmes des Wundertäters. Vor allem aber gelingt es damit Markus, das Schweigegebot von 43 in seinem Sinn zu interpretieren. Er verdeutlicht – und dies ist gegenüber 34 ein weiterführender Zug –, daß die Verhüllung hindrängt auf Enthüllung und Bekanntmachung. Der Geheilte macht durch sein Reden die Sache bekannt und wird zum Herold Jesu[25]. Dieselbe Dialektik liegt in der Bewegung Jesu und der des Volkes. Der Wundermann zieht sich in abgelegene Gegenden zurück, wird aber von allen entdeckt.

Zusammenfassung und historische Beurteilung

Markus kann mit der Einordnung der Perikope an dieser Stelle ein Mehrfaches erreichen. Da die außergewöhnliche Heilung eines Leprösen jetzt in der ersten galiläischen Tätigkeit stattfindet, markiert sie einen ersten Höhepunkt in der Öffentlichkeitsbewegung, die Jesus auslöst. Sein Ruf breitet sich nicht nur aus, sondern er wird jetzt auch durch einen von ihm vom Aussatz Befreiten ins Land getragen. Außerdem zeigt sie Jesus noch nicht im Konflikt mit dem Gesetz und den Gesetzeslehrern. Auch darum hat sie vor den folgenden Konfliktszenen ihren angemessenen Ort[26]. – Unter historischem Aspekt wird man in der Geschichte nicht den Bericht einer konkreten Wundertat erblicken können. Dazu ist sie zu formalisiert und von der Gemeinde in die Problematik ihres Verhältnisses zum Gesetz und von Markus in die Missionssituation hineingezogen worden. Die Kontroverse betrifft die Frage, ob Jesus Aussätzige heilte oder nicht[27]. Von unserer Perikope aus ist diese Frage weder zu bejahen noch zu verneinen. Sie hat in schematisierter und gesteigerter Form Jesu befreiende Heilungstätigkeit aufbewahrt.

[24] Nach Lohmeyer, Ergänzungsheft 6, ist die Formel gegen den atl. Kult gerichtet. Dies dürfte zu viel herausgelesen sein.

[25] διαφημίζω nach Bauer, Wörterbuch s.v., durch Gerede bekanntmachen. Der Begriff »Wort« gewinnt bei Mk erst allmählich seinen spezifischen Sinn (8,32).

[26] Traditionsgeschichtlich ist sie diesen nicht zuzurechnen, wie Kertelge, Wunder Jesu 71, vermutet.

[27] Die Kontroverse führten F. Mussner, Die Wunder Jesu, München 1967, und Pesch.

7. *Die Vollmacht des Menschensohnes über die Sünde (2,1–12)*

Literatur: Kuhn, Sammlungen, 53–98; *Mourlon Beernaert, P.,* Jésus controversé. Structure et théologie de Marc 2,1–3,6, NRTh 95 (1973) 129–149; *Thissen, W.,* Erzählung der Befreiung. Eine exegetische Untersuchung zu Mk 2,1–3,6, 1974 (FzB 21); *Jahnow, H.,* Das Abdecken des Daches, Mc 2,4; Lc 5,19, ZNW 24 (1925) 155–158; *Krauss, S.,* Das Abdecken des Daches, Mc 2,4; Lc 5,19, ZNW 25 (1926) 307–310; *Branscomb, H.,* Mk 2,5 »Son Thy Sins are forgiven«, JBL 53 (1934) 53–60; *Boobyer, G. H.,* Mk 2,10a and the Interpretation of the Healing of the Paralytic, HThR 47 (1954) 115–120; *Feuillet, A.,* L'ἐξουσία du Fils de l'homme, RSR 42 (1954) 161–192; *Duplacy, J.,* Mc 2,10. Note de syntaxe, in: Mél. A Robert, Paris 1957, 420–427; *Ceroke, C. P.,* Is Mk 2,10 a Saying of Jesus? CBQ 22 (1960) 369–390; *Mead, R. T.,* The Healing of the Paralytic – a Unit? JBL 80 (1961) 348–354; *Gamba, G. G.,* Considerazioni in margini alla poetica di Mc 2,1–12, Salm 28 (1966) 324–349; *Rasco, E.,* »Quatro« y »la fe«: quiénes y de quién? Bib 50 (1969) 59–67; *Hay, L. S.,* The Son of Man in Mk 2,10 and 2,28, JBL 89 (1970) 69–75; *Maisch, I.,* Die Heilung des Gelähmten, SBS 52 (1971); *Kertelge, K.,* Die Vollmacht des Menschensohnes zur Sündenvergebung (Mk 2,10), in: Orientierung an Jesus (FS J. Schmid), Freiburg 1973, 205–213; *Schenke,* Wundererzählungen, 146–160.

1 **Und als er wieder nach Kafarnaum kam nach Tagen, wurde bekannt, daß er im Hause ist.** 2 **Und viele versammelten sich, so daß bei der Tür kein Platz war. Und er redete zu ihnen das Wort.** 3 **Und sie kommen und bringen einen Gelähmten zu ihm, der von Vieren getragen wird.** 4 **Und weil sie ihn wegen der Menge nicht bis zu ihm heranbringen konnten, deckten sie das Dach ab, wo er war, gruben es auf und lassen das Bett herunter, auf dem der Gelähmte lag.** 5 **Und Jesus, der ihren Glauben sieht, spricht zum Gelähmten: Kind, deine Sünden sind vergeben.** 6 **Einige Schriftgelehrte aber saßen dort und dachten in ihren Herzen: Was redet dieser so? Er lästert!** 7 **Wer kann Sünden vergeben außer Gott allein?** 8 **Und sogleich erkennt Jesus in seinem Geist, daß sie so bei sich denken, und er spricht zu ihnen: Was denkt ihr dies in euren Herzen?** 9 **Was ist leichter, dem Gelähmten zu sagen, deine Sünden sind vergeben, oder zu sagen, stehe auf und nimm dein Bett und gehe umher?** 10 **Damit ihr aber seht, daß der Menschensohn Vollmacht hat, auf Erden Sünden zu vergeben – spricht er zum Gelähmten:** 11 **Dir sage ich: Stehe auf, nimm dein Bett und gehe in dein Haus!** 12 **Und er stand auf und nahm sogleich das Bett und ging vor allen weg, so daß alle außer sich geraten, Gott preisen und sprechen: Solches haben wir noch nicht gesehen.**

Analyse

Die Perikope beginnt zunächst, eine Heilungsgeschichte zu erzählen. Der Wundertäter kommt. Ein Kranker wird zu ihm gebracht. Die fehlende Heilungsbitte ist durch den außergewöhnlichen Transport des Kranken durch das

Dach des Hauses, in dem sich Jesus befindet, mehr als ersetzt. Jesus spricht dem Kranken zu und bemerkt (anerkennend) den Glauben der Leute. Aber statt der jetzt erwarteten Heilung entwickelt sich ein Streit zwischen Jesus und Schriftgelehrten, deren Anwesenheit erst an dieser Stelle erwähnt wird und die am sündenvergebenden Zuspruch schweres Ärgernis nehmen. Aber auch der Streit verläuft einzigartig, da die Schriftgelehrten ihren Vorwurf nicht aussprechen, sondern nur für sich denken. Jesus durchschaut ihre Gedanken und formuliert selbst ihren Vorwurf. Dieser wird durch ein Zweifaches widerlegt: durch die grundsätzliche Feststellung, die die Vollmacht Jesu zur Sündenvergebung behauptet – ein Menschensohnlogion –, und das diese begleitende Wunder der Heilung. Die Demonstration des Geheilten, der aufforderungsgemäß mit seinem Bett nach Haus geht, und das Lob Gottes aller Anwesenden schließen die Heilungsgeschichte formgerecht ab. Die Vermutung besteht zu Recht, daß die Verse 5b–10 einen späteren Einschub darstellen[1]. Sie machen aus der Wundergeschichte ein Apoftegma, bei dem das Wunder zur Illustration des apoftegmatischen Menschensohnlogions wird, auf das nunmehr alles ankommt. Die vorliegende Mischform kann nur mit Abstrichen als Streitgespräch näher definiert werden. Wohl stehen (gedachter!) Einwand und Widerlegung nebeneinander, aber das christologische Anliegen überwiegt den Streit[2]. Markus hat die Geschichte bereits als eine umgeformte vorgefunden[3]. Versuche, die Einheitlichkeit der Geschichte zu verteidigen, gehen davon aus, daß 5b als Zuspruch des Wundertäters auf jeden Fall zur Überlieferung zu rechnen sei[4]. Dann aber würde die Streichung von 6–10 ebenfalls problematisch. Es ist aber zu bedenken, daß 5b als Zuspruch völlig singulär ist. Die Zusprüche fordern in der Regel zum Glauben auf oder dazu, die Furcht zu lassen. Stilgemäß ist »Sei getrost« (ϑάρσει)[5]. Außerdem ist das zu späte In-Erscheinung-Treten der Schriftgelehrten ein Signal. Lk 5,17ff hat dies empfunden und entsprechend geändert. Die Akklamation in 12 könnte durchaus ein »erzählerisch integrierter mündlicher Rahmen«[6] sein, bezieht sich aber auf die Heilungstat.

Damit ist der Entstehungsprozeß der Geschichte noch nicht voll erfaßt. Das Menschensohnlogion ist durch den Adressatenwechsel zwischen 10 und 11 deutlich herausgehoben. Es steht in einem Eigenverhältnis zur Erzählung. Die-

[1] Bultmann, Geschichte 12–14; Maisch* 21–48; Taylor 191. – σοὶ λέγω in 11 ist gleichfalls eingeschoben.

[2] Kuhn, Sammlungen 53–57, spricht von einem Streitgespräch, Maisch* 101–104 von einem Lehrstück über die Vollmacht Jesu. Letzteres trifft besser, jedoch ist es ratsamer, ein über Apoftegma hinausgehendes Etikett zu vermeiden.

[3] Sundwall, Zusammensetzung 12–15, hält 5–9 für ein ursprünglich selbständiges Streitgespräch. In sich selbst aber ist es unverständlich, da es auf die Heilungsgeschichte angewiesen bleibt.

[4] Theißen, Wundergeschichten 165f; Grundmann, 55. Schenke, Wundererzählungen 155, möchte 5b wegen der Spannung zu 7 zur Wundergeschichte zählen. Die Spannung jedoch besteht nicht (s. unten).

[5] Material bei Theißen, Wundergeschichten 68f.

[6] Theißen, Wundergeschichten 165.

ses ist nicht so zu bestimmen, daß das Logion zur Geschichte hinzutrat[7], sondern umgekehrt: das Logion hat zur Bildung der Zwischenperiode geführt. Es hat wie andere Menschensohnsprüche als Wortüberlieferung existiert und war selbständig. Vermutlich wurde es für den Gebrauch in der Geschichte etwas abgewandelt[8]. Der Adressatenwechsel ist als kommentierender Bestandteil der Erzählung zu werten, bei dem der Erzähler aus der Geschichte heraustritt und sich direkt an den Zuhörer wendet. War die Wundergeschichte von Jesus dem charismatischen Wundertäter bestimmt, so ist jetzt die Menschensohnchristologie themenangebend. Ob das Menschensohnwort auf Jesus zurückgeführt werden kann, wird in der Interpretation zu prüfen sein.

Die redaktionellen Eingriffe des Evangelisten sind am Anfang zu suchen. Dieser ist von einem merkwürdigen Gegensatz von Haus und Öffentlichkeit geprägt. Jesus ist im Haus, und die Leute versammeln sich draußen vor der Tür. Obwohl er zu ihnen das Wort redet, setzt die Öffnung des Daches voraus, daß er im Haus nach wie vor weilt. Die Auskunft, Jesus sitze auf der Türschwelle[9], vermag die Schwierigkeit nicht zu beseitigen. Die Bemerkung »Und er redete zu ihnen das Wort« ist sicher dem Redaktor verdankt[10]. Markus will wieder Verkündigung und Tat verbinden. Aber auch der ὥστε-Satz stammt von ihm (vgl. 1,45)[11]. Wie in 1,33 wird die Tür genannt, vor der jetzt noch mehr Menschen zusammenströmen. Dann aber ist zu fragen, ob nicht der ganze Vers 2 redaktionell ist. Dies hat als das Wahrscheinlichere zu gelten[12]. Der Transport durch das Dach erfolgt ursprünglich nicht wegen der Menge, sondern um den Krankheitsdämon zu hintergehen. Er soll den regulären Eingang des Hauses nicht kennen, um nicht zurückkehren zu können[13]. Die Begründung in 4 διὰ τὸν ὄχλον ist Interpretation des Markus[14], der die Vorstellung der Leute nicht versteht oder sich daran stößt. Vielleicht war auch er es, der das Abdecken des Daches einbrachte. Dies ist nur bei einem ziegelgedeckten griechisch-römischen Haus möglich (vgl. Lk 5,19) und stößt sich mit dem folgenden »sie gruben es auf«, was für das Dach des palästinischen Hauses zutrifft[15]. Dieses war mit Schilf, Heu und Zweigen gedeckt, die zwischen die Tragbalken eingeflochten und mit einer Lehmschicht überzogen waren. Wie Vers 4a ursprünglich lautete, ist kaum noch auszumachen. Schulthess und Wellhausen schlugen mit

[7] Boobyer* und Cranfield sehen 10 als Zufügung an, die in die von ihnen als Einheit aufgefaßte Geschichte hinzutrat.

[8] Tödt, Menschensohn 120, zählt 10 zu den Übergängen von den ungerahmten Logien über die Apoftegmata zu den Geschichten.

[9] Hirsch, Frühgeschichte I,9.

[10] Vgl. 4,33; 8,32.

[11] Mit Maisch* 106f.

[12] Anders Maisch* 51. Das Verb συνάγω bei Mk 5mal (vgl. besonders 4,1; 6,30; 7,1). Die einmalige Aoristform fällt nicht ins Gewicht. πάντες in 12 ist ohne die Erwähnung der Vielen am Anfang durchaus möglich. Es sind alle im Haus Anwesenden und die Begleiter des Kranken.

[13] Krauss*; Böcher, Christus Exocista 72 und Anm. 488. Jahnow* 156 zitiert Goethes Faust I: »'S ist ein Gesetz der Teufel und Gespenster, wo sie hineingeschlüpft, da müssen sie hinaus.«

[14] Auch Maisch* 51f.

[15] Parallelen bei Billerbeck II,4. Interessant ist auch Jos Ant 14,459: Herodes läßt die Dächer von Häusern aufgraben (τῶν ὀρόφων ἀνασκάπτων), um die darin befindlichen Soldaten zu überwinden. Zu den verschiedenen Formen der Dachhaut und Dachdeckung F. W. Deichmann, RAC III,524–529.

Rückgriff auf die Peschitta oder das Aramäische vor: sie stiegen auf das Dach bzw. sie brachten ihn zum Dach hinauf[16]. Träfe dies zu, so wäre eine Übersetzungskorrektur aus dem Aramäischen dem vormarkinischen Redaktor zuzuweisen. Vers 1 ist bis auf die unbestimmte Zeitangabe und das Wörtchen πάλιν traditionell. Die Anwesenheit Jesu im Hause ist für das Verständnis des Folgenden notwendig. Die Zeitangabe dient als Klammer mit dem Vorausgehenden[17]. Kafarnaum ist der Ausgangspunkt dieser Wundergeschichte, die mit der einmaligen Zudringlichkeit der naiven Bittsteller eine historische Erinnerung aufbewahrt haben dürfte. Für eine judenchristliche Erstfassung spricht das Gotteslob am Schluß[18].

Erklärung 1–4

Der Gang nach Kafarnaum ist nach dem Vorauserzählten eine Rückkehr nach der Verkündigungsarbeit in Galiläa. Der Evangelist greift immer wieder mit dem Wörtchen πάλιν einen schon einmal berichteten Umstand auf (2,13; 3,1.20; 4,1; 5,21; 7,14.31 usw.) und ist so sichtlich bemüht, Zusammenhänge zu schaffen. Darum kann man annehmen, daß für ihn das Haus dasselbe ist wie in 1,29. Auch daß sich durch das Hörensagen etwas über Jesus verbreitet, ist typisch für ihn (3,8.21; 5,27 usw.). Die Nachricht von der Rückkehr Jesu veranlaßt viele Leute, sich wieder bei der Tür zu versammeln. Der Platz reicht nicht aus. Ob dabei an den Raum zwischen Tür und Hofmauer zu denken ist oder ob die Tür direkt auf die Straße wies –, auf jeden Fall soll der bereits in 1,33 vermittelte Eindruck noch verstärkt werden. Jesus benutzt die Gelegenheit zur Verkündigung des Wortes. »Das Wort reden« ist ein Begriff aus der urchristlichen Missionssprache (Apg 4,29.31; 8,25; 11,29 u.ö.)[19]. In diese Missionsszene gerät der Zug des Kranken, der von vier Männern auf seinem Bett getragen, aber offenbar von noch mehr Leuten begleitet wird. Es ist ganz abwegig, die vier Männer mit den Jüngern von 1,16ff gleichsetzen zu wollen[20]. κράβαττος ist das Bett des armen Mannes (nur in Mk, Joh, Apg) im Gegensatz zur κλίνη. Wegen der großen Menge greifen die Männer zu einer List. Markus hat den ursprünglichen Sinn der Dachöffnung verdunkelt. Nicht mehr die Täuschung des Krankheitsdämons ist ihr Sinn, sondern die Männer verschaffen

[16] Wellhausen: *schaqluhi* bzw. *arimuhi liggara*. Der Vorschlag wurde korrigiert von F. Schulthess, Zur Sprache der Evangelien, ZNW 21 (1922) 216–258. 220. Sy^{p} streicht erleichternd ἐξορύξαντες (mit DW it).

[17] δι' ἡμερῶν läßt sich mit beiden Verben verbinden: »als er nach Tagen nach K. kam ...« oder »nach Tagen wurde bekannt«. Letzteres würde die Verborgenheit Jesu unterstreichen. Danach ist das erstere vorzuziehen. Vielleicht hat Mk Vers 1 neu formuliert, denn auch ἠκούσθη wird von ihm stammen (vgl. die Kommentierung). Schenke, Wundererzählungen 147–149, möchte τῶν γραμματέων in 6 Mk-R zuweisen. Er beruft sich hierfür auf 14,4. Die vormarkinische Perikope spiegle einen Streit um die Vollmacht Christi innerhalb der Gemeinde wider. Der Vorwurf der Gotteslästerung, der in jüdischem Mund sinnvoll ist, widerlegt diese Annahme. Der Streit wird mit Juden geführt.

[18] Bultmann, Geschichte 241.

[19] In Apg ist »Wort« meist näher bestimmt: Wort Gottes, Wort des Herrn o. ä.

[20] Gegen Rasco*.

dem Kranken die Möglichkeit, bis zu Jesus zu gelangen[21]. Wieder ist die Krankheitsbezeichnung für unsere Begriffe ziemlich vage. Als Gelähmter[22] ist er gänzlich hilflos und auf den Beistand der anderen angewiesen.

5–9

In seiner Reaktion konstatiert Jesus den Glauben der so Handelnden. In diesen Glauben ist der Gelähmte miteingeschlossen, da ihm auch das besondere Wort des Zuspruches gilt. Der Glaube ist ein wesentliches Element markinischer Wundergeschichten. Er geht regelmäßig dem Wunder voraus[23]. Dies darf nicht psychologisch interpretiert werden, als sei der Wundertäter in der Wirksamkeit seines Tuns von diesem Glauben abhängig. Vielmehr haben wir hier ein durchgängiges Anliegen dieser Überlieferung vor uns. Die Frage ist, ob dieser Glaube als ein vollwertiger anzusprechen ist. Im Rahmen der isolierten Betrachtung der Tradition ist das zu bejahen, weil sie christologischen Sinn hat und ihre Intention gerade darin liegt, den Glauben an Jesus zu wecken oder zu erklären[24]. Innerhalb des Makrotextes des Evangeliums sind die Glaubensaussagen in ihrem Zusammenhang zu sehen. Dann ist der Gekreuzigte – wie sich zeigen wird – unbedingt in diesen Glauben einzubeziehen. Ja, vom Kreuz aus wird Glaube bemessen. Dennoch ist nicht anzunehmen, daß Markus den Glauben von 5 kritisiert hätte. Hier wird zumindest eine wichtige Komponente des geforderten Glaubens erkennbar, daß er nämlich vertrauensvolles und bedingungsloses Sich-Ausliefern an die Macht Jesu ist.

An dieser Stelle biegt die Heilungsgeschichte zur Streitszene um. Statt des Heilungswortes ergeht das Wort der Sündenvergebung. Nur hier spricht Jesus einen Menschen persönlich von seinen Sünden los (vgl. 3,28; 11,25). Der Anknüpfungspunkt war wahrscheinlich die jüdische Vorstellung, daß zwischen Krankheit und Sünde ein Zusammenhang besteht[25]. Wie dieser hier näher gedacht ist, ist schwer zu sagen. Es wird nicht eine Erklärung über die Ursache der Krankheit geboten, sondern ihre Heilung wird eingeleitet. Die Annahme, im Hintergrund stünde die Vorstellung von den Sündendämonen als den strafenden Urhebern der Krankheit[26], erscheint unbegründet. Nicht der Dämon wird angeredet, sondern der Kranke, und zwar als Kind (wie die Jünger in 10,24). Die passivische Formulierung umschreibt zwar das Wirken Gottes[27], aber dieses wird durch Jesus vermittelt, so daß zwischen der individuellen Sündenvergebung und der grundsätzlichen Aussage in 10 kein wesentlicher Unterschied festgestellt werden kann. Beides ist aufeinander bezogen. Die unvermittelt

[21] Böcher, Christus Exorcista 79, meint, daß die Rationalisierung oder Unterdrückung exorzistischer Züge eine weiterreichende Tendenz der synoptischen Tradition sei. – Der Gang auf das Dach ist leichter vorstellbar, wenn das Haus eine Treppe besaß, die von außen auf das Dach hinaufführte.

[22] Nach den Wörterbüchern von Pape-Sengebusch und Passow ist ὁ παραλυτικός der einseitig Gelähmte.

[23] Vgl. Theißen, Wundergeschichten 135.

[24] Maisch* 74; vgl. H. Conzelmann, Grundriß der Theologie des NT, München 1967, 115.

[25] Zur jüdischen Vorstellung Billerbeck I,495.

[26] Böcher, Christus Exorcista 72, und Dämonenfurcht und Dämonenabwehr 155f (Verweis auf 1Sam 16,14–23; 2Sam 24,15f; Jes 37,36; Num 5,11–31; Ijob 2,7).

[27] Die Perfektform ἀφέωνται (C EFGH D Θ) ist Einfluß von Lk 5,20. Der Unterschied zu ἀφίενται ist nicht erheblich.

auftauchenden Schriftgelehrten nehmen Anstoß, aber nur in Gedanken. Im korrekten Verhältnis zur jüdischen Lehre bemerken sie, daß die Sündenvergebung alleiniges Privileg Gottes sei[28]. Ihre Gedanken sind in Anlehnung an Dtn 6,4 formuliert. Die Einzigkeit Gottes steht für sie auf dem Spiel. Der Vorwurf der Gotteslästerung, der nochmals 14,64 erhoben wird, besteht dann zu Recht[29]. Die Sündenvergebung wurde auch für die messianische Zeit nicht dem Messias übertragen. Dieser soll zwar die Sünde beseitigen, indem er im Gericht die Gottlosen vernichtet, die dämonischen Mächte bezwingt, durch gerechtes Regieren das Volk vor Sünde bewahrt, aber dies entspricht nicht dem, was hier geschieht[30]. Das gleiche gilt für den messianischen Hohenpriester[31]. Die durch den amtierenden Hohenpriester dem Volk vermittelte Sündenvergebung war an Kult und Opfer gebunden[32]. Auf Gotteslästerung stand nach Num 15,30f; Lev 24,11ff die Todesstrafe. Es ist zu beachten, daß der schwerste Vorwurf der bis 3,6 reichenden Konflikte am Anfang ausgesprochen wird. Daß Jesus die Herzen durchschaut (vgl. 8,16f; 12,15), ist für das vorliegende christologische Konzept von Belang. Man hat es mit der ϑεῖος-ἀνήρ-Konzeption in Verbindung gebracht[33]. Ähnliche Dinge werden diesen göttliche Kraft aussrahlenden Wundertätern nachgesagt[34]. Da aber in 7 auf den Gott der Bibel Bezug genommen wurde, wird man auch hier die göttliche Eigenschaft der Herzenskenntnis, die im Alten Testament reichlich bezeugt ist, auf Jesus übertragen sehen. Gott ist es, der »allein das Herz aller Menschenkinder« durchschaut (1Kön 8,39), »den Schrein des Herzens kennt« (PsSal 14,6; vgl. 1Sam 16,7; Ps 7,10; Jer 11,20; Sir 43,18f). In einem Vergleich bindet 9 Heilung und Sündenvergebung aneinander. Das Leichtere scheint das unkontrollierbare Wort der Sündenvergebung zu sein – vordergründig-menschliches Urteilen!

10 In einem Menschensohnwort wird die Vollmacht Jesu zur Sündenvergebung als die Quintessenz der Perikope herausgestellt[35]. Dieses Wort gehört zur Gruppe der Menschensohnlogien, die vom irdischen Wirken Jesu handeln. Diese steht neben den Worten von der Parusie und dem Leiden und Auferstehen des Menschensohnes. Von dieser Einteilung aus ist es mit 2,28 zusammenzusehen, aber unter traditionsgeschichtlichem Aspekt auch mit den entsprechenden Sprüchen der Überlieferung der Logienquelle zu verbinden (Mt 8,20/Lk 9,58; Mt 11,19/Lk 7,34). Was es von diesen Sprüchen unterscheidet, ist vor allem dies, daß dort mehr auf indirekte Weise von der Vollmacht des Menschensohnes geredet wird, während diese hier wie in 2,28 direkt verkündet

[28] Ex 34,7; Jes 43,25; 44,22.

[29] Zum Verbrechen der Gotteslästerung im Judentum vgl. Billerbeck I,1008–1019.

[30] Billerbeck 495f.

[31] TestL 18,9 widerspricht dem nicht. Vgl. Braun, Qumran I,32; anders G. Friedrich, ZThK 53 (1956) 293f. Es ist unzutreffend, auf die hohepriesterliche Christologie als Erklärung für die Jesus zugesprochene Sündenvergebung zu rekurrieren (gegen Lohmeyer und Grundmann).

[32] In welchem Maß im gleichen Rahmen der Priester im damaligen Judentum dem einzelnen Vergebung zusprach, ist nur noch schwer zu ermitteln. Vgl. Kuhn, Sammlungen 56, Anm. 20.

[33] Maisch* 123. Das Motiv der Gegner ist nicht spezifisch.

[34] L. Bieler, ΘΕΙΟΣ ΑΝΗΡ I,87f.93.

[35] Nach Duplacy* hat einleitendes ἵνα exhortativische Bedeutung: Ihr sollt wissen, daß . . .

wird. In beiden Traditionsschichten aber steht der Menschensohn im Gegensatz zu den Menschen bzw. zu solchen, die seine ἐξουσία zurückweisen[36]. Immer wieder hat man den Versuch unternommen, 10 als authentisches Jesuswort zu interpretieren. Dies wäre um so eher möglich, wenn »Menschensohn« noch nicht als christologisches Hoheitsprädikat, sondern im Sinn von »Mensch« aufzufassen wäre. Philologisch ist der allgemeine Gebrauch von aramäischem *bar nascha* = Menschensohn/Mensch, bei dem der Redende auf seine Person abhebt, belegt[37]. Der Sinn wäre dann: »Nicht nur Gott darf vergeben, sondern mit mir, Jesus, auch ein Mensch.«[38] Abgesehen davon, daß in einer solch bescheidenen Selbstaussage die dem υἱὸς τοῦ ἀνθρώπου übertragene Vollmacht nicht adäquat erfaßt wäre, bleibt zu fragen, wie diese abzuleiten ist. Nirgendwo in der apokalyptischen Literatur des Judentums, wo die Menschensohngestalt beheimatet ist, wird ihr die Sündenvergebung zugeschrieben. Vom transzendenten Menschensohn der Apokalyptik kann die Vollmacht nicht auf Jesus übertragen worden sein. Vielmehr ist sie mit dem Anspruch des irdischen Jesus und seinem Tod zu begründen. Im Tod Jesu wußte sich die Gemeinde befreit von ihren Sünden (1Kor 15,3; Mk 10,45). Der Irdische kündet das Reich Gottes an und dokumentiert in seiner Gemeinschaft mit Sündern die Vergebung Gottes. Nachösterlich erkannte man, daß Gott sein Gnadenangebot im Tod Jesu durchgehalten hat. Das heißt, wenn die explizite Sündenvergebung durchaus mit dem Irdischen zu tun hat, dann aber so, daß das Kreuz mit in den Blick treten muß[39]. Der Menschensohntitel rückt dann deshalb hier ein, weil Jesus an die Stelle Gottes tritt und – vom Standpunkt dieser Überlieferung aus – göttliche Privilegien am ehesten mit diesem Prädikat zu verbinden waren. Ist die Vollmacht Jesu das explizite Thema, wird man nicht annehmen wollen, daß die von der Gemeinde geübte Sündenvergebung gerechtfertigt werden soll[40]. Dieses Problem artikuliert sich in Jüngerworten (Mt 18,18; Joh 20,22f). Nochmals bestätigt sich, daß das christologische Thema gegenüber dem Streitgespräch im Vordergrund steht. Die Gemeinde rechtfertigt nicht ein Tun, sondern ihre neugewonnene eschatologische Existenz.

11–12 Das Heilungswunder wird zum Argument für das Vollmachtswort über die Sündenvergebung. Der Gelähmte geht befreit von Krankheit und Sünde nach Haus, wie es Jesus ihm gebietet (vgl. 5,19). Der Gang nach Haus mit dem Bett unter dem Arm oder auf der Schulter wird zur Demonstration der Heilung[41]. Daß die Leute außer sich geraten, ist eine typische Reaktion auf das außerge-

[36] Tödt, Menschensohn 117–130; Hahn, Hoheitstitel 42–46.

[37] C. Colpe, ThWNT VIII,404–406; Jeremias, Theologie I,248–250. Bestritten von Hahn, Hoheitstitel 24; P. Vielhauer, Jesus und der Menschensohn, in: ders., Aufsätze zum NT, 1965 (TB 31), 92–140, 119f.

[38] Colpe, ThWNT VIII,433.

[39] Mit diesem Vorbehalt ist Kertelge, Wunder Jesu 210, zuzustimmen.

[40] So Bultmann, Geschichte 13; Pesch I,160. Dibelius, Formgeschichte 64–66, spricht von einem Paradigma. – ἐπὶ τῆς γῆς unterstreicht den Gedanken der Bevollmächtigung.

[41] Vergleichsmaterial zu ähnlichen Demonstrationen in Wundergeschichten bei Bultmann, Geschichte 240.

wöhnliche Erlebnis (5,42; 6,51). Ihr Gotteslob bekundet, daß Jesus der eschatologische Gottesgesandte ist[42].

Hat die sekundäre Umgestaltung die Geschichte entstellt? Für Jesus sei der Kranke Objekt des Mitleids gewesen. Nach der sekundären Neuformung geschieht die Heilung, damit die Macht des Menschensohnes offenbar wird. So denke die spätere Gemeinde. Nach Haenchen ist damit ein menschlicher Zug verlorengegangen[43]. So sehr die Kritik zu denken gibt, bleibt zu beachten, daß die Heilung auch jetzt Bedeutung behält, wenn auch nicht in sich selbst. Außerdem wird auch auf der ersten Erzählstufe keine rein humanitäre Tat Jesu geschildert, sondern vom Anbruch der Heilszeit Zeugnis abgelegt. Der ganze Mensch soll erlöst werden, der Leib von der Krankheit, der Geist von der Sünde.

Zusammenfassung

Im markinischen Rahmen wird dieser neue Erweis der ἐξουσία Jesu zum eindrücklichen Beleg dafür, daß Gottes Herrschaft sich durchzusetzen beginnt. Sie setzt sich durch auch gegen den Widerstand der Ablehnenden, mit denen es zu einem ersten schweren Konflikt kommt. Damit wird die in 1,22 begonnene Linie weitergezogen. Der Vorwurf der Lästerung muß, auch wenn er nur in Gedanken erhoben wird, mit 3,6 in Verbindung gesehen werden. Aus diesen Zusammenhängen heraus erblickte Markus für die Perikope an dieser Stelle den geeigneten Ort. Es ist als befremdlich empfunden worden, daß der Evangelist diesmal auf ein Schweigegebot verzichtete. Jesus bekennt sich in aller Öffentlichkeit (wie auch 2,28) als Menschensohn. Ist Markus inkonsequent? Hat er nicht, von diesen beiden Stellen abgesehen, den Menschensohntitel dem zweiten Teil seines Werks vorbehalten? Oder hat dieser für ihn etwas Verbergendes[44]? Man glaubte, in der Anlage der Menschensohnlogien bei Markus einen Plan erkennen zu können[45]. Auf die Offenbarung des Menschensohnes in Kap. 2, die auf Ablehnung stößt, folge die Ankündigung des Todes des Menschensohnes (Kap. 8–10) und am Ende die Ansage seiner Parusie (13,26). Abgesehen davon, daß von der Parusie bereits in 8,38 die Rede ist, liegt die Intention woanders. Die uneingeschränkte Offenbarung, daß Jesus der Menschensohn ist, kann überall dort erfolgen, wo sichergestellt ist, daß diese Offenbarung auf das Kreuz hinausläuft. Damit ist von der Vollmacht des Menschensohnes nichts zurückgenommen, doch ist sie in das richtige Lot gebracht. Markus hat diese Ausrichtung der Offenbarung durch den einsetzenden erheblichen Widerstand in 2,6 und 3,6 gewahrt gesehen (vgl. Exkurs Messiasgeheimnis).

[42] Vgl. Lk 7,16; 13,13; 17,15; 18,43; 23,47.
[43] Weg 103.
[44] Vermutung von Kertelge, Wunder Jesu 212.
[45] M. D. Hooker, The Son of Man in Mark, London 1967, 179–181, mit gewissen Einschränkungen.

8. *Jesus hält Mahl mit Zöllnern und Sündern (2,13–17)*

Literatur: Jeremias, J., Zöllner und Sünder, ZNW 30 (1931) 293–300; *Alonso, J.*, La parábola del médico en Mc. 2,16–17, CuBi 16 (1959) 10–12; *Iersel, B. M. F. van*, La vocation de Lévi, in: De Jésus aux Évangiles (hrsg. *I. de la Potterie*), Gembloux 1967, 212–232; *Pesch, R.*, Levi-Matthäus (Mc 2,14/Mt 9,9; 10,3), ZNW 59 (1968) 40–56; *Pesch, R.*, Das Zöllnergastmahl (Mk 2,15–17), in: Mélanges bibliques (FS B. Rigaux), Gembloux 1970, 63–87; *Braun, H.*, Gott, die Eröffnung des Lebens für die Nonkonformisten, in: FS E. Fuchs, Tübingen 1973, 97–101.

13 **Und wieder ging er hinaus am Meer entlang. Und die ganze Volksmenge kam zu ihm. Und er lehrte sie.** 14 **Und im Vorübergehen sah er Levi, den (Sohn) des Alfäus, beim Zollgebäude sitzen. Und er sagt zu ihm: Folge mir nach! Und er stand auf und folgte ihm nach.** 15 **Und es geschieht, daß er in seinem Haus zu Tisch liegt. Und viele Zöllner und Sünder lagen mit Jesus und seinen Jüngern zu Tisch. Denn viele waren es, die[1] ihm nachfolgten.** 16 **Und pharisäische Schriftgelehrte, die bemerkten, daß er mit den Sündern und Zöllnern ißt, sagten zu seinen Jüngern: Mit Zöllnern und Sündern ißt er[2].** 17 **Und Jesus hört es und sagt ihnen: Nicht die Gesunden bedürfen des Arztes, sondern die Kranken. Nicht bin ich gekommen, Gerechte zu berufen, sondern Sünder.**

Analyse

Nach der Übergangsbemerkung in 13, die von Jesu Wanderung am Meer und der Belehrung der Volksmenge berichtet, folgen zwei Begebenheiten: die Berufung des Zöllners Levi und das gemeinsame Mahl Jesu und seiner Jünger mit Zöllnern und Sündern. Nach der vorliegenden Darstellung entsteht der Eindruck, daß dieses Mahl in Levis Haus stattfindet. Die Erzählung ist wegen des nicht klaren Bezuges von »seinem Haus« in 15 ungenau. Erst Lk 5,29 räumt jeden Zweifel aus, daß Levi der Gastgeber gewesen sei, während Mt 9,10 unbestimmt von dem Haus redet. Das Auftauchen seiner Jünger in 15, die als Gruppe bei Markus hier zum erstenmal erwähnt werden, fällt auf, zumal man – in diesem Zusammenhang fast ablenkend – die Erklärung erhält, daß viele ihm nachfolgten. Daß sich die »Schriftgelehrten der Pharisäer« an die Jünger und nicht an Jesus direkt wenden, macht ebenfalls einen besonderen Zug aus[3]. Die Frage freilich, wie die Schriftgelehrten zum Mahl gekommen seien, ist – weil einseitig historisch – falsch gestellt, da ihr Zutritt zum Mahl belanglos und nur ihr Einwand wichtig ist. Sicher darf man sie sich nicht als Mahlteilnehmer

[1] καί ist nach Bl-Debr § 471,4 volkstümliche Koordination statt eines Partizips.

[2] Der Satz ist nicht als Fragesatz zu lesen. ὅτι ist rezitativ. Bl-Debr § 300,2 möchte ὅ τι (indirekter Fragesatz) auflösen. Vgl. Mt 9,11 par: διὰ τί.

[3] Mt 9,11 »die Pharisäer«, Lk 5,30 »die Pharisäer und ihre Schriftgelehrten« glätten die Mk-Vorlage. POxy 1224 erwähnt zusätzlich noch die Priester, die Anstoß nehmen.

vorstellen, noch weniger als solche, die Jesus nachgefolgt seien[4]. Die Antwort Jesu ist eine doppelte: einmal bedient er sich einer sprichwortartigen Sentenz, das anderemal gibt er ein persönliches Urteil über seine Sendung ab. Auch diese Doppelheit hat Überarbeitung vermuten lassen.
Die Beurteilung der Entstehung der vorliegenden Perikope hängt vor allem von zwei Faktoren ab. Zum ersten ist es die Bestimmung des Verhältnisses von Jüngerberufung und Mahlszene, zum zweiten die Frage, welche der beiden Sentenzen in 17 die ältere sein könnte. Einig ist man sich eigentlich weithin nur darin, daß man – mit Recht – den einleitenden Vers 13 und den Begründungssatz in 15c der markinischen Redaktion zuschreibt. Dibelius[5] rechnet mit einem ursprünglichen Zusammenhang von der Berufung des Levi in 14 und der Sentenz in 17b und hält das Zöllnermahl für markinische Komposition. Pesch, der eine zweifache Bearbeitung der Perikope veranschlagt, weist Vers 14 dem Endredaktor zu, der die Berufung des Levi aus dem Zöllnermahl herausgesponnen habe. Er geht dabei davon aus, daß die älteste Überlieferung unzweideutig von einem Mahl im Haus Levis erzählt habe[6]. Doch wie wird dann Levi zum Zöllner? Auch ist das Urteil, 14 sei allein schwerlich lebensfähig, zu geschmäcklerisch[7]. Ferner ist doch ernstzunehmen, daß Levi in der Mahlszene überhaupt keine Rolle mehr spielt und – bei Markus – auch nicht als Gastgeber fungiert. Daraus folgt, daß Markus die Berufung des Levi, die dasselbe Schema wie die Jüngerberufungsgeschichten in 1,16–20 verwendet, und die Mahlszene als zwei selbständige Traditionen verband. Dies macht begreiflich, daß die Bestimmung des Hauses so eigenartig in der Schwebe bleibt. Ursprünglich wird nur von dem Haus die Rede gewesen sein[8].
Hat Markus als der Schöpfer von 15c zu gelten, so besteht der Verdacht, daß er die Jünger in 15b und 16 eingetragen hat. Die Behauptung, daß ehedem nur von Zöllnern als Tischgenossen gesprochen wurde, während die Sünder die vormarkinische Überarbeitung einfügte[9], überzeugt nicht. Die Zusammenfassung ist formelhaft und begegnet in ganz ähnlichen Kontexten auch in Mt 11,19 par; Lk 15,1. Für die Verbindung spricht ebenfalls 17b, unabhängig davon, ob dieser Satz alter Perikopenbestand oder späterer Zusatz ist[10]. Der Partizipialsatz in 16, der die beiden Begriffe vertauscht und für das Verständnis entbehrlich ist, wird Markus-Redaktion sein. Sehr schwer ist zu entscheiden, mit welcher Sentenz die Perikope abschloß. Das Wort vom Arzt ist allein tradierbar[11], während 17b auf einen Kontext angewiesen ist. Dies spräche für 17b als

[4] Diese Auffassung vertritt der Kodex Sinaiticus, der den Punkt zwischen 15 und 16 streicht. Sie wird übernommen von Wendling, Entstehung 7f.
[5] Formgeschichte 61, Anm. 1.
[6] Zöllnergastmahl 71.
[7] So Pesch, Levi-Matthäus 44.
[8] αὐτοῦ in 15a ist Mk-R.
[9] Pesch, Zöllnergastmahl 73; Schweizer. Weil in POxy 1224 die Zöllner fehlen und nur die Sünder genannt werden, könnte man sogar erwägen, ob die Zöllner nicht in den Text eingedrungen sind. Dies ist jedoch zu verneinen. Es wäre zu keiner Kombination von Zöllnerberufung und -mahl gekommen.
[10] Über das Wort ἁμαρτωλοί besteht Stichwortassoziation.
[11] In der Tat wird das Logion isoliert tradiert in 2Cl 2,4; Barn 5,9; JustApol I 15,8.

altem Perikopenabschluß[12]. Dem entgegen aber muß bedacht werden, daß Markus eine Anzahl von Perikopen in sein Evangelium aufnahm, die einen Satz zur Quintessenz haben, der eine »natürliche« Einsicht ausspricht und durch einen Gegensatz bestimmt ist (2,19.27; 3,4b; 7,15; 12,17)[13]. In 2,17.19.27 wird die »natürliche« Einsicht durch eine christologische Aussage verdeutlicht (2,17b.19b. 20.28). Die christologische Verdeutlichung, die an den anderen Stellen fehlt, erweist sich als spätere Reflexionsstufe. 17b aber ist wegen des Gegensatzes von Gerechten und Sündern als alte (palästinische?) Tradition anzusprechen. Markus fand bereits die doppelte Sentenz in 17 vor. Der Form nach ist die Perikope ein Streitgespräch. Der Dreischritt: Beschreibung des Streitobjektes, Einwand der Gegner, Widerlegung ist charakteristisch. Weil eine Zwischenfrage oder -szene fehlt, gewinnt die Widerlegung stärker den Rang eines Apoftegmas. Am besten spricht man von einem apoftegmatischen Streitgespräch.

Erklärung 13–14

Markus, um einen Anschluß nach vorn bemüht, läßt Jesus – aus dem Haus in Kafarnaum – hinausgehen. Wie in den ersten Berufungsgeschichten (1,16) geht Jesus am Meer von Galiläa entlang. Jetzt aber strömt zu dem bereits berühmt gewordenen Lehrer die Volksmenge, um seine Lehre zu hören. Diese bleibt wieder inexpliziert. Die Lehrszene am Strand des Sees wiederholt sich gleich wieder in 4,1. Ob die Predigt am See eine für Jesus geltende Eigenheit war[14], mag dahingestellt bleiben. Auf jeden Fall war das Land um den See sein bevorzugtes Wirkungsgebiet. Die jetzt eingestreute Berufung des Levi erweckt den Eindruck, daß sie auf dem Weg vom See nach Kafarnaum erfolgte. Sie wahrt das Schema der Berufungsgeschichten: Jesu erwählender Blick trifft auf Levi, der seinem Beruf nachgeht. Der Ruf in die Nachfolge wird unmittelbar befolgt. Individualität bieten Name und Beruf des Gerufenen. Der nur hier genannte Levi wird von einem Teil der textlichen Überlieferung fälschlich für Jakobus aus dem Zwölferkreis gehalten, weil auch dieser ein Alfäussohn ist[15]. Der Zöllnerberuf paßt zur Grenzstadt Kafarnaum[16]. Im Volk war er verachtet. Der Zöllner galt als Sünder[17]. Die Berufung eines Zöllners in die Nachfolge nimmt das Skandalon des folgenden Zöllnergastmahles vorweg.

5. Exkurs: Die Zöllner

Die Zöllner[18] hatten die Zölle, das heißt die unregelmäßigen Abgaben zu erheben, die besonders auf Waren bei Überführung über die Landesgrenze gelegt wurden. Schon Esr

[12] So Pesch, Zöllnergastmahl 75. Vgl. van Iersel* 218f.
[13] Vgl. Berger, Gesetzesauslegung I,576–580.
[14] Grundmann.
[15] Vgl. Mk 3,18. D Θ φ it lesen: Ἰάκωβον τὸν τοῦ Ἀλφαίου.
[16] Ein Zollgebäude *beth hamekes* wird in einem rabbinischen Gleichnis Sukka 30a erwähnt (Billerbeck I,498).
[17] Nach Jeremias* 300 standen die Zöllner beim Volk im Ruf, Betrüger zu sein. Sie wurden den heidnischen Sklaven gleichgestellt und waren nicht fähig zur Zeugenaussage.
[18] Vgl. Schürer I,474–479.

4,13f; 7,24 ist das Wegegeld genannt. Im allgemeinen bildete jede Provinz des römischen Reiches ein eigenes Zollgebiet. Aber auch die von den Römern anerkannten Kommunen und Staaten besaßen das Zollrecht. Im Gegensatz zu den Steuern flossen die Zolleinkünfte nicht in den kaiserlichen Fiskus, sondern in die Kasse des Landesherrn, in Galiläa also in die Kasse des Herodes Antipas. Die Erhebung der Zölle erfolgte nicht durch staatliche Beamte, sondern durch Pächter (publicani). Diese hatten den Zoll einer bestimmten Region gegen eine feste jährliche Summe gepachtet. Den Mehrertrag konnten sie für sich behalten, den Minderertrag hatten sie zu ersetzen. Sie bedienten sich zur Eintreibung des Zolls ihrer Unterbeamten. Levi haben wir uns als solchen vorzustellen. Das Tor zu Mißbrauch und Zügellosigkeit bestand darin, daß die Höhe der Zölle oft sehr unbestimmt war[19]. Diese Unbestimmtheit machten sich habgierige Zöllner willkürlich zunutze.

15–17 Mit 15 hebt etwas Neues an[20]. Markus aber läßt Levi nicht bloß am Zöllnergastmahl teilnehmen, sondern vermittelt darüber hinaus auch den Eindruck, daß er in sein Haus einlädt. Dann ist die Berufung des Zöllners in die Nachfolge Anlaß für das fröhliche Mahl. Zöllner und Sünder als Gäste vereint jene um denselben Tisch, die bislang wie Levi als Ausgestoßene angesehen wurden. Als Sünder galten insbesondere die Heiden, aber auch jene, die wie die Heiden die Reinheitsvorschriften nicht beachteten[21]. Wer Tischgemeinschaft mit ihnen aufnahm, wurde selbst unrein. Die Zöllner können mit den Heiden (Mt 18,17), aber auch mit den Dirnen (Mt 21,31f) in einem Atemzug genannt werden. Die Bezeichnung der Gäste als »Zöllner und Sünder« in 15 nimmt den Einspruch der Pharisäer vorweg. In der vormarkinischen Überlieferung ist damit auf ein Gemeindeproblem hingelenkt, das vor allem in gemischten Gemeinden außerhalb Palästinas auftauchte, ob nämlich Tischgemeinschaft zwischen ehemaligen Juden und ehemaligen Heiden möglich ist (vgl. Gal 2,12). Markus benutzt die Gelegenheit, auch die Jünger als Tischgenossen zu erwähnen und dabei zu bemerken, daß ihre Zahl inzwischen schon groß geworden sei. Damit ist die Erwähnung der Zwölf (3,13ff) aus einer größeren Schar von Nachfolgenden vorbereitet, da ja bislang erst von fünf in die Nachfolge Gerufenen die Rede war. Der Evangelist ist sichtlich um Stimmigkeit in seinen Darlegungen bemüht. Die Gegner im Streit sind diesmal nicht allgemein Schriftgelehrte, sondern genauer Schriftgelehrte aus den Pharisäern. Diese Präzisierung, die bei Markus nicht mehr vorkommt, verknüpft das Streitgespräch mit den folgenden vier Perikopen (bis 3,6), wo die Pharisäer entweder allein (2,24) oder im Verein mit anderen (2,18; 3,6) die Widersacher bleiben.

[19] Aufschlußreich ist eine bei Schürer I,475 und 478, Anm. 112 erwähnte palmyrenische aramäisch und griechisch abgefaßte Inschrift aus der Zeit Hadrians.

[20] καὶ γίνεται ist Perikopenanfang.

[21] Vgl. K. H. Rengstorf, ThWNT I,328–330.

6. Exkurs: Die Pharisäer

Die *Pharisäer*[22] bildeten zur Zeit Jesu (neben Sadduzäern und Essenern) eine religiöse Partei, der nicht unbedeutender politischer Einfluß zukam. Die Anfänge dieser Bewegung liegen einigermaßen im Dunkeln. Im allgemeinen nimmt man an, daß die Entstehung der Pharisäer als religiöser Genossenschaft spätestens in das 2. Jh. v. Chr. zurückreicht und daß sie sich von der älteren Gruppe der Chassidim abgespaltet haben. Während sie zu den Hasmonäern fast durchweg in einem oppositionellen Verhältnis standen – die bedeutende Ausnahme ist Salome Alexandra (76–67 v. Chr.), die ihnen den Einzug in die Gerusia ermöglichte –, gewinnen sie dank der Begünstigung durch Herodes d. Gr. an Bedeutung. Diese scheint in der Zeit zwischen dem Tod des Herodes und dem Untergang des jüdischen Staatswesens nachgelassen zu haben[23]. Dies dürfte auch damit zusammenhängen, daß uneinheitliche Auffassungen innerhalb des Pharisäismus die Bildung einer neuen Partei, der Zeloten, förderten. Erst nach der Zerstörung Jerusalems werden die Pharisäer bzw. deren antizelotischer Flügel zur führenden, ja zur einzig maßgeblichen Gruppe im Judentum, der es gelingt, den Verband des jüdischen Volkes als religiöse Einheit durch strikte Bindung an das Gesetz zu bewahren und zu retten. Der Name »Pharisäer«, der sich von Peruschim (die Abgesonderten) herleitet, ist ihnen wahrscheinlich von außen gegeben worden und am Anfang vielleicht sogar ein Schimpfwort gewesen. Erst allmählich gewinnt er positiven Rang. Auf jeden Fall deckt er nur einen Teil dessen, was das Wesen dieser Bewegung ausmacht. Äußerlich betrachtet, stellen sich die Pharisäer in wohlorganisierten Gemeinden dar (Chaburoth), die nach bestimmten Satzungen (Chaberuth) lebten. Aufgenommen in die Gemeinde wurde der einzelne erst nach Bestehen einer festgesetzten Probezeit. Wie es in der Gemeinde verschiedene Stufen der Mitgliedschaft gab – die Vollmitglieder waren die eigentlichen Chaberim –, kannte man auch ein Ausschlußverfahren. Die Mitgliedschaft stand jedem offen, nicht bloß Priestern und Gebildeten. Die Stärke ihrer Bewegung lag sicher darin, daß sie, wenn auch vermutlich nicht am Anfang, von Laien getragen wurde, und daß sie als geschlossener Kreis, von dem stets Anziehungskraft ausgeht, auch den einfachen Mann aufnahmen. Als Führungsschicht bildeten sich in gleicher Weise in der Weisheitsliteratur wie in der Schrift bewanderte Männer heraus, die das Gemeindeleben prägten, unterschiedliche Schulen im Rahmen des Pharisäismus begründeten und zunehmenden Einfluß auch außerhalb der eigenen Gemeinde beim Volk errangen. Dies sind die Schriftgelehrten, die zur Zeit Jesu im Jerusalemer Synhedrion[24] eine eigene Fraktion stellten. Freilich muß damit gerechnet werden, daß es auch nichtpharisäische

[22] Vgl. J. Jeremias, Jerusalem zur Zeit Jesu, Göttingen ²1958, II B, 115–140; W. Beilner, Christus und die Pharisäer, Wien 1959; C. Roth, The Pharisees in the Jewish Revolution of 66–73; JSSt 7 (1962) 63–80; S. Umer, Pharisaism and Jesus, New York 1962; A. Finkel, The Pharisees and the Teacher of Nazareth, 1964 (AGSU 4); H. Merkel, Jesus und die Pharisäer, NTS 14 (1967/68) 194–208; W. Grundmann, Das palästinensische Judentum im Zeitraum zwischen der Erhebung der Makkabäer und dem Ende des Jüdischen Krieges, in: J. Leipoldt – W. Grundmann, Umwelt des Urchristentums I, Berlin ²1967, 143–291 (hier 269–286); R. Meyer – K. Weiß, ThWNT IX, 11–51 (reiche Literaturangaben).

[23] Meyer (Anm. 22) 26f; Grundmann (Anm. 22), Judentum 270 rechnen umgekehrt damit, daß der pharisäische Einfluß unter Herodes d. Gr. zurückgedrängt wurde, aber nach seinem Tod ständig zugenommen habe. Dagegen spricht, daß Herodes den Pharisäern in Sachen Eidesverweigerung gegenüber dem Herrscher entgegenkam und auch sonst gegen sie keine grundsätzlich feindselige Politik betrieb. Problematisch ist das geplante Massaker von Jericho, von dem JosAnt 17,174–181 berichtet.

[24] Vgl. oben Exkurs Schriftgelehrten.

Schriftgelehrte gab. Der politische Einfluß der Pharisäer im Synhedrion ist darum schwer zu bestimmen. Ein bekanntes Beispiel für die unterschiedlichen Meinungen, die im Pharisäismus nebeneinander bestehen konnten, sind die beiden miteinander rivalisierenden Schulhäupter Hillel und Schammai. Nach dem Jahr 70 jedoch waren es die Hilleliten, die sich durchsetzten.

Im Zentrum des pharisäischen Ideals steht das Gesetz, das eine eigene Beurteilung erfährt. Richtungweisend ist dabei die Überführung der für den Priester geltenden Heiligkeitsvorschriften in den gewöhnlichen Alltag. Ziel der Bemühungen ist die Gewinnung von Reinheit und Heiligkeit, die dem Priester während seines Dienstes im Tempel eignen, in das praktische Leben. Man bemüht sich auf diese Weise, die reine Gemeinde, das wahre Israel in Israel zur Darstellung zu bringen. Diese am priesterlichen Lebensstil ausgerichtete Laienfrömmigkeit, die das Gesetz vor den Kult stellte und die Profeten dem Gesetz unterordnete, war für das Überleben nach dem Verlust des Heiligtums wie geschaffen. Die zunehmende Bedeutung der Synagoge, in der man den Schriftgelehrten besonders gern hörte und in der ein reiner Wortgottesdienst abgehalten wurde, stärkte diese Entwicklung. Wenn das Gesetz des Mose als präexistentes Schöpfungswerkzeug verstanden werden konnte, mit dem Gott die Welt geschaffen hatte, zeigt sich darin die Abhängigkeit von weisheitlichen Spekulationen. Zum Gesetz tritt die mündliche Überlieferung der Väter, die gleichfalls auf Mose zurückgeführt und rangmäßig der Tora gleichgestellt wurde[25]. Mit Hilfe der Tradition, die in den Schulen weiterausgebildet wurde, waren die Pharisäer in der Lage, die Weisungen des Gesetzes veränderten Zeitverhältnissen anzupassen. Das erwies sie als fortschrittliche Theologen, bereitete ihnen Sympathien beim Volk, trug ihnen aber von seiten der Sadduzäer und Essener scharfe Kritik ein. Letztere betrachten sie als Abtrünnige und werfen ihnen Lässigkeit, Irrtum und Verführung vor[26]. Die Pharisäer wollten mit den Auslegungsbestimmungen, die sie den Zaun um das Gesetz nannten, die Einhaltung des Gesetzes ermöglichen, erzielten aber mit dem erheblichen Zuwachs an Vorschriften eine unvermeidliche Veräußerlichung des religiösen Lebens auf manchen Gebieten. Das Selbstgefühl des Pharisäers ist – soweit uns dies die Zeugnisse erkennen lassen – von beidem getragen, vom Gefühl eines nicht selten ungewöhnlichen Stolzes auf die eigene Leistung, die eigene Gerechtigkeit, und vom Verlangen nach göttlicher Barmherzigkeit. Dieses gespaltene Bewußtsein spiegelt sich in seinem Verhältnis zum Volk wider. Auf der einen Seite kommen die Pharisäer als laizistische Bewegung dem Volk entgegen und besitzen sie bei diesem Sympathien, auf der anderen Seite können sie das Volk als gesetzesunkundig verachten und gemeines Volk (Am-ha-arez) schimpfen. Ihre Absonderung erweist sich als eine doppelte, eine äußere Trennung vom Volk als eigene Genossenschaft und eine innere in der Radikalisierung des allerdings veräußerlichten Heiligkeitsgedankens. Dies richtet zwischen ihnen und dem Volk eine unüberwindliche Barriere auf. Die pharisäische Ethik ist von einer strengen Vergeltungslehre beherrscht, nach der die Gerechten und die Frevler genau nach ihren Taten belohnt bzw. bestraft werden. Es fehlen ihr nicht sympathische humane Züge, etwa in der Auslegung des Sabbatgebots[27]. Ihre Messiaserwartung ist auf einen Messias gerichtet, der Israel von politischer Knechtschaft be-

[25] Vgl. JosAnt 13,267: »Die Pharisäer haben dem Volk aus der Überlieferung der Väter viele Gesetze auferlegt, die nicht im Gesetz des Mose geschrieben stehen.«

[26] Die Kritik ist gehäuft im Damaskus-Dokument 1,18f; 4,19ff; 8,12–18.

[27] Vgl. Joma 8,6: »Jede Lebensgefahr verdrängt den Sabbat.« Radikal sind die essenischen Sabbatvorschriften Dam 10,14–11,18.

freien wird[28]. Apokalyptisches Gedankengut scheinen sie erst nach dem Untergang Jerusalems aufgenommen zu haben, doch einer Naherwartung standen sie vermutlich in dieser Zeit skeptisch gegenüber.
Es ist tragisch, daß die Pharisäer zu den schärfsten Gegnern Jesu und später seiner Gemeinde wurden, obwohl sie manches mit diesen verband. Die Schilderung der Pharisäer in den Evangelien entspricht weithin der späteren Auseinandersetzung der christlichen Gemeinde, so, wenn sie fast immer als geschlossene gegnerische Gruppe erscheinen. Markus weiß jedoch an einigen Stellen noch zu differenzieren (2,16; 7,1), nach Lk 7,36; 11,37; 14,1 hielt Jesus sogar Tischgemeinschaft mit ihnen. In den alten Schichten der Passionsüberlieferung werden sie nicht genannt. Freilich fragt sich hier, wie groß ihr Einfluß in der Synhedrialfraktion der Schriftgelehrten war. Es ist nicht zu bezweifeln, daß der Kampf mit ihnen, der in der nachösterlichen Gemeinde und besonders nach dem Jahr 70 sich steigert, schon das Wirken Jesu kennzeichnete. Jesu Forderungen, die auch an sie gerichtet waren, provozierten ihr Heiligkeitsbewußtsein. Sein Umgang mit dem Am-ha-arez forderte sie heraus. Seine Kritik an der pharisäischen Gesetzesauslegung und damit ihrem Gerechtigkeitsdünkel ließ sie zu seinen erbitterten Feinden werden.

Der Einspruch der pharisäischen Schriftgelehrten, der die Mißachtung ihrer Reinheitsvorschriften rügt, ist an die Jünger gerichtet, aber auf Jesus bezogen (ἐσθίει). Man wird dahinter kaum eine bewußte Anspielung auf die Gemeindesituation erblicken können. Das Problem der Gemeinde ist ohnehin grundsätzlich angesprochen. Eher soll dem Jünger die Gefährlichkeit des Tuns des Meisters, das auch ihn betrifft, aufgehen. Ohne direkt gefragt zu sein, erteilt Jesus die richtungweisende Antwort. Zunächst hören wir das Bildwort vom Arzt. Es hat Analogien in der griechischen Literatur[29], aber auch in LXX Ex 15,26 klingt ein ähnlicher Gedanke an: »Denn ich der Herr bin es, der dich heilt.« Es ist allerdings richtig beobachtet worden, daß in 17a nicht der Arzt im Mittelpunkt steht, sondern die Kranken, die seiner bedürfen[30]. Diese Umstellung des Subjekts ist aufschlußreich. Der Redende tritt hinter seinen Auftrag zurück. In seiner Annahme der Hilfsbedürftigen wird sichtbar, daß sich das eschatologische Heil Gottes durchsetzt und das Reich Gottes anbricht. Gleiches sagt 17b, neben 10,45 der einzige Spruch in unserem Evangelium, in dem Jesus sein Wirken in einem Satz mit »gekommen« zusammenfaßt (in 10,45 mit dem Menschensohnprädikat). Die Differenzierung von Gerechten und Sündern ist nicht ironisch gemeint[31], sondern paßt sich der Denkweise des gegnerischen Einwandes an. Sie hat ihre nächsten Entsprechungen in Lk 15,7; 18,9. Nicht ist gesagt, daß die Gerechten oder die sich dafür halten, ausgeschlossen sind. Entscheidend ist, daß der einladende Ruf jetzt an die Sünder und Ausgestoßenen ergeht. Die Einladung bezieht sich auf das Mahl der Heilszeit, zu dessen vorausgreifender Darstellung das Zöllnergastmahl wird. Der Gastgeber ist Jesus, Levi wird zum Sinnbild des gerufenen ἁμαρτωλός.

[28] Aufschlußreich ist PsSal 17.
[29] Ein Spruch lautet: »Nicht sind die Ärzte bei den Gesunden, sondern bei den Kranken pflegen sie sich aufzuhalten.« Zitiert nach Lohmeyer 56 Anm. 2.
[30] Pesch, Zöllnergastmahl 81.
[31] Gegen Alonso*.

Historische Beurteilung

Fragt man nach dem historisch Greifbaren in dieser Überlieferung, so hat die Erinnerung, daß es einen von Jesus gerufenen Jünger namens Levi gab, sicher Anspruch auf geschichtliche Glaubwürdigkeit. Dafür spricht, daß er sonst keine Rolle mehr spielt und in der späteren Überlieferung umgedeutet wurde (vgl. Mt 9,9). Ein historisches Gastmahl in seinem Haus ist nach der oben gegebenen Analyse nicht eruierbar[32]. Vielmehr ist der Umgang Jesu mit den Deklassierten als ein Proprium seines Wirkens aufzufassen, welches das Gnadenangebot Gottes und das in seinem Wirken präsente Heil drastisch darstellt. Diese Erinnerung ist in der vorliegenden Perikope aufbewahrt und gleichzeitig zur Lösung eines Problems in der Gemeinde verwendet. Ob eines der beiden Logien in 17 oder beide ipsissima verba Jesu sind, ist schwierig zu entscheiden. Auf jeden Fall passen sie treffend zu seiner Tätigkeit. Die Fassung eines Logions als »Ich-bin-gekommen-Spruch« ist nicht von vornherein ein Argument gegen die Authentie. Doch wird man eher geneigt sein, 17a Jesus zuzusprechen, da 17b erst später zur Perikope hinzutrat[33]. Die Vorrangstellung des Wirkens an den Kranken vor der Person des Arztes könnte dafür sprechen.

Zusammenfassung

Für Markus bildet die Geschichte eine treffliche Fortsetzung der Erzählung von der Sündenvergebungsvollmacht. Wie Jesus Sünden vergibt, nimmt er Sünder in seine Gemeinschaft auf. Im dramatischen Aufbau des Evangeliums wächst sowohl die Schar der Jünger als auch der Widerstand der Gegner. Ihnen zum Trotz setzt sich die Botschaft durch, wie das Zöllner- und Sündergastmahl augenfällig demonstriert.

9. *Die Fastenfrage (2,18–22)*

Literatur: Jülicher, Gleichnisreden II, 188–202; *Ebeling, H. J.,* Die Fastenfrage, ThStKr 108 (1937/38) 387–396; *Schäfer, K. Th.,* ». . . und dann werden sie fasten, an jenem Tage« (Mk 2,20 parr), in: Synoptische Studien (FS A. Wikenhauser), München 1953, 124–147; *Nagel, W.,* Neuer Wein in alten Schläuchen, VigChr 14 (1960) 1–8; *Braumann, G.,* »An jenem Tag« Mk 2,20, NT 6 (1963) 264–267; *Dupont, J.,* Vin vieux, vin nouveau, CBQ 15 (1963) 286–304; *Cremer, F. G.,* Die Fastenansage Jesu Mk 2,20 parr in der Sicht der patristischen und scholastischen Exegese, 1965 (BBB 23); *Kee, A.,* The Question about Fasting, NT 11 (1969) 161–173; *Kee, A.,* The Old Coat and the New Wine, NT 12 (1970) 13–21; *Roloff,* Kerygma, 223–237; *Hahn, F.,* Die Bildworte vom neuen Flicken und vom jungen Wein (Mk 2,21f parr), EvTh 31 (1971) 357–375; *Kuhn,* Sammlungen, 61–72; *Ziegler, J. A.,* The Removal of the Bridegroom. A Note on Mk 2,18–22 parr, NTS 19 (1972/73) 190–194; *Steinhauser, G.,* Neuer Wein braucht neue

[32] Anders Pesch, Zöllnergastmahl 76–82, der die Möglichkeit einer konkreten Jüngererinnerung nicht ausschließt (77). Nach Braun* lud Jesus in sein Haus.

[33] Nach Pesch, Zöllnergastmahl 80, der für die Authentie von 17b einsteht, habe sich die christliche Gemeinde als Gemeinde von Gerechten verstanden. Dies spreche für die Authentie. Die Gerechten von Mt 13,43.49; Lk 14,14 sind aber jene, die sich als Gerechte erst am jüngsten Tag erweisen.

Schläuche, in: Biblische Randbemerkungen (Schüler-FS R. Schnackenburg), Würzburg [2]1974, 113–123; *Muddiman, J. B.*, Jesus and Fasting, in: Jesus aux origines de la Christologie (hrsg. *J. Dupont*), Gembloux 1975, 283–301; *Klauck*, Allegorie 160–169.

18 **Und die Jünger des Johannes und die Pharisäer fasteten. Und sie kommen und sagen ihm: Warum fasten die Jünger des Johannes und die Jünger der Pharisäer, deine Jünger aber fasten nicht?** 19 **Und Jesus sagte ihnen: Können die Söhne des Brautgemachs fasten, während der Bräutigam mit ihnen ist? Solange sie den Bräutigam bei sich haben, können sie nicht fasten.** 20 **Es werden aber Tage kommen, da der Bräutigam von ihnen weggenommen wird. Und dann werden sie fasten, an jenem Tag.** 21 **Keiner näht einen Lappen von einem ungewalkten Tuch auf ein altes Kleid. Sonst reißt das Füllstück von ihm ab, das neue vom alten, und der Riß wird schlimmer sein.** 22 **Und keiner gießt neuen Wein in alte Schläuche. Sonst zerreißt der Wein die Schläuche, und der Wein geht zugrunde und die Schläuche. Sondern neuen Wein in neue Schläuche!**

Analyse

Deutlich sind in dieser Perikope, die weder eine Orts- noch eine Zeitangabe besitzt, literarische Brüche erkennbar. Auf die für den Leser hilfreiche Information über das Fasten bestimmter jüdischer Gruppen folgt die kritische Anfrage, warum die Jünger Jesu sich nicht entsprechend diesen Fastenbräuchen verhalten. Die Antwort ist ein Bildwort, dessen Sinn insofern klar ist, als die Anwesenheit des Bräutigams ein Fasten der Jünger sinnlos erscheinen ließe. Hieran schlössen sich die Bildwörter vom Lappen und vom Wein in 21 und 22a gut an. In ihnen wird die Unvereinbarkeit des Neuen mit dem Alten zu verstehen gegeben. Freilich ist wegen ihrer allgemeineren Natur anzunehmen, daß sie als Doppelspruch zunächst isoliert überliefert wurden. Überraschend ist der dazwischen geschaltete Ausblick auf eine Zeit des Fastens für die Jünger in 19b.20. Die Auffassung besteht zu Recht, daß dieser Ausblick sekundär hinzugetreten ist[1]. Man braucht aber weder 19b als nachmarkinische Glosse – sein Fehlen bei den Seitenreferenten versteht sich als Glättung des überladenen Markustextes[2] –, noch 20 als Mißverständnis der Gemeinde zu deklarieren[3]. Vielmehr scheint gerade wegen dieses Ausblicks der vormarkinischen Traditionsstufe die Perikope überlieferungswert gewesen zu sein. Auch Vers 22b ist später hinzugetreten[4], da er den Parallelismus des Doppelspruches durchbricht.

[1] Schon Wendling, Entstehung 7. Bestritten von Taylor; Cranfield. Neben dem Perspektivenwechsel legt der allegorische Charakter von 19b.20 deren späteren Eintrag nahe.

[2] Vgl. Cremer* 2. Das Fehlen von 19b in manchen Textzeugen (λ 700) ist als Paralleleinfluß zu erklären.

[3] Vgl. Schweizer 33.

[4] Mit Hahn* 372f. Von Jülicher, Gleichnisreden II 193f, erwogen, aber zurückgewiesen. Jedoch bringt 22b auch einen weiterführenden Gedanken ein (s. unten). 22b ist durch B א* gut bezeugt und im Text zu belasssen (fehlt in D it).

Wie hat man sich die Entstehung der Perikope vorzustellen? Für Bultmann[5] ist das Bildwort 19a der Ausgangspunkt. Es sei um 18b apoftegmatisch erweitert worden, als die Frage nach dem Verhältnis der Gemeinde zur Täufersekte aktuell wurde. Dibelius[6] hält zwar auch 19b.20 für ein vaticinium ex eventu, glaubt aber, daß die Perikope nie ohne dieses überliefert worden sei. Die Gemeinde wollte mit der Perikope ihre eigene Fastenpraxis rechtfertigen. Widersinnig wirkt dann aber die einleitende Frage[7]. Die vorwurfsvolle Frage läßt eindeutig eine Begründung des Nichtfastens erwarten, keineswegs einen Hinweis auf eine (geänderte) Fastenpraxis. Es ist kaum damit zu rechnen, daß 19a im Zuge der redaktionellen Anfügung von 19b.20 überarbeitet wurde[8]. Die Gegenfrage spricht – in sich betrachtet – ein Ende der Hochzeitstage nicht an[9]. – In der Einleitung wirkt die Bestimmung der Fastenden schwerfällig. Das Subjekt in ἔρχονται sind jetzt die Johannesjünger und die Pharisäer, die von sich als den Johannes- und Pharisäerjüngern reden. καὶ ἔρχονται ist guter Perikopenanfang. Die Fragesteller waren ursprünglich unbestimmt[10]. 18a ist markinische Redaktion. Die »Jünger der Pharisäer« in 18b sind (neben den Johannesjüngern) entbehrlich. Hinzu kommt, daß die Pharisäer keine Jünger hatten[11], wohl hatten die Schriftgelehrten welche. Die Pharisäerjünger werden durch denselben Redaktor in den Text gekommen sein, der den Ausblick auf das Fasten der Jesusjünger 19b.20 einbrachte[12]. Ihm waren die Pharisäer wichtig.

Wir haben eine bemerkenswerte Verschiebung in der Überlieferung feststellen können. Am Anfang steht eine Auseinandersetzung zwischen Johannes- und Jesusjüngern. Die einen leben asketisch, die anderen in der Freude der Heilszeit. Auf einer späteren Ebene folgt die Auseinandersetzung zwischen Gemeinde und Pharisäern. Jetzt geht es um verschiedene Fastenpraktiken. Daneben besitzt die Jesus-Gemeinde eine neue Fastenmotivation.

Schwierig ist zu sagen, wie die Spruchgruppe 21f hinzukam. Markus dürfte sie schon in seiner Vorlage vorgefunden haben, denn er hätte sie wohl mit einer Verbindungsfloskel (καὶ ἔλεγεν αὐτοῖς o.ö.) angeschlossen[13]. Am besten nimmt man an, daß 21 und 22a, der Doppelspruch, bereits auf der ersten Traditionsstufe (Abgrenzung von den Johannesjüngern) zum Text gehörten. Er betont ja das Neue, das mit der Heilszeit gegeben ist. 22b dagegen ist zur zweiten

Einige Textzeugen ergänzen ein Verb (βάλλουσιν, βλήτεον).

[5] Geschichte 17f.

[6] Formgeschichte 62f.

[7] Mit Roloff, Kerygma 225.

[8] So Dibelius, Formgeschichte 62.

[9] Dieser Eindruck – insbesondere von den Vertretern der literarischen Einheit der Perikope ausgesprochen – entsteht erst durch den Duktus der VV 18–20.

[10] Für die Plausibilität von 18a als Angabe einer besonderen Veranlassung verweist schon Klostermann auf einen Mechilta-Text: »Einst feierten Jünger in Jabne Sabbat. Aber es feierte nicht dort den Sabbat Rabbi Jehoschua.« Die Schwierigkeit der Wiederholung der Subjekte in der Rede in 18 bleibt. Mt 9,14; Lk 5,32 gleichen aus.

[11] Der Verweis von K. H. Rengstorf, ThWNT IV,446, auf Mt 22,16; 12,27 ist kaum ein Gegenargument, da jüdische Belege fehlen. Der Ausdruck »Jünger der Pharisäer« spricht kaum für »Bodenständigkeit« (gegen Schmidt, Rahmen 87).

[12] Roloff; Kerygma 229f, möchte 19b.20 Markus zuschreiben, Lohmeyer die Zeitangabe »an jenem Tag«.

[13] Sundwall, Zusammensetzung 17, plädiert für eine Zufügung des Mk.

Stufe (Abgrenzung von den Pharisäern) zu zählen. Jetzt kommt es darauf an, daß neue Ausdrucksformen für das religiöse Leben gefunden werden (»Neuen Wein in neue Schläuche«). Die überschießenden Wörter τὸ καινὸν τοῦ παλαιοῦ in 21 sind redaktionell[14], wahrscheinlich markinische Interpretation (in Anlehnung an die neue Lehre 1,27). Ansonsten wird Markus die älteste Form des Doppelspruches aufbewahrt haben[15].

Formmäßig ist die Perikope in ihrer angereicherten endgültigen Gestalt ein Mischgebilde. Sie hat Streitgesprächscharakter, für die reine Form eines Streitgespräches fehlt aber eine bestimmte konkrete Situationsangabe (wie Mk 2,15 oder 23). Der allgemeine Hinweis auf das Fasten in 18 entspricht nicht der Form[16]. Am besten redet man von einem Apoftegma, freilich ist die Antwort Jesu in 19f für ein Apoftegma recht umfangreich. Zudem gewinnt sie durch den Tempuswechsel vom Präsens in das Futur Weissagungscharakter. Weil von einem fiktiven Standpunkt aus die zukünftige Gemeindepraxis vom zukünftigen Christusschicksal abhängig gemacht wird, rückt ein christologisches Interesse in den Vordergrund. Da die Fastenfrage aber das Hauptinteresse ausmacht[17], ruht der Akzent auf der apoftegmatischen Weisung Jesu. Die Sprüche in 21f, die aus dem Erfahrungsbereich des Schneider- und Küferhandwerks ihr Bildmaterial holen, sind in die Gruppe der Klugheitsregeln einzuordnen, wie sie sich ähnlich in der Weisheitsliteratur finden[18].

Erklärung 18

Die Einleitung lenkt das Interesse sofort auf die umstrittene Sache, das Fasten. Als Exponenten einer strengen Richtung werden die Johannesjünger und die Pharisäer genannt[19]. Das Judentum kannte das öffentliche und private Fasten und unterschied das vom Gesetz gebotene vom freiwilligen Fasten[20]. Letzteres hatte sich in den beiden letzten vorchristlichen Jahrhunderten in bestimmten jüdischen Kreisen fester eingebürgert und ist hier angesprochen[21]. Allgemeine Motivationen waren dabei Demütigung vor Gott, Sühne, Bitte. Weil kein konkreter Anlaß für das Fasten der beiden genannten Gruppen angegeben ist, darf man das Fasten der Johannesjünger nicht als Trauerfasten über den Tod des Johannes auffassen[22]. Es besteht aber eine Differenzierung in der Beurteilung des Fastens innerhalb der (oben gebotenen) Traditionsgeschichte der Perikope und damit auch – weil die Pharisäer bzw. Pharisäerjünger erst später in den Text eingedrungen sind – in der Beurteilung des Fastens der Johannesjünger einerseits und der Pharisäer andererseits. Die Differenzierung bekommt man von

[14] Hahn* 362f. Bemerkenswert ist der Wechsel von καίνον und νέον. 22b bietet beide Wörter.
[15] Vgl. Jülicher, Gleichnisreden II,189–191.
[16] Vgl. Bultmann, Geschichte 17.
[17] Das Verb νηστεύειν (7mal) beherrscht das Wortfeld.
[18] Hahn* 367–369, und G. von Rad, Theologie des AT I, München [6]1969, 430–454.
[19] Verschiedene Textzeugen sprechen schon einleitend von den Jüngern der Pharisäer und gleichen damit an die folgende Frage an.
[20] Vgl. Billerbeck II,241–244; IV,77–114; R. Arbesmann, RAC VII,447–524; J. Behm, ThWNT IV,925–935.
[21] Mit Arbesmann, RAC VII,471. Das gesetzliche Fasten dürften Jesus und die Jünger gehalten haben. Zu diesem gehörte z. B. das Fasten am Versöhnungstag.
[22] Gegen Rawlinson.

Vers 19a her in den Blick, der ursprünglich die Antwort auf das Verhalten der Johannesjünger bot.

19a Die Jesusjünger fasten nicht und heben sich damit von den Johannesjüngern ab! Dieses für frommes Empfinden ärgerliche Verhalten wird begründet durch das Bildwort von der Hochzeit. Die Hochzeit ist Bild für die messianische Heilszeit[23]. Dieses Bild hat eine weit zurückreichende Vorgeschichte, die bei den Profeten anhebt, die das Verhältnis Jahwes zu seinem Volk mit einem Ehebund vergleichen können. Die Söhne des Hochzeitssaales bzw. Brautgemachs sind die zur Hochzeit geladenen Freunde des Bräutigams, die Hochzeitsgäste. Betrachtet man 19a für sich, so ist »Bräutigam« weder Allegorie noch christologisches Prädikat, wie das in 19b.20; Mt 25,1ff; Joh 3,29 der Fall ist[24]. Beschrieben wird einfach die Freude der Heilszeit, die nicht evident ist, sondern durch das fröhliche Verhalten der Jünger dargestellt wird. Weil zwar nicht das Tun Jesu, sondern das seiner Jünger angesprochen ist, dieses sich aber danach bemißt, daß Jesus in ihrer Mitte ist, ist das Bildwort mit seinen christologischen Implikationen von christologischem Interesse. Die Johannesjünger ahmen die strenge Haltung und Askese ihres Meisters nach.

Historische Beurteilung Es bleibt nach der Haltung Jesu zu fragen und danach, ob 19a ein authentisches Jesuswort ist[25]. Es ist sicher damit zu rechnen, daß das Nichtfasten der Jünger ein gleiches Verhalten Jesu zum Vorbild hat. Die Freude der Heilszeit wurde durch das Wirken des irdischen Jesus ausgelöst. Die apoftegmatische Verwendung des Bildwortes für die Abgrenzung von den Johannesjüngern, die noch keine Rivalität erkennen läßt, spricht allerdings mehr für Gemeindebildung. Dies gilt für die apoftegmatische Figur. Das Bildwort selbst paßt völlig zur Situation Jesu und ist jesuanisch. Man kann vermuten, daß es ursprünglich die Mahlgemeinschaft mit den Sündern rechtfertigte (vgl. Mt 11,18f par).

19b–20 In 19b wird bereits der Übergang zur veränderten Situation vorbereitet, die in 20 klar ausgesprochen wird. Sie ist gekennzeichnet durch das Weggenommensein Jesu. Auf der neuen Diskussionsebene erfolgt die Abgrenzung den Pharisäern gegenüber. Weggenommen wurde der Bräutigam im Tod. Dies wird mit Hilfe des Entrückungsschemas formuliert (ἀπαρϑῇ), berechtigt aber zu keinen christologischen Schlußfolgerungen, weder im Sinn einer Entrückungschristologie[26] noch im Sinn des Gottesknechtes[27]. Die formelhafte Wendung »es wer-

[23] Billerbeck I,517f; Offb 21,2.9.

[24] Für die Verwendung von »Bräutigam« als jüdisches Messiasprädikat konnte bis jetzt nur ein einziger rabbinischer Beleg erbracht werden (Pesiq 149a). Vgl. Jeremias, Gleichnisse 49, Anm. 2; J. Gnilka, »Bräutigam« – spätjüdisches Messiasprädikat? TThZ 69 (1960) 298–301.

[25] Bejaht von Schweizer 33; Roloff, Kerygma 223–229; Kuhn, Sammlungen 62.

[26] Mit G. Lohfink, Die Himmelfahrt Jesu, 1971 (StANT 26), 97: »Für die Rekonstruktion der ältesten Christologie ist ein solcher Satz, der doch keinerlei Beziehung zum Kerygma oder zum Bekenntnis ausweist, völlig unergiebig.« Anders Hahn, Hoheitstitel 126, Anm. 4, der hier den Niederschlag einer Christologie erblickt, die vor der Erhöhungschristologie läge.

[27] Gegen Lohmeyer, der eine Anspielung auf LXX Jes 53,8 »Hinweggenommen wird von der Erde sein Leben« erkennt. – Zur Traditionsgeschichte des Logions vgl. Tho 104 und Anm. 49 unten.

den Tage kommen« kündigt ein eschatologisches Geschehen an[28]. Umstritten ist, wo die Pointe der Gegenüberstellung der Zeit des irdischen Jesus mit der Zeit seines Weggenommenseins zu suchen ist. Sollen hier nur Freuden- und Trauerzeit (vgl. Joh 16,16–24) miteinander konfrontiert werden[29] – dazu könnte Mt 9,15a verleiten –, oder die Perioden des Nichtfastens und Fastens? Wenn Auseinandersetzung mit Pharisäern vorliegt, kommt nur das zweite in Frage. Aber auch diese Interpretation bereitet Schwierigkeiten. Sie liegen vor allem im Übergang von den »Tagen«, die eine gedehnte Zeit beinhalten, zu »jenem Tag«, der einen festen Zeitpunkt meint[30]. Zudem wissen wir über frühe christliche Fastensitten nicht viel. Sporadisch werden solche in Apg 13,2f; 14,23 erwähnt[31]. Das Fasten scheint keine Frage von grundsätzlicher Bedeutung gewesen zu sein und eher in judenchristlichen Gemeinden eine Rolle gespielt zu haben, wo man begann, gewohnte jüdische Bräuche weiterzuüben. In Didache 8,1[32] ist bereits ein wöchentliches Fasten am Mittwoch und Freitag in der Gemeinde vorausgesetzt. Damit grenzte man sich von der Synagoge ab, die am Montag und Donnerstag fastete. Die bestimmte ἐκείνη ἡμέρα kann nur auf einen bestimmten – wöchentlichen oder jährlichen – Fasttag in der christlichen Gemeinde anspielen[33]. Ohne Zweifel bedeutet der Übergang von 19a zu 19b.20 einen für manche enttäuschenden Rückschritt. Die Hochstimmung des Anfangs konnte nicht durchgehalten werden. Entscheidend ist der Geist, in dem die Gemeinde fastet. Sie tut es in Erinnerung an Jesu Tod. Zur Beurteilung dieser Entwicklung ist die Wirkungsgeschichte des Textes zu vergleichen.

21–22 Der Doppelspruch, praktische Lebensweisheit widerspiegelnd, führt ein sinnloses Tun vor Augen. Die Sätze, die mit »Keiner tut dies oder jenes« anheben, können sonst das richtige Tun aufweisen (Mk 4,21) oder einen Sachverhalt be-

[28] Vgl. Lk 17,22; 21,6; LXX Jer 16,14; 19,6; 23,5; 28,52; 38,27 und öfter.

[29] So Roloff, Kerygma 229–234.

[30] Roloff, Kerygma 231, macht als weitere Schwierigkeit die in 20 gegebene Motivation der Trauer über das Hinweggenommensein des Bräutigams geltend. Sie stünde zu Mt 6,16ff in Widerspruch, wo ein neues Gottesverhältnis das Fasten begründet. Es sind aber doch wohl unterschiedliche Motivationen möglich gewesen. Ziesler* möchte von den VV 21f her auch für die Gemeinde, die in Front gegen die Pharisäer steht, ein Fasten ausgeschlossen wissen. Damit dürfte die komplizierte Traditionsgeschichte der Perikope vereinfacht sein.

[31] Vgl. die Textvarianten zu Mk 9,29; 1Kor 7,5; Apg 10,30.

[32] »Bei euren Fasten haltet es aber nicht mit den Heuchlern; diese fasten nämlich am zweiten und fünften Tag nach dem Sabbat; ihr aber sollt fasten am vierten Tag und am Rüsttag.«

[33] Die unterschiedlichen Interpretationen – wöchentliches Freitagsfasten, Paschafasten entsprechend dem Brauch der Quartadezimaner, Karfreitags- oder Karsamstagsfasten – sind zusammengestellt bei Kuhn, Sammlungen 66f. Nimmt man ein wöchentliches Freitagsfasten an, muß man folgern, daß das Did 8,1 erwähnte Fasten an zwei Wochentagen sich daraus entwickelt hat. Diesen Einwand macht Roloff, Kerygma 231, der allerdings auch ein jährliches Osterfasten erwägt (Anm. 99). Abzulehnen ist Braumann* 266f, der »jenen Tag« mit dem jüngsten Tag identifiziert. Das Anliegen von Lk 21,34 liegt auf einer anderen Ebene. Wahrscheinlicher als die Anspielung auf ein wöchentliches Freitagsfasten dünkt der Bezug auf ein jährliches Trauerfasten, das mit den Bräuchen einer christlichen Paschafeier zusammengehört. Ein Osterfasten bezeugt bereits die Kirchenordnung Hippolyts, cap. 50 (vgl. Schäfer* 127f). Eine sichere Auskunft aber ist nicht möglich.

gründen (3,27)[34]. Ein ungewalktes neues Tuch, so wie es aus der Weberei kommt, ist für das Flicken denkbar ungeeignet. Ebenso läßt neuer Wein alte Schläuche bersten[35]. Als Weinschläuche gebrauchte man Tierhäute, die als Ganzes von einem Schaf oder einer Ziege abgezogen waren. Die Pointe des Doppelspruchs kann nur darin liegen, die Unvereinbarkeit von Neu und Alt herauszustellen, davor zu warnen, das Neue als Flickwerk für das Alte verwenden zu wollen. Wenn man gemeint hat, der Spruch wolle vor dem totalen Verlust warnen oder zur Bewahrung des Alten aufrufen[36], so ist das eine Interpretation, die man der Version des Logions im Thomasevangelium[37] oder Lk 5,39 (vgl. Sir 9,10) abgewinnen könnte. Da der Spruch, der zunächst ein profaner Maschal ist, erst durch den Kontext seinen besonderen Sinn gewinnt, ist nach seiner ursprünglichen Verwendung zu fragen. Er wird auf Jesus zurückgehen[38]. Dafür spricht die präzise Anwendung des Alltagsbildes. In der Predigt Jesu ist das Neue am ehesten mit dem Reich Gottes zu identifizieren, dessen Kräfte heilvoll zu wirken beginnen und das das Alte und Bisherige in Frage stellt. Das Bild vom alten Kleid knüpft dabei aber nicht an die kosmische Vorstellung vom Weltenmantel an[39]. Der Wein ist Symbol der Heilszeit[40]. Im Kontext der Fastenanfrage betont das Bildwort die neue Freiheit, die Jesus den Jüngern gegeben hat und die sie aus formalistischen Zwängen herausgeführt und zur Liebe befreit hat. Diese Sicht wird durch die Auseinandersetzung mit den Pharisäern eingeengt, wie dies der angefügte abschließende Satz »Aber neuen Wein in neue Schläuche« bestätigt. Damit ist nurmehr auf die neue Fastenpraxis der Gemeinde Bezug genommen.

Zusammenfassung

Für die markinische Redaktion ist bemerkenswert, daß sie zur grundsätzlichen Fragestellung zurückkehrt. Wenn es zutrifft, wie wir vermuteten, daß »das neue vom alten« in 21 vom Evangelisten hinzugefügt wurde, ist der Gegensatz von Alt und Neu wiederum in den Blick getreten. Das bestätigen die Schärfe der Auseinandersetzung (vgl. 3,6) und die sonstigen prinzipiellen Bemerkungen im Makrotext (vgl. 7,3f.19). In diesem erfüllt die Perikope nach dem Zöllnergastmahl die Funktion, die neue Lehre Jesu zu veranschaulichen.

Wirkungsgeschichte

Der Einfluß der Perikope auf die Folgezeit war mehr ein indirekter. Das ist aufschlußreich und problematisch zugleich. Der Text hatte keine initiierende Wirkung, sondern wurde stets als Bestätigung – wenn überhaupt – für abgeschlossene Entwicklungen verwendet. Das Aufkommen des Wochenfastens an zwei Tagen beruht – wie Did 8,1 beweist – auf Übernahme jüdischen Brauchtums. Die Korrektur besteht in der Terminverlegung. Eine besondere Sinnge-

[34] Hahn* 367–369.

[35] Zum Bildmaterial vgl. Ijob 32,19; Jos 9,4; Billerbeck I,518.

[36] Kee, Coat, wertet das Logion über eine Warnung vor totalem Verlust als Mahnung zur Umkehr.

[37] Tho 47: »Keiner trinkt alten Wein und begehrt, sofort neuen Wein zu trinken. Und keiner gießt neuen Wein in einen alten Schlauch, damit er nicht zerreißt. Und man gießt nicht alten Wein in einen neuen Schlauch, damit er nicht verdirbt. Man legt nicht einen alten Lappen auf ein neues Kleid, weil es einen Riß geben wird.«

[38] Mit Hahn* 369; Schweizer 32.

[39] So Jeremias, Gleichnisse 117f.

[40] Jeremias, Gleichnisse 118.

bung ist hier nicht vermerkt. Der Hirt des Hermas, ebenfalls mit ausgeprägt jüdischen Zügen versehen, weiß als Motiv für das Fasten nur den Dank für alles, was der Herr getan, anzugeben (sim 5,1,1). Nachweislich verbindet erst Euseb von Kaisareia das wöchentliche Freitagsfasten mit unserem Text und mit der Anamnesis des Leidens Christi[41]. Die Übung des Fastens geht der Sinngebung vorauf, wie das übrigens auch im Judentum der Fall war[42]. Augustinus kennt auch den Gedanken der memoria passionis für das Fasten, leitet diesen aber nicht aus Mk 2,18ff ab, sondern aus dem Verständnis des Fastens als Demütigung vor Gott (humilitas), das er mit dem Tod Jesu als Erniedrigung (Phil 2,8) zusammensieht[43].

Neben dem Wochen- ist ein jährliches Paschafasten bezeugt, das als apostolische Tradition ausgegeben und als Trauer über die Wegnahme Jesu gedeutet wird[44]. Die apostolische Tradition wird wahrscheinlich zum erstenmal im Hebräerevangelium aus der Jakobus-Legende abgeleitet, wonach Jakobus in der Nacht des Verrats ein Trauerfasten zu übernehmen geschworen hat[45]. Könnte man dieses Paschafasten noch am ehesten zu Mk 2,18ff in Beziehung setzen, so erweckt die faßbare Tradition den Eindruck, daß am Anfang als Motivation für diesen Brauch die Erwartung der Parusie gestanden hat, mit der man in der Passanacht rechnete[46]. Bemerkenswert ist, daß in der Nachgeschichte der Perikope nicht bloß die Fastenansage, sondern auch das Nichtfastenkönnen der Jünger anläßlich der Gegenwart des Bräutigams weiter reflektiert und zum Teil als Problem empfunden wird. Weil man an den Fastenübungen in der Gemeinde festhält, sucht man auf verschiedenen Wegen nach einer Lösung aus der Spannung, die zwischen dem Nichtfastenkönnen und Dochfastensollen besteht. Eine Weise der Lösung bietet in späterer Zeit der liturgische Kalender, nach dem man die Zeit des Trauerfastens mit der Quadragesima vor dem Osterfest und die Zeit des fröhlichen Nichtfastenkönnens mit der Quinquagesima zwischen Ostern und Pfingsten gleichschaltet[47]. Bedenklich ist eine andere Lösung, wonach das Fasten der Gemeinde vom Fasten des Judentums (= Pharisäer und Johannesjünger) qualitativ abgehoben wird. Dabei wird das Nichtfasten als Konzession an die Jünger zur Zeit des Erdenlebens Jesu gewertet. Sehr bedenklich ist diese Auskunft wegen der sachlichen Herabsetzung der Gegner (= Juden), denen vergleichsweise minderwertigere Motive beim Fasten unterschoben werden[48]. Verschiedene Antworten läßt schließlich die allegorische Interpretation zu. Die Wegnahme des Bräutigams kann dann gleichbedeutend

[41] Cremer* 7f.20f.

[42] Das Fasten der Juden am Montag und Donnerstag entsprach zunächst dem praktischen Wunsch, an jenen Tagen zu fasten, die möglichst weit vom Sabbat und zugleich möglichst weit voneinander entfernt waren. Erst später wurden die beiden Tage als die Tage erkannt, da Mose auf den Sinai stieg bzw. von ihm herabkam. Vgl. Billerbeck IV,89.

[43] Cremer* 10 und 20.

[44] Cremer* 21–36; Roloff, Kerygma 231 Anm. 99. Wichtige Zeugen sind Tertullian, De ieiunio 2, und die Syrische Didaskalie, deren ursprünglicher Text allerdings umstritten ist.

[45] Text bei Hieronymus, De viris illust. 2.

[46] Cremer* 35f.

[47] Cremer* 49–51.

[48] Cremer* 112–125. So überträgt Origenes, In Lev 10,2, auf das Fasten der Juden Jes 58,5f. Theodor von Mopsvestia meint, die Juden fa-

werden mit der Auflösung der Christusgemeinschaft, die durch die Sünde geschieht und das Fasten zum Ausdruck von Buße, Sühne und Bitte um Sündennachlaß werden läßt[49]. Oder das Nichtfastenkönnen wird als symbolischer Ausdruck für die Freude genommen, von der die Gemeinde wegen ihrer Verbindung mit Christus erfüllt ist, oder das Fasten der Jünger als allegorischer Hinweis auf das Verlangen der Gemeinde, die Parusie Christi zu erleben[50]. Die Nachgeschichte des Textes läßt erkennen, daß die Motivierung des Fastens in Mk 2,20 erst allmählich (wieder-)gesehen wurde und auch nicht die einzige blieb. Die memoria passionis als »Ja zu jenem Modus des Erscheinens der Gnade in der Welt, der sich zum erstenmal im Schicksal Jesu unmittelbar enthüllte, zum Kreuz und zum Tod ist christliche Motivation für den Verzicht«[51]. Es stellt sich aber die grundsätzliche Frage, wo die Intention Jesu zu suchen ist und wo sie verdeckt wurde. Sicher stellt die Freiheit zur Liebe und die Freiheit zum Verzicht keine echte Alternative dar. Wo aber der Verzicht zum Werk wird, das man selbstgefällig gegen andere, zum Beispiel die Juden, ausspielt, wird Gott nicht mehr verehrt, sondern verunehrt. Wenn auch die Freude der Hochzeit nicht durchgehalten werden konnte und zu ihr sicher nicht immer besonderer Anlaß bestand, käme es darauf an, die Liebe des »Bräutigams« wirksam werden zu lassen und weiterzureichen, auch im Verzicht.

10. Die Jünger verletzen den Sabbat (2,23–28)

Literatur: Murmelstein, B., Jesu Gang durch die Saatfelder: Angelos 3 (1930) 111–120; *Beare, F. W.*, »The Sabbath was made for Man?«, JBL 79 (1960) 130–136; *Gils, F.*, »Le sabbat a été fait pour l'homme et non l'homme pour le sabbat« (Mc 2,27), RB 69 (1962) 506–523; *Rordorf, W.*, Der Sonntag. Geschichte des Ruhe- und Gottesdiensttages im ältesten Christentum, 1962 (AThANT 43); *Lohse, E.*, Jesu Worte über den Sabbat, in: Judentum – Urchristentum – Kirche (FS J. Jeremias), ²1964 (BZNW 26) 79–89; *Suhl*, Funktion, 82–87; *Hay, L. S.*, The Son of Man in Mark 2,10 and 2,28f, JBL 89 (1970) 69–75; *Roloff*, Kerygma, 52–62; *Kuhn*, Sammlungen, 72–81; *Hübner, H.*, Das Gesetz in der synoptischen Tradition, Witten 1973, 113–123; *Hultgren, A.J.*, The Formation of the Sabbath Perikope in Mark 2,23–28, JBZ 91 (1972) 38–43; *Aichinger, H.*, Quellenkritische Untersuchung der Perikope vom Ährenraufen am Sabbat Mk 2,23–28 par, in: *A. Fuchs*, Jesus in der Verkündigung der Kirche, 1976 (SNTU 1) 110–153.

23 **Und es geschah, daß er am Sabbat durch die Saatfelder ging und seine Jünger begannen, während des Wanderns Ähren zu rupfen.** 24 **Und die**

sten aus gesetzlichem Zwang, die Christen aus freien Stücken und um der Tugend willen (bei Cremer* 115).

[49] Cremer* 63–85. Die Beziehung des Fastens auf die Sünde ist schon Tho 104 vorhanden: »Sie sprachen (zu ihm): Kommt laßt uns heute beten und fasten! Jesus sprach: Was ist denn die Sünde, die ich tat . . .? Sondern wenn der Bräutigam kommt aus dem Brautgemach, dann mögen sie fasten und beten.«

[50] Cremer* 149f.

[51] K. Rahner, Passion und Aszese: Schriften zur Theologie III, Einsiedeln ⁴1961, 73–104 (100).

Pharisäer sagten ihm: Sieh, warum tun sie am Sabbat, was nicht erlaubt ist? 25 **Und er sagt ihnen: Habt ihr niemals gelesen, was David tat, als er Not litt und hungerte, er und seine Gefährten?** 26 **Wie er in das Haus Gottes eintrat zur Zeit des Hohenpriesters Abiathar und die Schaubrote aß, die zu essen nur den Priestern erlaubt ist, und sie auch seinen Gefährten gab?** 27 **Und er sagte ihnen: Der Sabbat ist um des Menschen willen gemacht worden und nicht der Mensch um des Sabbats willen.** 28 **Also ist der Menschensohn auch Herr des Sabbats.**

Analyse

Mit einem klassischen Perikopenanfang (καὶ ἐγένετο) und einer für ein Streitgespräch charakteristischen präzisen Situationsschilderung hebt der Text an. Zeit- (Sabbat) und Ortsangabe (Wanderung durch die Saatfelder) sind situations- und sachbezogen. Alle Akteure sind schon im zweiten Satz in den Text eingebracht: Jesus, dessen Name allerdings in der ganzen Perikope nicht fällt, die Jünger und als Gegner wiederum die Pharisäer. Auf deren vorwurfsvolle Frage antwortet Jesus wie im Streitgespräch 2,19 mit einer Gegenfrage (eingeleitet mit καὶ λέγει, der einzigen präsentischen Erzählform) und bringt sie zum Schweigen. Die Widerlegung, die fragend eine alttestamentliche Reminiszenz aus der Davidsgeschichte einholt, ist schriftgelehrt und den jüdischen Gegnern angemessen. An dieser Stelle könnte die Geschichte beendet sein. Mit einer weiterführenden Anreihungsformel werden zwei Sätze angefügt, von denen der erste gnomischen (27) und der zweite christologischen Inhalts ist (28).
Die Entstehungsgeschichte der Perikope ist außerordentlich umstritten. Die unterschiedlichen Lösungsvorschläge lassen sich in zwei Gruppen einteilen. Der erste wertet 25f und 28 als Zusätze und somit die Gnome in 27 als die ursprüngliche Antwort auf den gegnerischen Einwand[1]. Er kann sich darauf berufen, daß die Argumentation aus dem Alten Testament innerhalb von Mk 2,1–3,6 nur hier erfolgt. Hinzu kommt, daß das Beispiel Davids in keiner Weise auf den Sabbat Bezug nimmt, es sei denn, man sieht die jüdische Auslegung von 1Samuel 21 berücksichtigt, die das Ereignis auf einen Sabbat verlegt[2]. Der zweite Lösungsvorschlag geht davon aus, daß 23–26 eine Einheit ist[3]. Nur kleinere redaktionelle Zusätze werden behauptet. So hat Suhl[4] den Eindruck, daß die Einbeziehung der Gefährten in 26c sekundär sei und auch αὐτὸς καὶ οἱ μετ' αὐτοῦ in 25 nachklappe. 27f werden als getrennt überlieferte Sprucheinheit[5] oder – zumeist – vor allem wegen des Wechsels von »Mensch« zu »Menschensohn« als zeitlich aufeinander folgende Anreicherungen gewer-

[1] Grundmann; Haenchen, Weg 120; Klostermann. Kuhn, Sammlungen 74, hält dabei 25f für Mk-R.

[2] Jalqut zu 1Sam 21,5 (§ 130); bMen 95b (R. Schimeon b. Jochai, um 150). Die Berücksichtigung dieser Interpretation durch Mk ist fragwürdig (gegen Jeremias, Theologie I 202).

[3] Lohmeyer, Taylor; Bultmann, Geschichte 14f.

[4] Funktion 85.

[5] Roloff, Kerygma 58f.

tet. Gewöhnlich hält man 27 für alt und 28 für jung[6]. Suhl allerdings urteilt umgekehrt[7].

Der zweite Vorschlag, der 23–26 für eine Einheit nimmt, an die 27 und 28 angeschlossen wurden, ist vorzuziehen. Dafür sprechen die Form des Streitgespräches mit Frage und Gegenfrage und deren sorgfältige gegenseitige Abstimmung: ποιοῦσιν . . . ὃ οὐκ ἔξεστιν (24) – ἐποίησεν . . . οὓς οὐκ ἔξεστιν (25f)[8]. Dabei ist es verwehrt, die Gefährten Davids als redaktionellen Eintrag zu betrachten, da die Pointe des Vergleichs gerade in der überbietenden Korrespondenz von David und Gefährten und Jesus und Jüngerschaft besteht[9]. Wenn die Jüngerschaft und nicht Jesus angeklagt wird, hat das Verhalten der Jünger doch mit der ihnen von Jesus eingeräumten Freiheit zu tun. Jesus gibt ja auch die rechtfertigende Erklärung ab. Diese aber geht über den Vorwurf des Sabbatbruches hinaus und nimmt zum Gesetz Stellung. Das Verhalten Davids, das mit dem Sabbat erkennbar nichts zu tun hat, ist ein Beispiel dafür, daß der Gesetzesbuchstabe fallengelassen werden kann, wenn eine höhere Notwendigkeit dies gebietet. Die Argumentation beruft sich aber nicht auf die Vernunft – dies wäre ein zu moderner Aspekt –, sondern David dürfte zum Messias in Beziehung gesetzt sein[10].

Die Sprüche in 27f kehren zur unmittelbaren Sabbatdiskussion und damit zum konkreten Gemeindeproblem zurück. Ist es möglich, sich diese als Sprucheinheit vorzustellen? Dies versuchte man dadurch zu erreichen, daß man entweder in 27 »Mensch« als »Menschensohn« oder in 28 »Menschensohn« als »Mensch« deutete[11]. Beides jedoch bedeutet eine ungerechtfertigte Nivellierung. Auch läßt sich 27 nicht gut als die Sabbatordnung der Schriftgelehrten bezeichnen, die durch die Vollmacht des Menschensohnes ersetzt wurde[12]. Offenbar wurde über die Sabbatfrage in der Gemeinde heftig diskutiert und bedurfte man zahlreicher Argumente. So griff man auf das isolierte Logion 27 zurück, das in sich selbst ein Argument darstellte. Weil dieses aber als nicht mehr ausreichend angesehen wurde, erweiterte man es um den Menschensohnspruch. Oder haben 27f als das abschließende Fragment einer verlorengegangenen Perikope zu gelten? Ein vormarkinischer Redaktor fügte 27f an 23–26 an. Ihm war die christologische Begründung wichtig. Das Wörtchen καί in 28

[6] In diesem Urteil stimmen die Vertreter der beiden unterschiedlichen Lösungsversuche weitgehend überein. So ist nach Kuhn, Sammlungen 75, Vers 27 jesuanisch, 28 Zufügung des Redaktors der vormk Quelle (73).

[7] 84. – Schweizer 35 glaubt, daß 27 und 25f zunächst selbständige Argumente waren, die erst sekundär bzw. tertiär zur vorliegenden Perikope zusammenkomponiert wurden. Hübner* hält drei verschiedene vormarkinische Fassungen der Perikope für möglich: a) 23f.27f; b) 23f.28; c) 23–26.28. Die letztere sei Bestandteil der Spruchquelle gewesen (120f). Markus habe die Kombination von a und c vorgelegen.

[8] Der Rückgriff auf das AT berechtigt kaum zu weiterreichenden Schlüssen. Wenn in den vorausgehenden Auseinandersetzungen mit den Pharisäern das AT nicht bemüht wird, ist das Zufall.

[9] Mit Roloff, Kerygma 56–58. Es ist aber damit zu rechnen, daß Mk verdeutlichendes καὶ οἱ μετ' αὐτοῦ in 25 eintrug. Dies hebt sich vom vorgegebenen σὺν αὐτῷ in 26 ab.

[10] Vgl. Mk 12,35–37.

[11] Das erste macht Beare* 130–132, das zweite Hay* 73–75.

[12] Roloff, Kerygma 61.

deutet eine Klammer an: Der Menschensohn ist *auch* Herr über den Sabbat – wie er es in der Festsetzung der voraufgehenden Entscheidungen ist[13]. Die Klammer verbindet und markiert einen Abschluß. Es stellt sich die Frage, ob Markus hier eine kleine Perikopensammlung aufgegriffen hat (s. unten). In die Perikope hat er, von einer geringfügigen Erweiterung in 25 abgesehen, nicht eingegriffen[14].

Erklärung 23–26

Mit äußerst knappen Strichen wird die Ausgangssituation gezeichnet. Sie setzt das Wissen um das Gebot der Sabbatruhe voraus. Dieses ist im Dekalog verankert (Ex 20,8–11; Dtn 5,12–15), wurde aber von verschiedenen jüdischen Richtungen mit unterschiedlicher Strenge ausgelegt[15]. Die rigoroseste Sabbattora bietet die essenische Damaskusschrift (10,14–12,6), die Pharisäer urteilten ebenfalls streng, lassen aber humane Züge in ihrer Auslegung erkennen. In der Mischna findet sich der Satz: Alle Lebensgefahr verdrängt den Sabbat (Joma 8,6). Eine zeitgenössische theologische Interpretation hat das Sabbatgebot insbesondere im Jubiläenbuch gefunden. Hier gilt der Sabbat als Zeichen und Begründung der Erwählung Israels: »Er sprach zu uns: Ich will mir ein Volk aus allen Völkern aussondern. Sie werden den Sabbat halten, und ich werde sie zu meinem Volk weihen und sie segnen. Wie ich den Sabbat geheiligt habe und ihn mir heilige, so werde ich sie segnen. Sie werden mir mein Volk sein und ich ihr Gott« (2,19; vgl. das gesamte Kap. 2 und 50,9–13). Für den Menschen ist der Sabbat ein Tag der Ruhe und Freude, an dem »sie essen und trinken und den Allschöpfer segnen« (Jub 2,21) und der durch schöne Kleider zu ehren ist. In eigentümlichem Kontrast hierzu steht das Verhalten der Jünger, die auf der Wanderung[16] durch die Saatfelder Ähren rupfen, offenkundig um die Körner zu essen. Das Essen zerriebener oder abgeschälter Körner ist auch anderweitig bezeugt[17]. Es ist Erntezeit, also Nähe des Paschafestes, Frühjahrszeit[18]. Obwohl nur der Hunger als Motiv für das Verhalten der Jünger in Frage kommt, wird dies nicht eigens genannt, ergibt sich aber aus dem Vergleich mit David. Das Verwerfliche dabei ist nach Meinung der Pharisäer, die plötzlich zur Stelle sind, nicht der Mundraub – dieser war nach Dtn 23,26 ausdrücklich erlaubt –, sondern der Bruch der Sabbatruhe. Ährenrupfen wurde als

[13] Vgl. Kuhn, Sammlungen 73. – Vermutlich stammt das argumentative ὥστε vom gleichen Redaktor. Es kann ein γάϱ verdrängt haben. Nach Hübner* 121 ist καί Mk-R und auf 2,10 zu beziehen.

[14] καὶ ἔλεγεν αὐτοῖς gilt als bevorzugt markinische Anreihungsformel. Sie ist aber kein untrüglicher Hinweis auf Mk-R in 27, sondern kann auch einem anderen zugemutet werden. In der Quelle kann ihr die Funktion zugekommen sein, die beiden abschließenden Sentenzen als Abschluß des Ganzen zu markieren.

[15] Vgl. Schürer II,551–560; E. Lohse, ThWNT VII,1–35.

[16] ὁδὸν ποιεῖν darf nicht mit ὁδοποιεῖν (v.l. in B) = einen Weg bahnen, verwechselt werden und ist wahrscheinlich ein Latinismus iter facere), der ungeschickt parataktisch eingefügt ist. Weder liegt sekundäre Einfügung vor, die auf dem Mißverständnis beruht, der Sabbatbruch bestünde im Wandern am Ruhetag, noch verdrängte ὁδὸν ποιεῖν ursprüngliches δειπνοποιεῖν = eine Mahlzeit vorbereiten (erwogen von Lohmeyer).

[17] Ed 2,6; Maas 4,5.

[18] Die Gerstenernte war in der Regel kurz vor, die Weizenernte bald nach dem Pascha. Vgl. Klostermann.

Erntearbeit angesehen: »Denn nicht ein Reis, nicht einen Zweig, ja nicht einmal ein Blatt abzuschneiden oder irgendeine Frucht zu pflücken ist erlaubt.«[19] Die Antwort Jesu – als Gegenfrage geboten – greift auf interpretierende Weise auf die Davidsgeschichte zurück. Wichtiger als die Einholung der Geschichte noch sind deren ändernde Nuancierungen. Nach 1Sam 21,1–10 kommt David allein zum Priester Abimelech nach Nobe und bittet um fünf Brote. Weil dieser kein gewöhnliches Brot bei sich hat, sondern nur die Schaubrote oder Brote des Angesichts, gibt er ihm diese. Daß David seinen Gefährten vom Brot geben wird, ist vorausgesetzt, wird aber vom Erzähler nicht als erwähnenswert empfunden. Nach der markinischen Fassung dagegen dringt David selbst in das Haus – gemeint ist das Zelt – Gottes ein, ißt von den Schaubroten und gibt sie seinen Gefährten. Der Akzent ist eindeutig auf das Tun Davids verlegt, der sich die Freiheit des Essens nimmt und sie seinen Gefährten gewährt. Die Schaubrote oder Brote des Angesichts wurden nach Lev 24,5–9 jeweils eine Woche lang – auf dem Schaubrotetisch vor dem Allerheiligsten – aufgestellt und mußten danach von den Priestern an heiliger Stätte verzehrt werden. Die Korrespondenz zwischen Jesus und den Jüngern und David und seinen Gefährten besteht darin, daß jeweils eine Freiheit ermöglicht wird, die das Gesetz durchbricht. Die Sabbatfrage ist ausgeweitet. Die Freiheit ist primär nicht durch die Notsituation eingeräumt. Um zu erweisen, daß Not den Sabbat verdrängt, hätte die Davidsgeschichte nicht bemüht werden brauchen[20]. Vielmehr kommt es auf die Verhaltensweise Davids und Jesu an. Wie David als Mann Gottes zu diesem freien Handeln autorisiert war, so kann Jesus die Freiheit geben, die sich im Essen der Jünger ausdrückt[21]. Die Antwort ist von christologischer Relevanz.

Historische Beurteilung

Weil die Antwort eine grundsätzliche Stellungnahme zum Gesetz bedeutet und die konkrete Sabbatproblematik der späteren Gemeinde übersteigt, ist der Gedanke nicht auszuschließen, daß 23–26 eine Episode aus dem Leben des irdischen Jesus aufbewahrt haben[22]. Dafür sprechen auch der implizite Anspruch der verweisenden Antwort und die originelle Situation der Ähren rupfenden Jünger[23].

27–28

Mit zwei prinzipiell gemeinten Logien wird zur Sabbatfrage Stellung bezogen. Das erste, durchaus in sich selbst sinnvoll, ist oft mit einem analogen jüdischen

[19] Philo, vit Mos 2,22; Billerbeck I,615–618.

[20] Mit Recht Roloff, Kerygma 57. Ähnlich Pesch I,182, der allerdings Davids Freiheit vom jeweils Bekömmlichen inspiriert sieht. Wenn Haenchen, Weg 120, meint, 25f seien »zu Unrecht eingefügt«, verkennt er den Befund. Lohmeyer übertreibt, wenn er sagt, die Jünger verhalten sich so, »als ob es für sie dieses Gebot (der Sabbatruhe) nicht gäbe.« Wenn V 26 statt Abimelech Abiathar nennt, liegt eine Verwechslung vor, die die Seitenreferenten und einzelne Textschreiber bemerkten. Lohmeyer vermutet eine »Randbemerkung eines bibelfesten Lesers«. Dies kann nur ironisch gemeint sein.

[21] Es ist dabei ganz unerheblich, daß nicht berichtet wird, daß auch Jesus gegessen habe.

[22] Roloff, Kerygma 58.

[23] Haenchen, Weg 122, befürwortet die Möglichkeit einer in das Leben Jesu zurückreichenden Situation. Der Einwand könnte dann von pharisäisch orientierten Bauern gekommen sein. Cranfield reduziert die Auseinandersetzung Jesu mit den Gegnern darauf, daß er diesen eine irrige Gesetzesinterpretation vorgeworfen habe.

Spruch verglichen worden: »Euch ist der Sabbat übergeben worden, und nicht seid ihr dem Sabbat übergeben worden.«[24] Als Ausspruch des Rabbi Schimeon ben Menasja (um 180 n. Chr.) überliefert, könnte er dennoch älter sein und in die Makkabäerzeit zurückreichen[25]. Schimeon hat nur solche Fälle im Auge, in denen bei akuter Lebensgefahr dem Menschen am Sabbat geholfen werden muß. In allen anderen Fällen aber soll das Ende des Sabbats abgewartet werden[26]. Das Jesuswort greift auf die Schöpfung zurück[27]. Die Vorordnung des Menschen vor den Sabbat könnte dann damit zusammenhängen, daß nach Gen 1 der Mensch vor dem Sabbat erschaffen wurde. Entscheidend ist dies jedoch nicht[28]. Kündigt das Wort das Sabbatgebot auf[29]? Dies wird man nicht sagen können. Vielmehr wird dem Sabbatgebot eine neue Richtung gegeben. Weil auch der Sabbat als Gabe des Schöpfers gesehen wird, bleibt er in Gültigkeit. Bestritten wird die Allverbindlichkeit der Sabbattora. Der Mensch darf nicht dem Sabbat ausgeliefert und zu dessen Sklaven gemacht werden. Dies war im zeitgenössischen Judentum nicht selten der Fall, obwohl dieses gleichfalls die Verbindung von Sabbat und Schöpfungsordnung betonen konnte (Jub 2). Höchstes Ziel ist für Jesus das Liebesgebot[30]. Das Judentum grenzte in seinem Bemühen, den Sabbat zu heiligen, den menschlichen Lebensraum vom Sabbat ab und verstrickte sich im Legalismus. Wenn hier das göttliche Schöpferhandeln als Erkenntnisgrund für den Willen Gottes genommen ist, spricht dies dafür, daß das Logion von Jesus stammt[31]. Jesus bringt im Licht der eschatologischen Gottesherrschaft den ursprünglichen Willen Gottes, den die schon in der Mosetora einsetzende Kasuistik verdunkelte, wieder zur Geltung. Im Kontext kommentiert das Wort das Verhalten der Jünger im Ährenfeld.

Das Menschensohn-Logion führt 27 weiter. Beide Sprüche stehen zueinander in Spannung. Man hat diese so bestimmt, daß der Menschensohnspruch die humane Sabbatregelung von 27 christologisch abschwächt[32]. Nun haben wir gesehen, daß 27 den Sabbat keinesfalls aufhebt, sondern seine Gültigkeit

[24] Mekh Ex 31,13 (109b).

[25] In der Makkabäerzeit rechtfertigte der Spruch nach Lohmeyer das Kämpfen am Sabbat. – Vgl. sBar 14,18: ». . . damit erkannt werde, daß nicht er (der Mensch) um der Welt willen, sondern die Welt um seinetwillen gemacht worden ist.«

[26] Lohse* 85.

[27] γίνεσθαι umschreibt das Handeln Gottes. Vgl. Jeremias, Theologie I 201f. Sachlich richtig lesen W λ sy ἐκτίσθη.

[28] Lohmeyer vermutet sogar hinter 27 einen Streit um die Deutung von Gen 1 und 2. Nach Gen 1 ist der Mensch vor, nach Gen 2,7 nach dem Sabbat erschaffen.

[29] Vgl. E. Käsemann, Das Problem des historischen Jesus, in: ders., Exegetische Versuche und Besinnungen I, Göttingen 1960, 187–214 (206f).

[30] 27 stellt nicht den Menschen in seiner Einsamkeit und Freiheit vor Gott. Gegen Lohmeyer, dem Roloff, Kerygma 60, Anm. 33, in diesem Zusammenhang protestantischen Individualismus vorwirft. Abwegig ist T. W. Manson's (in: Coniectanea Neotestamentica [FS A. Fridrichsen], Uppsala 1947, 138–146) Deutung von ἄνθρωπος als kollektivischem Begriff (= Jesus und die Jünger) auf dem Hintergrund eines kollektivischen Menschensohnverständnisses. Dagegen schon Taylor und Cranfield.

[31] Zu diesem Kriterium vgl. F. Hahn, Methodologische Überlegungen zur Rückfrage nach Jesus, in: K. Kertelge, Rückfrage nach Jesus, 1974 (QD 63), 11–77 (47). – Die eschatologische Zeit führt die Ordnung des Weltanfangs herauf.

[32] Käsemann (Anm. 29) 207; Rordorf* 65.

grundsätzlich bestehen läßt. Neu ist das Verhältnis, das der Mensch zum Sabbat gewinnt. Nicht nur die Kühnheit von 27 war der Anlaß, daß man einen christologischen Satz anfügte, sondern auch seine Allgemeinheit und die Tatsache, daß er einer späteren Traditionsstufe zu wenig christlich erschien[33]. Die Gemeinde wußte sich in ihrer Sabbatpraxis durch ihre Bindung an Christus bestimmt. Diese hatte ihre Haltung zum Gesetz in ein neues Licht gerückt. Jetzt wird in der Tat die Gültigkeit des Sabbats in das Ermessen des Menschensohns gestellt, der über Aufhebung und Anerkennung des Sabbats zu befinden hat. Dieser Satz kann nicht mehr dem irdischen Jesus zugesprochen werden, schon gar nicht über eine Abschwächung des Titels Menschensohn zu einer verhüllten Ich-Aussage[34]. Zu dieser Abschwächung hat immer wieder das Nebeneinander von »Mensch« in 27 und »Menschensohn« in 28 verleitet. die Unterschiedenheit drückt sich gerade in diesen beiden Begriffen aus. Der Schluß, der mit 28 gezogen wird, bezieht sich im Kontext nicht auf 27, sondern auf die gesamte Perikope[35]. Von besonderem Interesse ist der Menschensohntitel, der hier – wie in 2,10 – auf das vollmächtige Wirken des irdischen Jesus bezogen ist. Die Färbung dieses Titels ist an beiden Stellen eine ganz ähnliche. Auch hier ist Jesus mit einer Autorität ausgerüstet, die sonst Gott vorbehalten bleibt[36]. Herr des Sabbats ist nach Lev 23,3 Jahwe. An die Stelle Jahwes ist für die Gemeinde der Menschensohn getreten. Sein Herrsein ist dabei ganz am Menschensohntitel orientiert.

Zusammenfassung

Für den Evangelisten ist die Perikope wichtig, weil sie an dieser Stelle eine Steigerung des Konfliktes einbringt, der sich an der ἐξουσία Jesu entzündet. Nicht selten wird Markus in diesem Zusammenhang Inkonsequenz vorgeworfen, da er das »Messiasgeheimnis« durch das öffentlich ausgesprochene Menschensohnprädikat lüfte. Dabei entschuldigt man sein Verfahren mit Bindung an vorgegebene Traditionen[37]. In Wirklichkeit besteht für Markus die Korrektur im Konflikt, der auf Tod und Kreuz zuläuft (3,6). Offenbarung geschieht immer dann nicht ungeschützt, wenn das Kreuz im Auge behalten wird.

11. Heilung am Sabbat (3,1–6)

Literatur: Kertelge, Wunder Jesu, 82–85; *Roloff,* Kerygma, 63–66; *Schenke,* Wundererzählungen, 161–172; *Hübner, H.,* Das Gesetz in der synoptischen Tradition, Witten 1973, 128–136. Weitere Literatur s. oben S. 118.

1 **Und wieder trat er in eine Synagoge ein. Und dort war ein Mensch, der hatte eine leblose Hand.** 2 **Und sie gaben genau auf ihn acht, ob er ihn**

[33] Aus gleichen Überlegungen haben die Seitenreferenten Mk 2,27 nicht übernommen.

[34] So Roloff, Kerygma 61f; Jeremias, Theologie I,249.

[35] ὥστε ist gleich ergo. Dazu vgl. oben Anm. 13.

[36] Vgl. C. Colpe, ThWNT VIII,455, Anm. 371.

[37] Kuhn, Sammlungen 75.

am Sabbat heilen wird, um ihn anzuklagen. 3 **Und er spricht zum Menschen, der die leblose Hand hat: Stell' dich in der Mitte auf!** 4 **Und er sagt zu ihnen: Ist es erlaubt, am Sabbat Gutes zu tun oder Böses zu tun, ein Leben zu retten oder zu töten? Sie aber schwiegen.** 5 **Und mit Zorn blickte er sie ringsum an, zugleich gekränkt über die Verhärtung ihres Herzens, und spricht zu dem Menschen: Strecke die Hand aus! Und er streckte sie aus, und seine Hand war wiederhergestellt.** 6 **Und die Pharisäer gingen hinaus und faßten sogleich mit den Herodianern einen Beschluß gegen ihn, daß sie ihn vernichten würden.**

Analyse

Die Exposition dieser Geschichte stellt die handelnden Personen vor, läßt sie aber in einer eigenartigen Unbestimmtheit (1f). Weder fällt der Jesusname – die Jünger bleiben ganz unerwähnt –, noch werden die Späher näher gekennzeichnet. Beim Kranken ist nur der Krankheitsbefund wichtig, ansonsten ist er einfach »ein Mensch«. Der Ort der Handlung ist irgendeine Synagoge, die Jesus des Sabbats besucht. Die Exposition läßt beides erwarten, den Streit mit den Gegnern und die Heilung des Kranken. Ein »Streit« kommt aber nicht zustande. Vielmehr artikulieren die Gegner, die stumm bleiben, ihre streitbare Gesinnung, indem sie ihn belauern und dabei offenbar mit seiner Macht, ein Wunder zu wirken, rechnen! Daß Jesus ihre Gedanken kennt, macht eine Voraussetzung aus, die die Geschichte mit 2,1–12 teilt. Wie dort wird das Wundergeschehen dem von Jesus gesprochenen apoftegmatischen Satz unterworfen, der hier als Doppelfrage gefaßt ist. Im Wunderbericht korrespondieren Befehl und gehorsame Reaktion des Kranken, der seine leblose Hand ausstreckt. Damit erhält das Wunder demonstrativen Rang. Es fehlt die sonst übliche Bestätigung seitens der Anwesenden. Statt dessen hören wir von einem Tötungsplan der Pharisäer, die erst am Ende als solche vorgestellt werden, die sich entfernen und mit den Herodianern verbünden. Man hat von einem negativen Chorschluß gesprochen[1]. Er bringt einen biografischen Zug in die Perikope. Ihre Problematik beruht darauf, daß sie formmäßig ein Mischgebilde von Wundergeschichte, Streitgespräch und biografischem Apoftegma ist. Da die Mattäusparallele ein formgemäßeres Streitgespräch mit Frage und Gegenrede bietet (12,9–14), hat man gemeint, daß sich dort die ursprünglichere Gestalt der Überlieferung erhalten habe[2]. Dies ist abzulehnen, da Mattäus die einleitende Frage der Gegner aus Markus holt, nur ihr Denken in ein Sprechen umformuliert und die Antwort Jesu um ein Logion bereichert, das er mit Lukas teilt (Mt 12,11). Spricht bereits die Mischform der Markus-Perikope dafür, daß ihr Alter nicht besonders hoch anzusetzen ist, wird dies noch dadurch bestätigt, daß der apoftegmatische Satz in gekürzter Form bei Lk 14,3 in einer anderen Sab-

[1] Kertelge, Wunder Jesu 85.

[2] Nach Masson, Rome 63f, hat Markus die Geschichte »entrabbinisiert« und auf die Ebene einer allgemein verständlichen Moral gehoben, die auf der Unterscheidung von Gut und Böse basiert.

batheilungsgeschichte begegnet[3]. Für diesen Satz freilich, der bei Markus in präziserer Formung erhalten blieb, ist zu vermuten, daß er auf Jesus zurückgeht. Er dürfte uns Jesu Verhältnis zum Sabbat vermitteln.
Markus hat sich um die Eingliederung der Perikope in das Evangelium bemüht. Dies erreicht er einleitend mit dem Wörtchen πάλιν, das den Leser an 1,21–28 erinnert. Wahrscheinlich hat er auch den ursprünglich vorhandenen Jesusnamen gestrichen[4]. In 5 ist περιβλεψάμενος αὐτούς und συλλυπούμενος ἐπὶ τῇ πωρώσει τῆς καρδίας αὐτῶν auf sein Konto zu setzen. Das erste ist sein Vorzugswort[5], das zweite sein anthropologisches Anliegen[6]. Beides verändert den Sinn nicht unerheblich: aus der zornigen Erregung des Wundertäters wird der Zorn und die Trauer über den Unglauben. Höchst umstritten ist die Beurteilung von 6. Für vormarkinische Tradition sprechen die Herodianer, für die Markus – wie man gemeint hat – kein erkennbares Interesse zeigt und die in der Passionsgeschichte nicht vorkommen, ein Teil der verwendeten Wörter und die Anklageabsicht der Gegner in 2b, die den Tötungsbeschluß vorbereitet[7]. Für markinische Redaktion spricht entschieden der Makrotext[8]. Die Tötungsabsicht der Gegner erscheint am Ende der Perikope nicht besonders angemessen, wohl nach 2,1–3,5! Dem Evangelisten ist der Verweis auf den Tod immer wieder wichtig. Er braucht dessen Formulierungen nicht gleichzuschalten. συμβούλιον ἐδίδουν kann von 15,1 beeinflußt sein[9]. Der Evangelist ist an Herodes als Gegner des Täufers und damit Jesu interessiert und bringt 8,15 ein Logion, das ihn mit den Pharisäern zusammennennt. Stammt 6 von ihm, so auch die Bemerkung in 2b »um ihn anzuklagen«. Die Exegese wird zeigen, daß diese Eingriffe eine einheitliche Richtung verfolgen[10].

Erklärung 1–2

Wie schon in 1,21.39 betritt Jesus eine Synagoge. Trotz ihrer Allgemeinheit weist die Aussage auf einen besonderen Fall hin und nicht darauf, daß Jesus ein regelmäßiger Sabbat-Synagogenbesucher gewesen ist (vgl. Lk 4,16)[11]. In der Synagoge sind bereits Menschen versammelt. Gegner, die ihn lauernd beobachten, und ein Kranker werden als die Handelnden aus ihnen allein genannt. Die Beschreibung des Krankheitsbefundes »vertrocknete Hand« bezeichnet

[3] Anders Roloff, Kerygma 64, der in der Perikope eine »weitgehend von lebendiger Erinnerung gestaltete Erzählung« erblickt.

[4] Vermutung von Schenke, Wundererzählungen 162.

[5] περιβλέπομαι 7mal im NT, davon 6mal bei Mk.

[6] Vgl. Mk 6,52; 8,17 (von den Jüngern). Mt und Lk reden niemals von πώρωσις.

[7] Für vormk Tradition: Kertelge, Wunder Jesu 83f; Roloff, Kerygma 64; Schmidt, Rahmen 100f, der aus V 6 historische Rückschlüsse zieht hinsichtlich der zeitlichen Einordnung des Geschehens.

[8] Für Mk: R. Bultmann, Geschichte 9; Kuhn, Sammlungen 18–20; Wendling, Entstehung 9. Lohmeyer meint, daß in 6 nur die Gruppenbezeichnungen von Mk stammen.

[9] V 6 enthält zwei Latinismen: consilium capere und Herodiani. Letzteres bereits von Wettstein I,473 (zu Mt 22,17) erkannt. – Zu ἀπόλλυμι vgl. Mk 11,18.

[10] Marxsen, Evangelist 39, möchte V 7a, der von einer Flucht Jesu spreche, zu 3,1–6 schlagen (erwogen von Schmidt, Rahmen 107). Für Mk aber ist mit 7 ein Perikopenanfang gegeben (Jesusname!).

[11] Anders Lohmeyer, der »er ging in die Synagoge« mit unserem »zur Kirche gehen vergleicht.

den Schwund des Lebens und die Gebrauchsunfähigkeit[12]. In der apokryphen Überlieferung wird die Notlage des Mannes in sozialer Hinsicht verschärft: »Ich war ein Maurer und verdiente mit (meinen) Händen den Lebensunterhalt; ich bitte dich, Jesus, daß du mir die Gesundheit wiederherstellst, damit ich nicht schimpflich um Essen betteln muß.«[13] Bei Markus erscheint der Fall nicht als casus urgens, an Lebensgefahr ist überhaupt nicht zu denken, die nach jüdischer Auffassung ein Eingreifen gerechtfertigt hätte. Die Sabbatkasuistik der Rabbinen spiegelt gewiß eine spätere Schuldiskussion wider, läßt aber doch manchen Rückschluß auf die Zeit des Tempels zu. Die Hilleliten stritten mit den Schammaiten darüber, ob es am Sabbat erlaubt sei, Trauernde zu trösten und Kranke zu besuchen[14]. Das Kriterium der Lebensgefahr wird zum Diskussionsgegenstand. Stürzt über jemandem ein Haus zusammen, so ist die Rettung erlaubt, weil Lebensgefahr besteht. Stellt sich heraus, daß er schon tot ist, so läßt man ihn bis zum Ende des Sabbats liegen[15]. Jesu Antwort ist ein radikaler Beitrag zu einem aktuellen Disput. Daß die Gegner ihn verklagen wollen, erhellt die Gefährlichkeit der Lage, in der er sich befindet.

3–5 Der Kranke wird aufgefordert, aufzustehen und in die Mitte zu treten. Die Anwesenden sind als auf dem Boden Hockende zu denken. Die Aufmerksamkeit aller Betroffenen richtet sich jetzt auf diesen Mittelpunkt. Der demonstrative Charakter des zu erwartenden Wunders erinnert an 2,1–10. Im zweiten Schritt wendet sich Jesus an die Gegner, deren Gedanken durchschaut sind. Ihre Kritik wird mit einer Doppelfrage widerlegt, deren parallele Struktur zu beachten ist. »Gutes tun oder Böses tun« bildet eine Antithese, die in Parallele steht zu »Leben retten oder töten«. Am Sabbat ein Leben retten, hätten auch die Gegner erlaubt und gefordert. Jesus geht rigoros über ihre Auffassung hinaus, wenn er nicht bloß die gute, helfende Tat dem Lebenretten gleichstellt und damit für den Sabbat erlaubt, sondern auch ihre Unterlassung wie das Lebentöten als böse ansieht. Diese energische Hinwendung zum Menschen, die mit 2,27 übereinstimmt, darf nicht als moralische Attitüde disqualifiziert werden[16]. Vielmehr verbirgt sich hinter ihr Jesu befreiende Einstellung zum Sabbat und zum Gesetz und sein Kampf gegen dessen legalistische Überfremdung durch seine Zeitgenossen. Im markinischen Kontext allerdings hat der apoftegmatische Satz eine andere Färbung gewonnen. Gemäß der oben gegebenen Analyse hat Markus das Anklage- und Tötungsmotiv in die Geschichte eingebracht. Damit erlangt das Apoftegma den Sinn: Die die Heilung eines Menschen am Sabbat verbieten wollen, erlauben sich selbst das Böse, da sie am Sab-

[12] Vgl. LXX 3Kön 13,4; TestS 2,12; Mk 9,18 (von der Starrheit des Besessenen); Psellus p. 27,17 (vom Mutterschoß einer alten Frau) bei Bauer, Wörterbuch 1086.

[13] Hebräerevangelium nach Hieronymus, In Matth. 12,13. – Die soziale Verschärfung begegnet auch in anderen Wunderüberlieferungen. Vgl. Theißen, Wundergeschichten 249.

[14] bSchab 12a.

[15] Joma 8,7. Bei Billerbeck I,624 (und weitere Beispiele).

[16] Taylor raubt dem Satz die Pointe, wenn er sagt, daß bei dieser Interpretation die Gegner hätten einwenden können, Jesus solle die Heilung bis auf den nächsten Tag verschieben.

bat den Entschluß fassen, Jesus umzubringen. Sie widersetzen sich dem Anspruch, der ihnen in seinem Wort begegnet[17]. Ihn selbst aber können sie nicht überführen, sie müssen schweigen[18]. Im dritten Schritt erweist Jesus die Mächtigkeit seines Wortes durch das Wunder. Gleichzeitig ist es jetzt eine Demonstration gegen den Unglauben der Gegner. Jesu Zorn und Trauer sind die Regungen des Gottessohnes über ihre Herzenshärte. In seine λύπη mischt sich – vom Wortsinn her – Kränkung[19]. In der Klage über das abgestumpfte, versteinerte Herz stimmt der Evangelist mit den Profeten überein (vgl. Jer 3,17; 7,24; 9,13; 11,18; 13,10; 16,12; 18,12; 23,17; Ps 81,13; Dtn 29,18)[20]. Die Verstocktheit des Herzens, des Organs, das den Menschen zum Glauben befähigt, ist höchster Ausdruck des Unglaubens[21]. Die Schilderung der Heilung hat Ähnlichkeit mit der Erzählung von der Heilung der vertrockneten Hand des Jerobeam durch den Gottesmann aus Juda 1Kön 13,4–6, vor allem wegen der ausgestreckten Hand. Vielleicht liegt Beeinflussung vor, allerdings ist dort bereits die Verkrüppelung der Hand Strafwunder[22].

6 Die Reaktion der geschlagenen Pharisäer ist ihr Auszug aus der Synagoge. Ihr Bündnis mit den Herodianern im Todesbeschluß gegen Jesus hat zu den verschiedensten Spekulationen Anlaß gegeben. Eine Partei der Herodianer ist uns sonst nicht überliefert. Josephus spricht gelegentlich von »Anhängern des Herodes«[23], eine messianologische Richtung können sie nicht vertreten haben[24]. Markus erwähnt sie noch einmal in Verbindung mit der Zensusfrage auf Jerusalemer Boden (12,13; par Mt 22,16)! Am besten denkt man an Parteigänger des Herodes, aber welcher Herodes ist gemeint[25]? Man verband die Herodianer mit Herodes d.Gr.[26] oder Herodes Antipas[27] – letzteres inbesondere dann, wenn man die Notiz als eine biografisch-historische verstand – und betrachtete sie als die galiläische Oberschicht oder allgemein als die Partei der Römerfreunde unter den Juden[28]. Am wahrscheinlichsten ist es, die Herodia-

[17] In den Kommentaren werden die beiden Interpretationen, die positiv-kritische, auf den Sabbat gerichtete, und die negativ-kritische, am Unglauben orientierte, gegeneinander ausgespielt. Beide haben ihre Berechtigung, wenn man Tradiertes und Redigiertes auseinanderhält.

[18] Das Schweigemotiv hat unterschiedliche Funktionen, vgl. Mk 9,34.

[19] Passow II/2, 1615 s.v.

[20] Auch in den Qumranschriften lebt die Klage fort: 1QS 1,6; 2,14; 3,3; 5,4; 7,19.24; 9,10.

[21] Manche Handschriften lesen statt πωρώσει πηρώσει (Verstümmelung) oder νεκρώσει (Absterben).

[22] Die Heilung einer kranken bzw. gelähmten Hand wird ebenfalls von Kaiser Vespasian und Apollonius von Tyana berichtet. Vgl. Weinreich, Antike Heilungswunder 68 Anm. 2; Petzke, Traditionen 126. Die Texte finden sich Tacitus, Hist. 4,81; Philostr., Vit. Ap. 3,39. – ἀπεκατεστάθη ist nicht Anspielung auf Mal 3,23, sondern Term der Wundergeschichten (gegen Lohmeyer). Vgl. Mk 8,25.

[23] Ant. 14,450: οἱ τὰ Ἡρῴδου φρονοῦτες.

[24] Auffassung des Tertullian, praescr. haer. 45.

[25] Grundmann hat Bedienstete des Herodes im Sinn. H. H. Rowley, The Herodians in the Gospels, JThS 41 (1940) 14–27, zitiert elf verschiedene Interpretationen!

[26] Cranfield.

[27] A. Schalit, König Herodes, 1969 (SJ 4), 479–481; H. W. Hoehner, Herod Antipas, Cambridge 1972, 331–342. W. J. Bennett jr., The Herodians in Mark' Gospel, NT 17 (1975) 9–14, hält die Herodianer für eine Erfindung des Mk.

[28] Kertelge, Wunder Jesu 83.

ner zu Agrippa I. in Beziehung zu setzen[29]. Er vereinigte noch einmal für kurze Zeit (41–44 n. Chr.) das ganze Land unter seiner Herrschaft – einschließlich Jerusalem! – und sympathisierte mit den Pharisäern gegen die Christen (vgl. Apg 12,1ff). Diese Erinnerung kann Markus ausgenutzt haben. Vielleicht sind die Herodianer zusätzlich als eine Gruppe gedacht, die zu den Römern ein zwiespältiges Verhältnis besaßen[30]. Agrippa, selbst zwar ein Kaisergünstling, erfreute sich nicht beständig des ungetrübten Vertrauens des Kaisers[31]. Die Anhänger der herodianischen Dynastie galten in den letzten drei Jahrzehnten vor dem jüdischen Aufstand als gemäßigte Vertreter der Belange der Jerusalemer Kultgemeinde. Die religiös und die politisch Mächtigen vereinigen sich im Vorgehen gegen Jesus, wie es die Gemeinde später an sich erfährt.

Zusammenfassung

Für den Markus-Evangelisten ist die Perikope in mancher Hinsicht belangreich. In ihrer vormarkinischen Fassung wird sie von judenchristlichen Gemeinden verwendet worden sein, um in Auseinandersetzung mit dem Judentum Jesu Vollmacht und Stellung zum Sabbat zu rechtfertigen[32]. Daß sie nicht ein unmittelbares praktisches Gemeindeproblem reflektiert, hebt sie von den drei vorausgehenden Streitgesprächen ab. Markus benutzt sie, um den mit 2,1ff begonnenen Konflikt mit den pharisäisch-schriftgelehrten Gegnern wirkungsvoll zu einem vorläufigen Abschluß zu führen. Zum erstenmal taucht bei diesen der Gedanke auf, ihn umzubringen. Dabei ist das Anliegen des Glaubens vordringlich, gewendet in seine Verkehrung, die Verstocktheit des Herzens, den Unglauben. Die Offenbarung des Gottessohnes stößt auf Verständnislosigkeit und den Willen, ihn des Todes zu verklagen. Das Wunder ist für Markus zwar die Legitimation des Offenbarers, die im Wunder sich ereignende Offenbarung aber muß im Zusammenhang gesehen werden mit dem Tod Jesu, den gerade sein vollmächtiges Wirken provozierte. Die Konstellation kann einer politischen Intention entsprechen. Den Mächtigen des eigenen Volkes fiel Jesus zum Opfer. Einem westlich-römischen Publikum könnte dies eine Entscheidungshilfe bedeuten.

Wirkungsgeschichte

Die Wirkung der Sabbatperikopen ist mangels ausreichender Bezüge auf sie besonders in der alten Zeit schwer zu fassen. Man wird davon ausgehen müssen, daß die Sabbatpraxis in judenchristlichen Gemeinden eine andere Rolle spielte als in heidenchristlichen[33]. Wenn Paulus für die Freiheit vom Gesetz kämpft, so ist die Freiheit von der Sabbattora miteingeschlossen[34]. In Gal 4,8–11 beruft

[29] K. Weiß, ThWNT IX,40f.

[30] Vgl. P. Winter, On the Trial of Jesus, 1961 (SJ 1) 128f.

[31] Vgl. M. Noth, Geschichte Israels, Berlin [6]1966, 379–383. Agrippa mußte den Bau der Jerusalemer Nordmauer auf Befehl des Kaisers unvollendet lassen. Vgl. M. Hengel, Die Zeloten, 1961 (AGSU 1), 349.

[32] Vgl. Schenke, Wundererzählungen 169.

[33] Kuhn, Sammlungen 78, rechnet für das hellenistische Christentum des ersten Jahrhunderts mit Strömungen, die den Sabbat für Heidenchristen einführen wollen, und mit Bemühungen der Judenchristen, am Sabbat festzuhalten.

[34] Vgl. F. Mußner, Der Galaterbrief, 1974 (HThK), 301, zu Gal 4,10, der von »Kalenderfrömmigkeit« spricht, die Paulus bekämpft.

er sich aber nicht auf Jesu Stellung zum Sabbat. Er wird diese synoptischen Traditionen nicht gekannt haben. Noch mehr fällt auf, daß bei der Einführung des christlichen Sonntags Jesu Vollmacht über den Sabbat als Argument, das doch nahegelegen hätte, überhaupt nicht verwendet wird. Der »Herrentag« ist in der Auferstehung Jesu begründet. Die Entwicklung schreitet schnell voran. Bereits Ignatios hält den Magnesiern Christen als rühmliches Beispiel vor Augen, die es aufgegeben haben, den Sabbat zu feiern[35].
Auf der anderen Seite läßt sich feststellen, daß die Freiheit Jesu dem Sabbat gegenüber den Gemeinden Schwierigkeiten bereitete. Man leitete seine Freiheit aus seiner endzeitlichen Sendung ab, hatte aber Hemmungen, daraus Konsequenzen für die Gemeinde zu ziehen. Nur Jesus sah man die Freiheit eingeräumt, nicht ohne weiteres aber den Menschen[36]. Mit dieser Sicht hängt es zusammen, wenn in die Textüberlieferung von par Mk 2,23–28/Lk 6,1–5 an die Stelle von 27 bei Lukas die apokryphe Erzählung eingefügt ist: »Am gleichen Tag sah er einen Mann arbeiten am Sabbat und sagte zu ihm: Mensch, wenn du weißt, was du tust, bist du selig. Wenn du es nicht weißt, bist du verflucht und ein Übertreter des Gesetzes.«[37] Nach der Verdrängung des Sabbats durch den Sonntag werden die Sabbatperikopen meist »akademisch«, aus der Distanz heraus, behandelt[38]. Die Beobachtung, daß Christus in priesterlicher Vollmacht den Sabbat gebrochen habe, stellt sich ein. Dies gilt für Mk 2,23–28, wo Christus dem Hohenpriester gegenübergestellt ist, und andere Kontexte[39]. Die Geschichte wird zum Typos für das eucharistische Mahl, das am Sonntag gefeiert wird. Eine kühne allegorische Interpretation des Sabbats ist m. W. erstmalig durch Justin bezeugt, der die Christen auffordert, nicht bloß an einem Tag in der Woche Sabbat zu feiern wie die Juden, sondern beständig Gottesdienst zu halten, das heißt Gott zu dienen und Gerechtigkeit zu üben[40].
Die Situation ändert sich einschneidend durch Kaiser Konstantin, der im Jahre 321 den Sonntag zum Ruhetag macht und später die knechtliche Arbeit untersagt, um den Sklaven Freizeit für den Gottesdienstbesuch zu geben[41]. Kannten die Christen vor Konstantin die Heiligung des Sonntags, die insbesondere durch die Teilnahme an der Eucharistiefeier erfolgte, und somit nur eine partielle Sonntagsruhe[42], so wird jetzt durch die staatliche Autorität jegliche Arbeit, die Feldarbeit ausgenommen, verboten. Erst die staatliche Gesetzgebung schafft die Entsprechung des Sonntags mit der jüdischen Sabbatheiligung. Jetzt kann das dritte Gebot des Dekalogs auf den Sonntag übertragen werden. Bei den Germanen wird das Arbeitsverbot auf die Freien ausgedehnt. Die Reforma-

35 Mg 9,1: ». . . indem sie nicht mehr den Sabbat halten, sondern ihr Leben nach dem Herrentag richten, an dem auch unser Leben aufgesproßt ist durch ihn und seinen Tod.«
36 Rordorf* 80–87.
37 Kodex D zu Lk 6,5.
38 Rordorf* 82–85.
39 Rordorf* 113f. Auch Mt 12,5f; Joh 7,22–24 berufen sich auf das Tun der Priester am Sabbat.
40 JustDial 12,3. Weiter Belege bei Rordorf* 102.
41 Vgl. Rordorf* 160–165.
42 Vgl. Tertullian, De orat. 23, und L. Koep: LThK ²IX 879f.

toren nennen zwar den Sonntag ein Exempel christlicher Freiheit, aber auch Luther beruft sich auf das dritte (vierte) Gebot für den Sonntag, und Melanchthon zitiert Num 15,32ff als Beispiel für Sabbatschändung[43]. In der katholischen Kirche tritt heute das Arbeitsverbot stärker hinter das Gebot der positiven Sonntagsheiligung zurück[44]. Es käme wohl darauf an, den durch Vermassung weitgehend entstellten Sonntag für den Menschen zu retten. Kirche hätte glaubhaft zu machen, daß es beim Sonntag um den Menschen geht, der Muße und Besinnung auf Gott für sein Menschsein benötigt. Diese Besinnung und Muße sind nicht primär Unterbrechung der Arbeit, um zu neuen Leistungen fähig zu werden, sondern notwendige Orientierungspunkte, »festliches und aufatmendes Aufnehmen der Freude an allen Schöpfungsgaben Gottes.«[45]

Vormarkinische Sammlung

Seit M. Albertz[1] ist die Auffassung verbreitet, daß der Abschnitt 2,1–3,6 einer vorgegebenen vormarkinischen Sammlung entnommen ist. Für diese hat sich die Bezeichnung »Galiläische Streitgespräche« eingebürgert. Will man diese Auffassung verifizieren, muß man fragen, welche Kriterien diese Quelle erkennen lassen. Neben literar- sind form- und traditionskritische Argumente wichtig, wie auch der Versuch zu ermitteln, welche Funktion diese Quelle erfüllen sollte[2]. Albertz hat seine wertvolle Erkenntnis dadurch belastet, daß er der Streitgespräch-Sammlung ein biografisches Interesse zuschrieb: »Der Zweck der Sammlung ist der Nachweis der Notwendigkeit des Todes Christi durch eine Überschau über den geschichtlichen Konflikt Jesu mit seinen Gegnern.«[3] Diese Erkenntnis war aus 3,6, dem angeblichen Schluß der Sammlung, abgeleitet.

Die in 2,1–3,6 nebeneinander gereihten Perikopen kommen in ihrem apoftegmatischen Charakter überein, das heißt, daß ein von Jesus gesprochener Merksatz jeweils die Pointe des Geschehens aussagt. Dieses maßgebliche Wort Jesu entscheidet einen Streitfall[4]. Bei näherem Zusehen stellt sich aber heraus, daß die Anfangs- und Schlußperikope (2,1–12; 3,1–6) sich von den übrigen abheben. In beiden wird zusätzlich von einer Wundertat Jesu berichtet, der demonstrativer Rang zukommt. Ein eigentliches Gespräch findet nicht statt. Die Exegese hat gezeigt, daß in beiden nicht primär ein konkretes Gemeindeproblem verhandelt wird, sondern daß die Vollmacht und Stellung Christi zur Sprache kommt[5]. 2,1–12 ist von 2,15ff durch eine biografisch wirkende Bemerkung 2,13f getrennt, die sicher erst Markus eingebracht hat. Will man an der Auffassung von einer vorgegebenen Sammlung festhalten, so dürfte diese mit 2,15 einsetzen. In der Tat kommen die drei Perikopen 2,15–28 in auffallenden Zügen überein. Pharisäische Geg-

[43] Vgl. H. Hohlwein, RGG ³VI,141.

[44] Vgl. Katechismus der Bistümer Deutschlands, 1956, Lehrst. 103f.

[45] H. W. Surkau, RGG ³VI,143. Vgl. auch E. Schweizer, Der Brief an die Kolosser, 1976 (EKK), 208 und Anm. 820.

[1] Die synoptischen Streitgespräche, Berlin 1921, 5f. Bei Kuhn, Sammlungen 9f, findet sich die Zusammenstellung der Autoren, die die Auffassung übernahmen.

[2] Kuhn, Sammlungen 49–52, betont zu Recht, daß die formgeschichtliche Fragestellung auf die Überlieferungskomplexe zu übertragen ist.

[3] (Anm. 1) 6.

[4] Zur analogen Form in der rabbinischen Literatur vgl. Dibelius, Formgeschichte 141.

[5] Kuhn, Sammlungen 53–99, möchte 2,1–12 zur Sammlung rechnen. Manche Autoren wollen die Quelle ausweiten. So zählt Knox, Sources 150, 1,40–45 hinzu. Kertelge, Wunder Jesu 83, erwägt, ob nicht 12,13–17 an 3,6 in der Quelle anschloß. Auf 2,15–28 konzentriert die Sammlung Schenke, Wundererzählungen 149–152.

ner (in 2,18ff treten die Johannesjünger hinzu) nehmen am Verhalten Jesu bzw. der Jünger Anstoß. Die Jünger sind in alle drei Streitfälle verwickelt, was für 2,1–12 und 3,1–6 nicht gilt. Jesus nimmt ausführlicher zum Einwand Stellung. Dabei folgt auf eine Sentenz mehr allgemeiner Art ein christologisch begründeter Satz (2,17.19f.27f). In der dritten Perikope wird daneben mit dem Alten Testament argumentiert (2,25f). Die diskutierten Probleme sind als konkrete Gemeindefragen unschwer zu erkennen. Es sind dies das Verhältnis zu den Heiden, die Fasten- und die Sabbatfrage. Auch für die Reihenfolge der Themenstellung scheint es Vorbilder zu geben[6].
Die Auffassung einer vormarkinischen Sammlung, die aber nur 2,15–28 umfaßt, erscheint gerechtfertigt[7]. Ein vormarkinischer Sammler hat drei Perikopen, vermutlich zu praktisch-katechetischen Zwecken, lose schriftlich zusammengefügt. 2,28 markiert das Ende der Quelle (s. die Interpretation). Die Sammlung sollte helfen, in der Auseinandersetzung mit dem pharisäisch bestimmten Judentum strittige Frage zu klären. Die christologisch-autoritative Argumentation zeigt aber an, daß die Auseinandersetzung innerhalb der Gemeinde geschieht. Diese ist dann als eine aus Heiden- und Judenchristen gemischte zu denken, in der insbesondere die Judenchristen gültige Weisung benötigen[8]. In welchem geografischen Raum die Gemeinde zu suchen ist, ist nicht zu entscheiden[9]. Wichtig ist, daß die Sammlung ausdrücklich nicht mit Galiläa verbunden ist. Diese Verbindung hat erst der Evangelist hergestellt. Ihm war die Quelle an dieser Stelle vor allem wegen des Konfliktes wichtig, der zwischen Jesus und den Gegnern entbrennt. Er hat diesen Konflikt durch die Vorordnung von 2,1–12 und die Nachordnung von 3,6 nachdrücklich unterstrichen[10]. Das historisierende Anliegen ist nicht das der Sammlung, sondern das des Markus.

12. Großer Zulauf des Volkes und Heilungen (3,7–12)

Literatur: Keck, L. E., Mark 3,7–12 and Mark's Christology, JBL 84 (1965) 341–358; *Burkill, T. A.*, Mark 3,7–12 and the Alleged Dualism in the Evangelist's Miracle Material, JBL 87 (1968) 409–417; *Egger*, Frohbotschaft, 85–111.

7 **Und Jesus zog sich mit seinen Jüngern zum Meer zurück. Und eine große Volksmenge von Galiläa folgte ihm nach und von Judäa** 8 **und von Jerusalem und von Idumäa und (von) jenseits des Jordan und (dem Gebiet) um Tyrus und Sidon, eine große Volksmenge, die hörte, was er tat[1], kam zu ihm.** 9 **Und er sagte seinen Jüngern, sie sollten ihm ein kleines Boot bereithalten wegen der Menge, daß sie ihn nicht drängten.** 10 **Denn er heilte viele, so daß sie sich auf ihn stürzten, um ihn zu**

[6] Fasten und Sabbat stehen zusammen Tho 27; Jdt 8,6. Weitere Hinweise bei Kuhn, Sammlungen 88, Anm. 19.
[7] Analoge Sammlungen gab es im Judentum und Griechentum. Vgl. Dibelius, Formgeschichte 148.150–153.
[8] Mit Kuhn, Sammlungen 81–85.
[9] Kuhn, Sammlungen 98, plädiert für Syrien.
[10] Das Menschensohn-Prädikat 2,10 und 28 kann als Stichwortassoziation gedient haben.
[1] Das Imperfekt ist mit ägyptischen, westlichen und Koine-Textzeugen gegenüber dem Präsens (B L 892) vorzuziehen.

berühren, alle die von Krankheit geplagt waren. 11 **Und die unreinen Geister stürzten, wenn sie ihn erblickten, vor ihm nieder und riefen mit Geschrei: Du bist der Sohn Gottes.** 12 **Und er tadelte sie heftig, daß sie ihn nicht offenbar machen sollten.**

Analyse

Der zusammengeraffte Bericht erzählt von einer gewaltigen Volksmenge, die sich bei Jesus versammelt, von Massenheilungen, der Proklamation des Gottessohnes durch die Dämonischen, die sich in Scharen zusammentun, und seinem Tadel an ihnen. Der einzige individuelle Zug ist die Bereitstellung des Bootes. Er bringt auch die Jünger in die Erzählung ein, die zwischen Jesus und dem Volke stehen. Der vorliegende Sammelbericht ist der ausführlichste des ganzen Evangeliums. Darum wirft gerade er die Frage auf, ob Markus bei seiner Komposition auf traditionellem Material fußt. Dies ist insbesondere für 7a und 9f vermutet worden. Dabei könnte man sich darauf berufen, daß der Evangelist nur hier den Begriff πλῆθος gebraucht, außer in 5,24 nur hier von der »Nachfolge« der Volksmenge redet und der individuelle Zug des Bootbereitstellens einen Sammelbericht durchbricht. Weil ein Sammelbericht nicht gut für sich überliefert werden konnte, sondern nur in Verbindung mit anderen Traditionen sinnvoll ist, hat man nach solchen Ausschau gehalten. So hielt man den verkürzten Sammelbericht für die Einleitung eines mit 4,35ff einsetzenden Wunderzyklus[2] oder die Bootsszene für das von Markus vorverlegte Szenarium der Seepredigt in Kap. 4[3]. Beide Vorschläge vermögen nicht zu überzeugen. 7a ist zu allgemein gehalten; die Bevorzugung des Meeres – mit dem nur das Meer von Galiläa gemeint sein kann – paßt zu Markus, die Landschaftsnamen werden ohnehin fast unbestritten seiner Feder zugeschrieben. Die Bereitstellung des Bootes leitet bereits den Andrang der Menschen, von dem in 10 erzählt wird, ein und malt das Bild der Jesus umgebenden Massen wirkungsvoll aus. Der Sammelbericht bildet eine ideelle Einheit, die – wie sich zeigen wird – völlig zu den Intentionen des Evangelisten paßt. Dieser hat den Bericht geschaffen, wobei er Motive aufgriff, die er auch sonst verwendete bzw. in seinen Wundertraditionen vorfand[4]. Rückzug Jesu und der Jüngerschaft und Andrang des Volkes haben wir auch in 6,30–34.53–56, Massenheilungen und Schweigegebot in allgemeiner Form sind uns schon aus 1,33f bekannt, das Berührungsmotiv begegnet 5,27f; 6,56. Auch stilistisch läßt sich der Sammelbericht als markinische Leistung rechtfertigen[5].

[2] Keck*. Dieser Zyklus sei an einer hellenistisch beeinflußten Theios-aner-Christologie orientiert gewesen (349f). Dagegen Burkill. Auch Egger, Frohbotschaft 110, verbindet mit 4,35ff.

[3] Schweizer 38.

[4] Vgl. Schmidt, Rahmen 105–108.

[5] Nach Gaston bevorzugt Mk in Editorial sentences (μετά), πρός, μαθητής, θάλασσα, ἀκούω, (ὅσος, ὥστε, θεραπεύω). Das in Klammern Gesetzte mit Fragezeichen. Die »unreinen Geister« sind sein Vorzugswort. Ist 3,7–12 Mk-R, lassen sich aus dem Text Erkenntnisse für den Mk-Stil gewinnen. Dazu gehören: Subjekt am Satzanfang, Verbindung mit καί, Verwendung der indirekten Rede, Bildung von Nebensätzen, so daß der knappe Stil nicht mk Stileigenheit sein dürfte. Typisch ist der Begründungssatz in 10a: Mk liefert gern solche Begründungen.

Erklärung 7–8

Der Jesusname eröffnet den Sammelbericht. Der Jüngergruppe beginnt Markus sein zunehmendes Interesse zuzuwenden. Der Rückzug an das Meer ist als Rückzug in die einsame Gegend gedacht. Ob er als Flucht vor den Mordplänen der Gegner konzipiert ist, ist zweifelhaft[6]. Denn die Gegner sind in 3,22 wieder auf dem Plan. Am einsamen Ort kann Jesus nicht unerkannt bleiben (vgl. 1,45). Der Zulauf der Volksscharen erreicht seinen Höhepunkt. Sie kommen aus verschiedenen Provinzen. Deren sieben werden aufgezählt, Galiläa betont an der Spitze[7]. Bei der Aufzählung werden erst die südlichen Gegenden erwähnt, dann die östliche und nördliche. Südlich von Judäa und Jerusalem liegt Idumäa (griechisch-römische Bezeichnung von Edom, doch mit dem alten edomitischen Gebiet nicht identisch), das seinerzeit eine Toparchie von Judäa mit sehr beschränktem Gebiet gewesen ist und im Neuen Testament nur hier vorkommt[8]. Das transjordanische Gebiet soll wahrscheinlich auch die Dekapolis mitumfassen. Samaria bleibt ungenannt. Tyrus und Sidon sind phönikische Küstenstädte[9], die stellvertetend für ihr Gebiet stehen. Der Standort der Aufzählung ist Galiläa. Hat der Evangelist bei der Aufzählung gerade dieser Provinzen bestimmte Intentionen verfolgt? Es wird ihm kaum bewußt gewesen sein, daß es in allen diesen Gegenden Juden gab[10]. Eine verbreitete Auffassung sieht mit den Namen die Länder bezeichnet, wo es zur Zeit des Evangelisten – der dann in Palästina sein Werk geschrieben hat – christliche Gemeinden gab[11]. Man hat für 7f sogar von einem Missionsprogramm gesprochen[12]. Über das Vorhandensein oder den Stand christlicher Gemeinden in diesem Gebiet im ersten Jahrhundert sind wir weitgehend in Unkenntnis gelassen. Es ist zweifelhaft, ob Markus über Informationen verfügt oder solche vermittelt oder andeutet. Die Auskunft, daß Markus jene Namen anführt, für die das Wirken Jesu von Bedeutung sind[13], trifft für Idumäa nicht zu. Sichereren Boden gewinnt man unter den Füßen, wenn man hier den großen – wenigstens äußerlichen – Erfolg des Auftretens Jesu beschrieben sieht und in den Menschen aus den vielen Provinzen den Ausdruck des universalen Charakters seiner Tätigkeit. Die historisierende Tendenz ist Markus eigen. Galiläa ist der Schwerpunkt des Wirkens Jesu. Markus weiß darum, daß Jesus Samaria nicht sonderlich beachtet hat. Auch in seinem Erfolg übertrifft Jesus das Wirken seines Vorläufers bei weitem. Die zu ihm strömende Volksmenge will mit 1,5 verglichen sein. Die Menschen kommen zu ihm als dem Wundertäter. Wenn das Gerücht über sein Wirken, mit dem nur auf seine Heilungen rekurriert sein kann, der Grund für

[6] Nur das Verb ἀναχωρέω, das nach Passow oft das Zurückweichen des Kriegers vor dem Feind bezeichnet, könnte dafür sprechen.

[7] Nicht sicher ist die Interpunktion. Beginnt nach ἠκολούθησεν ein neuer Satz? Besser hebt man πλῆθος πολύ in 8 vom Vorausgehenden ab. Auch so bleibt die Sonderstellung Galiläas bewahrt. Anders Taylor, der allerdings ἠκολούθησεν mit einigen Textzeugen (D W sy) streicht.

[8] Vgl. Abel, Géographie 135.153.

[9] Vgl. ebd. II,255–258.

[10] Gegen Klostermann.

[11] Die von Lohmeyer begründete Auffassung hat Marxsen, Evangelist 39–41, ausgebaut.

[12] G. Schille, Die Topographie des Markusevangeliums, ihre Hintergründe und ihre Einordnung, ZDPV 73 (1957) 133–166 (155).

[13] So Schweizer 39, der in 7f den Aufriß des Wirkens Jesu nach Mk wiederfindet.

ihren Zulauf ist, ist ihre Haltung kritisiert. Vielleicht hängt es damit zusammen, daß nicht gesagt wird, daß er sie lehrte[14].

Die Jünger, über deren große Zahl wir seit 2,15 wissen, leiten schon über zur Wahl der Zwölf. Die Jünger sind der besondere Adressat seines Wirkens. Das Boot soll ihn als letzte Zuflucht vor der ihn bedrängenden Volksmasse schützen. Jetzt gibt Markus seine Heilungen ausdrücklich als Ursache für den Ansturm auf Jesus an. Das Boot wird von jetzt ab die galiläische Tätigkeit begleiten. Das Bild – Jesus umringt von den Kranken und Dämonischen – zeichnet eindrücklich das Elend der Menschen. Der Versuch, ihn zu berühren, ist für das zugrunde liegende Wunderverständnis aufschlußreich. Jesus ist, hellenistischer Anschauung entsprechend, mit einer ihm innewohnenden Wunderkraft ausgerüstet. Markus hat diese Auffassung geteilt, wie er die Wunder als gültiges Mittel der Offenbarung des Gottessohnes begreift[15]. Die Korrektur erfolgt im Schweigegebot, das an die Dämonen, die ihn als solchen erkennen, gerichtet ist. Die Erkenntnis allein reicht zum Glauben nicht aus. Das Elend der Dämonischen zeigt sich in der Identifizierung mit den sie beherrschenden »bösen Geistern«[16]. Ihr Niederstürzen vor Jesus ist apotropäischer Gestus. Indem sie ihn anerkennen, hoffen sie, verschont zu bleiben. Der Verstummungs- und Ausfahrbefehl (vgl. 1,25) ist in das Schweigegebot umgewandelt[17]. Die Bezwingung der Dämonen ist vorausgesetzt. Jesus, umgeben von der Volksmasse, das ist der Ausklang des ersten Teils des Evangeliums. 9–12

II. Jesu Lehre und Wunder (3,13–6,6a)

Wie der erste Teil beginnt der zweite mit einer Jüngerperikope: Jesus erwählt die Zwölf. Im Auftritt der Gegner aus Jerusalem und der Ablehnung durch seine Verwandten tritt ihm der Unglaube in aggressiver Form entgegen. In der anschließenden Seepredigt belehrt Jesus das Volk in Gleichnissen. Der Seesturm anläßlich einer Überfahrt und drei wundermächtige Taten, darunter die Erweckung der toten Tochter des Jairus, fügen zur Lehre das Wunder. Der Abschnitt schließt mit dem Besuch im Heimatdorf Nazaret, wo erneut der Unglaube sich äußert. Geografischer Konzentrationspunkt des Abschnitts ist der See, zwischen dessen Ufern Jesus und die Jünger im Boot ständig hin- und herwechseln. Jesus wirkt nicht nur am galiläischen Ufer, sondern treibt auch im

[14] Mt 4,24f; Lk 6,17–19 benutzen den mk Sammelbericht als Eingangsszene für die große Jüngerunterweisungsrede.

[15] Mk hat zwar die Reaktion der Menschen auf das Wunder kritisiert, aber nicht das Wunderwirken Jesu. Dies ist ihm auch nicht eine zweitrangige oder entbehrliche Angelegenheit. Man kann darum wohl zwei verschiedene Haltungen der Menschen im Mk gegeneinander ausspielen, den Glauben und den Unglauben, nicht aber zwei rivalisierende Christologien. Es erweist sich als nachteilig, daß Schenke, Wundererzählungen, die Sammelberichte nicht näher behandelt. Auch wenn 9f einer vormk Wundersammlung entstammen sollte – eine Auffassung, die oben abgelehnt wurde – müßte beachtet werden, daß Mk das Wunderverständnis übernimmt.

[16] Vgl. Böcher, Christus Exorcista 78.

[17] Vgl. Theißen, Wundergeschichten 147.

Gebiet der Dekapolis einen Dämon aus. Obwohl er stets vom Volk umgeben ist, wird seine Offenbarung nicht von allem Volk wahrgenommen. Das Geheimnis des Reiches Gottes wird nur den Zwölfen, obwohl auch sie unverständig sind, anvertraut. Es soll wie eine auf den Leuchter zu stellende Lampe von ihnen einmal bekanntgemacht werden. Wenn sich um Jesus eine neue geistige Familie bildet (3,33–35), während »die draußen« sich verstocken, weist auch dies in die Zukunft.

1. *Die Einsetzung des Zwölferkreises (3,13–19)*

Literatur: Rengstorf, K. H., ThWNT II, 321–328; *Coutts, J.*, The Authority of Jesus and the Twelve in St. Mark's Gospel, JThS 8 (1957) 111–118; *Burgers, W.*, De Instelling van de Twaalf in het evangelie van Marcus, EThL 36 (1960) 625–654; *Klein, G.*, Die zwölf Apostel, 1961 (FRLANT 77), 34–65; *Schmithals, W.*, Das kirchliche Apostelamt, 1961 (FRLANT 79), 56–77; *Rigaux, B.*, Die »Zwölf« in Geschichte und Kerygma, in: *H. Ristow – K. Matthiae*, Der historische Jesus und der kerygmatische Christus, Berlin [2]1964, 468–486; *Roloff, J.*, Apostolat – Verkündigung – Kirche, Gütersloh 1965, 138–168; *Schille, G.*, Die urchristliche Kollegialmission, 1967 (AThANT 48), 111–149; *Kertelge, K.*, Die Funktion der »Zwölf« im Markusevangelium, TThZ 78 (1969) 193–206; *Reploh*, Markus 35–50; *Schmahl*, Die Zwölf, 44–67; *Stock, K.*, Boten aus dem Mit-Ihm-Sein, 1975 (AnBib 70).

13 **Und er steigt auf den Berg und beruft, die er selbst wollte. Und sie gingen weg, hin zu ihm.** 14 **Und er setzte Zwölf ein, daß sie mit ihm seien und daß er sie aussende, zu verkünden** 15 **und Vollmacht zu haben, die Dämonen auszutreiben.** 16 **Und er setzte die Zwölf ein. Und er übertrug dem Simon einen Namen: Petrus.** 17 **Und Jakobus, den (Sohn) des Zebedäus, und Johannes, den Bruder des Jakobus. Und er übertrug ihnen einen Namen: Boanerges, das ist »Söhne des Donners«.** 18 **Und Andreas und Philippus und Bartholomäus und Mattäus und Thomas und Jakobus, den (Sohn?) des Alfäus, und Thaddäus und Simon, den Kananäer,** 19 **und Judas Iskariot, der ihn ausgeliefert hat.**

Analyse Unschwer lassen sich in dieser Perikope zwei Elemente voneinander abheben, die Einsetzung und eine Namensliste der Zwölf. Die Einsetzung ist der Berufung der ersten vier Jünger verwandt (1,16–20), doch fehlen spezifische Bestandteile einer Berufungsgeschichte. Die Gerufenen gehen nicht irgendeiner Beschäftigung nach wie 1,16ff; 2,14, das Nachfolgen oder hinter Jesus Hergehen wird gleichfalls nicht erwähnt. Die Einsetzungsszene hat auf einem Berg ihren unbestimmten Schauplatz. Die entscheidende Frage lautet, ob Markus den Bericht von der Konstituierung des Zwölferkreises geschaffen und aus einer ihm vorgegebenen Zwölfnamenliste abgeleitet hat, oder ob er auch im Bericht auf Tradition fußt. Der vormarkinische Charakter der Liste wird weitgehend anerkannt[1]. Dieser habe der Satz »Und er setzte (die) Zwölf ein« als Einführung gedient[2]. Der redaktionelle Charakter des Berichtes legt sich durch die Überlegung nahe, daß Markus an den Zwölfen ein unbestrittenes Interesse besaß.

In der Perikope sind jedoch Unebenheiten nicht zu übersehen. Die Liste wird am Anfang durch die Namensverleihung an drei offenbar bevorzugte Mitglieder des Zwölferkreises und am Schluß durch die Nennung der verräterischen Tat des letzten Mitglieds unterbrochen. Der Bericht ist in der Beschreibung des Aufgabenbereichs der Zwölf überfrachtet. Zwei Aufgaben werden angeführt, die nicht so ohne weiteres vereinbar erscheinen[3]. Sie sollen mit Jesus sein und sie sollen ausgesendet werden. Hinzukommt, daß der zweite Finalsatz nicht glücklich formuliert ist (»damit er sie aussende, . . . Vollmacht zu haben«). Der Befund weist auf eine spätere Erweiterung hin. Hätte Markus das Ganze von sich aus gestaltet, wären die Formulierungen nahtloser ausgefallen. Es stimmt nicht, daß, wenn Markus »es kurz machen will«, er nur die Elemente zurückbehält, die ihm für seinen Zweck wesentlich erscheinen, ohne sich um Harmonie oder Zusammenhang zu scheren[4]. Eine zusätzliche Beobachtung kann weiterhelfen. Der Bericht von der Einsetzung des Zwölferkreises ist mit dem von ihrer Aussendung abgestimmt worden (6,7–13). Letzterer erwähnt ausdrücklich ihre Vollmacht über die unreinen Geister bzw. ihre Dämonenaustreibungen und ihr Verkündigen. Diese Übereinstimmung ist nur im Makrotext bedeutungsvoll, stammt somit mit hoher Wahrscheinlichkeit vom Evangelisten. Das heißt, der zweite Finalsatz 3,14b.15 wurde um dieser Übereinstimmung willen von ihm in einen vorgegebenen Bericht eingefügt. Die Bevorzugung der Drei, des Simon Petrus und der beiden Zebedäiden, die die Trennung des Brüderpaares Simon – Andreas in der Liste veranlaßt hat (anders Mt 10,2; Lk 6,14), begegnet noch in anderen Kontexten (5,37; 9,2; 14,33). Sie hat Markus im Verklärungsbericht vorgefunden, aber auch in unserer Perikope. Dies wird durch die Namensverleihung, die nicht von ihm herrühren kann, nahegelegt, wie durch die – vermutlich redaktionelle – Erläuterung des unverständlichen Boanerges. Die Erinnerung an die Tat des Judas dürfte Markus eingebracht haben (vgl. 14,10f.18.21.41f.44). Wenn er, wie diese Überlegungen ergaben, neben der Liste schon einen älteren Bericht besaß, fügte er auch das repetierende Sätzchen »und er setzte die Zwölf ein« in 16 als Verbindungsstück

[1] Klein* 60f und Schmithals* 62 Anm. 71 sehen die Liste als nachmarkinischen Einschub an. Die Argumente reichen aber nicht aus für diese Annahme. Daß die Liste nur notdürftig im Kontext verankert sei, besagt nicht viel. Eine Liste ist eben kein Bericht. Das Fehlen des Levi in der Liste könnte nur als Argument gelten, wenn die Zwölf mit der Gruppe der Jünger identisch wären. Diese Voraussetzung trifft für Mk nicht zu.

[2] Schmahl, Die Zwölf 49; Reploh, Markus 45; Rigaux* 474.

[3] Dies stellte bereits E. Meyer, Ursprung und Anfänge des Christentums I, Stuttgart 1921, 135f, fest, brachte aber die Beobachtung mit einer weiterreichenden Zwölferquelle in Verbindung. Vgl. Lohmeyer.

[4] Gegen Rigaux* 473.

ein[5]. Der Schauplatz des Berges ist vormarkinisch. Markus läßt, vom »Berg der Ölbäume« abgesehen, kein besonderes Interesse für den Berg erkennen[6]. Den vormarkinischen Bericht werden wir uns wie folgt vorzustellen haben: »Und Jesus steigt auf den Berg und beruft, die er selbst wollte. Und sie gingen weg, hin zu ihm. Und er setzte Zwölf ein[7], daß sie mit ihm seien. Und er übertrug dem Simon den Namen Petrus. Und Jakobus, dem (Sohn) des Zebedäus, und Johannes, dessen (?) Bruder, übertrug er den Namen Boanerges.«[8]
Ob die Zwölferliste eine vormarkinische Redaktion erfuhr, ist eher mit Nein zu beantworten. Abzulehnen ist die Meinung, daß sie sich aus einer Fünfer- bzw. Siebenerliste entwickelt habe[9]. Der Vergleich mit den anderen drei neutestamentlichen Zwölferlisten (Mt 10,2–4; Lk 6,14–16; Apg 1,13) ergibt weitgehende Übereinstimmung. Bemerkenswert ist neben der unterschiedlichen Einordnung des Andreas und Thomas[10] vor allem das Fehlen des Thaddäus in den lukanischen Listen. An dessen Stelle tritt hier Judas Jakobi[11]. Neben je zwei Trägern des Namens Simon und Jakobus sind somit auch zwei Träger des Namens Judas für diesen Kreis bezeugt. Oder liegt bei den beiden Judassen eine Namensverschmelzung vor, daß Judas Iskariot den Judas Jakobi verdrängt und somit ursprünglich gar nicht in die Zwölferliste hineingehört hat[12]? Diese Frage ist im Zusammenhang mit dem historischen Problem nochmals aufzugreifen.
Der Beitrag des Markus zur Perikope besteht also darin, daß er einen Bericht, der von der Konstituierung der Zwölf und der Namensübertragung an Drei erzählte, mit einer Namenliste verknüpfte. Dabei führt er in den Bericht den Sendungs- und Vollmachtsgedanken ein. In der Liste kam es um der Bevorzugung der Drei willen möglicherweise zur Umplazierung des Andreas vom zweiten auf den vierten Platz und zur Kennzeichnung des Judas Iskariot als des Auslieferers.

Erklärung 13–16a

War die Stätte des Massenzulaufs das Gebiet am Meer, so ist der Schauplatz des Geschehens jetzt der einsame Berg. Jesus erklimmt ihn, und die anderen scheinen – wie von seiner Person angezogen – dies auch zu tun. Dies aber ist der Erwähnung nicht wert, nur, daß er sie gebieterisch ruft. Sein Rufen – sonst an die Gegner, die Jünger, die Menge gerichtet – ist hier ein erwählendes (vgl. Lk

[5] Dieses ist, weil durch die ägyptische Textüberlieferung belegt, im Text zu belassen.
[6] In 9,2 und 6,46 ist der Berg traditionell.
[7] Zu beachten bleibt, daß nur in 3,14 δώδεκα ohne Artikel bei Mk erscheint. Auch das spricht für eine Vorlage.
[8] In 1QS 8,1 werden auch ein Zwölfer- und ein Dreierrat nebeneinander genannt.
[9] Schille* 134 mit Hinweis auf Mk 1,16–20; 2,14 und Joh 21,2.
[10] Schille* 136–142 zieht aus der Plazierung der Namen sehr weitgehende Folgerungen auf das Ansehen ihrer Träger.
[11] In der syrischen Tradition wird Judas Jakobi, um nicht einen Namen zuviel zu haben, mit Thomas gleichgesetzt.
[12] Haenchen, Weg 138, begründet die Einführung des Judas Iskariot in die Zwölfergruppe so: »Aber die volkstümliche Überlieferung liebt es, Heldentaten und Verbrechen aufs Höchstmaß zu steigern.« – Vgl. Hirsch, Frühgeschichte I,21f. O. Cullmann, Der zwölfte Apostel, in: ders., Vorträge und Aufsätze, Tübingen 1966, 214–222, nimmt umgekehrt eine Verdoppelung an. Ursprünglich habe es nur einen Judas gegeben, den Iskariot.

6,13), aus seinem Willen abgeleitetes[13]. Da die Namenliste folgt, ist insinuiert, daß sie beim Namen gerufen sind. Die Reaktion ist Aufbruch, ein Sich-Abwenden vom Bisherigen (wie 1,20) und Sich-Hinwenden zu ihm. Ob der Berg, Ort der Gottesnähe[14], in Beziehung zum Sinai gesetzt ist, ist unklar, im Hinblick auf das Geschehnis aber nicht auszuschließen. Die Konstituierung des Zwölferkreises wird – semitisierend[15] – als ein Machen bezeichnet. Dies ist keine Analogie zum Schöpfungsgedanken und hat auch mit der »Schöpfung« des Gottesvolkes im Sinn von LXX Jes 43,1; 44,2 unmittelbar nichts zu tun[16]. Vielmehr wird der Kreis der Zwölf eingesetzt, wie im Alten Testament Menschen zu Priestern oder in andere Ämter und Aufgaben eingesetzt werden (1Sam 12,6; 1Kön 12,31; 13,33; 2Chr 2,18)[17]. Von einer Einsetzung zu Aposteln spricht Markus noch nicht[18]. Die Funktion, die man den Zwölfen zuschrieb, hat sich im Lauf der Zeit und bereits innerhalb der neutestamentlichen Überlieferungsgeschichte gewandelt. Im vormarkinischen Bericht erschöpft sich ihre Aufgabe darin, mit Jesus zu sein. Das bedeutet, daß sie allein von ihm her und in der Gemeinschaft mit ihm in ihrer Sinnhaftigkeit als die Zwölf verstanden werden können. Die Zwölf ist keine beliebige Zahl, sondern verweist auf das Gottesvolk Israel. Da das empirische Isral nur noch aus zwei bzw. zweieinhalb Stämmen bestand, ist an die in der profetischen und apokalyptischen Literatur beheimatete Erwartung anzuknüpfen, nach der Israel in der eschatologisch-messianischen Zeit als Zwölfstämmevolk wiederhergestellt und vollendet werden wird[19]. Der Zwölferkreis symbolisiert dann nicht bloß den Anspruch Jesu auf Gesamtisrael, sondern auch seine Verheißung des eschatologischen Heiles für Israel. Dabei kann man vielleicht daran denken, die Zwölf als Stammväter dieses eschatologischen Volkes bezeichnet zu sehen[20]. Markus greift dieses Konzept auf, indem er die eschatologische Funktion der Zwölf ausweitet zu einem geschichtlichen Auftrag[21]. Dieser wird so formuliert, daß er erkennbar das Werk Jesu fortsetzt, und hebt sich darin von ihm ab, daß die Zwölf von Jesus ausgesendet werden. Die Sendung liegt in der Zukunft, nicht bloß der irdischen Geschichte Jesu, sondern der Kirche. Wie Jesus kündet und

[13] Im Unterschied zum typischen partizipialen προσκαλεσάμενος (7mal) steht hier und 6,7 προσκαλεῖται. Vom Wollen Jesu ist nur noch 1,40 die Rede.

[14] Dies gilt für das AT und andere Religionen. Zoroaster zieht sich von den Menschen zurück und lebt auf dem Berg, nach Dio Chrys. 19 (36), 40. Vgl. W. Foerster, ThWNT V,475–486.

[15] Es liegt kein Latinismus vor, wie Lohmeyer erwägt.

[16] So Schmahl, Die Zwölf 55. Vgl. Grundmann.

[17] Vgl. Mk 1,17; Apg 2,36.

[18] Der Zusatz zu V 14 »die er auch Apostel nannte« ist zwar textlich ausgezeichnet bezeugt, aber dennoch als Einfluß von Lk 6,13 zu streichen. Es gibt keine überzeugenden Gründe für die Streichung im Original. Nach Haenchen, Weg 138f, haben D und andere Textzeugen den Zusatz getilgt, weil er sich ihnen mit dem folgenden »damit er sie aussende« zu stoßen schien. Sicher wäre der Aposteltitel nicht geopfert worden.

[19] Vgl. Jes 11,11.16; 27,12f; 35,8–10; 49,22; 60,4.9; 66,20; Mich 7,12; Ez 39,27f; PsSal 11; äthHen 57; 90,32; sBar 4,36–5,9; JosAnt 9,133 und Schmahl, Die Zwölf 36–39, dem die Belege entnommen sind.

[20] So Grundmann.

[21] Vgl. Kertelge* 199f.

Vollmacht über die Dämonen hat, so wird es ihnen übertragen. Sind die Zwölf nach Markus als exemplarische Jüngerschaft oder als bleibende Institution zu verstehen? Beides trifft nicht zu. Wenn die Zwölf als Empfänger besonderer Belehrungen und vor allem der Einweisung in den messianischen Leidensgedanken erscheinen und dabei unverständig, ja ungläubig reagieren (4,10; 9,35; 10,32), verhalten sie sich nicht anders wie die anderen Jünger. Das Mitsein mit Jesus trifft für die Zwölf (14,10.20.67), aber auch für die Jünger zu (2,19). Dennoch ist es falsch zu behaupten, daß mit den Jüngern stets die Zwölf gemeint seien[22]. Den Zwölfen hat Markus den Sendungsgedanken vorbehalten, der sie als die ersten Missionare hervortreten läßt. Weil sie für den Evangelisten bereits vergangen sind und er dennoch an ihnen theologisch interessiert ist, muß ihnen die Aufgabe zugedacht sein, die Brücke zur Zeit Jesu zu bilden. Dies ist weder im Sinn der reinen Lehre zu verstehen noch primär in ihrer Vollmacht begründet – diese wird durch 9,38f relativiert –, vielmehr bestätigen sie durch ihre auf Jesus zurückreichende Sendung die geschichtliche Gestalt des Evangeliums[23]. Zwar kennt Markus den Begriff Apostel (nur 6,30) allein als Funktionsbezeichnung und noch nicht als technischen Term, es wird sich aber nicht leugnen lassen, daß entscheidende Elemente des späteren Begriffs in seinem Zwölferkonzept schon erkennbar sind.

16b–19 An erster Stelle in der Liste wird Simon genannt, der den Beinamen Petrus erhält. Es ist nicht ohne weiteres einsichtig, worin Markus die Felsfunktion Simons erblickt hat. Seine hervortretende Rolle hat er betont. Sie reicht von seiner Berufung als erster Jünger über seine Sprecheraufgabe im Jüngerkreis, die im Christusbekenntnis einen gewissen Höhepunkt erreicht, bis zum Auftragswort des Engels in der Grabkammer (16,7). Sehr wahrscheinlich ist Simon Fels als Erstgerufener – das ist er in 1,16 und 16,7. Somit gewinnt er innerhalb des Zwölferkreises und dessen oben beschriebener Aufgabe exemplarische Bedeutung. Wie durch die Zwölf, so ist durch ihn die geschichtliche Gestalt des Evangeliums auf exemplarische Weise gewährleistet[24]. Jakobus und Johannes erhalten ebenfalls einen Namen, freilich einen gemeinsamen, und bilden mit Petrus das Dreierkollegium, das dreimal Zeuge besonderer Geschehnisse wird. Ihnen wird besondere Offenbarung zuteil. Mit den »Säulen« der Jerusalemer Gemeinde (Gal 2,9) sind sie bis auf Jakobus identisch, da dort der Herrenbruder gleichen Namens gemeint ist. Daß der Herrenbruder den Zebedäiden abgelöst habe, ist eine zu kühne Behauptung, die einen Dreierrat als Jerusalemer Gemeindespitze zur Voraussetzung hätte[25]. Boanerges – die Überlieferung des

[22] Mit Schmahl, Die Zwölf 127f, gegen Schmithals* 61–64.

[23] Vgl. Kertelge* 204. Nach Reploh, Markus 48, redet Mk dann von den Zwölfen, wenn er deren Bezug zur Gemeinde besonders betonen will. Die Auffassung, daß die Zwölf die Urzelle der Gemeinde seien, macht allein diesen Bezug aber nicht voll verständlich.

[24] Grundmann bezeichnet Petrus in Analogie zu Jes 51,1f (Abraham der Fels) als Stammvater und »Abraham« des eschatologischen Gottesvolkes.

[25] Gegen Grundmann.

Namens ist uneinheitlich[26] – läßt sich vielleicht mit den Namen vergleichen, die Geschwisterpaare gelegentlich im Griechischen bekamen[27]. Ob die markinische Deutung »Söhne des Donners« zutrifft, ist unsicher, ebenfalls wissen wir nicht, worauf sie sich bezieht. Der Name muß, da von Jesus in Vollmacht übertragen, mehr sein als ein Spitzname[28]. Spitznamen bzw. charakterisierende Beinamen tragen dagegen Simon der Kananäer und Judas Iskariot. Beides ist auf Zugehörigkeit zur zelotischen Partei gedeutet worden: Kananäer gleich Eiferer und Iskariot gleich sicarius (Messerheld)[29]. Iskariot wird besser im Sinn von »Mann der Falschheit« und somit als Bezeichnung aufzufassen sein, die Judas nach seiner verräterischen Tat von der Gemeinde erhielt[30]. Markus ruft diese durch einen Zusatz ausdrücklich in Erinnerung, der aber nicht als etymologische Erklärung des Beinamens gedacht ist[31]. Für ihn wird das Schicksal dieses erwählten Jüngers zum warnenden Beispiel für seine Adressaten. Jüngerlisten sind uns auch aus dem Judentum bekannt. Dort begegnen ebenfalls Spitz- und Beinamen[32]. Ob der markinischen Liste eine bestimmte Struktur zugrunde liegt, ist fraglich. Vor Überinterpretation muß gewarnt werden. Sicher ist nur, daß die wichtigsten Männer am Anfang, und der schimpfliche am Schluß stehen. Eine aus der Missionspraxis gewonnene Reihung von Paaren (4mal 2) möge dahingestellt bleiben. Sie ist dann aber modellhaft und berechtigt nicht zu Rückschlüssen auf die frühe Missionsgeschichte[33]. Träfe der Paargedanke zu, wäre die Stellung der Drei und die des Judas nochmals besonders markiert. Von den meisten Mitgliedern des Zwölferkreises wissen wir nicht mehr als den Namen.

Historische Beurteilung

Damit ist die historische Frage, ob Jesus den Zwölferkreis begründete, berührt. Die Argumente zu dieser Frage, in der kaum je Einigkeit wird erzielt werden können, sind längst ausgetauscht. Einig ist man sich weitgehend nur darin, daß das Apostelamt nachösterlich ist, zwischen Zwölfer- und Apostelkollegium zu differenzieren ist, wobei mit Überschneidungen gerechnet werden muß. Die Differenzierung wird durch 1Kor 15,5.7 bewiesen. Sicher darf Mk 3,13ff auch

[26] Einige Minuskeln lesen Banäreges. Nach Dalman, Worte Jesu 39 Anm. 4, ist der einfache Vokal richtiger. Der Doppelvokal Boan- könnte die Verdunkelung des a in der galiläischen Sprechweise ausdrücken.

[27] Bauer, Wörterbuch 285 s.v.

[28] Weitere Vorschläge sind »Söhne des Zornes«, »Gesinnungsgenossen«. Vgl. Bauer, Wörterbuch 285. Man bezog »Söhne des Donners« auf das Temperament, auf die aus den Beiden sprechende Gottesstimme, auf ihre Intelligenz oder auf eine zelotische Gesinnung.

[29] Cullmann (Anm. 12) 218f. Verbreitet ist der Bezug auf einen Ort »Mann von Kariot«. Ein solcher Ort ist aber für jene Zeit nicht nachweisbar.

[30] Vgl. B. Gärtner, Die rätselhaften Termini Nazoräer und Iskariot, 1957 (HSoed 4). Die nachträgliche Bezeichnung ist kein Gegenargument. Gegen Cullmann (Anm. 12) 219, Anm. 8.

[31] Gegen Hirsch, Frühgeschichte I,21, der das καί in V 19b als Rückverweis auf den Namen verstehen möchte.

[32] Aboth 2,8 bietet die Liste der Schüler des Rabbi Jochanan b. Zakkai († um 80). Ein Schüler hat den Spitznamen »Kalkgrube«, weil er alles im Gedächtnis behielt. Weiteres Material bei Billerbeck II,5f.

[33] Phantasiereich ist Schille* 139–144, der u. a. aus der Liste ein Missionsprogramm entwickelt, das die Welt- und Israelmission enthalte. Die Anzahl von vier Paaren soll die Weltmission bedeuten, weil es vier Himmelsrichtungen gibt.

nicht als historischer Bericht gewertet werden, er kann bestenfalls die Erinnerung an die Konstituierung der Zwölf im Leben Jesu aufbewahrt haben. Ableitungen über den Zeitpunkt, ob dies am Anfang oder Ende des Wirkens Jesu geschah, wären auf jeden Fall unzulässig. Die Hauptargumente gegen eine vorösterliche Einsetzung sind folgende[34]: Die Zwölf hätten dann nicht so schnell aus dem Blickwinkel verschwinden können. Paulus scheint sie – mit Ausnahme der traditionellen Formel 1Kor 15,5 – nicht zu kennen. Markus verschafft den Zwölfen Geltung und stoße dabei sichtlich auf den Widerstand des vorgegebenen Materials. In der Spruchquelle werden sie nur einmal (Mt 19,28 par) genannt[35]. Die Namenlisten der Zwölf differieren. Der Haupteinwand wird aus 1Kor 15,5 geholt. Da Judas als einer von den Zwölfen gilt, müßte hier, in Verbindung mit einer Erscheinung des Auferstandenen, von Elfen die Rede sein. Denn die Zwölf seien ein einmaliger geschichtlicher Personenkreis und nicht eine Dauerinstitution. Die Schlußfolgerung lautet: Die Zwölf sind wahrscheinlich »ein Phänomen der nachösterlichen Gemeinde, das mit der Hinrichtung des bzw. der Zebedäiden und der Flucht des Petrus bei der Verfolgung durch Agrippa I. verschwand (Mk 10,39; Apg 12,1–17)«[36].
Wie aber soll man sich das Zustandekommen dieses »Phänomens« in der nachösterlichen Gemeinde erklären? Eine eschatologische Naherwartungsstimmung wird hierfür nicht ausreichen. Eine Leitungsfunktion des Zwölferkollegiums in der Jerusalemer Gemeinde ist nicht sicher nachweisbar[37]. Es ist unmöglich, sich vorzustellen, daß die Zwölf durch die in 1Kor 15,5 bezeugte Erscheinung des Auferstandenen als geschlossener Kreis konstituiert worden seien. Seine Existenz ist vielmehr durch die besagte Erscheinung schon vorausgesetzt[38]. Am meisten befriedigt immer noch die Annahme, daß Jesus die Zwölf zusammenrief. Wann sich dies ereignete, ob am Beginn oder am Ende seiner Tätigkeit, läßt sich nicht mehr ermitteln. Gerade die durch die nachösterliche Situation gegebenen Veränderungen werden dazu beigetragen haben, daß der Zwölferkreis relativ schnell aus dem Gesichtskreis verschwand. Dafür, daß noch nach Ostern von Zwölfen (1Kor 15,5!) geredet werden kann, bieten sich als Erklärungsmöglichkeiten an: Entweder man hält die Zahl Zwölf für einen seinerzeit schon geprägten Begriff, der auch nach dem Ausfall des Judas noch eine Zeitlang seine Gültigkeit behielt, oder man rechnet mit der oben erläuterten Möglichkeit – die allerdings wegen Apg 1,15–26 höchst unwahrscheinlich ist – daß der Verräter Judas kein historisches Mitglied dieses Gremiums war[39].

[34] Gut zusammengefaßt bei P. Vielhauer, Gottesreich und Menschensohn in der Verkündigung Jesu, in: ders., Aufsätze zum NT, 1965 (TB 31), 55–91, hier 68–71.

[35] Von Schmahl, Die Zwölf 33, neuerdings wieder in Zweifel gezogen.

[36] Vielhauer (Anm. 34) 68.

[37] Apg 6,2 – die einzige Stelle, wo die Zwölf nach Apg in das Gemeindeleben eingreifen – ist kein überzeugendes positives Argument. Vgl. Rengstorf ThWNT II, 326f.

[38] Mit Haenchen, Weg 138, gegen Vielhauer (Anm. 34) 69.

[39] Mit umgekehrten Vorzeichen rechnet die kritische Richtung mit einer analogen Möglichkeit. Nach Vielhauer (Anm. 34) 70f besteht kein Zweifel, daß einer der Jünger Jesus verraten hat. Er folgert weiter, daß dieser Verräter in den Zwölferkreis eingebracht werden mußte, wenn dieser einmal in das Leben Jesu zurückdatiert worden war.

Hat Jesus den Zwölferkreis ins Leben gerufen, so wird er von ihm als ein eschatologisches Zeichen gedacht gewesen sein, das die heilvolle Nähe des Reiches Gottes ankündigen sollte. Jesu Wirken zielt ab auf die Versammlung des neuen eschatologischen Gottesvolkes im nahen Gottesreich.

Zusammenfassung

Markus hat, indem er den Zwölferkreis zur Geltung bringt, der Gemeinde etwas in Erinnerung gerufen, was in Vergessenheit zu geraten drohte. Die Zwölf sind dazu gerufen, das Werk Jesu fortzusetzen und die Kontinuität zwischen Jesus und der Zeit der Kirche zu gewährleisten. Im Kontext heben sie sich von den zu Jesus drängenden Volksmassen in gleicher Weise ab wie von den feindseligen Jerusalemer Autoritäten und den uneinsichtigen Verwandten.

2. *Vorwürfe von Feinden und Verwandten – Jesu wahre Familie (3,20–35)*

Literatur: Fridrichsen, A., Le péché contre le Saint-Esprit, RHPhR 3 (1923) 367–372; *Williams, J. G.*, A Note on the »Unforgiven Sin« Logion, NTS 12 (1965/66) 75–77; *Berger, K.*, Die Amen-Worte Jesu, 1970 (BZNW 39) 35–41; *Colpe, C.*, Der Spruch von der Lästerung des Geistes, in: Der Ruf Jesu und die Antwort der Gemeinde (FS J. Jeremias), Göttingen 1970, 63–79; *Wansbrough, H.*, Mark 3,21 – Was Jesus out of his mind? NTS 18 (1971/72) 233–235; *Crossan, J. D.*, Mark and the Relatives of Jesus, NT 15 (1973) 81–113; *Lambrecht, J.*, The Relatives of Jesus in Mark, NT 16 (1974) 241–258; *Wenham, D.*, The Meaning of Mark 3,21, NTS 21 (1974/75) 295–300; *Limbeck, M.*, Beelzebul – eine ursprüngliche Bezeichnung für Jesus? in: *H. Feld – J. Nolte* (Hrsg.), Wort Gottes in der Zeit (FS K. H. Schelkle), Düsseldorf 1973, 31–42; *Best, E.*, Mark III 20.21.31–35, NTS 22 (1975/76) 309–319; *Boring, M. E.*, The Unforgivable Sin Logion Mark III 28–29/Matt XII 31–32/Luke XII 10, NT 18 (1976) 258–279.

20 **Und er kommt ins Haus. Und wieder strömt die Volksmenge zusammen, so daß sie nicht einmal eine Mahlzeit halten konnten.** 21 **Und die Seinigen, die es hörten, zogen aus, um ihn zu packen. Sie sagten nämlich: Er hat den Verstand verloren.**
22 **Und die Schriftgelehrten kamen von Jerusalem herab und sagten: Er ist von Beelzebul besessen, und: Durch den Beherrscher der Dämonen treibt er die Dämonen aus.** 23 **Und er rief sie heran und redete in Gleichnissen zu ihnen: Wie kann Satan Satan austreiben?** 24 **Und wenn ein Reich in sich gespalten ist, kann jenes Reich nicht bestehen.** 25 **Und wenn ein Haus in sich gespalten ist, wird jenes Haus nicht bestehen können.** 26 **Und wenn Satan gegen sich selbst aufsteht und gespalten ist, kann er nicht bestehen, sondern es hat ein Ende mit ihm.** 27 **Aber keiner kann in das Haus des Starken eindringen und seine Habe ausplündern, wenn er nicht zuerst den Starken gebunden hat. Und dann wird er sein Haus ausplündern.** 28 **Amen, ich sage euch: Alles wird den Menschenkindern vergeben werden, die Sünden und Lästerungen, wieviel sie auch lästern mögen.** 29 **Wer aber gegen den hei-**

ligen Geist lästert, findet keine Vergebung in Ewigkeit, sondern ist ewiger Sünde schuldig, 30 **– weil sie sagten: Er ist von einem unreinen Geist besessen.**
31 **Und seine Mutter und seine Brüder kommen. Und sie blieben draußen stehen und schickten zu ihm, um ihn zu rufen.** 32 **Und um ihn herum saß eine Volksmenge. Und sie sagen ihm: Siehe, deine Mutter und deine Brüder [und deine Schwestern] draußen suchen dich.** 33 **Und er antwortete ihnen und spricht: Wer ist meine Mutter und die Brüder?** 34 **Und er blickte um sich auf die im Kreis um ihn sitzende Volksmenge und spricht: Siehe, meine Mutter und meine Brüder!** 35 **Denn wer den Willen Gottes tut, der ist mir Bruder und Schwester und Mutter.**

Analyse Drei Unterabschnitte lassen sich voneinander abheben: der Auszug der »Seinigen« mit ihrem Vorhaben, Jesus von seinem Wirken abzubringen; die Herabkunft der Schriftgelehrten von Jerusalem mit ihrem Vorwurf des Satansbündnisses und ihre Widerlegung durch Jesus; und die Ankunft der Verwandten, die mit der Belehrung über seine eigentliche Familie verknüpft ist. Teil 2 ist eingeschoben bzw. der Erzählfaden des Teils 1 wird mit Teil 3 wiederaufgegriffen. Markus liebt um der gesteigerten Dramatik willen diese Verschachtelungen, die uns auch anderswo im Evangelium begegnen werden.
Teil 1 hat jedoch nicht als der dem Evangelisten vorgegebene Beginn der Geschichte von den wahren Verwandten zu gelten. Die Differenz in der Bezeichnung der Akteure, die erst in 31 klar als seine Mutter und Brüder vorgestellt werden, ist zu beachten. Οἱ παρ' αὐτοῦ – oben mit »die Seinigen« übersetzt – ist unbestimmt und könnte auch irgendwelche Landsleute oder Abgesandte meinen[1]. Dennoch ist der Term keine Abschwächung, die um der Härte des Vorwurfs willen vorgenommen worden wäre[2]. Markus gibt mit dem Fortschritt vom Auszug (21), wahrscheinlich aus dem Heimatdorf, und der Ankunft (31) klar zu erkennen, daß es sich jeweils um die gleiche Gruppe handelt.
Wie ist Teil 1 zu beurteilen? Er ist weitgehend der markinischen Redaktion verdankt. Vers 20 hat überleitenden Charakter, bietet wieder die bei Markus beliebte anschauliche Schilderung des Volksauflaufs und besitzt im Hinweis auf das Essen in 6,31 eine bemerkenswerte Parallele. Das Haus aber ist für die draußenstehenden Verwandten (31f) eine erforderliche Kulisse, da die Volksmenge auch in Teil 3 vom Evangelisten eingebracht worden sein dürfte. Mit dem Satz »Und er kommt ins Haus« begann die vormarkinische Perikope von den Verwandten Jesu. Vers 21 wird gelegentlich mit Hinweis auf den Vorwurf

[1] Vgl. LXX Sus 33; 1Makk 9,44 v.l.; 9,58 und Bl-Debr § 237,2.
[2] So Haenchen, Weg 140. – Wansbrough* möchte die »Seinigen« auf die Jünger beziehen, die aus dem Haus »herauskommen« und konstatieren, die Menge sei außer sich geraten. Ähnlich Wenham* mit Hinweis auf Mt 12,23 (= Q), woraus Mk das Verb geschöpft habe. Diese Vertauschung der Subjekte kann nicht überzeugen. Pesch I,212 spricht vom Clan, an dessen Spitze der Hausvater oder älteste Sohn steht.

als traditionell angesehen. Allerdings soll hier nicht ein aus einem typischen Wirken ableitbares Erscheinungsbild – Jesus als Ekstatiker –[3], sondern das Unverständnis der Menschen geschildert werden, in das Markus neben den Jüngern auch die Verwandten miteinbezieht. Dies spricht für die Redaktionsarbeit des Evangelisten.

Teil 2 besitzt eine Parallelüberlieferung in der Spruchquelle (Mt 12,22–32; Lk 11,14–23; 12,10)[4]. Dieser Befund berechtigt aber nicht zu der Annahme, daß Markus aus ihr schöpft[5]. Die bei Mt 12 und Lk 11 übereinstimmende Folge hebt mit dem Exorzismus eines stummen (und blinden) Dämons an. An ihn schließen sich an: der Vorwurf des Teufelsbündnisses, die Logien vom gespaltenen Reich, Haus und Satan, von den jüdischen Exorzisten und von der geistgewirkten Bezwingung der Dämonen. Es folgen das kleine Gleichnis von der Überwindung des Starken und das Logion von der Entscheidung für oder gegen Jesus. Der Vergleich lehrt, daß in der markinischen Vorlage dem Vorwurf des Teufelsbündnisses ebenfalls ein knapper Exorzismusbericht vorausgegangen sein wird. Der Vorwurf hängt jetzt eigenartig in der Luft. Diese Unbestimmtheit aber wird durch den Makrotext ausgeglichen. Von Jesu Exorzistentätigkeit ist schon wiederholt erzählt worden. Es läßt sich auch ein plausibler Grund dafür finden, daß der Evangelist den Exorzismusbericht wegbrach: Es kam ihm auf die Synchronie der Vorwürfe der »Seinigen« und der Schriftgelehrten an. Aus der gleichen Überlegung heraus hat er den letzteren verdoppelt. Die Seitenreferenten haben hier Ursprünglicheres aufbewahrt: »Durch Beelzebul, den Beherrscher der Dämonen, treibt er die Dämonen aus« (Lk 11,15; vgl. Mt 12,24). Der erste Vorwurf bei Markus »Er ist von Beelzebul besessen« ist Angleichung an den Vorwurf der Verwandten, der zweite »Durch den Beherrscher der Dämonen treibt er die Dämonen aus« ist für die Situation des Exorzismus der eigentlich passende[6]. Für eine mögliche Auslassung der in der Überlieferung der Spruchquelle zusätzlichen Logien dagegen lassen sich für Markus keine überzeugenden Argumente beibringen. Dies und die zum Teil erheblichen Abweichungen in den Formulierungen erhärten die Auffassung, daß Markus nicht direkt von Q, sondern einer bereits stärker zersagten Einzeltradition abhängig ist. Auch darum ist die Auffassung, 31–35 habe schon vormarkinisch zur Beelzebulperikope gehört oder Markus habe aus 35 als Bestandteil von Q (= Lk 11,27f) 31–34 herausgesponnen, abzulehnen[7].

Im einzelnen lagen Markus die Spruchreihe 24–26 und das Gleichnis 27 bereits verbunden vor (vgl. Lk 11,17–22 par). Auch das Wort von der unvergebbaren

[3] Hengel, Charisma 72, beurteilt V 21 in diesem Sinn. Nach Taylor 235 basieren 20f auf »bester historischer Tradition«. – Stil und Vokabular von 20b.21 sprechen nicht gegen Mk-R. Der ὥστε- und der Begründungssatz entsprechen ihr in besonderer Weise.

[4] Vgl. noch Mt 9,34. Der Vorwurf konnte wandern.

[5] Gegen Lambrecht*, Wenham*.

[6] Nach Bultmann, Geschichte 11, enthält der erste Vorwurf die hellenistische Vorstellung des vom Dämon besessenen Magiers, während der zweite echt semitisch empfunden ist.

[7] Diese Auffassungen vertreten Crossan* 96–98 bzw. Lambrecht* 249–251.

Sünde 28f dürfte schon in diesen Zusammenhang gehört haben, da es Lk 12,10 aufgrund des Assoziationswortes »Menschensohn« in einen anderen Kontext hineingestellt hat. Die redaktionellen Verbindungsstücke sind dem Evangelisten zuzuschreiben. Dazu zählen die Identifizierung der Ankläger mit Schriftgelehrten, die von Jerusalem herabgestiegen sind (22a), der gebieterische Ruf Jesu und die Charakterisierung seiner Rede als Rede in Gleichnissen (23a), aber auch 23b – ein Übergang, der den Parallelismus in 24–26 durchbricht – und 30, wo nochmals auf den ersten Vorwurf der Besessenheit zurückgelenkt wird. Damit ist eine Klammer geschaffen[8]. – Das Gleichnis von der Überwindung des Starken liegt in 27 (vgl. Mt 12,27) in einer im Gegenüber zu Lk 11,21f viel kürzeren Fassung vor[9]. Die unterschiedlichen Ausprägungen sind der mündlichen Überlieferung zuzuweisen. – Das Logion von der unvergebbaren Sünde 28f besitzt eine verwickelte Traditionsgeschichte. Vergleicht man seine markinische mit der Q-Fassung (Mt 12,32 par), fällt auf, daß dort statt vom »Lästern« vom »(ein Wort) reden gegen« und statt von den »Menschenkindern« vom »Menschensohn« gesprochen wird. Letzteres kann nur titular gemeint sein. Daß die »Menschenkinder« in irgendeinem Zusammenhang mit dem »Menschensohn« stehen müssen, ist anzuzweifeln[10]. Das »Lästern« ist erst sekundär in die Überlieferung eingedrungen[11]. Man wird aber nicht annehmen können, daß Markus den »Menschensohn« durch die »Menschenkinder« ersetzt habe, weil eine Vergebung der Lästerung des Menschensohnes seinem christologischen Konzept widersprochen hätte[12]. Vielmehr hat Markus hier die ältere Überlieferung des Spruches erhalten, dessen ursprüngliche Intention nicht die Gegenüberstellung zweier heilsgeschichtlicher Epochen – Zeit des Menschensohnes/Zeit des Geistes –, sondern die Feststellung war, daß es gegenüber den vielen vergebbaren Sünden eine gab, die keine Vergebung erlangen kann. Der Spruch hat Achtergewicht. Der entscheidende zweite Satz trägt als konditionaler Relativsatz mit futurischer Apodosis die Form eines Satzes heiligen Rechts[13]. Die Amen-Einleitung des ersten Satzes, die bei den Seitenreferenten fehlt, ist sekundär hinzugetreten (durch Markus?)[14]. Als Satz heiligen Rechts kündigt der Spruch von der Unvergebbarkeit jenen das Gericht an, die dem pneumatischen Zeugnis der christlichen Boten höhnend entgegentreten. Er verweist in die frühe nachösterliche Missionstätigkeit und wird ursprünglich gelautet haben: »Alle Sünden werden den Menschenkindern vergeben werden. Wer aber ein Wort gegen den heiligen Geist sagt, findet keine Vergebung in

[8] Nur bei Mk treten hier die Schriftgelehrten aus Jerusalem auf, nach Mt 12,24 sind es Pharisäer, nach Lk 11,15 unbestimmt »einige«. Letzteres dürfte auch der vormk Vorlage entsprochen haben. Das Reden in Gleichnissen macht ein spezielles Anliegen des Evangelisten aus (4,2; 12,1). προσκαλεσάμενος bei Mk 7mal.

[9] Das Gleichnis findet sich auch Tho 35 (vgl. 21).

[10] Gegen Hahn, Hoheitstitel 299, Anm. 5.

[11] Vgl. Tödt, Menschensohn 286f. Die Wendung »etwas sagen gegen« ist im palästinischen Sprachraum fest verwurzelt.

[12] Gegen Tödt, ebd. 111.

[13] Zur Sache vgl. E. Käsemann, Sätze heiligen Rechtes im NT, in: ders., Exegetische Versuche und Besinnungen II, Göttingen 1964, 69–82.

[14] Vgl. Berger, Amen-Worte 36.

Ewigkeit, sondern ist ewiger Sünde schuldig.« Die Vorstellung von der Unvergebbarkeit der Ablehnung der Gottesboten ist vorgeprägt in Ex 23,21[15]. Auf der Traditionsstufe der Spruchquelle wird das Logion in den engeren Kontext der Exorzismen gebracht (Mt 12,32 par). Dabei wird zwischen der Epoche des irdischen Menschensohnes und der des Geistes unterschieden und die Epoche des irdischen Menschensohnes als Vorbereitungszeit gewertet. Dabei mag die reflektierte nochmalige Hinwendung zu den Juden nach deren Ablehnung des Heilsangebotes zur Zeit Jesu eine Rolle gespielt haben, aber auch die Frage der Weitergabe der Vollmacht Jesu an die Jünger, die sich durch pneumatische Taten auswiesen. Die markinische Überlieferung des Logions, die die Epocheneinteilung von Q nicht kennt und an die oben zitierte mutmaßlich ursprüngliche Form anschließt, akzentuiert die in den Exorzismen wirksame pneumatische Vollmacht Jesu, der gegenüber lästernd man sich unverzeihlich vergeht, aber auch – nur mit bezeichneter Ausnahme – die umfassende Vergebungsvollmacht.

Teil 3, die Perikope von Jesu wahren Verwandten, ist vom Evangelisten nur geringfügig überarbeitet worden. Vom Evangelisten ist sowohl die Bemerkung »Und um ihn herum saß eine Volksmenge« in 32 als auch die Einleitung »Er blickte um sich auf die im Kreis um ihn sitzende Volksmenge und spricht« in 34 hinzugefügt worden[16]. Das heißt, erst Markus bezieht das Volk in die Szene mit ein. So wird das ursprüngliche Draußen vor dem Haus zum Draußen außerhalb des Volkskreises. – Die Entstehung der Perikope wird unterschiedlich beurteilt. Der abschließende Vers 35 wird entweder als allgemeiner Grundsatz, der sekundär an eine einmalige Situationsschilderung angereiht wurde, gewertet, oder umgekehrt als Ausgangspunkt, der in der idealen Szene 31–34 sekundär abgebildet wurde. Die erste Auffassung verdient den Vorzug, da der Spruch in 35 zu allgemein und substanzlos ist[17].

Formmäßig ist 31–35 ein biografisches Apoftegma, 22–30 ist im Sinn des Evangelisten eine Gleichnisrede. Ein gleichnishaftes Element ist 27, dem ein gewisser Schwerpunkt zukommt. 24–26 bieten einen Vergleich, 28f ist bereits als Satz heiligen Rechts definiert worden. Dieser besitzt formmäßig (als konditionaler Relativsatz) seine Vorbilder in der Weisheit. Da aber die Apodosis futurisch-eschatologisch ausgerichtet ist, ist es zu einer Vermischung von weisheitlichen und apokalyptischen Elementen gekommen[18].

Erklärung 20–21

Die Eingangsszene entwirft ein turbulentes Bild. Jesus – der Evangelist vermeidet den Namen wieder in der ganzen Perikope – kehrt mit den Jüngern im

[15] Berger, Armen-Worte 37f.

[16] κάθημαι (11mal), περί (22mal), περιβλέπω (bei den Synoptikern nur bei Mk anzutreffen), κύκλῳ (3mal), sind mk Vorzugswörter.

[17] Mit Dibelius, Formgeschichte 60f, gegen Bultmann, Geschichte 29. – V 35 ist als Begründungssatz, d. h. mit γάρ, zu lesen. Die sekundäre Zufügung von 35 könnte sich auch noch darin zu erkennen geben, daß nur hier neben Mutter und Bruder die Schwester vorkommt. Dann wäre καὶ αἱ ἀδελφαί σου in 32 zu streichen. Die textliche Überlieferung ist gespalten.

[18] Berger, Armen-Worte 35f.

Haus, wohl dem bekannten Haus in Kafarnaum, ein, um »Brot zu essen«, das heißt, eine Mahlzeit zu halten[19]. Aber der Zustrom der Volksmenge ist so gewaltig, daß ihnen nicht die verdiente Ruhe zuteil wird. In einer Ausblendung aus der häuslichen Szene wird zu den anderswo befindlichen »Seinigen« hinübergelenkt. Da es Markus um eine Vorbereitung des Geschehens 3,31ff geht, können nur die Verwandten gemeint sein[20]. Sie brachen von ihrem Heimatort auf, um Jesus zurückzuholen[21]. Was sie für Nachrichten empfingen, bleibt ziemlich unbestimmt. Das von ihnen abgegebene Urteil ist die Zusammenfassung ihres Eindrucks vom Wirken ihres Bruders. Das Urteil »Er ist von Sinnen« ist hart. Es hat immer wieder zu Korrekturen Anlaß gegeben, kann aber nicht abgeschwächt werden[22]. Es hat keine konkrete historische Erinnerung eingefangen, sondern ist theologisch zu bewerten. Die Tätigkeit des Offenbarers stößt auf Unverständnis, das selbst seine Familie miteinschließt. Wenngleich der Evangelist kaum an alttestamentliche Vorbilder gedacht haben wird, ist es sinnvoll, daran zu erinnern, daß dem Profeten schon ähnliches widerfuhr. Jeremia erhielt die Warnung: »Auch deine Brüder und das Haus deines Vaters, auch sie sind treulos gegen dich. Auch sie haben sich alle hinter deinem Rücken verschworen«[23]. Alle Evangelisten stimmen in der historisch nicht anzuzweifelnden Überlieferung überein, daß seine Brüder Jesus in dessem irdischen Wirken verständnislos begegneten.

22–26 Durch den Auftritt der Jerusalemer Schriftgelehrten wird eine neue Situation eröffnet, die aber zur vorangehenden nicht ohne Verbindung ist. Jerusalem ist für Markus die feindselige Stadt, in der Jesus getötet werden wird, die dem Untergang geweiht ist[24]. Schriftgelehrte aus Jerusalem (vgl. 7,1) sind der »Superlativ der Gegner« (Wellhausen). Auch aus diesem Grund konnte Markus darauf verzichten, als Anknüpfungspunkt von einem Exorzismus zu erzählen. Innerkirchliche, gegen eine Vormachtstellung der Jerusalemer Gemeinde gerichtete Tendenzen hier abgeprägt zu sehen, ist absurd[25]. Der Vorwurf der Gegner, zweiteilig, ist durch die Erwägung der Verwandten vorbereitet und doch von

[19] Die typisch jüdische Wendung ist in diesem Sinn reichlich belegt. Brot ist der Hauptbestandteil des Mahles. Belege bei Billerbeck II,6f.

[20] Dazu vgl. oben S. 144.

[21] Das Verbum κρατέω wird 6,17; 12,12; 14,1.44.46.49.51 für das Verhalten der Gegner verwendet.

[22] Die verschiedenen Textüberlieferungen sind als Abschwächungen zu betrachten: »Als es die um ihn befindlichen Schriftgelehrten und die übrigen hörten, zogen sie aus, ihn zu packen. Denn sie sagten: Er hat sie verrückt gemacht« (D it). – Statt »er ist von Sinnen« bieten W 28: »sie hingen an ihm« (ἐξήρτηνται αὐτοῦ). Abschwächende Übersetzungen waren: »Er ist ja ganz von Kräften gekommen« (Zorell), »Er ist in Verzückung« (Loisy). Vgl. Schmidt, Rahmen 121, Anm. 3.

[23] Jer 12,6. Vgl. 11,21; Sach 13,3. – Nach Weish 5,4 hält man das Leben des Gerechten für Wahnsinn (LXX: μανίαν). – Nach Grundmann wollten die Verwandten Jesus zurückholen, damit er sich als Erstgeborener um seine Familie kümmere. Auch das hat als Abschwächung zu gelten.

[24] Vgl. W. Schmauch, Orte der Offenbarung und der Offenbarungsort im NT, Göttingen 1956, 82–93, der die negative Qualifizierung Jerusalems mit der Form Jerosolyma verbindet. Im Gegensatz dazu sei Jerusalem die Stadt der eschatologischen Verheißungen. Zur Wortform vgl. Bl-Debr § 56,1.4.

[25] Crossan* 113 muß dann die Schriftgelehrten aus Jerusalem als Chiffre für die Jerusalemer Gemeinde nehmen.

ihr abgehoben. Die Gegner gehen lästernd zum offenen Angriff über. Jesu Widerlegung ist ausschließlich gegen sie gerichtet[26]. Der erste Vorwurf ist der der Besessenheit. Beelzebul – der Name bedeutet wahrscheinlich »Baal des Mistes« und ist in seiner Überlieferung unsicher[27] – ist für Markus im Gegensatz zu Mt 12,24 par nicht der Beherrscher der Dämonen, sondern nur einer aus ihnen (vgl. 3,30). Der Name, der auch als »Baal des Hauses« (vgl. Mt 10,25) oder im Anschluß an den Stadtgötzen von Akkaron als »Fliegenbaal« (dann Beelzebub) gedeutet wurde, entspricht wahrscheinlich dämonologischen Vorstellungen des (galiläischen) Volkes[28]. Bedeutsam ist, daß die Frage nach dem Sein Jesu, des Gottessohnes, berührt ist, die freilich hier eine pervertierende Antwort erhält. Der zweite Vorwurf ist der des Teufelsbündnisses und der Zauberei. Der »Beherrscher der Dämonen« setzt die Vorstellung eines gegliederten Dämonenreiches voraus, an dessen Spitze ein »Engel der Finsternis« oder oberster böser Geist steht[29]. Der Vorwurf ist jüdisch empfunden und beruht möglicherweise auf einer bestimmten Form der Magie[30]. Die hier zum erstenmal gegen Jesus gerichteten Vorwürfe werden sich in der christlich-jüdischen Auseinandersetzung der ältesten Zeit noch öfter wiederholen. Sie verbinden sich mit der Anklage der Volksverführung (Joh 7,20.12; 8,48; 10,20; JustDial 69)[31]. Hier wird deutlich, daß das Wundercharisma eine Funktion im sozialen Konflikt hat. Jesus wird als Wundercharismatiker der Zauberei verdächtigt, weil er eine neue Lehre verkündet[32].

Jesus, der gebieterisch die Gegner herbeiruft, redet zu ihnen in Gleichnissen. Damit ist eine Form der Rede gewählt, die nach Markus dem Volk und den Gegnern zugedacht ist (4,11.2; 12,1), die nicht zum Kreis der Jüngerschaft gehören. Dabei ist die Form der Rede fast noch wichtiger als ihr Inhalt. Die Funktion der Bildrede ist in Verbindung mit dem rätselhaften Spruch 4,11f zu bedenken. Schon jetzt kann gesagt werden: Die Chance, die Rede Jesu zu verstehen, ist nur dann gegeben, wenn einer bereit ist, sein Jünger zu werden und ihm nachzufolgen. Seine Rede beschränkt sich nicht darauf, Theorien zu vermitteln, sondern will den Menschen verändern. Die Widerlegung will die gegnerischen Vorwürfe ad absurdum führen. Die in 24f gebotenen Vergleiche vom gespaltenen Reich und vom gespaltenen Haus – Haus steht für Familie, Haus-

[26] Gegen Crossan* 98, der auch die Verwandten in die Widerlegung miteinbezieht.

[27] Der Text bietet die Varianten Beelzebul (ist vorzuziehen), Beezebul und Beelzebub.

[28] In der jüdischen Literatur ist der Name nicht belegt.

[29] Die Vorstellung ist belegt in: 1QS 3,20f. TestSal 2,9; 3,5; 6,1 spricht gleichfalls von einem Archon der Dämonen.

[30] Nach Böcher, Christus Exorcista 161f, war dies die sog. homöopathische Magie, bei der sich der Exorzist der in seine Abhängigkeit gebrachten dämonischen Mächte bediente. Jesus habe mit seiner Widerlegung auch gegen diese Form der Magie überhaupt protestiert.

[31] Vgl. bSanh 107b Bar (Jesus ein Zauberer und Volksverführer), ebenfalls TosSchub 11,15 (126) bei Billerbeck I 38f. Nach Origenes, c. Cels. 1,28, habe Jesus die Zauberei in Ägypten gelernt.

[32] Theißen, Wundergeschichten 241, verweist darauf, daß die Konstellation von Wundercharisma, Heilslehre und Zaubereivorwurf auch bei Pythagoras, Apollonius, Eliezer b. Hyrkanos und anderen anzutreffen sei.

gemeinschaft – verdeutlichen die Frage in 23b und ermöglichen die Antwort in 26. Dabei zeigt sich, daß für Markus der Beherrscher der Dämonen mit Satan identisch ist. Für die Brüchigkeit gespaltener Reiche bietet die Geschichte Beispiele genug. Die Formulierung in 24 ähnelt Dan 2,41; 11,4, wo in Zukunftsvisionen die Zerstörung gespaltener Reiche vorausgesagt wird. 26 ist kein Vergleich mehr, sondern kündet das Ende der satanischen Macht an, die durch Jesus gebrochen wird. Dabei begibt sich der Redende auf die Plattform seiner Angreifer: »Wenn wirklich – wie ihr sagt – Satan gegen sich selbst aufsteht . . .«[33] – Es liegt darin eine gewisse Unstimmigkeit. Der Akzent ruht auf der Folgerung: Es hat ein Ende mit ihm. Im Bild erwartet man, da ja Satans gespaltenes Reich gemeint ist, einen Satz wie: es stürzt zusammen (vgl. Mt 12,26 par). Statt dessen ist der Abschluß ins Hellenistische gewendet (vgl. Lk 22,37; Hb 7,3) und persönlich gefaßt.

27 Ein selbständiges kleines Gleichnis erläutert unpolemisch Jesu Exorzistentätigkeit. Sein unpolemischer Charakter bestätigt seine Eigenständigkeit. Im Gegensatz zu Lk 11,21f, wo von der Bezwingung eines starken und bewaffneten Burgherren durch einen Stärkeren erzählt wird, ist die Geschichte hier kürzer und schlichter gefaßt. Von der Bezwingung eines Starken, der sein Haus bewacht, wird berichtet. Der Bezwinger wird nicht ausdrücklich der »Stärkere« genannt[34]. Die Geschichte ist ursprünglich als umfassendere Erläuterung von Jesu Exozismus- und Heilungswirksamkeit zu verstehen[35]. Die dem Starken abgerungene Beute sind die Menschen, die von der Krankheit und den Dämonen befreit werden. In dieser Befreiung kündigt sich die Entmachtung des Bösen und die Ankunft der Gottesherrschaft an. Sie ist gleichzeitig ein Protest gegen eine hypertrophierte Vergeltungslehre, nach der die leidenden und gequälten Menschen als von Gott Gestrafte angesehen wurden[36]. In Verbindung mit der Proklamation von der Basileia gehört das Gleichnis in die Verkündigung Jesu selber hinein. Bei Markus wird es zu einem Argument im Kontext des konkreten Vorwurfs, das die Gegner überführen will. Im Hintergrund der Geschichte könnte Jes 49,24f stehen: »Raubt man einem Helden die Beute? Oder entkommt der Gefangene dem Starken? Denn so spricht Jahwe: Wohl werden Gefangene dem Helden entrissen, und der Raub des Starken entkommt. Und mit deinen Streitern streite ich selber, und deinen Söhnen helfe ich selber.«[37] – Man wird aber von diesem Hintergrund aus weder für das Selbstbewußtsein Jesu noch für die markinische Christologie den Schluß ziehen dürfen, daß Jesus

[33] Auf die fingierten Beispiele in 24f folgt in 26 ein Indikativ der Wirklichkeit, auf ἐάν folgt εἰ. 24–26 gehören von Anfang an zusammen. Vgl. Bl-Debr § 372,1b. – Vgl. Derek Erez Zuta 5: »Ein Haus, in welchem Parteiung ist, wird schließlich sicherlich zerstört . . . Ist Parteiung in einer Synagoge, so wird diese schließlich sicherlich losgerissen.« Bei Billerbeck I,635 (zu Mt 12,25).

[34] Auch darum wird man den Ausführungen Robinsons, Geschichtsverständnis 26–54, in denen 3,27 (kombiniert mit 1,7 ὁ ἰσχυρότερος) eine zentrale Rolle spielt, skeptisch gegenüberstehen.

[35] Jeremias, Gleichnisse 123, siedelt das Gleichnis in nächster Nähe der Versuchungsgeschichte an.

[36] Vgl. Hengel, Charisma 66f.

[37] Übs. nach C. Westermann.

in der Bezwingung des Starken der Gottesknecht ist[38]. In seinen befreienden Taten bricht die von Gott verheißene eschatologische Zeit an.

28–30 Im abschließenden Doppelspruch erfährt die Widerlegung eine neue Wendung. Sie wird zur scharfen Anklage. Beide Teile stehen in einem paradoxen Verhältnis zueinander. Auf die umfassende Vergebungsbereitschaft, die bei Markus im Vergleich zu Mt 12,31f par noch gesteigert ist, kündigt Jesus die eine Ausnahme der unvergebbaren Sünde an. Dabei soll der erste Spruch das Gewicht des zweiten verstärken. Ähnlich paradox strukturierte Formulierungen finden sich Gen 2,16f; Ex 12,10, entsprechen also biblischem Stil[39]. Die Zuverlässigkeit der Aussage wird durch einleitendes »Amen, ich sage euch« verstärkt. Diese Einleitung kennzeichnet den Redenden als Zeugen, dem Einsicht in himmlische Dinge geschenkt worden ist. Obwohl das einleitende Amen als Kennzeichen der Sprache Jesu umstritten ist[40], wird unabhängig von dieser Form der Schwur vom Apokalyptiker benutzt, um seinen Ankündigungen, die die Dinge der Endzeit betreffen, unbezweifelbare Sicherheit zu geben[41]. Die Form geht von authentischen Jesusworten auf sekundäre über, wie das hier der Fall ist. Der apokalyptische Horizont aber ist gewahrt, das Logion betrifft das endzeitliche Gericht.

Über unvergebbare Sünden ist auch im Judentum diskutiert worden[42]. Die auf uns gekommenen späteren Beiträge lassen den kasuistischen Charakter dieser Diskussion erkennen. Als Sünder, der mit keiner Vergebung rechnen durfte, wurde angesehen, wer den Bund des Vaters Abraham zunichte macht, wer die Auferstehung der Toten leugnet, wer bestreitet, daß die Tora von Gott ist usw.[43]. Für die christliche Gemeinde entstand gleichfalls die Frage, ob und an welcher Stelle der göttlichen Vergebung eine Grenze gesetzt sein könnte. In dieser Fragestellung bewahrt sie ein jüdisches Erbe. Für die markinische Fassung des Logions ist charakteristisch, daß es nicht wie Mt 12,32 par zwei Epochen unterscheidet: die vergangene Epoche des irdischen Menschensohnes und die gegenwärtige des Geistes. Wer die beiden Epochen bei Markus wiederentdeckt, übersieht, daß hier bereits der irdische Jesus als Träger des Geistes gesehen ist[44]. Das Interesse am Sein Jesu ist erwacht. Die Lästerung des Geistes ist darum als Abweisung der umfassenden Amnestie und Entschuldung, die Jesus im Namen Gottes kundtut[45], noch nicht konkret genug gefaßt. Neben der Freiheit des Menschen ist die christologische Komponente zu bedenken. Das Ver-

[38] W. Grundmann, ThWNT III 403–405 und Kommentar, bringt das Gleichnis mit der Gottesknecht-, Hohepriester- und Messiasvorstellung in Verbindung. Da das von Grundmann beigebrachte religionsgeschichtliche Vergleichsmaterial zur erwarteten Niederzwingung Satans und der Dämonen verschiedene Vergleiche ermöglicht, sollte man in diesem Kontext besser eine Entscheidung unterlassen.

[39] Vgl. Carrington.

[40] Vgl. die Kontroversen zwischen Berger und J. Jeremias, Zum nicht-responsorischen Amen, ZNW 64 (1973) 122f.

[41] Berger, Armen-Worte 4–28.

[42] Vgl. Moore, Judaism I,465–467.

[43] Z. B. Ab 3,12; Sanh 10,1. Vgl. 1Joh 5,16.

[44] T. W. Manson, The Sayings of Jesus, London 1949, 109f, meint, daß die Verleumdungen gegen die Jünger erst von dem Augenblick an unvergebbar werden, wo der heilige Geist in ihnen wirkt.

[45] Grundmann.

gebungsangebot wird lästernd zurückgewiesen, indem der Träger des göttlichen Geistes als vom satanischen Geist besessen diffamiert wird. Mit Vers 30 lenkt der Evangelist auf den ersten der beiden von den Schriftgelehrten erhobenen Vorwürfe zurück. Diese Debatte hat ihren Ort in der christlich-jüdischen Auseinandersetzung und betrifft somit die Verkündigung der Gemeinde. Streitobjekt ist die Würde des irdischen Jesus und nicht die des erhöhten Kyrios[46]. Um diesen konnte die Gemeinde mit den Gegnern schwerlich streiten. In seinen Exorzismen hat sich Jesus, wenn auch verhüllt, als Sohn Gottes erwiesen (3,11f).

Im Makrotext des Evangeliums läßt sich eine Relation zwischen der hier von Jesus gegen die Schriftgelehrten erhobenen Anklage und der von den Synhedristen im Prozeß gegen Jesus erhobenen Anklage herstellen. Sieht man diese, so wird deutlich, daß beide Seiten sich der Blasfemie zeihen (14,64), beidemal wird ein Urteil gesprochen: schuldig ewiger Sünde, schuldig des Todes (3,29; 14,64). Der Ausblick ist hier und dort das eschatologische Gericht (14,62). Dabei ist nicht zu vergessen, daß die Schriftgelehrten von Jerusalem herabgestiegen kamen. Der gegen Jesus gerichtete Vernichtungswille bricht sich Bahn. Für die christliche Gemeinde wird es darauf ankommen, nicht ihr Recht durchzusetzen[47], sondern den befreienden Kampf Jesu gegen das Böse fortzusetzen.

31–35 Die Analyse der Perikope von den Verwandten Jesu ergab, daß sie ursprünglich im Haus spielte (vgl. 2,1) und die Volksmenge nicht beteiligt war. Jesus, die zwar nicht erwähnten, aber in der Antwort Jesu vorausgesetzten Jünger und die Verwandten bildeten ihre Akteure. Der von Markus – leider! – verwischte Kontrast von Jüngerschaft und Verwandtschaft soll uns zunächst beschäftigen. Die Mutter und seine Brüder lassen Jesus rufen. Dies ist noch nichts Vorwurfsvolles, gewinnt aber im »Suchen« (32) einen negativen Aspekt. Damit ist eine eigennützige Inanspruchnahme angemeldet (vgl. 1,37). Ob die Schwestern Jesu an der Suche beteiligt waren, ist ungewiß. Die textliche Überlieferung in 32 ist unsicher[48]. Es fällt auf, daß hier und in 6,1ff der Vater nicht erwähnt wird. Dies findet seine einfachste Erklärung in der Annahme, daß Josef zur Zeit des Wirkens Jesu nicht mehr am Leben war. Da die Verwandten nicht ins Haus eindringen wollen oder können, senden sie zu ihm. Jesus weist den Anspruch seiner Verwandten zurück mit Hinweis auf eine neue Familie, die sich um ihn zu bilden beginnt. Damit waren ursprünglich die im Haus versammelten Jünger gemeint. Mt 12,49 hat mit dem auf die Jünger weisenden Gestus Jesu diesen Bezug wiederhergestellt. Der abschließende Satz gibt eine moralische Begründung, die den Kontrast Jüngerschaft/Verwandtschaft abschwächt. Es kommt auf das Tun des göttlichen Willens an. Diese jüdisch empfundene Ma-

[46] Gegen Suhl, Funktion 100f.

[47] Wellhausen vermerkt zur Stelle, daß die Entrüstung über die Lästerung des Gottesgesandten auch im Islam festzustellen ist.

[48] Vgl. oben Anm. 17.

xime (vgl. Röm 2,17f) erfährt im Wort Jesu einen neuen Orientierungspunkt[49].

Zusammenfassung und historische Beurteilung

Die markinische Redaktion stellt zwischen Jesus und die Jüngerschaft das Volk, das ihn massenweise umgibt. Die ursprüngliche Szene, der man eine historische Erinnerung nicht absprechen darf, wird zu einer idealen Szene. Gleichzeitig verschärft er den Abstand zwischen Jesus und seinen Verwandten durch 21. Die ihn bei der Redaktion leitenden Intentionen sind im weiteren Kontext zu sehen: Die Zwölf sind als Keimzelle der sich um Jesus scharenden Gemeinde konstituiert. Trotz heftiger und unbegründeter Angriffe der Gegner und des ablehnenden Unverständnisses, das selbst die engsten Verwandten erfaßt, läßt sich das Wachsen der Bewegung Jesu nicht aufhalten. Wenn die jüdischen Landsleute und die Blutsverwandten unverständig bleiben, so bildet das einen wirkungsvollen Hintergrund dafür, daß die Gemeinschaft, die um Jesus entsteht, neu ist (vgl. 1,27; 2,21f), auf einen neuen Mittelpunkt hin sich orientiert. Die zufällig um ihn Versammelten werden zum Abbild für diese Gemeinschaft. Im Makrotext darf man auf 10,29f blicken: Jesus wird zum Vorbild für den Jünger, der aufgerufen ist, Brüder, Schwestern, Mutter usw. zu verlassen, und die Verheißung empfängt, schon in dieser Zeit hierfür in die tragenden Relationen einer neuen Gemeinschaft gestellt zu werden. Redaktionsgeschichtlichen Erwägungen, die in der Kritik an den Verwandten eine Tendenz gegen die Jerusalemer Kirche und ihre Führungsrolle erblicken wollen, wird man skeptisch gegenüberstehen[50]. Der Herrenbruder Jakobus war ein führender Mann in Jerusalem, und Jesu Verwandte haben später an Einfluß gewonnen[51]. Als sicherer Bestandteil der Verkündigung Jesu erwies sich das Gleichnis von der Überwindung des Starken (vgl. die Analyse)[52].

Wirkungsgeschichte

Die Nachgeschichte des Textes von der Sünde wider den heiligen Geist zeigt zur Genüge die Schwierigkeiten an, die man bei seiner Interpretation hatte. Dies beleuchtet aber auch den Tatbestand, daß der Text – und das gilt für alle Versionen – in seiner Knappheit Unklarheiten behält. Nicht ohne Unrecht kann Luther etwas resigniert feststellen: »Es haben sich auch viel Lehrer damit bekümmert, was solche Lästerung wider den Heiligen Geist sein möge, weil doch viele Leute gewesen sind, die wider das Evangelium gestrebt und gelästert haben und dennoch bekehrt sind.«[53] In der Interpretationsgeschichte wurden die verschiedensten Momente herausgestellt. So betonte man, daß der Mensch in der unvergebbaren Sünde aus Bosheit wider besseres Wissen handele. Nach Hieronymus sind es jene, »die die Werke Gottes, in Kraft gewirkt, sehen, sie

[49] Best* 318 betont die Bedeutung von V 35 für Mk. Es werde nicht beschrieben, wie die Jünger sich verhielten, sondern was von ihnen gefordert ist. Jesus und die Jünger seien nicht als »one big happy family« vorgestellt.

[50] Gegen Crossan* 110–113.

[51] Nachrichten dieser Art bei Euseb, h.e. 3,20; 3,11f. Vgl. H. von Campenhausen, The Authority of Jesus' Relatives in the Early Church, in: C. L. Lee, Jerusalem and Rome, 1966, 1–19.

[52] Zu 28f als Gemeindebildung vgl. auch Boring* 276.

[53] WA 28,11.

dennoch verwerfen und als aus der Kraft des Dämons gewirkt verleumden«[54]. Umgekehrt sieht Luther das Charakteristikum dieser Sünde darin, daß sie sich »nicht will kennen lassen, auch nicht erkannt werden kann«. Darum könne man sie nicht bereuen. Das Werk und Amt Christi bringe nicht Gottes Gebot und Zorn, sondern sei »eitel Gnade und Vergebung aller Sünde«. Wer dies nicht leiden will und auf seine guten Werke pocht, der habe keine Vergebung[55]. In nüchternerer Formulierung erscheint diese Auffassung in der Gegenwart etwa bei W. Elert, der die Sünde wider den Geist dann gegeben sieht, wenn der Paraklese des Geistes der Gehorsam verweigert wird. Sie sei somit in der Sache selbst begründet, denn die Paraklese des Geistes bewirkt, daß der Hörer das an ihn ergehende Wort als Wort Gottes vernimmt[56].

Eine besondere Problematik bildete die Allmacht Gottes, die man durch die Unvergebbarkeit dieser Sünde in Gefahr geraten sah. So bemerkt Thomas von Aquin, daß die Unvergebbarkeit in der Natur dieser Lüge liege. Es fehle hier jenes Element, durch das Vergebung zustande kommt. Dadurch sei aber nicht die via remittendi et sanandi des allmächtigen und barmherzigen Gottes ausgeschlossen[57]. Die Argumentation lebt bis heute fort. Wenn Jansenius[58] behauptete, daß nicht die Möglichkeit der Vergebung negiert werde, sondern die Faktizität, so berührt er sich mit der Äußerung eines modernen Theologen, nach der es keine Sünden gibt, die nicht vergeben werden können, wohl aber viele, die tatsächlich nicht vergeben werden[59]. Mehr auf einer pastoralen Ebene versucht Bellarmin den gleichen Sachverhalt klarzumachen, wenn er zwei Gründe für die Unheilbarkeit der Sünde wider den Geist angibt: Jener Mensch, der die Gnade Gottes ablehnt, verhalte sich wie ein Kranker, der das einzige Medikament, das ihn zu heilen in der Lage wäre, zurückweist. Und diese Sünde geschehe aus Bosheit, nicht aus Unwissenheit oder Schwachheit, weshalb ihr der Anknüpfungspunkt für das Vergeben mangele[60]. Noch etwas anders denkt Augustinus, der sich wiederholt mit der Problematik beschäftigt hat. Er sieht den Befund dieser Sünde für jenen als gegeben an, der in der Verstocktheit des Herzens bis zum Ende seines Lebens verharrt. Wer sich dem Gnadengeschenk Gottes bis zuletzt verschließt, empfange keine Vergebung, weder in dieser noch in der kommenden Welt[61]. Daneben ruft Augustinus zum Vertrauen auf, denn Gott wolle nicht den Tod des Sünders. Keiner solle verzweifeln, solange die Geduld Gottes zur Buße führt[62].

Besonderen Rang kann in der Neuzeit die Frage gewinnen, wie sich der Geist, gegen den man sündigt, versteht. Nach Hegel[63] ist es zwar der göttliche Geist,

[54] Ep. 42,1 (CSEL 54,315).

[55] WA 28,12 und 19. Vgl. G. Fitzer, Die Sünde wider den Heiligen Geist, ThZ 13 (1957) 161–182 (161f).

[56] Der christliche Glaube, 1940, 601f.

[57] Summa theol. II/2q.14a.3.

[58] Bei J. Knabenbauer, Mt I, Paris ^{3}1922, 547.

[59] Fitzer (Anm. 55) 164.

[60] Bei Knabenbauer (Anm. 58) 551.

[61] Ep. 185,49. Zitiert bei H. W. Beyer, ThWNT I,624, 14ff.

[62] Sermo 71 n. 21 (PL 38,456).

[63] G. W. F. Hegel, Einleitung in die Geschichte der Philosophie (nach den Vorlesungen von 1823–28), Berlin ^{3}1959, 175–181.

aber er nennt ihn den allgemeinen, in dem das Subjekt sich selbst vernimmt. Der allgemeine göttliche Geist sei nicht so an sich, sondern sei im Geist des Menschen, im Geist derer, die zur Gemeinde gehören, präsent. Von hier aus gelangt Hegel zur Unterscheidung von historischem Glauben und jenem Glauben, den er für angemessen hält: »Im Glauben verhalten wir uns zu dem göttlichen Geist als zu uns selbst.« Die Sünde wider den Geist ist dann der Glaube in seiner historischen Gestalt: »Das Lügen aber gegen den Geist ist eben dies, daß er nicht ein allgemeiner – nicht ein heiliger – sei; d. h. daß Christus nur ein Getrenntes, Abgesondertes sei, nur eine andere Person als diese Person, nur in Judäa gewesen, oder auch jetzt noch ist, aber jenseits, im Himmel, Gott weiß wo, nicht auf wirkliche, gegenwärtige Weise in seiner Gemeinde. Wer von der nur wirklichen, nur menschlichen Vernunft, den nur Schranken der Vernunft spricht, – der lügt gegen den Geist; denn der Geist als unendlich, allgemein, sich selbst vernehmend, vernimmt sich nicht in einem Nur, in Schranken, im Endlichen als solchem, hat kein Verhältnis dazu, vernimmt sich nur in sich, in seiner Unendlichkeit.«[64]

Die Hegelsche Philosophie bildete den geistigen Grund für die sog. historisch-kritische Methode bzw. mindestens für eine ihrer bedeutsamen Richtungen (D. F. Strauß, F. C. Baur). Die Interpretationsgeschichte eines Textes könnte zu einem kleinen Abriß wichtiger Stationen der abendländischen Geistesgeschichte ausgebaut werden. Dies um so mehr, als deutlich wurde, daß die Inanspruchnahme des Textes sich verselbständigte. Zwar hat sich historisch-kritische Methode durchgesetzt, ihr »idealistischer« Typ aber ist überwunden. Die historische Struktur kann aus christlichem Offenbarungsverständnis nicht ausgeklammert werden. In der Vermittlung des Textes von der unvergebbaren Sünde wider den Geist heute wird man nicht davon ausgehen dürfen, daß er eine Möglichkeit des Dekretierens und Anathematisierens einräumt. Vielmehr deutet er die andere Möglichkeit an, daß der Mensch in der ihm gegebenen Freiheit Gott und damit sich selbst verfehlen kann. Von seiten Gottes bleibt diese Freiheit unangetastet. Der Mensch ist gefragt, ob er sich aus sich selbst oder als unter der Herrschaft Gottes des Schöpfers stehend verstehen will.

3. *Das Gleichnis vom zuversichtlichen Sämann (4,1–9)*

Literatur: Dalman, G., Viererlei Acker, PJB 22 (1926) 120–132; *Jeremias, J.,* Palästinakundliches zum Gleichnis vom Sämann, NTS 13 (1966/67) 48–53; *Gerhardsson, B.,* The Parable of the Sower and Its Interpretation, NTS 14 (1967/68) 165–193; *Moule, C. F. D.,* Mark 4,1–20 yet once more, in: Neotestamentica et Semitica (FS M. Black), Edinburgh 1969, 95–113; *Didier, M.,* La parabole du semeur, in: Au service de la Parabole de Dieu (FS A. Charue), Gembloux 1969, 21–41; *Dietzfelbinger, C.,* Das Gleichnis vom ausgestreuten Samen, in: Der Ruf Jesu und die Antwort der Gemeinde (FS J. Jeremias), Göttingen 1970, 80–93; *Frankemölle, H.,* Hat Jesus sich selbst verkündet? BiLe

[64] Ebd. 181.

13 (1972) 184–207; *Luck, U.*, Das Gleichnis vom Sämann und die Verkündigung Jesu, WuD 11 (1971) 73–92; *Wilder, A. N.*, The Parable of the Sower: Naïveté and Method in Interpretation, Semeia 2 (1974) 134–151; *Bowker, J. W.*, Mystery and Parable: Mark IV 1–20, JThS NS 24 (1974) 300–317; *Trocmé, E.*, Why Parables? A Study of Mark IV, BJRL 59 (1977) 458–471; *Klauck*, Allegorie 186–209.

1 **Und wieder begann er am Meer zu lehren. Und es versammelte sich bei ihm eine gewaltige Volksmenge, so daß er in ein Boot steigt, um sich auf das Meer**[1] **zu setzen. Und die ganze Volksmenge war auf dem Land gegen das Meer zu.** 2 **Und er lehrte sie vieles in Gleichnissen. Und er sprach zu ihnen in seiner Lehre:** 3 **Höret! Siehe, ein Sämann zog aus zu säen.** 4 **Und es geschah, daß beim Säen einiges auf den Weg fiel. Und die Vögel kamen und fraßen es.** 5 **Und anderes fiel auf Felsboden, wo es nicht viel Erdreich hatte. Und sogleich sproßte es auf, weil es nicht viel Erdreich hatte.** 6 **Und als die Sonne aufging, versengte es. Und weil es keine Wurzel hatte, verdorrte es.** 7 **Und anderes fiel in die Dornen. Und die Dornen gingen auf und erstickten es, und es brachte keine Frucht.** 8 **Und anderes fiel auf guten Boden und brachte Frucht, indem es aufging und wuchs, und trug dreißig- und sechzig- und hundertfach.** 9 **Und er sprach: Wer Ohren hat zu hören, höre!**

Analyse

Der Gleichnisrede geht eine breiter angelegte Szenenschilderung voraus. Sprache und Intentionen weisen darauf hin, daß diese vom Evangelisten gestaltet wurde. Die Anknüpfung mit »wieder« (πάλιν), die Versammlung der Volksmenge (συνάγω stets in Rahmenbemerkungen: 2,1; 5,21; 6,30; 7,1), der veranschaulichende Konsekutivsatz (vgl. 1,45; 2,2; 3,20), die Betonung der Lehre und daß es eine Lehre »in Gleichnissen« gewesen sei, die Anreihungsformel καὶ ἔλεγεν αὐτοῖς verraten die Hand des Markus. Besaß die vormarkinische Quelle eine Einleitung, so muß diese knapp gewesen und vom Evangelisten völlig überarbeitet worden sein[2]. Das jetzt als Seekanzel wichtig werdende Boot knüpft an 3,9 an. Die abschließende Weckformel in 4,9 wird zusammen mit der Aufforderung zu hören in 3 vorgegeben gewesen sein, wie die seltene Anreihungsformel καὶ ἔλεγεν andeutet. Beide dürften in Verbindung mit der Gleichnisdeutung, die – wie noch zu zeigen sein wird – sekundär hinzutrat, eingefügt worden sein, da es jetzt darauf ankommt, den besonderen Sinn des Gleichnisses zu erfassen. Die beiden Imperative in 3 »Höret! Sieh!« passen auch nicht gut zueinander. Der zweite bildet also den ursprünglichen Anfang der Gleichniserzählung. Nicht unbeabsichtigt verzichtet Markus auf die Erwähnung des Jesusnamens. Es kommt ihm auf die Verknüpfung mit dem Vorausgehenden an. Wenn nur hier von einem ὄχλος πλεῖστος im Evangelium die Rede ist, ist ein Höhepunkt des Volkszulaufs gekennzeichnet.

[1] W b e korrigieren »um sich zum Strande hin (παρὰ τὴν αἰγιαλόν) zu setzen«.

[2] Vielleicht lautete die Einleitung nur: »Und Jesus sprach«.

Die Formbestimmung der Gleichnisgeschichte bereitet Schwierigkeiten. Seit A. Jülicher sind wir zwischen Parabeln und Gleichnissen im engeren Sinn zu unterscheiden gewohnt[3]. Die Parabel berichtet von einem besonderen Fall, der sich einmal zugetragen haben soll, und ist nicht selten durch absonderliche Züge ausgezeichnet. Diese sollen die Aufmerksamkeit des Hörers fesseln und die angesprochene Sache bestimmen helfen. Das Gleichnis im engeren Sinn dagegen gibt eine allgemeine Erfahrung wieder, die jeder teilt und die ihm den Zugang zur Geschichte leicht eröffnet. In der Regel handeln diese Gleichnisgeschichten im Evangelium vom Reich Gottes. Sie werden gewöhnlich im Präsens erzählt. Da die vorliegende Geschichte im Aorist gehalten ist, legt sich die Vermutung nahe, es handelt sich um eine Parabel. Aber stellt sie wirklich einen besonderen Fall und nicht eine immer wieder gemachte Erfahrung dar? Als ungewöhnlich könnte der relativ große Verlust der Saat oder die erstaunlich gute Ernte trotz dieses Verlustes erscheinen. Jedoch läßt sich kaum vorstellen, daß die Geschichte, rekurrierte sie auf den besonderen Fall, für den Hörer eine starke Überzeugungskraft besaß. Da sie aus dem natürlichen Bereich von Aussaat und Ernte genommen ist, ist eher damit zu rechnen, daß sie vom Allgemeinen berichtet. Wir werden also lieber, ungeachtet des Aoristes, von einem Gleichnis im engeren Sinn sprechen[4].

Wenn für Markus und schon für seine Vorlage sich der Sinn des Gleichnisses in der beigegebenen sekundären Deutung erschließt, muß dennoch der Versuch unternommen werden, die Bedeutung des selbständigen Gleichnisses zu ermitteln. Das Gleichnis hat einmal für sich selbst existiert und muß in der ursprünglichen Erzählsituation verständlich gewesen sein. Neuere Versuche, Gleichnis und Deutung zusammenzunehmen, scheitern an der verschiedenen Sprachgestalt beider[5]. Während die Deutung auf das Vokabular der frühchristlichen Missionssprache zurückgreift (s. unten), ist das Gleichnis durch zahlreiche Semitismen ausgezeichnet und hat es daneben vermutlich noch Spuren seiner mündlichen Erzählform aufbewahrt. Zu letzterer ist die auffallend breite Schilderung des Samens, der auf Felsgrund fiel, zu rechnen. Als Semitismen sind καρπὸν οὐκ ἔδωκεν (von den Seitenreferenten nicht übernommen), ἓν τριάκοντα[6] usw., παρὰ τὴν ὁδόν[7], καὶ ἐγένετο ἐν τῷ σπείρειν zu werten. Markus hat das Gleichnis in seiner ältesten erreichbaren Gestalt überliefert[8]. Die Seitenreferenten haben es gekürzt, Lukas zusätzlich stärker überarbeitet.

[3] Jülicher, Gleichnisreden I,93–118.

[4] Mit Jeremias, Gleichnisse 149f; Kuhn, Sammlungen 123; Michaelis, Gleichnisse 22. Frankemölle* 191–196 dagegen spricht von einer Parabel.

[5] Gegen Moule*; Gerhardsson* 192f.

[6] Mit Bl-Debr § 248,3 ist diese Schreibung gegenüber ἐν vorzuziehen: dreißigfach usw. Die Präpositionen bei den Zahlenangaben sind textlich ziemlich durcheinandergeraten. Am besten liest man mit D Θ latt sah dreimal ἕν.

[7] Dies ist mit »auf den Weg« zu übersetzen, nicht mit »neben den Weg«.

[8] Gerhardsson* 181f bevorzugt die Mt-Überlieferung. Freilich ist zu berücksichtigen, daß für ihn Gleichnis und Deutung eine Einheit sind.

Zum Teil erhebliche Abweichungen besitzt die Überlieferung des ebenfalls gekürzten Gleichnisses im Thomasevangelium (Logion 9)[9].

Erklärung 1–2 Die Eingangsszene schafft den Rahmen für die Rede, die Jesus in Gleichnissen vor dem Volk hält. Es ist die einzige ausführliche Rede Jesu in der Öffentlichkeit bei Markus. Beschränkte er sich bislang darauf zu erwähnen, daß Jesus das Volk belehrte, so bietet er jetzt das große Beispiel dafür, wie Jesu Lehre beschaffen war. Das Meer – das von Galiläa versteht sich – bildet die großartige Kulisse dieser Predigt. Das in gewaltigen Scharen zusammengeströmte Volk veranlaßt Jesus, weil es ihn bedrängte (3,9) und er sich so besser Gehör verschaffen konnte, ein Boot zu besteigen, um von hier aus zu ihnen zu reden. Die Haltung des Lehrers, die die Bedeutsamkeit seines Wortes unterstreicht, ist das Sitzen. Markus gibt zu verstehen, daß er nur einen Ausschnitt aus Jesu Lehre bietet (2 und 33)[10]. Wichtig ist, daß das Volk durch Gleichnisse belehrt wird. Es ist die – wie im folgenden bedeutet werden wird – dem Volk angemessene Lehrweise.

3–9 Die *Bildhälfte* des Gleichnisses greift zurück auf die Erfahrungen des galiläischen Bauern. Ein Aspekt seiner Tätigkeit jedoch wird nur anvisiert, der des Säens. Darum wird einführend nicht von einem Bauern, sondern von einem Sämann gesprochen. Die Ernte erscheint am Ende nur vorbereitet, von ihr wird nicht mehr eigens erzählt. Das Bild von der Aussaat ist schon im Alten Testament vielfältig verwendet worden[11], doch nie in einem Sinn, der dem vorliegenden adäquat entsprechen würde. Wegen des Kontrastes stellt Ps 126,5 eine allerdings ziemlich entfernte Parallele dar: »Die mit Trauer säen, mit Jauchzen mögen sie ernten«, wegen eines Handelns Gottes Jes 28,24–26: »Pflügt, um zu säen, wohl alle Tage der Pflüger? . . . So unterwies sein Gott ihn im Rechten«. Dar dargebotene Bild ist insbesondere wegen des übergroß erscheinenden Verlustes des Saatgutes als irrealistisch oder ungewöhnlich beurteilt worden[12]. Sollte man daran zu denken haben, daß der Sämann bewußt auf unfruchtbaren Boden sät, um nur einiges zur Frucht kommen zu lassen, daß er ein Sämann mit zweierlei Samen ist? Die Schwierigkeiten werden etwas eingedämmt, wenn man sich vergegenwärtigt, daß die dreifache ausführliche Schilderung des Verlustes, die trotz einer dreifachen entsprechenden erfolgreichen Aussaat einen breiten Raum des Gleichnisses einnimmt, nicht bedeutet, daß Dreiviertel des Ackers unfruchtbar bleibt. Nur will ohne Zweifel das Augenmerk auf diesen Vorgang des Verderbens des Samens gelenkt sein. J. Jeremias hat, auf die Arbeiten G. Dalmans zurückgreifend, uns wieder mit den Vorgängen bei der

[9] Tho 9 kennt zusätzlich den Wurm als Ursache des Verderbens und spricht abschließend davon, daß das Land – nicht der Same – 60- und 120fach trug.

[10] Wellhausen.

[11] Hos 8,7; 10,12; Ijob 4,8; Spr 22,8; Sir 7,3; Jes 61,3. Vgl. Gal 6,7f; 1Kor 9,11; Lk 19,21.

[12] Damit ist nochmals die Frage berührt, ob die Geschichte ein Gleichnis im engeren Sinn oder eine Parabel ist (s. oben).

Aussaat im zeitgenössischen Israel vertraut gemacht[13]. Die entscheidende Erkenntnis ist, daß nicht vor, sondern nach der Aussaat gepflügt wurde[14]. So entspringt es nicht zwiespältiger Absicht, sondern selbstverständlicher Gewohnheit, daß etwas von dem ausgestreuten Samen auf den Weg fällt, den die Dorfbewohner nach der letzten Ernte über das Feld getreten haben, oder der die Grenze markiert[15]. So fällt anderes auf Felsgrund, der sich in Galiläa nicht selten unter einer dünnen Ackerschicht verbirgt. So fällt anderes unter die Dornen, die sich entweder versamt hatten und unsichtbar waren oder im Sommer stellenweise schon emporgeschossen waren[16]. Das Interesse des Erzählers haftet bei diesen drei Beispielen an dem gegenläufig einsetzenden Vorgang. Wenn er die Vögel auf dem Weg, die sengende Sonne[17], den Kampf der Distel mit dem Getreidekorn in die Erzählung einbringt, bietet er fesselnde Kleinmalerei. Der Vermerk, daß auch das dritte Saatkorn keine Frucht brachte, leitet über zum Positiven. Der Fruchtertrag, zu dem es auf dem guten Boden kommt, wird knapp, aber gestuft geschildert. Beachtet man, daß die Zahlenangaben auf das einzelne Korn und nicht den Gesamtertrag des besäten Ackers zu beziehen sind[18], bleiben sie im Bereich des Realistischen und Möglichen. Durchschnittlich trug eine Ähre 35fach, aber auch hundert Körner wurden in einer Ähre gezählt[19]. Der Ausblick ist zuversichtlich. Nicht das wogende Ährenfeld steht im Blick, auch nicht ein besonders fruchtbares Stück Land, sondern die Aussage, daß es trotz des schier zwangsläufigen mannigfaltigen Verlustes zu reichen Erträgen kommt.

Doch wie lautet die *Botschaft* des Gleichnisses? Mag seine Bildhälfte auch recht einprägsam sein, seine Interpretation ist höchst umstritten. Dies hängt einmal damit zusammen, daß sich die Unkenntnis der ursprünglichen Erzählsituation in diesem Fall besonders nachteilig auswirkt, zum anderen damit, daß man das Gleichnis entweder von seiner Deutung her verstand oder von dieser radikal abtrennte, so daß man nur unsichere Anhaltspunkte für die Interpretation zurückbehielt. Die Unsicherheit drückt sich schon in der Benennung des Gleichnisses aus. Je nachdem, ob man den Sämann, den Samen oder den Ackerboden in den Vordergrund rückt, nannte man es das Gleichnis vom unverzagten Sämann (Jeremias), vom ausgestreuten Samen (Dietzfelbinger) oder vom viererlei Acker (Dalman). Schon Bultmann fragt resigniert hinsichtlich der Gleichniserzählung: »Ist sie ein Trost für jeden Menschen, wenn nicht alle seine Arbeit Frucht trägt? ist sie in diesem Sinn gleichsam ein halb resignierter,

[13] Jeremias, Gleichnisse 7f.

[14] Ist diese Sitte auch Jes 28,24 vorausgesetzt?

[15] Billerbeck I,655 (zu Mt 13,4).

[16] Bauer Wb 58: ἡ ἄκανθα ist insbesondere die Heuhechel. Das Gleichnis denkt wegen des Aufwachsens der Dornen mehr an deren Versamung im Boden. Vgl. Linnemann, Gleichnisse 122. Dalman 125 sieht die »Dornen« als Sammelbegriff für allerlei stachlige Unkräuter, die »oft mächtige, bis zu zwei Meter hohe Gewächse mit schönen gelben, roten oder blauen Blüten« sind.

[17] Die sengende Sonne spielt auch Jak 1,11; 1Petr 1,24 eine Rolle.

[18] Gegen Jeremias, Gleichnisse 149f, mit Jülicher, Gleichnisreden II,536; Linnemann, Gleichnisse 123.

[19] Dalman* 128.

halb dankbarer Monolog Jesu? ist sie eine Mahnung an die Hörer des göttlichen Worts? der Predigt Jesu? der Verkündigung der Gemeinde? Oder ist in der ursprünglichen Parabel überhaupt nicht auf das Wort reflektiert . . .?«[20]. Kuhn und Linnemann[21] meinen, daß der ursprüngliche Sinn des Gleichnisses sich nicht mehr ermitteln läßt. Letztere rechnet damit, daß der sekundären Interpretation 4,14–20 ein neues Gesamtverständnis des Gleichnisses – gegenüber dessen originalem Sinn – vorausgegangen sein muß, verzichtet aber auf eine Rekonstruktion[22].

Eine Möglichkeit des Verständnisses ist das eschatologische. Dabei ordnet man die Geschichte in die Reich-Gottes-Gleichnisse ein und geht von der Kontraststruktur aus. Diese liegt in der Feststellung, daß »das Gleichnis am Anfang einen anderen Zeitpunkt beschreibt als am Schluß. Es wird uns nämlich zunächst breit die Aussaat geschildert, im Schlußvers ist jedoch bereits Erntezeit«[23]. Mit dieser wird der Einbruch der Königsherrschaft Gottes verglichen. Ihm stehen mannigfaltiger Mißerfolg und Widerstand in der Gegenwart gegenüber. So ruft die Botschaft des Gleichnisses in dieser Sicht zur Zuversicht auf: »Allem Mißerfolg und Widerstand zum Trotz läßt Gott aus den hoffnungslosen Anfängen das herrliche Ende, das er verheißen hat, hervorgehen«[24]. Als Gleichnis Jesu drückt es dann die Zuversicht Jesu aus. – Diese Deutung konnte stärker ins Christologische ausgebaut werden. Dabei rückt einmal der Sämann mehr in den Vordergrund und wird der unterschiedliche Erfolg der Aussaat als persönliches Schicksal dieses Sämanns verstanden. Dann spricht Jesus in der Geschichte sein Vertrauen auf die Wirkung seiner eschatologischen Predigt aus[25]. Oder man erblickt das andere Mal einen engeren Zusammenhang zwischen Jesu Sendung und seiner Reich-Gottes-Predigt und läßt das Gleichnis den Gedanken verdeutlichen, daß die Jesus in Frage stellenden Bedrohungen einen Teil seiner Sendung ausmachen[26]. – Gänzlich anders fällt eine Deutung aus, die man die heilsgeschichtliche nennen könnte. Hatte schon Klostermann die Pointe der Geschichte darin gesehen, die Notwendigkeit der Empfänglichkeit auf seiten der Hörer zu betonen, und nur die Frage offen gelassen, ob sie Mahnung an die Zuhörerschaft, das Gehörte in sich Frucht bringen zu lassen, sein will oder Trost für den Prediger, so entfaltet Gerhardsson den Gedanken des Hörens am Schicksal Israels, das hier angesprochen sei. Dabei nimmt er allerdings 4,14–20 voll in die Deutung mit auf und sieht beides am »Höre, Israel!« (Dtn

[20] Geschichte 216.

[21] Kuhn, Sammlungen 114 und Anm. 77, scheint sich Linnemann, Gleichnisse 123, anzuschließen.

[22] Linnemann, Gleichnisse 183, Anm. 16.

[23] Jeremias, Gleichnisse 149. Vgl. Schweizer 45.

[24] Jeremias, Gleichnisse 150. – C. H. Dodd, The Parables of the Kingdom, London 1935, 182f, vermutet als hindernden Einwand gegen Jesus, zu dessen Zeit sich die Basileia bereits realisiert habe, daß die Wirksamkeit Johannes des Täufers nicht zur Wiederherstellung aller Dinge geführt habe.

[25] Frankemölle* 195. Vgl. Grundmann. Luck* sieht im Gleichnis den Gedanken gefaßt, daß Jesus im Gegensatz zur Apokalyptik (4Esr) ausgerufen hat, daß Gutestun nicht erst im kommenden Äon, sondern schon jetzt möglich und geboten ist (89).

[26] Dietzfelbinger* 91–93.

6,4) ausgerichtet. Die Unempfänglichkeit des Bodens, die den primären Faktor für die Erfolglosigkeit ausmacht, versinnbildlicht Israels Verstocktheit gegenüber dem Wort Jesu[27]. Die wirklich Hörenden bringen Frucht.

Im Anschluß an diese Übersicht ist auf folgende, vom Text gebotenen Interpretationshilfen zurückzukommen: 1. Die Gleichnisdeutung ist von der sekundären Interpretation 4,14–20 zu trennen. Auffallend ist aber deren Verzahnung mit dem Gleichnistext, die eine ganz andere und weniger gekünstelte ist als in Mt 13,37–43.24–30[28]. Das legt die Vermutung nahe, daß schon das Gleichnis eine Aussage über das Wort Jesu machen wollte. 2. Das Gleichnis ist vom Kontrast Verlust – Erfolg bestimmt. 3. Die Frucht am Ende des Gleichnisses steht in keinem Zusammenhang zur Erfolglosigkeit des Anfangs, wie das etwa beim unscheinbaren Senfkorn und der daraus hervorgehenden hohen Senfstaude in 4,30–32 der Fall ist. Dies muß mit spürbarer Erfolglosigkeit zu tun haben. Von hier aus ergibt sich die Vermutung, daß das Gleichnis nicht direkt auf das Reich-Gottes zu beziehen ist. Weil keine Veranlassung besteht, es Jesus abzusprechen, wird es seine Zuversicht in seiner eschatologischen Reich-Gottes-Verkündigung angesichts offenkundiger Fehlschläge und Ablehnung aussprechen wollen. Die Pointe lautet dann nicht: Trotz aller Mißerfolge kommt das Reich Gottes doch, sondern: Trotz zahlreicher Ablehnung hat meine Verkündigung Erfolg, wie sich beim Offenbarwerden der Königsherrschaft Gottes herausstellen wird. Stimmt dies, so gehört das Gleichnis eher an das Ende von Jesu Wirksamkeit.

Markus hat sich um diesen vorausliegenden Sinn des Gleichnisses, wie auch schon seine Quelle, nicht mehr gekümmert. Für ihn ist der Sinn des Gleichnisses in der sekundären Interpretation erschlossen, auf den es zu achten gilt. Darum sind Imperative des Hörens dem Gleichnis vor- und nachgestellt. Die sekundäre Gleichnisdeutung verschiebt den Akzent sowohl von der Eschatologie auf die Paränese als auch vom Subjekt des Predigers auf das Objekt des Hörenden.

4. *Über das Geheimnis des Reiches Gottes und die Gleichnisbelehrung (4,10–12)*

Literatur: Wrede, W., Das Messiasgeheimnis in den Evangelien, 1901 Nachdruck Göttingen 1963; *Soiron, T.*, Der Zweck der Parabellehre Jesu im Lichte der synoptischen Überlieferung, ThGl 9 (1917) 385–394; *Ebeling*, Messiasgeheimnis; *Baird, J. A.*, A Pragmatic Approach to Parable Exegesis: Some New Evidence on Mark 4,11.33–34, JBL 76 (1957) 201–207; *Manson, W.*, The Purpose of the Parables, ET 68 (1957) 132–135; *Boobyer, G. H.*, The Secrecy Motif in St. Mark's Gospel, NTS 6 (1959/60) 225–235; *Gnilka*, Verstockung, 13–86; *Siegmann, E. F.*, Teaching in Parables (Mk 4,10–12; Lk 8,9–10; Mt 13,10–15), CBQ 23 (1961) 161–181; *Luz, U.*, Das Geheimnismotiv und die

[27] Gerhardsson* 186–191. G. sieht allerdings bei Mt die Absicht des Gleichnisses reiner gewahrt.

[28] Vgl. Jülicher, Gleichnisreden II,534.

markinische Christologie, ZNW 56 (1965) 9–30; *Schweizer, E.*, Zur Frage des Messiasgeheimnisses bei Markus, ZNW 56 (1965) 1–8; *Suhl*, Funktion, 145–152; *Ambrozic, A. M.*, Mark's Concept of the Parable, CBQ 29 (1967) 220–227; *Brown, P. S.*, »The Secret of the Kingdom of God« (Mark 4,11), JBL 92 (1973) 60–74; *Räisänen, H.*, Die Parabeltheorie im Markusevangelium, Helsinki 1973; *Lampe, P.*, Die markinische Deutung des Gleichnisses vom Sämann, Mk 4,10–12, ZNW 65 (1974) 140–150; *Hubaut, M.*, Le »mystère« révéle dans les paraboles (Mc 4,11–12), RTL 5 (1974) 454–461; *Kirkland, J. R.*, The Earliest Understanding of Jesus' Use of Parables: Mark IV 10–12 in Context, NT 19 (1977) 1–21; *Moore, C. A.*, Mk 4,12: More Like the Irony of Micaiah than Isaiah, in: A Light unto my Paths (FS J. M. Myers), GTS 4 (1974) 335–344.

10 **Und als er allein war, fragten ihn die, die um ihn waren, mit den Zwölfen nach den Gleichnissen.** 11 **Und er sagte ihnen: Euch ist das Geheimnis der Gottesherrschaft gegeben. Jenen aber, die draußen sind, geschieht alles in Rätseln,** 12 **damit sie zwar sehend sehen und doch nicht sehen und hörend hören und doch nicht verstehen, damit sie nicht umkehren und ihnen vergeben werde.**

Analyse Die Rede an das Volk wird an dieser Stelle unterbrochen. Jesus befindet sich allein (κατὰ μόνας). Die um ihn Befindlichen richten an ihn eine Frage, die die Gleichnisse insgesamt betrifft. Die indirekt und äußerst knapp formulierte Frage kann sich nur auf den Zweck der Gleichnisreden beziehen. Sie wird von Mt 13,10 treffend wiedergegeben mit: »Weshalb redest du zu ihnen in Gleichnissen?« und setzt voraus, daß die Gleichnisse als unvollkommene Belehrung aufgefaßt werden. Das ist die Sicht des Evangelisten. Wir können damit rechnen, daß in der vormarkinischen Gleichnisquelle die Frage sich auf den Sinn des Sämannsgleichnisses richtete und gleichfalls eine indirekte war. Vers 13 mit seinen kritischen Vorwürfen verlangt diese Frage, die somit verlorengegangen ist. Die Umgestaltung der Frage ist dem Evangelisten zuzuschreiben, der die Verse 11f in seine Quelle einfügte[1]. Dabei hat er nach nahezu einhelliger Auffassung auch die Zwölf in den Kontext eingebracht. Auch die Anreihungsformel καὶ ἔλεγεν αὐτοῖς stammt von ihm. Der von Markus vorgefundene Text lautete demnach: »Und als er allein war, fragten ihn die, die um ihn waren, nach dem Gleichnis. Und er sagt ihnen: Versteht ihr dieses Gleichnis nicht?«[2]

[1] Bestritten von Schweizer, Frage 5–7, der die VV 11f der Gleichnisquelle zuweist. Die Verse paßten nicht zur Theologie des Mk. Dies wird zu prüfen sein. Räisänen* 114–127 zählt 11f ebenfalls zur vormarkinischen Quelle, rechnet aber mit ihrer zweifachen Redaktion.

[2] Lampe* 147 meint, daß V 11 überliefert war mit der Einleitungsformel: »Und als er allein war, sagte er«. Dies ist abzulehnen, da ein solches Logion kaum mit einer Einleitung verknüpft war. Lampe möchte ferner den Unterschied zwischen Singular und Plural παραβολή/παραβολαί aufheben und die Frage in V 10 als Frage nach dem Sinn des Sämannsgleichnisses – dann dessen einzelnen Bildelementen – verstehen, als von Mk eingebracht. Auch das überzeugt nicht. V 13 zeigt, daß Mk zwischen Singular und Plural zu unterscheiden versteht. Die Frage in 10 bereitet V 11 vor, dem grundsätzliche Bedeutung zukommt. – Die Einleitung enthält für Mk singuläre (κατὰ μόνας, οἱ περὶ αὐτόν) bzw. seltene (ἐρωτάω, Mk bevorzugt ἐπερωτάω) Begriffe.

Es folgte die Deutung des Gleichnisses[3]. Während im jetzigen Text bei den um Jesus Befindlichen an die Jünger zu denken ist (vgl. V 34), ist das für die Quelle nicht sicher, aber doch das Wahrscheinlichere[4].
Das Logion in Vers 11 ist alt und palästinischen Ursprungs, wie dessen semitische Struktur ausweist (antithetischer Parallelismus, Passivum divinum, überflüssiges ἐκείνοις)[5].
Der antithetische Parallelismus, in dem sich μυστήριον und ἐν παραβολαῖς gegenüberstehen, erfordert für letzteres ein Verständnis im Sinn von Rätselrede. Zugrunde liegt hebräisches *maschal* bzw. aramäisches *mathla*, das die Bildrede, das Rätselwort meint. Die Formulierung mit γίνεσθαι ἐν bezeichnet das Eintreten eines Zustandes[6]. Während den einen das Geheimnis übertragen wird, geschieht den anderen alles in Rätseln, wird ihnen alles zu Rätseln. Der Evangelist hat das Logion, indem er es ins Gleichniskapitel einbringt, zu den Gleichnissen in Beziehung gesetzt und damit zu jener Belehrung, die Jesus für das Volk gewählt hat. Unterschiedlich wird die Frage beantwortet, ob das Zitat von Jes 6,9f als traditionell oder markinische Redaktion anzusprechen ist. Das Zitat weicht vom masoretischen und Septuagintatext ab und lehnt sich an das Targum an[7]. Mit diesem liest es in Vers 9 statt der 2. die 3. Person und in Vers 10 »vergeben« statt »heilen«. Es ist sehr verkürzt und enthält nur den zweiten Teil von Vers 9 und fünf Wörter von Vers 10. Nicht unbeachtet bleiben darf, daß gegenüber allen Vorlagen Sehen und Hören vertauscht sind. In allen Vorlagen steht das Hören an erster Stelle. Ein besonderes Problem besteht darin, ob der Text mit der Anlehnung an das Targum auch dessen abmildernde Interpretation des Verstockungsgerichts übernimmt. Suhl[8] schreibt die Schriftreflexion dem Evangelisten zu, dessen Art es sei, alttestamentliche Worte zu benutzen, um seine eigene Meinung auszudrücken. Markus erweise sich als Jude, der mit dem Synagogengottesdienst vertraut ist. Es muß aber gefragt werden, ob das Logion in 11 ohne das Zitat nicht Wesentliches von seinem Sinn einbüßt. Weil dies der Fall sein dürfte, wird man eher geneigt sein, 11f als Einheit anzusehen. Nicht bloß eine Erwählungsaussage ist für die Tradition wichtig, sondern auch die Verstockungsaussage, die das Volk Israel betrifft.
Belehrungen der Jüngerschaft, die sich an eine Stellungnahme oder eine Begebenheit in der Öffentlichkeit anschließen, sind im Markusevangelium noch an anderen Stellen anzutreffen. Die Abfolge der Ereignisse ist dabei in eine gewisse Übereinstimmung gebracht. Nach der Szene in der Öffentlichkeit begibt sich Jesus in ein Haus, die Jünger bitten ihn um eine weiterführende Unterrich-

[3] Zum Problem, ob die zweite Frage in V 13 Mk-R ist, s. unten.
[4] In der Apokalyptik ist die Deutung von Rätselreden zu Haus. Sie erfolgt im Kreis der Erwählten.
[5] Jeremias, Gleichnisse 11–13. – Gegenüber Mt 13,11 par ist Mk 4,11 ursprünglicher. Der Plural τὰ μυστήρια ist sekundär, Mt hat darüber hinaus den Parallelismus vereinfacht.
[6] Also nicht das Sich-befinden in einem Zustand. Vgl. den ausführlichen Nachweis bei Gnilka, Verstockung 26f und Anm. 23.
[7] Vgl. die Übersicht bei Gnilka, Verstockung 13–17.
[8] Funktion 150f, ebenfalls Lampe 147*.

tung und erhalten die gewünschte Aufklärung (7,14–23; 9,28f; 10,1–12). Besonders nahe an 4,1–20 kommt 7,14–23 heran wegen 17b: »Seine Jünger fragten ihn nach dem Gleichnis«. Der besondere Unterschied von 4,10ff zu den Parallelen besteht darin, daß das Haus nicht erwähnt wird. D. Daube[9] vertritt die Auffassung, daß das Schema aus dem rabbinischen Lehrbetrieb übernommen sei. Dieser kennt ein ähnliches Verfahren. Zwischen rabbinischem und markinischem Schema bestehen jedoch Unterschiede: Jesus redet von sich aus in der Öffentlichkeit, nicht weil er gefragt wird (Ausnahme 10,1). Die Rabbinen verteidigen ihre Lehre, die Jüngerbelehrung dient der Katechese[10]. Man wird keine Abhängigkeit des Markus von diesem Vorbild annehmen können. Dennoch verlangt die Häufigkeit des Auftretens dieses Schemas eine Erklärung. Marxsen[11] hat von einer »Jüngerschicht« gesprochen, die er der Gleichnisquelle vorordnen wollte. Kuhn[12] möchte die Übereinstimmungen mehr dem Markus-Redaktor zuschreiben. Das Schema ist sicher schon vormarkinisch ausgeprägt worden. Die Annahme einer umfangreichen Quelle ist nicht notwendig. Das Schema gehört zu jenem Überlieferungsprozeß, der Jesustraditionen auf eine neue Situation hin aussagte und anwendete. Dieser Prozeß vollzog sich in einer Art christlichem Schulbetrieb, in der Gemeindekatechese. Darauf weist das Haus als Ort der Jüngerunterweisung hin.

Erklärung

In der Einsamkeit bitten die Jünger – nur sie können für Markus die »um ihn Befindlichen« sein[13] – um eine zusätzliche Auskunft. Wegen des Gewichtes der Antwort, die Jesus erteilt, ist es wichtig, daß auch die Anwesenheit der Zwölf konstatiert wird. Wie Markus sich den Situationswechsel dachte, ist nicht näher ausgeführt. Vielleicht stellte er sich die Zwölf und die Jüngerschaft in Booten befindlich um Jesus vor (vgl. V 36). Eine Frage nach dem Zweck der Gleichnisbelehrung erscheint uns eigenartig, haben wir doch die Meinung, daß Gleichnisse klare Aussagen machen, die den Hörern das Verstehen erleichtern. Die Gleichnisse der synoptischen Überlieferung waren im Zug ihrer Tradierung jedoch manchen sie verändernden Einflüssen ausgeliefert[14]. Es konnte geschehen, daß ihre ursprüngliche erzählerische Absicht sich nicht mehr übernehmen ließ, weil die Situation sich verändert hatte, oder daß ihre originäre Bedeutung sich nicht mehr ermitteln ließ, weil man den historischen Kontext ihrer ersten Verwendung nicht mehr kannte. Um die Gleichnisse neu anwendbar zu machen, wurden sie neuen Zielen angepaßt. Allegorien dringen in stärkerem Maß in manche Gleichnisse ein, andere werden der Gemeindeparänese dienstbar gemacht. Hinzu kommt, daß in der jüdischen Apokalyptik der rätselvolle Maschal, der einer Deutung bedurfte, bekannt war. Wir werden die ver-

[9] Rabbinic Judaism 141–150.

[10] Näheres bei Gnilka, Verstockung 43, Anm. 76.

[11] Redaktionsgeschichtliche Erklärung der sogenannten Parabeltheorie: Der Exeget als Theologe, Gütersloh 1968, 13–28.

[12] Sammlungen 113.

[13] Verschiedene. Handschriften (D Θ φ it) korrigieren unter dem Einfluß der Seitenreferenten die umständliche Bezeichnung der Fragenden um in »seine Jünger«.

[14] Vgl. Marxsen (Anm. 11) 21–23.

änderte Beurteilung der Gleichnisüberlieferung im Zusammenhang mit dem Eindringen apokalyptischen Gedankengutes in die synoptische Tradition zu sehen haben.

Der Jüngerkreis ist betont Empfänger des Geheimnisses der Gottesherrschaft, wie vorangestelltes »euch« andeutet. Nur hier wird diese mit einem Geheimnis in Verbindung gebracht. Dabei bleibt das markinische Logion auf ein bestimmtes Geheimnis ausgerichtet, während Mt 13,11 par von Geheimnissen reden. Die Sprache ist apokalyptisch und prädestinatianisch. Im apokalyptischen und qumranischen Schrifttum wird häufig von Geheimnissen gesprochen[15]. Diese betreffen vorwiegend die Endzeit oder die von Gott für die Endzeit bereiteten Dinge, die jetzt noch bei ihm verborgen sind, aber auch die Schöpfung. Die Gottesherrschaft ist der Endzeit vorbehalten. Am Ende wird sie in voller Herrlichkeit offenbar werden. Als Geheimnis oder verhüllt kann sie nur in der Jetztzeit präsent sein. Darum muß mit dem μυστήριον τής βασιλείας ihre noch nicht offenbare Präsenz gemeint sein, die mit Jesu Wirken gegeben ist. Ist diese Deutung bereits für das vormarkinische Wort anzunehmen, so artikuliert sich die christologische Implikation der Gottesherrschaft bei Markus dadurch, daß Jesus der Messias und Gottessohn ist. Es ist darum zutreffend, vom Messias- oder Gottessohngeheimnis zu sprechen[16]. Diese Einsicht wird den Jüngern als Geschenk Gottes zuteil. Das bedeutet nicht, daß sie sich dieser Einsicht nicht widersetzen und ihr Unglaube nicht überwunden werden müßte. Im Gegenteil, ihr Starrsinn und ihre Schwerfälligkeit, die Markus herausstellt, geben zu verstehen, daß das göttliche Geheimnis die menschliche Fassungskraft übersteigt.

Den Jüngern stehen »jene draußen« gegenüber. Die räumliche Trennung erweitert sich zur geistigen. Schon im Judentum bezeichnet der Ausdruck die nicht zur Gemeinde Gehörigen[17], so verwendet ihn auch Paulus (1Kor 5,12; 1Thess 4,12; Kol 4,5). Markus hat nicht die Ungläubigen seiner Zeit im Blick[18], sondern jene, die zur Zeit Jesu die Annahme der Botschaft verweigerten, die Juden. Diese Ausrichtung gebietet das folgende Jesajawort, wie auch die Tatsache, daß sich der Evangelist in anderen Zusammenhängen am Problem Israel interessiert zeigt (7,1–23; 12,1–12). Darum kann man ihm nicht den Vorwurf sektiererischen Denkens machen. Das Messiasgeheimnis[19] besteht nur bis zum Kreuz. In den Gleichnissen wird es nicht enthüllt. Wenn Markus das Logion 11b auf die Gleichnisse bezieht, hat er dieses nicht mißverstanden[20], sondern auf seine Weise gedeutet. Wie aber stehen Gleichnisse und Messiasgeheimnis zueinander? Bornkamm[21] deutet die richtige Richtung an: »Dies Geheimnis

[15] Vgl. G. Bornkamm, ThWNT IV,820–823; Gnilka, Verstockung 155–185.

[16] Zu den verschiedenen Auffassungen vgl. den folgenden Exkurs 8.

[17] Billerbeck II,7.

[18] So interpretieren die Vertreter einer konsequent redaktionsgeschichtlichen Interpretation: Marxsen (Anm. 11) 23–25; Suhl, Funktion 149. Damit dürfte die Intention des Evangelisten unterschätzt sein.

[19] Vgl. Exkurs 7.

[20] Das ist die Meinung von Jeremias, Gleichnisse 14.

[21] ThWNT IV,825.

wird in der Tat durch die Gleichnisse verhüllt, und zwar gerade nicht wegen ihrer Dunkelheit und Kompliziertheit, sondern . . . gerade wegen ihrer Einfachheit. Denn, ein Sämann geht aus zu säen – weiter nichts; und das bedeutet die neue Welt Gottes«[22]. Ohne Wissen um Jesu Messianität bleiben die Gleichnisse in ihrem Sinn unerschlossen, denn in seinem Wirken kommt die Gottesherrschaft an (vgl. 1,15). Die christologische Zuspitzung der markinischen Gleichnisauffassung liegt auf dem Übergang von Jesu Basileiapredigt zur Christusverkündigung der Gemeinde. Ein einfaches Beispiel mag den Sachverhalt verdeutlichen: König David versteht Natans Gleichnis von dem Armen und dem Reichen solange nicht, bis er erkennt, daß er im Mittelpunkt der Geschichte steht (2Sam 12,1–13). Der Sinn der Gleichnisse enthüllt sich erst dem, der einsieht, daß sie mit dem Messias Jesus zu tun haben. Diese Einsicht muß Gott geben. Weil ohne sie alles (τὰ πάντα) rätselvoll wird, werden die Gleichnisse zum Musterfall dafür, daß Jesu Wirken nicht verstanden wurde.
Indem sich Gott ihnen entzieht, kommt an »jenen draußen« Jes 6,9f zur Geltung. Es ist viel über die Bedeutung der verbindenden Partikel (ἵνα) gestritten worden[23]. Da in 11 ein sich schenkendes und sich versagendes Handeln Gottes beschrieben wurde, ist der Streit letztlich wenig ergiebig. Die Weichen sind gestellt. Die bedrohlichen Worte des Profeten über Israels Verstockung treten ein. Die Aussage nähert sich dem Verheißung-Erfüllung-Schema. Weil das Problem Israel und die Erfolglosigkeit des Wirkens Jesu in Israel angesprochen ist, wird die Frage wichtig, ob sich der Ausblick auf die Bekehrung des Volkes auftut. Dies könnte dann der Fall sein, wenn der letzte Satz (μήποτε) dies einräumt. Das Targum, an dessen Text das Zitat sich anlehnt, schwächt ab: »Vielleicht kehrt es um, so wird ihm Heilung«[24]. Die Verstockungsaussage bereitete theologische Schwierigkeiten[25]. Im Markus-Kontext jedoch wird unter Israels Geschichte ein Schlußstrich gezogen. Die Vergebung ist verwirkt. An Israels Stelle ist die Gemeinde Jesu getreten, deren Kern die Zwölf sind. Sie steht allen

[22] Zitat aus Schniewind.

[23] Dem ἵνα wurde kausaler (Lohmeyer; Klostermann), konsekutiver (A. Charue, L'incrédulité des Juifs, Gembloux 1929, 139f), finaler (Schmid, Cranfield; M. Hermaniuk, La parabole évangélique, Brügge 1947, 310), explikativer (Lampe* 142) und der Sinn von »damit erfüllt werde« (Jeremias, Gleichnisse 13; Marxen (Anm. 11) 25 zugesprochen.

[24] Mit Blick auf das Targum deuten abschwächend Jeremias, Gleichnisse 13; Marxsen (Anm. 10) 25; Suhl, Funktion 150. Das Targum liest an der Stelle dil^{e}ma, ein mehrdeutiges Wort, das vom Targum aber im Sinn von »vielleicht, es sei denn, daß« verstanden wurde. Marxsen und Suhl sehen die Gegenwart des Evangelisten, nicht die Problematik Israels, angesprochen. Black, An Aramaic Approach, 215f, vertritt die Auffassung, daß Mk von einer aramäischen Quelle abhängig sei, aber mit seinem Text eine eigene verschärfende Interpretation biete. Lampe* 143–146 versteht μήποτε als dubitatives μή, das eine indirekte Frage einleite. Doch schon Jülicher, Gleichnisreden I,131, bemerkte, wollte man μήποτε abschwächen, würde das Jesajawort zu einem merkwürdigen Ja und Nein. Lampe baut seine Interpretation auch auf seinem Verständnis des ἵνα auf. Dies deutete er explikativ. R. Schnakkenburg, Gottes Herrschaft und Reich, Freiburg ^{3}1963, 129, tritt für die wohl zutreffende Auffassung ein, daß der μήποτε-Satz dem ἵνα-Satz beigeordnet – nicht nachgeordnet – sei und diesem somit mit neuen Worten wiederhole.

[25] Vgl. die rabbinischen Interpretationen bei Billerbeck I,662f. Sie reichen bis zur Meinung des Seder Elij R 16 (82), wonach der Profet die göttliche Antwort mißverständlich in ihr Gegenteil verkehrt habe.

offen. Damit ist das Logion 11f mehr als eine markinische Interpretation des Gleichnisses vom Sämann[26]. Dessen Nähe aber ruft in Erinnerung, daß Gottes Ratschlüsse nicht willkürlich getroffen sind.

Historische Beurteilung

Das Logion 11f verdankt sich einer Gemeindesituation, die apokalyptischen Gedanken gegenüber aufgeschlossen und von elitärem Bewußtsein getragen ist. Als Jesuswort ist es wegen seines Geheimnischarakters und seiner fortgeschrittenen Schriftreflexion nicht mehr erklärbar[27]. Bei Markus muß es in Verbindung mit jenen Stellen gesehen werden, die gleichfalls auf Israels Unglauben eingehen, aber auch mit dem Messiasbekenntnis des Petrus und dem Bekenntnis des Kenturio unter dem Kreuz. Denn für unseren Evangelisten schließt das Bekennen mehr ein als das Formulieren einer Einsicht.

7. Exkurs: Das Messiasgeheimnis

Das *Messiasgeheimnis* im Markusevangelium (im Anschluß an 4,11) entdeckt zu haben, ist das Verdienst der bahnbrechenden Arbeit W. Wredes[28]. Dieses Geheimnis ist für Wrede nicht im Leben des historischen Jesus verankert, sondern ein dogmatisches Konstrukt. Es setzt sich aus drei Elementen zusammen: den Schweigegeboten an Geheilte, Dämonen und Jünger, deren Einhaltung oft gar nicht möglich ist, den wiederholten Bemerkungen über das Unverständnis und den Unglauben der Jünger sowie der Parabelbelehrung als einer dem Volk zugedachten Belehrung. Die drei Elemente ergeben ein geschlossenes und einheitliches Konzept. Dennoch rechnet Wrede damit, daß die Geheimnistheorie wegen der verschiedenen Momente, in denen sie bei Markus vorliegt, nicht das Werk des Evangelisten, sondern diesem bereits vorgegeben gewesen sei. Markus komme nur ein wichtiger Anteil an ihrer Darstellung zu[29]. Die Theorie verfolge den Zweck, das Wirken und Leben Jesu, die unmessianisch gewesen seien, mit dem nachösterlichen Glauben der Gemeinde an den Messias Jesus auszugleichen. Das bis zur Auferstehung Jesu befristete Schweigegebot in 9,9 wird zum Schlüssel des Verständnisses. Wredes Interpretation ist vielfach modifiziert, teilweise auch abgelehnt worden, hat aber bis heute die Markus-Exegese bestimmend beeinflußt. Ablehnend sind jene Forscher, die das Messiasgeheimnis ausschließlich im Leben des historischen Jesus unterbringen wollen. So habe Jesus nach O. Cullmann[30], der nur auf 8,30 Bezug nimmt, gegenüber dem Messiastitel Zurückhaltung geübt, nach V. Taylor[31] wollte Jesus vor seinem Leiden nicht von seiner messianischen Würde sprechen. Und J. Schmid faßt zusammen: »Jesus konnte deshalb überhaupt nicht mit der Botschaft vor die Juden hintreten, daß er der Messias sei, ohne ein radikales Mißverständnis seiner Sendung und Person zu veranlassen und die Gefahr einer politischen Bewegung und das Eingreifen der Römer herbeizuführen«[32]. Für E. Sjöberg[33] wurzelt das Messiasgeheimnis in der apokalyptischen Idee vom verborgenen Menschensohn. Es mußte sich dann ausbilden, wenn

[26] So Marxsen (Anm. 11) 24; Lampe* 149.

[27] Anders Kirkland* 20f. Moore* hält V 12 für ein ironisch gemeintes und von den Hörern mißverstandenes Jesuswort.

[28] Das Messiasgeheimnis in den Evangelien, ²1913, Nachdruck Göttingen 1965.

[29] 145.

[30] Petrus, Zürich ²1960, 199f.

[31] 122–124.

[32] 157.

[33] Der verborgene Menschensohn in den Evangelien, Lund 1955.

nach der jüdischen Messias-Menschensohn-Erwartung der Menschensohn schon vor der Endzeit auf der Erde zu wirken begann. Ähnlich urteil E. Lohmeyer[34], der hinzufügt, daß die endgültige Enthüllung des Geheimnisses des Menschensohnes erst mit dessen Parusie erfolgen werde. Für R. Bultmann[35] resultiert das Messiasgeheimnis aus der Absicht, das hellenistische Kerygma von dem auf die Erde herabgestiegenen Gottessohn mit der erzählenden Jesus-Überlieferung zu vereinigen. Die Geheimnistheorie sei darum mehr als ein bloß literarisches Phänomen. Ihre Grundvoraussetzung sei, daß in allen Worten, die man von Jesus berichtet, derjenige redet, der in der Gemeinde gegenwärtig ist und den diese in Glaube und Kult als ihren Messias und Herrn anerkennt. Ein apologetisches Anliegen entdecken M. Dibelius[36] und T. A. Burkill[37] im markinischen Verfahren, das sie literarisch betrachten. Es wolle den Unglauben des Volkes Israel erklären. Israel konnte Jesus nicht erkennen, weil seine messianische Würde ein göttliches Geheimnis war, so im Plan Gottes vorausverfügt. Die Problematik berühre sich mit Röm 9–11. Als ein ganz auf den Leser des Evangeliums gerichtetes Stilmittel versucht H. J. Ebeling[38] das Messiasgeheimnis zu begreifen. Es diene letztlich der Offenbarung der Herrlichkeit Jesu und wolle dem Leser zu verstehen geben, wie groß die christliche Offenbarung ist, die diesem zuteil wird. E. Haenchen[39] deutet die Verhüllungstendenz auf ganz eigene Weise. Markus habe an die Stelle der zu seiner Zeit bereits kraftlos gewordenen Ostererscheinungsgeschichten die als Epifaniegeschichten konzipierten Wundererzählungen gestellt und damit den Osterglauben in die Zeit des irdischen Jesus vorverlegt. Das habe aber seine Verhüllung notwendig gemacht. G. Strecker[40] stellt das Messiasgeheimnis in einen heilsgeschichtlichen Rahmen. Es bedeute einmal, daß die Geschichte des irdischen Jesus nicht in sich ruhe, sondern auf seine Inthronisation zum Kyrios ausgerichtet ist. Zum anderen verdeutliche es, daß die Verkündigung der Kirche die Verkündigung Jesu fortsetzt, die zu seiner Zeit nur als eine verborgene möglich war. Für E. Schweizer[41] versteht sich die Verhüllungsabsicht vom Kreuz her. Das Kreuz stehe im Mittelpunkt der markinischen Christologie. Zur Kreuzestheologie gehöre ebenfalls der Gedanke, daß der Weg Jesu der Weg seines Nachfolgers ist. Das Geheimnis verdeutliche, daß Gottes Offenbarung in Jesus nicht anders als auf dem Weg der Nachfolge und damit erst nach der Passion des Menschensohnes verstanden werden kann. Gingen die bisher genannten Autoren noch weithin von der Einheitlichkeit eines markinischen Konzeptes aus, so berücksichtigt U. Luz[42] stärker das traditionskritische Element. Er unterscheidet herkommensmäßig zwischen Wundergeheimnis und Messiasgeheimnis. Der Evangelist habe mit beiden eine spannungsreiche Einheit geschaffen und die in den Wundergeschichten wurzelnde Vorstellung von Jesus als einem ϑεῖος ἀνήϱ vom Kreuz her zu bewältigen versucht. S. Brown[43] hingegen möchte zwischen zwei im Markusevangelium nebeneinander liegenden Mysterien differenzieren. Das eine nennt er im Anschluß an 4,11 das Geheimnis vom Königreich Gottes, das auf die vielfältigen bei Markus vorhandenen Sonderbelehrungen bezogen wird. Das zweite ist das eigentliche Messiasgeheimnis, das direkt auf die Person Jesu zu beziehen sei und sich

[34] Galiläa 87.
[35] Geschichte 371–373.
[36] Formgeschichte 225f. Dibelius prägte das berühmt gewordene Wort von Mk als einem »Buch der geheimen Epiphanien« (232).
[37] Revelation 69.
[38] Messiasgeheimnis passim.
[39] Weg 91 Anm. 3.
[40] Das Messiasgeheimnis im Markusevangelium, in: Studia Evangelica III, Teil 2, 1964 (TU 88) 87–104, hier 103f.
[41] ZNW 56 (1965) 1–8, hier 7f.
[42] ZNW 56 (1965) 9–30.
[43] »The Secret of the Kingdom of God« (Mark 4,11), JBL 92 (1973) 60–74. Brown's Position schließt sich Pesch I 240 an.

in den an die Dämonen und die Jünger gerichteten Schweigegeboten artikuliert. Für H. Räisänen[44] stellt sich das, was man das markinische Messiasgeheimnis nennt, so widerspruchsvoll dar, daß er die Rede über es nur sehr bedingt zulassen und auf die den Dämonen befohlenen Schweigegebote und 8,30 beschränken möchte. So gelangt er zu einer grundsätzlichen Kritik an der Redaktionsgeschichte und rät zur Rückkehr zur Formgeschichte[45].

Die Vielfalt der Vorschläge deutet an, daß sich das Messiasgeheimnis weder auf einen Nenner bringen läßt noch daß es glatt aufgeht. In den Details ist Markus mannigfach von seinen Traditionen abhängig: Er findet das abseits vollzogene Wunder (vgl. 7,33; 8,23) in gleicher Weise vor wie die Deutung von Parabeln (4,13–20) und den Jüngerunverstand (vgl. 8,33; 10,37). Die Motive bringen ihre unterschiedlichen Intentionen schon mit und verwirren das Bild. Dennoch hat der Evangelist seine Akzente gesetzt, die sich in ein Gesamtbild einfügen lassen. Die große Mehrheit der Schweigegebote ist auf sein Konto zu setzen (vgl. die Analysen). Dies gilt insbesondere für das letzte der Schweigegebote in 9,9, das *als letztes* mit einer zeitlichen Befristung versehen ist. Die von Luz beigebrachte Differenzierung von Schweigegeboten in Wundergeschichten und den übrigen verdient Beachtung. Die ersteren werden nämlich wiederholt durchbrochen (1,44f; 7,36; vgl. 5,19f), wie es Wundergeschichten gibt, die mit keinem Schweigebefehl versehen sind (vgl. 2,1–10; 3,1–6; 10,46–52). Besonders auffällig ist dies für den Sammelbericht in 6,53–56. Die Wunder dringen also trotz wiederholter Verbote in die Öffentlichkeit; die durch sie sich vollziehende Epifanie Jesu kann nicht gestoppt werden. Das auferlegte, wenn auch nicht gehaltene Schweigen bedeutet jedoch eine Blockade. Worin deren Sinn liegt, ist durch die Ausrichtung von Wundergeschichten auf den Leidensgedanken (zu 2,1–10; 3,1–6 vgl. 3,6) oder die Nachfolge (10,46–52), die Nachfolge zum Leiden ist, zu verstehen gegeben. Dieselbe Ausrichtung liegt überdeutlich in 8,30–33; 9,9–13 vor, wie sie letztlich das gesamte Evangelium bestimmt. Die Offenbarung kommt somit erst am Ende mit Passion und Auferstehung zu ihrem gültigen Abschluß[46]. Die den Dämonen und den Jüngern aufgetragenen Befehle betreffen unmittelbar die Person Jesu, das Bekenntnis zu ihm, das sich in Titeln artikuliert (3,11; 8,29f; vgl. 9,9 im Anschluß an 7). Auch hier wird das Schweigen gebrochen (10,49; 11,10; 15,39), sogar von Jesus selber (14,61f; 15,2), aber erst im unübersehbaren Horizont des Kreuzes. Den Jüngerunverstand hat Markus stark herausgearbeitet (4,13b.40; 6,52; 8,14–21; 9,6.10.32; 10,32; 14,40b). Dabei bleiben die Jünger von Anfang bis Ende die Unverständigen, wenngleich das Messiasbekenntnis des Petrus einen gewissen Fortschritt anzeigt. Mit ihm verschiebt sich aber der Gegenstand ihrer Begriffsstutzigkeit. Sie konzentriert sich auf den Leidens- und Auferstehungsgedanken (vgl. 9,10!)[47]. Weil das Geheimnis mit der Offenbarung, die das Lehren, Wirken, Leiden, Sterben und Auf-

[44] Das »Messiasgeheimnis« im Markusevangelium, Helsinki 1976.

[45] Kritisch gegenüber dem Messiasgeheimnis äußert sich auch Tagawa, Miracles 154–185. Er läßt nur den Jüngerunverstand in diesem Zusammenhang gelten, den er als mk Kritik an den Jerusalemer Aposteln und der Familie Jesu, also kirchengeschichtlich, deutet. Zum Ganzen vgl. die ausführliche Übersicht bei Räisänen (Anm. 44) 18–49; Minette de Tillesse, Le secret, 9–34. Auch G. Focant, L'incompréhension des disciples dans le deuxième évangile, RB 82 (1975) 161–185.

[46] Kreuz und Auferstehung werden jedoch nicht identifiziert. Gegen Schreiber, Theologie des Vertrauens 109. Sollte dies auch Luz, ZNW 56 (1965) 27 meinen, wenn er sagt, daß Markus Kreuzigung und Auferstehung zutiefst in einem gesehen hat?

[47] Weitere gute Beobachtungen hierzu bei Luz, ZNW 56 (1965) 24.

erstehen Jesu betrifft, zu tun hat, kann als sein Sinn festgestellt werden: die Offenbarung, die in Jesus erfolgte, ist vor der Passion und Auferstehung eine unabgeschlossene und mißverständliche. Diese Unabgeschlossenheit kommt nochmals im Schluß des Evangeliums (16,8) zum Ausdruck. Der Schluß ist so gehalten, daß er an den Anfang, nämlich nach Galiläa, verweist. Das Messiasgeheimnis erweist sich als ein literarisches Mittel, das mit der von Markus geschaffenen Form des Evangeliums notwendig wurde. Die Verkündigung, die Jesus zum Inhalt hat und die Verkündigung ablöste, die er selbst ausrichtete, war erst nachösterlich möglich. Im theologischen Zentrum der markinischen Verkündigung stehen Kreuz und Auferstehung. Alles andere führt zu diesem Ziel. Wegen des vom Evangelisten bevorzugten Gottessohntitels mag es sich empfehlen, besser vom Gottessohn-Geheimnis zu sprechen. Der Unterschied ist nicht erheblich, wenn deutlich bleibt, daß das Messiasgeheimnis ein christologisches Anliegen vertritt. Dieses ist freilich für das Selbstverständnis des Jüngers und damit des Christen nicht ohne Konsequenzen, wie das Motiv des Jüngerunverständnisses besonders gegenüber dem Leidensgedanken betont. Christsein erschöpft sich nicht im Wissen um die rechte Glaubensformel, sondern in der Bereitschaft zur Kreuzesnachfolge. Darum kann erst unverhüllt unter dem Kreuz ausgesprochen werden, daß dieser Mensch Gottes Sohn war (15,39)[48].

8. Exkurs: Die Parabeltheorie

Die sogenannte markinische *Parabeltheorie* ist im Zusammenhang mit dem Messiasgeheimnis zu besprechen. Es empfiehlt sich aber eine eigene Behandlung. Die Theorie besagt, daß für Markus die Gleichnisse Rätselreden sind. Als solche dienen sie dem Zweck, die Wahrheit zu verhüllen, um über das widerspenstige Volk das Verstockungsgericht zu verhängen. Das Gleichnis war am Anfang eine verdeutlichende Form der Rede. Verschiedene Faktoren werden angeführt, die das Verständnis der Gleichnisse als Rätsel vorbereitet und ermöglicht haben. 1. Die ursprüngliche Situation vieler Gleichnisse ging verloren. Da das Gleichnis vielfach konkrete Situationen anspricht, mußte mit deren Unkenntnis das Verständnis problematisch werden. 2. In die Gleichnisüberlieferung dringen Allegorien ein. Sie heben das Gleichnis auf eine neue Verstehensebene, dienen seiner Aktualisierung, verdunkeln jedoch letztlich seinen ursprünglichen Sinn. 3. Manche Gleichnisse werden in den Dienst der Paränese genommen und entsprechend umgedeutet. 4. In der jüdischen Umwelt, insbesondere in der apokalyptischen Literatur, gab es den Maschal, eine Form der Bildrede, die ohne Deutung unverständlich blieb. Ähnliches gilt für in der hellenistischen Literatur überlieferte Träume und Traumdeutungen. In manchen neueren Stellungnahmen wird die markinische Gleichnistheorie, bislang weithin opinio communis der Exegeten, anders interpretiert oder sogar in Frage gestellt. Die Auffassung von S. Brown wurde oben angeführt, nach der die Auflösung von Gleichnissen didaktische Absichten verfolgt und vom Messiasgeheimnis fernzuhalten sei. E. Schweizer erblickt einen unversöhnlichen Gegensatz zwischen dem den Jüngern übertragenen Geheimnis und dem von Markus akzentuierten Jüngerunverständnis. Dennoch bemüht er sich um einen innermarkinischen Ausgleich, der ihm von 4,33f her möglich erscheint. Die Parabel sei das einzige den Menschen angemessene

[48] Zu beachten ist die Vergangenheitsform: υἱὸς θεοῦ ἦν.

Kommunikationsmittel, wahre aber als Bildrede die grundsätzliche Unzugänglichkeit Gottes. Wenn den Jüngern Auflösungen und Sonderbelehrungen geboten werden, besage das nur, daß der mit den Parabeln gemachte Versuch, vom grundsätzlich Unzugänglichen offen zu reden, an den Jüngern noch konsequenter durchgeführt werde. Für Markus seien »alle zur Blindheit prädestiniert, und alle zur Erkenntnis gerufen«[49]. Für H. Räisänen[50], dem sich M. Haubaut[51] weitgehend anschließt, kommen zu dem schon von Schweizer angeführten innermarkinischen Widerspruch noch andere hinzu. Die Gleichnisrede sei sonst nicht Rätselrede, sondern Kampfeswaffe Jesu in der Auseinandersetzung mit seinen Gegnern. Die Jünger würden bei Markus in mehreren Rollen auftreten, als Träger der apostolischen Tradition und als Prototypen des unverständigen Menschen. Weil die Vorstellungen von den Parabeln als Rätseln und ihrer Kraft zu verstocken in 4,11f nicht zu leugnen sei, entschließt sich Räisänen, diesen komplexen Tatbestand einer vormarkinischen Schicht zuzuweisen, die im zweiten Evangelium mehr oder weniger einen Fremdkörper darstellt und anzeige, daß Markus zahlreiche Überlieferungen zum Zuge kommen läßt. W. Marxsen[52] interpretiert das Evangelium kerygmatisch und auch 4,11f als Anrede an die markinische Gemeinde. Das Messiasgeheimnis liege jetzt, in der Gegenwart, vor, und zwar in der Verkündigung, und werde endgültig erst bei der Parusie gelichtet. Wenn die Verkündigung »die draußen«, das heißt, die außerhalb der Gemeinde Stehenden, nicht trifft, sei das eine Not, die man konstatieren muß, zumal sie vorausgesagt sei. Von einer markinischen Parabeltheorie könne man nur reden als einer Aussage über die Predigt zur Zeit des Evangelisten. Weil dies den Begriff so stark umbiegt, empfehle es sich, ihn preiszugeben. A. M. Ambrozic[53] weitet die Fragestellung aus. Für ihn sind die Gleichnisse mehr als Unterweisung und Instruktion, nämlich als profetische Rede die Erschließung einer neuen Situation. Auf diese seien Jüngerfrage und Jesusantwort gerichtet.

Man wird weiter von einem dem Markus eigenen Gleichnisverständnis, das er auch theologisch auswertet, sprechen dürfen. Die Dialektik der verschiedenen Jüngerrollen – Träger der maßgeblichen Jesustraditionen, Beispiele für menschliche Verständnislosigkeit gegenüber der göttlichen Offenbarung – ist dem Evangelisten zwar vorgegeben, wurde aber von diesem weiter ausgebaut. Für den Jüngerunverstand ist dies ohnehin klar. Für die positive Bedeutung ist nur an die Wahl der Zwölf (3,13: »er rief zu sich, *die er selber wollte*«), an die Jüngerberufungen 1,16–20 (Beginn der öffentlichen Tätigkeit Jesu), an 16,7 in Verbindung mit 14,28 (neue Sammlung der Jüngerschaft durch den Auferstandenen) zu erinnern. Im Zusammenhang von 4,10–12 stammt die Einfügung der Zwölf unbestritten von Markus. Diese kann nur im Hinblick auf das von Gott gewährte Geheimnis des Reiches Gottes, das gerade ihnen zugedacht sein soll, geschehen sein. Die Dialektik von 4,11 und 13b ist darum kein Widerspruch, sondern beabsichtigt. Markus stellt den Gnadencharakter von Offenbarung und Berufung heraus. Das verhärtete menschliche Herz kann nur durch Gott überwunden werden. Es gibt bei Markus nur ein Geheimnis des Reiches Gottes (gegen S. Brown). Wenn Brown[54] par Mt 13,11; Lk 8,10, die von Geheimnissen reden, zur Interpretation von Mk 4,11 benutzt, überzeugt das nicht. Das markinische Geheimnis ist christologisch konzipiert (anders in der Vorlage) und steht am Übergang von der jesuanischen Reichsverkündigung zur kirchlichen Christuspredigt. Die vielfachen Sonderbelehrungen der Jünger (4,14–20;

[49] ZNW 56 (1965) 4–7, hier 6.
[50] (Anm. 44) 50–56.
[51] RTL 4 (1974) 454–461.
[52] (Anm. 11) 24–26.
[53] CBQ 29 (1967) 220–227.
[54] (Anm. 43) 66.

7,17–23; 9,28f; 10,10–12) wurzeln in der Gemeindekatechese, deren Traditionen Markus aufgreift. Zur inhaltlichen Bestimmung des Geheimnisses helfen sie nicht viel weiter. Die Parabeltheorie bringt die negative Seite des Messiasgeheimnisses zur Geltung[55]. Diese betrifft nicht die ablehnenden Hörer zur Zeit des Evangelisten. Wie stellt es sich Marxsen überhaupt vor, daß das Messiasgeheimnis in der gegenwärtigen Verkündigung der Gemeinde vorliege? Die Theorie bezieht sich vielmehr in ihrer negativen Ausgestaltung auf das Problem Israel. Es kann kein Zufall sein, daß Markus die größeren Reden Jesu in der Öffentlichkeit – es sind ohnehin nur wenige – als Reden ἐν παραβολαῖς (= in Gleichnisform) konzipierte (3,23; 4,2; 12,1)[56]. Wenn den Gegnern in 12,12 ein gewisses Verstehen der Gleichnisrede nachgesagt wird, ist dies kein Verstehen zum Heil. Markus ist am Problem Israel interessiert. Er hat an der jüdischen Frömmigkeit wiederholt scharfe Kritik geübt (7,3f; 11,12–18; 12,29.33f). Die von ihm aufgegriffene Jesaja-Tradition in 4,12 weist in diese Richtung[57], wie auch der Abschluß des Gleichnisses von den bösen Weingärtnern (12,1–12). Die Gleichnisreden in 3,23ff; 12,1ff richten sich an die Gegner, die in 4,2ff an das Volk. Mit den in 4,21–25 eingebauten Sprüchen, die von Marxsen treffend als Meschalim gekennzeichnet werden, hat Markus die übrigen Gleichnisse in Kapitel 4 mitbestimmt und in die in 4,21f ausgesprochene Thematik einer vorübergehenden Verhüllung miteinbezogen[58]. In einem gewissen Gegensatz hierzu stehen die wiederholten Bemerkungen, daß Jesus das Volk lehrte, ohne daß seine Lehre inhaltlich näher bestimmt würde (1,21f; 2,13; 6,2.6.34). Das Volk erscheint als die Jesus zugewandte Hörerschaft, bleibt indifferent, gerät in Staunen oder Entsetzen über seine Lehre (1,22; 11,18), zum Glauben gelangt es nicht. Zwischen Volk und seinen Führern kann unterschieden werden (12,38). Jesus bemüht sich mit großer Liebe um die Volksmassen (besonders 6,34). Das letzte Auftreten der Volksmenge zeichnet diese negativ. Sie verwerfen ihren König (15,8–15). Der verhüllende Charakter der Parabeln ist im Rahmen des Messiasgeheimnisses zu bestimmen. Wem dieses nicht von Gott enthüllt wird, der versteht auch die Parabeln nicht, wie er das gesamte Wirken Jesu nicht begreift. Das von den Parabeln verkündete Wort (4,33) ist vom Wort, das Kreuz und Auferstehung beinhaltet (8,32a), nicht zu trennen[59]. Wenn den unverständigen Jüngern nach Ostern ein Neuanfang gewährt wird, während das Volk der Juden seine Rolle als Gottesvolk ausgespielt hat, ist dies im Willen Gottes begründet, aber auch durch menschliche Schuld verursacht. Beides kommt in Verbindung mit der Gleichnisrede zur Sprache, die Schuld lastet auf den Führern des Volkes (4,12 und 3,29; 12,1–12)[60]. Die Übertragung des Geheimnisses an die Zwölf weist in Verbindung mit 4,21f in die Zukunft. Die missionarische Verkündigung nach Ostern, die παρρησίᾳ erfolgt (vgl. 8,32), wendet sich an Heiden und Juden.

[55] Hier ist an Dibelius und Burkill anzuknüpfen.

[56] Vgl. Gnilka, Verstockung 64–86.

[57] Vgl. oben S. 166 die Interpretation.

[58] (Anm. 11) 21.

[59] Vgl. Horstmann, Studien 118.

[60] Die Zwölf erscheinen so auch in 4,10–12 als die Begründer des neuen Gottesvolks. Zum Ganzen vgl. noch P. Merendino, »Ohne Gleichnisse redete er nicht zu ihnen«. Zu Mk 4,1–34, in: Homenaje a J Prado, Madrid 1975, 341–371; G. Haufe, Erwägungen zum Ursprung der sogenannten Parabeltheorie des Markus 4,11–12, EvTh 32 (1972) 413–421.

5. *Deutung des Gleichnisses vom zuversichtlichen Sämann (4,13–20)*

13 **Und er sagt ihnen: Ihr vesteht dieses Gleichnis nicht? Und wie werdet ihr alle (übrigen)**[1] **Gleichnisse verstehen?** 14 **Der Sämann sät das Wort.** 15 **Aber dies sind die auf dem Weg: Wo das Wort gesät wird, kommt, wenn sie es hörten, sofort der Satan und nimmt das Wort, das in sie gesät wurde, weg.** 16 **Und diese gleichen dem auf dem Felsgrund Gesäten: Wenn sie das Wort hörten, nehmen sie es sofort mit Freude auf.** 17 **Doch sie haben keine Wurzel in sich, sondern sind Augenblicksmenschen. Kommt Drangsal oder Verfolgung wegen des Wortes, nehmen sie Anstoß.** 18 **Und andere sind die in die Dornen Gesäten. Diese sind es, die das Wort hörten,** 19 **aber die Sorgen der Weltzeit und die Lust des Reichtums und die sonstigen Begierden dringen ein und ersticken das Wort, und es bleibt fruchtlos.** 20 **Und jene sind die auf gutem Boden Gesäten: Sie hören das Wort und nehmen es auf und bringen Frucht, dreißig- und sechzig- und hundertfach.**

Analyse

Die vorwurfsvolle Frage, daß sie das Gleichnis nicht verstehen, setzt eine entsprechende Anfrage des Jüngerkreises nach dem Sinn des Gleichnisses voraus. Jene stand mit der Einleitung »Und er sagt ihnen« (Präsensform) schon in einer vormarkinischen Quelle. In ihr muß sich die Deutung an das Gleichnis unmittelbar angeschlossen haben. Markus, der die Anfrage in 10 änderte (s. oben), fügt die zweite Frage, die das Unverständnis auf alle übrigen Gleichnisse ausweitet, an. Die Ausweitung schließt an Vers 10 (τὰς παραβολάς) deutlich an und verrät so seine redigierende Tätigkeit. Zu beachten bleibt die fragende Form des Vorwurfs. Sie entspricht der Situation des Jüngerkreises, dessen Verständnis geweckt werden soll.

Die Gleichnisdeutung weicht sprachlich in einem solchen Maß vom Gleichnis ab, daß sie einer anderen Überlieferungsschicht zugesprochen werden muß. Zwar fügt sie sich vortrefflich in dieses ein, aber ihr Vokabular ist das der frühchristlichen Missionssprache[2]. Zahlreiche Analogien finden sich im paulinischen Korpus. Im Mittelpunkt der Deutung steht das Wort. Mit ihm kann nur die christliche Verkündigung, das Evangelium, gemeint sein. Nach Markus redet Jesus wiederholt das Wort (2,2; 4,33; 8,32), aber nur hier kommt es in seiner Predigt vor. Das Wort aufnehmen (1Thess 1,6; 2,13; 2Kor 11,4), mit Freude aufnehmen (1Thess 1,6), um seinetwillen Verfolgung leiden (1Thess 1,6; 2Tim 2,9), das Wort wächst (Kol 1,6; Apg 6,7; 12,24; 19,20), erregt Anstoß (1Petr 2,8), sind Formulierungen, die in der Missionssprache geprägt wurden. Ist somit das Sprachmilieu bestimmt, so weist die Art der Deutung auf ähnliche Deutungsvorgänge in der apokalyptischen Literatur als nächstlie-

[1] Zur Übersetzung vgl. Bl-Debr § 275,3.

[2] Den überzeugenden Nachweis führte Jeremias, Gleichnisse 75–77. Vgl. schon Wellhausen. Interessant ist, daß das Thomasevangelium zwar das Gleichnis, aber nicht die Deutung kennt.

gende Parallelen. Es macht ein Spezifikum dieser Literatur aus, daß ein Bild, ein Traum oder eine Vision unverstanden bleibt und auf die besondere Bitte hin erklärt und aufgeschlossen wird (Dan 7,15–27; äthHen 40,8–10; 43,3f; 46,2ff; 52,3ff usw.; Herm s 5,3,1f)[3]. Die Transponierung einzelner Erzählzüge auf eine neue Ebene des Verstehens ist als Allegorisierung zu bezeichnen. In unserem Fall erfaßt sie nicht alle möglichen umdeutbaren Züge, sondern nur ausgewählte. So bleibt etwa der Sämann ungedeutet. Der Unterschied zur Apokalyptik besteht darin, daß dort das Bild von vornherein auf die Deutung hin konzipiert wurde, während die Deutung des Gleichnisses nachträglich erfolgte. Ihre Absicht besteht darin, die Botschaft des Gleichnisses zu aktualisieren. Der Evangelist hat die Deutung, wie er sie in der Quelle vorfand, ohne Eingriffe übernommen. Nur der Kontext deutet seine Intentionen an[4].

Erklärung

Der engere Kreis um Jesus mit den Zwölfen erhält die Deutung. Wenn sie dabei wegen ihres Unverständnisses getadelt werden, ist angedeutet, daß die Gnade sie überwinden muß. Als Gefragte aber sind sie angesprochen mitzuhelfen, daß sie zu Verstehenden werden. Sie sind ja aufgerufen, mit Jesus zu wirken, bzw. sein Werk fortzusetzen (3,14f; 6,7–13)[5].

Die Deutung handelt vom Schicksal des Wortes. Wer der Sämann ist, braucht nicht gesagt zu werden. Es sind alle, die sich der Verkündigung verschrieben haben, zunächst Jesus, dann alle, die als Verkünder und Missionare in seiner Nachfolge tätig sind. Der erste Satz eilt vielmehr sofort zum verkündigten Wort, das also mit dem ausgestreuten Samen gemeint ist. In zum Teil peinlichem Anschluß an die Gleichnisgeschichte wird die dreimal erfolglose Aussaat und am Schluß der zur Frucht gelangende Same geschildert. Wichtiger als die Übereinstimmungen mit dem Gleichnis sind die weiter entwickelten Züge der erzählenden Deutung. Es fällt auf, daß der erfolglosen Tätigkeit des Sämann-Verkündigers noch mehr Raum gewidmet wird als im Vorbild. Viermal wird von den gesäten (scil. Samen) anstelle des ἔπεσεν im Gleichnis geredet. Dabei ist die Unstimmigkeit, daß damit einmal das Wort, das in die Menschen hineingesät wird, und zum anderen die Menschen, die gesät zu werden scheinen,

[3] Nach K. Berger, Zur Frage des traditionsgeschichtlichen Wertes apokrypher Gleichnisse, NT 17 (1975) 58–76, hat die allegorische Schriftauslegung ihren Ursprung in der Traumdeutung (75). Vgl. Klauck, Allegorie 200-209

[4] Nach Gerhardsson, NTS 14 (1967/68) 181f, hat Markus die Deutung vulgarisiert, den Satan eingeführt, die καρδία gestrichen, den Plural geformt. Der Böse bzw. Teufel ist aber auch bei den Seitenreferenten anzutreffen. Der Singular bei Mt 13,19ff (παντός, οὗτος) ist als redaktionell zu begreifen. Ob es bei Mt um vier Arten zu hören, nicht vier Arten von Hörern geht, wie G. behauptet, bleibe dahingestellt.

[5] Vgl. Grundmann: »Die Urkirche hat ... um die Besonderheit der Jüngerunterweisung gewußt, und sie läßt erkennen, daß es in solcher Jüngerunterweisung um Nachfolge und Menschenführung geht«. Nach Marxsen (vgl. oben S. 164, Anm. 11) 23, bedeutet die besondere Jüngerunterweisung die Autorisierung, die Überlieferung verbindlich auszulegen, »gleichsam ex cathedra de fide vel moribus zu entscheiden«. Lohmeyer möchte in 13 zwischen γινώσκειν (Kenntnis durch Erfahrung oder Belehrung) und εἰδέναι (Kenntnis durch Eingebung oder eigene Einsicht) differenzieren.

angesprochen sind, bemerkenswert. Aber auch das hat seine Entsprechung in der Apokalyptik. So heißt es in 4Esr 9,31: »Ich säe heute mein Gesetz in euch, in euch bringt dieses Frucht, und dadurch sollt ihr ewige Herrlichkeit erlangen«. Und 4Esr 8,41: »Und wie der Landmann vielen Samen in die Erde sät und eine Menge Pflanzen pflanzt, jedoch nicht alles Angesäte aufgeht, noch alles Angepflanzte Wurzel schlägt, so werden auch nicht alle Rettung finden, die in der Welt gesät sind.« Der prädestinatianische Charakter dieser Aussage ist deutlich. In der Gleichnisdeutung wird viermal das Hören genannt, aber mit dem Unterschied, daß nur im vierten Fall das Präsens gesetzt ist. Wo das Wort zur Frucht gelangt, ist das Hören des Wortes ein beständiges; bleibt es erfolglos, ist die Bereitschaft zum Hören nicht mehr da. Das beherrschende Tempus der Deutung ist – im Gegensatz zum Gleichnis – das Präsens. Die Welt wird nicht erzählt, sondern besprochen.

Für die Fruchtlosigkeit der Verkündigung werden zunächst von außen wirkende Ursachen aufgedeckt. Bei den Ersten raubt Satan das Wort, das in den Menschen Eingang fand. Er hat also die Möglichkeit, in den Menschen hineinzuwirken. Vielleicht vermeidet die Deutung den Begriff »Herz« (anders Mt 13,19 par), um anzuzeigen, daß das Wort nicht in die Tiefe dringt. Bei den Zweiten ist am Anfang freudige Bereitschaft vorhanden, aber ihre Glaubenshaltung ist nicht von Dauer. Sie sind Augenblicksmenschen und werden bei den ersten Schwierigkeiten wankelmütig. Möglicherweise schwingt im seltenen Wort πρόσκαιρος[6] die Bedeutung mit, daß sie die Fahne nach dem Wind hängen. Der Same, der keine Wurzel fassen kann, ist das treffende Bild für diese Gesinnung. Drangsal und Verfolgung, die die Gemeinde schon zu spüren bekam, lassen das Glaubensleben in solchen Menschen zugrunde gehen. Bei den Dritten sind innere Unruhen für den Abfall maßgeblich. Die ängstlichen Sorgen des Lebens ersticken das Wort. Die Deutung verwendet das in der Apokalyptik heimische Wort Äon, das diese böse Weltzeit bedeutet[7]. Die Lust bzw. der Betrug[8] des Reichtums und die übrigen Begierden[9] lassen das Wort in der gleichen Weise verderben. Der Reichtum ist frühzeitig als großes Hindernis für ein Leben gemäß dem Wort erkannt worden: »Sie haben Glauben, aber auch dieser Welt Reichtum. Wenn Drangsal kommt, dann verleugnen sie ihren Herrn um ihres Reichtums und ihrer Geschäfte willen« (Herm v 3,6,5; vgl. Mk 10,23f). Bei den Vierten endlich gelangt das Wort zur Frucht[10]. Wie es dazu kommt, wird nur im Bild ausgesagt und nicht – vom Aufnehmen des Wortes abgesehen – gedeutet. Die Früchte, die der einzelne bringt, sind von unter-

[6] Das Wort bedeutet nach Passow s.v. zunächst zu rechter Zeit, passlich, schicklich, dann: zeitlich, augenblicklich, kurz.

[7] Vgl. Kuhn, Sammlungen 117, Anm. 97. Statt »Sorgen des Äons« lesen D Θ it vereinfachend »Sorgen des Lebens«.

[8] ἀπάτη kann nach Bauer, Wörterbuch s.v. beide Bedeutungen haben.

[9] Denselben Vergleich benutzt Philo, LegAll 3,248: »Aber was wächst und sprießt in der Seele des Toren anderes als die sie stechenden und verwundenden Leidenschaften? Diese nennt die Schrift sinnbildlich Dornen« (Gen 3,18).

[10] Schulz, Stunde 152, sieht im Fruchtbringen die Bereitschaft zur Taufe miteingeschlossen.

schiedlicher Größe. Das Bildwort vom Fruchtbringen kann in christlicher Terminologie das Fruchtbringen für Gott (Röm 7,4) bezeichnen oder, mit der Erkenntnis und mit der Tat verbunden (Kol 1,10), auf das gegenwärtige Leben, aber auch auf die Situation des Gerichts am Ende bezogen werden (Herm s 4,5.8).[11] Am Ende der Deutung ist nicht sicher, ob der Gerichtstag in den Blick kommt oder nicht, jedoch wird der Wert des christlichen Lebens im ganzen bemessen. Ein solches Leben ist dann zu seinem Sinn gebracht, wenn das Wort sich auswirkt und fruchtbar wird im Alltag und in der Tat.

Ist der im Detail leicht erhebbare Sinn der Gleichnisdeutung auf die Verkündiger oder die Hörer des Wortes gerichtet, oder mit anderen Worten, ist die Deutung Trost für den Verkünder, der bei erfolgloser Verkündigung nicht resignieren soll, oder Mahnung an den Hörer, sich zu fragen, zu welcher Gruppe der Hörer er gehört? Die Auffassungen sind geteilt. Jeremias versteht die Deutung als Paränese: »Das Gleichnis wird in der Deutung zu einer Mahnung an die Konvertiten, die ihre Herzensbeschaffenheit darauf prüfen sollen, ob es ihnen mit der Bekehrung ernst ist«[12]. Dem steht entgegen, daß das Bildmaterial für die Paränese weniger geeignet ist. Der Boden kann in seiner Beschaffenheit nicht geändert werden! Oder ist dies eine Schwierigkeit, die der Deuter des Gleichnisses einfach in Kauf nahm? Kuhn[13] macht daneben darauf aufmerksam, daß in der Apokalyptik, deren Nähe zum Gleichnis auffiel, der Blick gleichfalls auf den inneren Kreis beschränkt bleibt und diejenigen, die nicht zur Gemeinde gehören, nicht Gegenstand der Reflexion werden. Das spräche dafür, daß die Deutung mit ihrer ausführlichen Schilderung, wie es zur Erfolglosigkeit der Predigt kommt, die Verkünder und auch die Gemeinde, deren Zahl klein ist, ermuntern will, nicht mutlos zu werden. Dennoch spricht der paränetische Ton, der ja mit nicht wenigen Partien der neutestamentlichen Briefliteratur übereinstimmt, für Paränese. Die Hörer der Deutung sollen ihren eigenen Status als Glaubende in der Gemeinde überprüfen. Der prädestinatianische Tenor der Deutung ist abgeschwächt im Sinne eines: Si non es praedestinatus, fac ut praedestineris! Markus hat den paränetischen Duktus ausgebaut, indem er – wie zu zeigen sein wird – die folgenden Sprüche, insbesondere 24f, in den Kontext einbrachte.

Wirkungsgeschichte

Zeichnete man eine eingehende Wirkungsgeschichte des Gleichnisses und seiner Deutung, erhielte man wahrscheinlich auch interessante Aufschlüsse über die christliche Predigt im Lauf der Jahrhunderte. Denn die Interpretation der Gleichnisse bleibt praktisch auf die Pastoral hin orientiert, und das Gleichnis vom Sämann dürfte zu jenen neutestamentlichen Texten gehören, die für die Predigt am meisten beansprucht wurden. Dazu verhalf ihm eine lange Zeit währende bevorzugte Stellung im Kirchenjahr (Sonntag Sexagesima). Versucht man die in der Auslegung wirksam werdenden Tendenzen zusammenzu-

[11] Vgl. Kuhn, Sammlungen 120f.

[12] Gleichnisse 77. Ähnlich Haenchen, Weg 169, der das Wort zitiert: »Vierfach ist das Akkerfeld – Mensch, wie ist dein Herz bestellt?«; Grundmann; Schweizer.

[13] Sammlungen 116–119.

raffen, ergibt sich, daß diese mit jenen identisch sind, die bereits bei der Bildung der sekundären Gleichnisdeutung sich bemerkbar gemacht hatten, die Paränese und die Allegorese. Hinzu tritt die Versuchung, mithilfe des Gleichnisses eine heilsgeschichtliche Zusammenschau zu gewinnen. Damit wird ein Bemühen sichtbar, das ebenfalls bereits innerhalb der Tradition bestimmter synoptischer Gleichnisse nachgewiesen werden konnte (am deutlichsten in den Gleichnissen von den bösen Winzern Mk 12,1–12 par; vom königlichen Hochzeitsmahl Mt 22,1–10 vgl. Lk 14,16–24)[14]. Generell kann festgestellt werden, daß bei der Auslegung immer von der Deutung ausgegangen wurde, das heißt, daß die Trennung von Gleichnis und sekundärer Deutung und damit die Ermittlung des ursprünglichen, von der Deutung abgelösten Gleichnissinnes erst der neuesten Zeit vorbehalten blieb.

Das heilsgeschichtliche Interpretationsanliegen wird deutlich, wenn Theophylakt den Sämann mit Christus, aus dem Schoß des Vaters gekommen, identifiziert, und noch Knabenbauer im Anschluß an diese verbreitete Auffassung den Samen auf Erden in der gesamten Zeit des messianischen Reiches (offenkundig in bezug auf die Kirche) ausgestreut sieht[15]. Klemens von Alexandreia findet diesen Säer schon seit der Schöpfung der Welt tätig[16]. Die Hörertypen werden mit viel Phantasie weiter spezifiziert. Hierbei findet insbesondere die Gruppe der guten Hörer starke Beachtung, weil diese in der Gleichnisdeutung ja kaum näher beschrieben war. Um nur ein paar beliebige Beispiele zu nennen: Theophylakt denkt bei »denen auf dem Weg« an die, welche Menschen zu gefallen suchen. Letztlich würden sie von den Menschen zertreten[17]. Chrysostomus differenziert zwischen dem Äon und dem Reichtum einerseits und den Sorgen des Äons und dem Trug des Reichtums anderseits. Nicht die Dinge an sich seien schädlich, sondern der korrumpierte menschliche Wille[18]. Salmeron malt den Vergleich der Dornen mit dem Reichtum aus: der Mensch habe Mühe, ihn zu vermehren, Furcht, ihn zu verlieren, und Schmerz, wenn er ihn einbüßt[19]. Wie phantasiereich immer die dreißig-, sechzig- und hundertfältige Frucht gedeutet wird – sie wird auf verschiedene Stände in der Kirche, auf unterschiedlichen asketischen Ernst oder ungleichartige Mühe um das Wort bezogen[20] –, nahezu einhellig ist die Feststellung, daß Christsein nicht gleich Christsein ist. Gelegentlich ist man darum bemüht, die Bildhälfte besser zu begreifen. In apokalyptischen Bahnen weiterdenkend, zieht Theophylakt aus dem großen Verlust den Schluß, daß nur wenige, denen gepredigt wird, gerettet würden[21]. Die Palette der vielfältigen Meinungen bestätigt einen einheitlichen Eindruck: Gleichnis und Deutung wurden als »kirchlicher« Text genommen, der die ei-

[14] Vgl. Jeremias, Gleichnisse 65–75.
[15] Knabenbauer, Mc, Paris ²1907, 120; Mt I, Paris ³1922, 583.
[16] Strom. 1,7,37 (GCS 52,24).
[17] Bei Knabenbauer, Mc 121.
[18] Bei Knabenbauer, Mt I,581.
[19] Ebd.
[20] Vgl. Cyprian, De habitu virg. 21 (CSEL 3/1,202); Hieronymus, In ev. Matth. lib. 2 (PL 26,92); Theophylakt: PG 123,532. Auch Knabenbauer, Mt I,584.
[21] Bei Knabenbauer, Mc 122.

gene Situation durchleuchten sollte. Bei aller Kritik, die man gegenüber manchen Auffassungen äußern muß, das Grundanliegen der Deutung scheint durchgehalten worden zu sein.

6. *Vom Offenbarwerden des Verborgenen und vom Schenken Gottes (4,21–25)*

Literatur: Jeremias, J., Die Lampe unter dem Scheffel, ZNW 39 (1940) 237–240; *Lindeskog, C.*, Logia-Studien, StTh 4 (1950) 129–189 (158–164); *Bover, J. M.*, »Nada hay encubierto que no se descubra«, EstB 13 (1954) 319–323; *Vaganay, L.*, Existe-t-il chez Marc quelques traces du Sermon sur la Montagne? NTS 1 (1954/55) 193–200; *Schneider, G.*, Das Bildwort von der Lampe, ZNW 61 (1970) 183–209; *Klauck*, Allegorie 227-240.

21 **Und er sprach zu ihnen: Kommt etwa die Lampe, damit man sie unter den Scheffel stellt oder unter das Bett? Nicht (vielmehr), damit man sie auf den Leuchter stellt?** 22 **Denn nichts ist verborgen, außer damit es offenbar wird, und nichts wird geheimgehalten, außer damit es in die Öffentlichkeit tritt.** 23 **Wenn einer Ohren hat zu hören, höre er!** 24 **Und er sprach zu ihnen: Achtet auf das, was ihr hört! Mit dem Maß, mit dem ihr meßt, wird euch gemessen werden, und es wird euch hinzugefügt werden.** 25 **Denn wer hat, dem wird gegeben werden. Und wer nicht hat, dem wird auch das, was er hat, weggenommen werden.**

Analyse Nach nahezu einhelliger Auffassung hat Markus diese doppelte Spruchgruppe in das Gleichniskapitel eingebracht. Von Haus aus sind die Sprüche auch nicht als Gleichnisse zu bezeichnen. Die ordnende Anreihungsformel καὶ ἔλεγεν αὐτοῖς verrät die Hand des Evangelisten. Nicht sicher ist, ob er die Sprüche schon gesammelt vorfand[1] oder selbst erst zusammenstellte. Nimmt man ersteres an, wird man wegen der zweifachen Reihung eher mit zwei kleinen Spruchgruppen rechnen dürfen. Wahrscheinlicher jedoch ist letzteres. Die Strukturierung der Doppelgruppe, insbesondere der Begründungssatz jeweils am Ende, spricht für markinische Redaktion. Die Interpretation wird diese Vermutung nur erhärten können.

Das Bildwort von der Lampe ist außer par Lk 8,16 noch Mt 5,15/Lk 11,33 anzutreffen. Die verschiedenen Kontexte zeigen, daß es unterschiedlichen Aussageabsichten dienstbar gemacht werden konnte. Seine Form in Q, die Mt 5,15 besser aufbewahrte als Lk 11,33, dürfte gelautet haben: »Nicht brennen sie (bzw. zünden sie an) eine Lampe und stellen sie unter den Scheffel, sondern auf den Leuchter, und sie leuchtet allen, die im Haus sind.«[2] Die Frage für uns ist,

[1] Vermutung von Lindeskog* 157–160.
[2] Vgl. Schneider* 190.

ob Markus auf einer eigenen Tradition des Logions fußt[3] oder ob er eine der Q-Tradition konforme Fassung veränderte. Die Frageform geht wahrscheinlich auf ihn zurück, weil sie seinem Stil der Jüngerunterweisung entspricht. Die personalisierende Fassung »Kommt die Lampe?« dagegen ist vormarkinisch und vermutlich ein Semitismus, der rückübersetzt bedeutet: »Keine Lampe wird gebracht«[4]. Die Erweiterung »oder unter das Bett« stört den antithetischen Parallelismus, hat aber eher als vormarkinische Zutat zu gelten[5]. Der Schluß »und sie leuchtet allen, die im Haus sind« kann der Umformung in eine Frage zum Opfer gefallen sein. Die älteste Form kann dann so ausgesehen haben: »Keine Lampe wird gebracht, daß man sie unter den Scheffel stellt, sondern auf den Leuchter, damit sie allen im Hause leuchte«. Die Variationen zu Mt 5,15 sind unerheblich. Es ist nicht notwendig, zwei Urfassungen anzunehmen. Die leichten Veränderungen erklären sich am besten durch mündlichen Gebrauch[6]. Das Logion gehört in die Gruppe der Klugheitsregeln, die mit Mk 2,21f vergleichbar sind.
Der zweite Spruch vom Verborgenen, das ans Tageslicht kommt, scheint ein Spruch gewesen zu sein, der unserer Erfahrungsregel gleichkommt: »Die Sonne bringt es an den Tag«. Seine Verbreitung in den Evangelien erstreckt sich auf par Lk 8,17 und die Spruchquelle (Mt 10,26/Lk 12,2), er ist aber auch im Thomasevangelium (Logion 5) und den Oxyrhynchos-Papyri anzutreffen. Seine Anwendbarkeit ist groß[7]. Vielleicht bezog er sich ursprünglich auf das Gericht, daß alles im Verborgenen Geschehene im Gericht Gottes aufgedeckt wird[8]. Die Eigenart der markinischen Version liegt in der finalen Form, die gegenüber Mt 10,26 par sekundär ist und auf Markus zurückgeht. Etwas mit der Absicht verbergen, damit es einst bekannt werde, erscheint uns eigenartig, paßt aber völlig zum Messiasgeheimnis des Evangelisten, das nicht für immer Geheimnis bleiben soll. – Den Weckruf in 23 trägt Markus ein, um die Wichtigkeit der Ausführungen anzuzeigen. Die konditionale Form »Wenn einer Ohren hat« verschärft die Warnung.
Ein nochmaliger Ruf zur Aufmerksamkeit leitet die zweite Spruchgruppe ein.

[3] So Jeremias* 237.

[4] Aus der Aphel- bzw. Ittaphal-Form von *atha* abzuleiten. Vgl. Doudna, The Greek 106. Jeremias* 238 hält die Personalisierung unbelebter Gegenstände für typisch semitisch. Dagegen Schneider* 197f, der darauf hinweist, daß es diese Möglichkeit auch in der klassischen und vulgären Gräzität gibt, und die Personalisierung für Mk-R hält. Die Bevorzugung von ἔρχεσθαι seitens Mk dürfte die hier vorliegende ungewöhnliche Form nicht befriedigend erklären.

[5] Nach Schneider* 199 ebenfalls Mk-R. Markus wollte neue Weisen der Esoterik abweisen! Die Erweiterung ist vermutlich nicht anders als erzählerisch bedingt.

[6] Wenn Vaganay* aus dem Traditionsbefund den Schluß zieht, daß Mk die Quelle gekannt habe, aus der Mt/Lk die Bergpredigt schöpften, ist das sicher zu weitreichend.

[7] Die sonderbarste Fassung bietet POxy 654 Nr. 4 (Fitzmyer): »Erkenne das, was vor deinem Angesicht ist. Und was vor dir verborgen ist, wird sich dir enthüllen. Denn nichts ist verborgen, was nicht offenbar werden wird, und nichts begraben, was nicht auferweckt werden wird«. Der erste Teil stimmt mit Tho 5 überein.

[8] Vgl. Tg Koh 12,13f: »Schließlich wird eine Sache, die in der Welt im Verborgenen getan wurde, ganz bekannt gemacht« (nämlich im göttlichen Gericht).

Markus markiert den Themawechsel. Für ihn ist der Inhalt des Gehörten (»*Was* ihr hört«, par Lk 8,18: »*Wie* ihr hört«) wichtig. Der dritte Spruch vom Messen hat seine Parallele in Mt 7,2 (Warnung vor ungerechtem Richten) und Lk 6,38 (Aufruf zu großzügigem Geben). Gegenüber diesen ist der Zusatz »und es wird euch hinzugefügt werden« neu. Er ist markinisch, da er den folgenden Begründungssatz ermöglicht, und kann aus diesem herübergeholt sein[9]. Der begründende vierte Spruch gibt als Erfahrungsregel dem Sinn nach wieder, daß die Reichen immer reicher und die Armen immer ärmer werden. Bezogen auf ein Handeln Gottes, gewinnt er bei Markus (und par Lk 8,18) sowie am Schluß des Gleichnisses von den Talenten bzw. Minen (Mt 25,29/Lk 19,26) eine andere Bedeutung.
Markus konstruierte also eine Spruchgruppe, die er durch interpretierende Eingriffe in das vorhandene Spruchmaterial für die eigene Aussage benutzte. Daneben achtete er auf die kompositorische Form, die im parallelen Aufbau und in der chiastischen Verschränkung zum Ausdruck kommt (Weckrufe).

Erklärung
21–23

Dem Jüngerkreis wird weiter Belehrung, die das bisher zu ihm Gesagte fortsetzt, zuteil. Das Bildwort von der Lampe führt uns in das einräumige palästinische Haus, das von einem tönernen Öllämpchen beleuchtet wird[10]. Dieses wird auf den eisernen Lampenhalter mit hohem Fuß gestellt, von wo aus es den Raum am besten erhellt. Der Scheffel ist eigentlich ein Getreidemaß, das in keinem jüdischen Haushalt fehlte, schon weil es für die Abmessung des Zehnten unentbehrlich war. Mit diesem Gerät bedeckte man die Lampe entweder um zu verhindern, daß die Flamme das hölzerne Gebälk ergreift, oder um das Licht zu löschen. Das Ausblasen der Lampe hätte unangenehmen Qualm verursacht[11]. Die antithetische Doppelfrage kann nur bejahend beantwortet werden. Es wäre absurd, die Lampe zu bringen, um sie sogleich abzudecken, denn jeder stellt sie auf den Leuchter. Sie unter das Bett zu schieben, unterstreicht nur die Absurdität des ins Auge gefaßten Handelns. Im Markusevangelium erläutert das Bildwort das den Jüngern anvertraute Geheimnis der Gottesherrschaft. Es darf nicht immer Geheimnis bleiben. Das Wort des Evangeliums will wie ein Licht die Welt erleuchten[12]. Dabei kann Markus bei der personalen Formulierung »Kommt etwa die Lampe« durchaus an Christus gedacht haben[13]. Das Messiasgeheimnis ist an seine Person gebunden. Der Spruch vom Verborgenen, das in die Öffentlichkeit dringt, begründet das Wort von der Lampe. Die Wiederholung desselben Gedankens in parallelen Doppelzeilen fällt besonders für den zweimaligen Finalsatz auf; an dieser Stelle macht Mar-

[9] Vgl. Mt 13,12.
[10] Lk 11,33 hat das unterkellerte hellenistische Haus im Sinn.
[11] Vgl. Jeremias* 238f; Billerbeck I,238f; K. Galling, Die Beleuchtungsgeräte im israelitisch-jüdischen Kulturgebiet, ZDPV 46 (1923) 1–50.
[12] E. Trocmé, La formation de l'évangile selon Marc, Paris 1963, 149, betont zurecht den missionarischen Charakter des Logions.
[13] Einige Textzeugen korrigieren: D it ἅπτεται »sie wird angezündet«; W g sah καίεται »sie wird gebrannt«.

kus den Spruch seinem Gedankengang gefügig. Was verborgen ist, wurde nur verborgen, damit es endlich in Erscheinung trete. Hinter diesem Geheimnis steht Gott, der Jesu Messianität und Gottessohnschaft in Kreuz und Auferwekkung offenbaren und durch die Proklamation des Evangeliums der Welt verkünden lassen wollte. Sachlich ist der Spruch in Verbindung mit 9,9, dem befristeten Schweigegebot, zu sehen. Innerhalb des Gleichniskapîtels, in dem zwei Gleichnisse, die vom Gottesreich handeln, folgen, darf man zusätzlich den Zeitpunkt mit in Betracht gezogen sehen, zu dem endgültig alle Schleier und Hüllen fallen werden: die endgültige Offenbarung des Gottesreiches. Die Weckformel zeigt an, daß diese Zusammenhänge schwierig zu begreifen sind. Darum ist erhöhte Aufmerksamkeit geraten.

24–25

Der zweite Ruf zur Aufmerksamkeit «Achtet auf das, was ihr hört!« thematisiert die zweite Spruchgruppe. In ihr geht es wie in 4,13–20 um den Hörer. In seiner Begegnung mit dem Wort erfährt er an sich Gottes Handeln. Gott richtet sich in seinem Messen nach den Maßen, die der Mensch gebraucht. Aber was ist gemeint? Die Aufmerksamkeit des Menschen, die mit um so größerer Erkenntnis bedacht wird, die Hinwendung zum Wort, auf die Gott gnädig reagiert, die Barmherzigkeit, die Gottes Erbarmen auslöst[14]? Im Kontext wird man am besten an das Fruchtbringen denken, zu dem der Hörer des Wortes aufgerufen ist. Er ist dabei auf Gott angewiesen. Gott aber schenkt in Fülle, er gibt mehr, als erwartet. Darin unterscheidet sich der markinische Spruch von ähnlichen Worten der rabbinischen Literatur, die das ius talionis formulieren[15]. Die Begründung liefert ein Sprichwort, das in der Weisheits- und apokalyptischen Literatur zahlreiche Parallelen besitzt: »Belehr den Weisen, so wird er noch weiser!« (Spr 9,9). »Eitles diesen Eitlen! Dagegen Fülle den Vollkommenen!« (4Esr 7,25)[16]. Das Hören des Wortes macht den, der sich öffnet, reich. Dagegen verarmt, wer sich verschließt. Das Wort richtet die Menschen.

Für den Spruch von der Lampe ist erwogen worden, daß ihn Jesus auf sich selbst bezogen habe, in einer Situation, da ihm zugeredet worden sei, sich dem Haß der Gegner zu entziehen und sich zu schonen[17]. Dabei läßt sich darauf hinweisen, daß Profeten und Gesetzeslehrer als Leuchte bezeichnet wurden[18]. Dies kann aber nur Vermutung bleiben. Mit der Möglichkeit, daß Jesus alle vier Sprüche verwendete, muß gerechnet werden. Wegen ihrer Kontext- und Situationsbezogenheit läßt sich über ihre Bedeutung im Munde Jesu kaum etwas Sicheres sagen. Die Sprüche der zweiten Gruppe dürften am ehesten auf das Gericht bezogen gewesen sein.

[14] Letzteres erwägt Grundmann, der die rabbinische Lehre vom doppelten Maß im Handeln Gottes, dem Maß des Gerichts und dem Maß der Barmherzigkeit, als möglichen Hintergrund anerkennt.

[15] Ein Sprichwort lautete: In dem Topf, in welchem einer kocht, wird ihm gekocht. Vergleichbares Material bei Billerbeck I,444–446.

[16] bBer 55a: »Gott gibt Weisheit nur dem, der Weisheit besitzt.« – bBer 40a: »Bei den Menschen ist es so, daß ein leeres Gefäß etwas aufnimmt, aber nicht ein volles Gefäß. Aber bei Gott ist es nicht so. Bei ihm nimmt ein volles Gefäß auf, aber kein leeres«. Vgl. Billerbeck I,660f.

[17] Jeremias* 240.

[18] Schneider* 193.

Zusammenfassung

Der Evangelist schafft ein in sich verklammertes Redestück[19]. Dabei benützt er die erste Spruchgruppe zur Erläuterung von 11f, die zweite zur Weiterführung der Deutung des Sämann-Gleichnisses. Damit stellt sich 10–25 als kompositioneller Block dar. Das Geheimnis wird gelüftet werden, die Hörenden sind unter das Gericht gestellt.

7. *Das Gleichnis vom Saatkorn (4,26–29)*

Literatur: Harder, G., Das Gleichnis von der selbstwachsenden Saat Mk 4,26–29, ThViat 1 (1948/49) 51–70; *Dahl, N.*, The Parables of Growth, StTh 5 (1951) 132–166; *Sahlin, H.*, Zum Verständnis von drei Stellen im Markusevangelium (Mk 4,26–29 usw.), Bib 33 (1952) 53–66; *Baltensweiler, H.*, Das Gleichnis von der selbstwachsenden Saat und die theologische Konzeption des Markusevangelisten, in: Oikonomia (FS O. Cullmann), Hamburg 1967, 69–75; *Dupont, J.*, La parabole de la semence qui pousse toute seule, RSR 55 (1967) 367–392; *Stuhlmann, R.*, Beobachtungen und Überlegungen zu Markus 4,26–29, NTS 19 (1972/73) 153–162; *Kümmel, W. G.*, Noch einmal: Das Gleichnis von der selbstwachsenden Saat, in: Orientierung an Jesus (FS J. Schmid), Freiburg 1973, 220–237; *Dupont, J.*, Encore la parabole de la Semence qui pousse toute seule, in: Jesus und Paulus (FS. W. G. Kümmel), Göttingen 1975, 96–108; *Klauck*, Allegorie 218–227; *Weder, H.*, Die Gleichnisse Jesu als Metaphern (FRLANT 120) (1978) 104–106.

26 **Und er sprach: So verhält es sich mit dem Reich Gottes wie mit einem Menschen, der den Samen auf die Erde warf.** 27 **Und er schläft und erhebt sich, Nacht und Tag. Und der Same sproßt und wird lang, wie, weiß er nicht.** 28 **Von selbst trägt die Erde Frucht, zuerst den (grasartigen) Halm, dann die Ähre, dann das volle Korn in der Ähre.** 29 **Wenn aber die Frucht es gestattet[1], sendet er sogleich die Sichel, weil die Ernte da ist.**

Analyse

Die seltene Anreihungsformel »und er sprach«[2] (ohne Adressatenangabe) kann als formale Stütze dafür angesehen werden, daß das Gleichnis schon in einer vormarkinischen Quelle mit dem Gleichnis vom Sämann und dessen Deutung verbunden war. Dasselbe gilt für Vers 30 und das Gleichnis vom Senfkorn, mit dem das Gleichnis vom Saatkorn eine Art Doppelgleichnis bildet. Durch die Einleitungsformel wird es als Gottesreichgleichnis ausgewiesen. Die Einleitungsformel als sekundär anzusehen, ist nicht zwingend[3]. Das Gleichnis kann nicht allegorisch zum Wort Gottes (= Same) in Beziehung gesetzt werden.

19 Vgl. Gnilka, Verstockung 39f.

1 Sahlin* 57f faßt die Form als Aramaismus auf: »Wenn aber die Frucht gegeben ist«. – Wettstein paraphrasiert: »Die reife Frucht liefert sich dem Schnitter aus«. – Zur Übersetzung vgl. Bauer, Wörterbuch 1221.

2 Nur noch bei Mk 4,9.30; 14,36 (καὶ ἔλεγεν).

3 Gräßer, Parusieverzögerung 145; Bultmann, Geschichte 186; E. Jüngel, Paulus und Jesus, 1962 (HUTh 2), 149; Harder* 51f.

Und unter dem Säer vorschnell Christus oder Gott zu sehen, um eine christologische oder theologische Interpretation sicherzustellen, ist fragwürdig. Das Reich Gottes ist der für das Gleichnis angemessene Bezugspunkt. Für die Geschichte selbst hat man mit Anreicherungen gerechnet. Kuhn möchte aus interpretatorischen Gründen die Verse 27 (mit Ausnahme von »und der Same sproßt und wird lang«) und 28 als solche herausbrechen, um eine Geschichte zu gewinnen, die vom Samen von der Aussaat über das Wachstum bis zur Ernte erzählt, den Säer nur im ersten Satz erwähnt und in dieser Form dem Senfkorngleichnis (Q-Fassung) weitgehend entspricht[4]. Er richtet sich dabei nach dem »unaufgebbaren Grundsatz der Gleichnisauslegung«, daß ein Gleichnis im Gegensatz zur Allegorie nur eines einzigen Vergleichspunktes bedarf[5]. Dieser Standpunkt ist nach dem gegenwärtigen Stand der Gleichnisforschung (s. Erklärung) nicht mehr zu halten. Schwieriger ist die Frage zu beurteilen, ob der abschließende Vers 29 später hinzugefügt wurde[6]. Dafür scheinen mehrere Gründe zu sprechen. Der Hauptsatz ist biblische Reminiszenz (Joel 4,13, vgl. Dtn 16,9), durch den Bauer guckt der Weltrichter hervor, die Aktivität des Landmannes wird als störend empfunden. Es ist zuzugeben, daß die Geschichte mit Vers 28 schließen kann. Doch vor einer endgültigen Antwort ist auf die Form einzugehen.
Wir haben es diesmal unbestritten mit einem Gleichnis im engeren Sinn zu tun, das eine allgemeine Erfahrung wiedergibt. Gewiß sind die erzählerischen Züge im Hinblick auf die gemeinte Sache ausgewählt. Die präsentische Tempusform entspricht dem Gleichnis. Nur im ersten Satz steht der Aorist »er warf den Samen«. Davon hebt sich der anschließende Gleichklang der Tage gut ab. Strukturell greifen in der Geschichte zwei Subjektreihen ineinander und zwar wie folgt: Landmann – Same – Landmann – Erde/Frucht – Landmann. Dieses kunstvolle Ineinander, das das Wesen der Geschichte ausmacht, spricht erneut gegen Kuhns Analyse und läßt die Zugehörigkeit von Vers 29 zum ursprünglichen Gleichnis nicht als unmöglich erscheinen. Dies gilt dann, wenn man den Allegorieverdacht für Vers 29 im Gefolge Jülichers nicht zum entscheidenden Kriterium macht. Das Zitat von Joel 4,19 lehnt sich nicht an die Septuaginta (dort: »Sendet aus die Sicheln, denn die Weinlese ist da«), sondern die Masora und das Targum an[7].

g Die Einführungsformel stellt den Vergleich zur gemeinten Sache, dem Reich Gottes, her. Sie faßt weder einseitig den Landmann noch einseitig den Samen, sondern das ganze Geschehen ins Auge und setzt es in ein Verhältnis zum Reich Gottes. Mit dem Reich Gottes verhält es sich wie mit der folgenden Ge-

[4] Sammlungen 104–112.
[5] Ebd. 106.
[6] Wellhausen; Jülicher, Gleichnisreden II,545; C. H. Cave, The Parables and the Scriptures, NTS 11 (1964/65) 374–387, hier 384f; Suhl, Funktion 154–157 (von Mk angefügt).
[7] Das Targum bietet wie Mk den Singular »die Sichel« (mit Artikel), die Masora spricht von Getreideernte, LXX von τρύγητος und den Sicheln (Plural). Vgl. Stuhlmann* 162. – Tho 21 ist vermutlich Anspielung auf Joel 4,19. Zum Gleichnis vgl. Jak 5,7.

schichte. Sie erzählt die selbstverständlichste Sache aus der ländlichen Welt. Die allein auftretende Person, ein Landmann, auffallend neutral ein »Mensch« genannt, warf den Samen auf den Acker. Weder ist »Mensch« versteckte Anzeige, daß der Menschensohn am Werk ist[8], noch ist der »Auswurf« der Saat Ausdruck dafür, daß dem Landmann an der Saat nichts liegt[9]; nur daß er sich nach getaner Arbeit vom Acker zurückzieht und den Samen sich selbst überläßt, ist von Belang. Der Gleichklang von Nacht und Tag – die Ersterwähnung der Nacht entspricht der orientalischen Tagesbemessung – sieht den Landmann schlafen und sich erheben, ohne daß sich etwas Besonderes ereignet wie etwa im verwandten Gleichnis Mt 13,25[10]. Was der Landmann, der wie ein Faulenzer erscheint, sonst noch auf dem Acker zu tun pflegt, zu pflügen, zu eggen, zu jäten, ist gegenüber dem, was mit dem Samen im Acker geschieht, von untergeordneter Bedeutung. Es bleibt darum unerwähnt[11]. Die Erde läßt den Samen von sich aus, automatisch, zur Frucht gelangen[12]. Einzelne Phasen der Entwicklung werden stichwortartig gezeichnet. Die ursächlichen Kräfte für das Wachsen und Reifen entziehen sich der Einsicht und dem Zugriff des Landmannes. Erst zur Zeit der Ernte ist seine Stunde wieder gekommen. Das Aussenden der Schnitter – im Anschluß an das Joelzitat ausgedrückt als Aussenden der Erntesichel[13] – ist keine Tautologie zu Vers 28[14]. Säen und Ernten korrespondieren miteinander[15]. Im Schneiden der von der Erde geschenkten Frucht wird ein gedeckter Tisch abgeerntet. Im Gegensatz zu Joel 4,19 hat die Erntesichel hier nichts Bedrohliches. Der Ruf an die Schnitter ist ein Jubelruf[16].

Was erfahren wir im Gleichnis über das Reich Gottes? Der in der Geschichte waltende Kontrast ist verschieden bestimmt worden. Man kann davon ausgehen, daß die Passivität des Landmannes der Aktivität der Erde, die von selbst ihre Frucht bringt, gegenübergestellt ist. Dann rückt das Wörtchen αὐτομάτη in den Blickpunkt[17]. Im Hinblick auf das Reich Gottes würde das besagen, daß dieses so sicher kommt wie auf dem Acker aus der Saat die Ernte hervorgeht. Der Mensch kann diesen Prozeß nicht wesentlich beeinflussen. So interpretiert, läßt man die Geschichte gegen zelotischen Eifer, pharisäische Kritik oder

[8] Dies scheint die Auffassung von P. Stuhlmacher, Das Bekenntnis zur Auferweckung Jesu von den Toten und die Biblische Theologie, ZThK 70 (1973) 365–403, hier 393f, zu sein.

[9] Baltensweiler* 71f.

[10] Vielleicht ließ Mt das Gleichnis Mk 4,26–29 aus, weil es ihm zu sorglos erschien.

[11] Darum ist eine Reminiszenz an die Paradieseserzählung, wie Stuhlmacher (Anm. 8) Anm. 39, vermutet, höchst unwahrscheinlich.

[12] Für αὐτομάτη liegt die von Stuhlmann* 154 erwogene Alternative »ohne Zutun des Menschen – ohne sichtbare Ursache« nicht vor. – In analogen Texten ist das Wort gebräuchlich. Diod. Sic. 1,8: τοὺς ἀυτομάτους ἀπὸ τῶν δένδρων καρπούς.

[13] Die Erntesichel besitzt im Gegensatz zur glatten Handsichel Zähne oder Scharten, vgl. Billerbeck II,7.

[14] Das wurde wiederholt behauptet, zuletzt von Kuhn, Sammlungen 105.

[15] Auch das spricht für die Zugehörigkeit von V 29 zum Gleichnis.

[16] Jeremias, Gleichnisse 151. Die drohende Verwendung des Bildes liegt vor Offb 14,15; bSanh 95b (Gabriel soll mit seiner Sichel Sanheribs Truppen vernichten).

[17] Grundlegend Jülicher, Gleichnisreden II, 538–546, auf dem viele Erklärer fußen.

ungläubige Zweifel gerichtet sein[18]. Oder man deutet das Intervall zwischen Aussaat und Ernte so, daß in dieser Zeit der Same sich selbst überlassen ist. Das »von selbst« wird dann etwas Negatives. Angesprochen sei die Gemeinde, die zwischen den beiden Adventen preisgegeben sei, »jedoch nur scheinbar und bis zum nah erwarteten Ende«[19]. Die Parusieverzögerung als problemgeladener Hintergrund läßt dann die Geschichte nicht mehr als Gleichnis Jesu verständlich werden. Jedoch scheint die Botschaft, daß das Reich sicher kommt, zu blaß, weil von kaum einem Juden bezweifelt, und das Einbringen der Verzögerungsproblematik nicht das ursprüngliche Anliegen des Gleichnisses gewesen zu sein. Das Reich-Gottes-Gleichnis dient auch nicht als Argumentationswaffe[20], die sich mit der Spitze eines einzigen Vergleichspunktes dem Zweifler schneidend entgegenstreckt. Es will vom Reich künden. Auszugehen ist vom Kontrast des kleinen unscheinbaren Anfangs, vergleichbar dem nackten Saatkorn, und der reichen Frucht am Ende, die fast wie ein Wunder sich dem Landmann darbietet. Das bedeutet, daß die Basileia nicht nur sicher kommt, sondern daß darüber hinaus ihr rettendes Eindringen schon jetzt in der Gegenwart auch erfahren werden kann, nur dem glaubenden Betrachter wahrnehmbar[21]. Dieser ist in ein Geschehnis hineingenommen, das mit Jesus seinen Anfang nahm und Zukunft hat. Der dazwischen liegende Wachstums- und Reifungsprozeß berücksichtigt das eschatologische Maß. Das Bild, das in der apokalyptischen Literatur seine Entsprechungen hat, bringt in Erinnerung, daß das Geschick zwischen Anfang und Ende, Vergangenheit und Zukunft, von Gott geleitet wird[22]. Auf diesem Hintergrund sind moderne Überlegungen zum Gleichnis, die es von der Zeit Gottes und der Zeit des Menschen handeln lassen, nicht abwegig: »Für die Basileia kann der Mensch nichts tun. Gerade dadurch aber gewährt ihm die Gottesherrschaft Zeit, so wie der Bauer seinerseits Zeit gewinnt, weil die Erde die Zeit für ihn arbeiten läßt. Gerade so aber kommt als Zeit der Gottesherrschaft die Zukunft in den Blick, für die der Mensch in der Tat *nichts* tun kann, die aber für ihn, wie für den Landmann die Ernte, *alles* bedeutet. Dieser Zukunft Gottes *und* des Menschen ist Jesus so gewiß, daß er in Gleichnissen von ihr in der Gegenwart sprechen kann. Alles andere überläßt er ihr selbst«[23].

[18] Jeremias, Gleichnisse 152; Schweizer; Dodd, The Parables of the Kingdom, London 1935, 176–180, faßt gemäß seinem Konzept von der realized eschatology das Gleichnis als Analogon zu Mt 9,37f. / Lk 10,2 auf.

[19] Gräßer, Parusieverzögerung 145.

[20] Vgl. Kümmel* 230f.

[21] Von einem Kontrast von Wachstum und Saat wird man nicht reden können. Dupont* bezieht das Wachstum auf die Sendung Jesu und deutet so: Gott wartet auf seine Stunde, damit die Sendung Jesu ihre Früchte bringen kann.

[22] Vgl. 4Esr 4,31–40.

[23] Jüngel (Anm. 3) 151. Vgl. E. Fuchs, Das Zeitverständnis Jesu: Zur Frage nach dem historischen Jesus, Tübingen ²1965, 304–376: »Genau so läßt sich für Jesu eigene Verkündigung vermuten, daß er seine Zuhörer von jeder Sorge um die Zukunft freimachen wollte, um sie in solcher Freiheit der Gegenwart neu zuzuführen« (339). Die Relation zur Basileia aber bleibt zu beachten. Völlig in ein Existenzverständnis hinein löst J. M. Robinson, Jesus' Parables as God Happening, in: Jesus and the Historian (FS E. C. Colwell), Philadelphia 1968, 134–150 (145) den Gleichnissinn auf: »The event of Jesus' language in which God's reign happens as reality's true possibility«. Dazu kritisch Kümmel* 225–235. Wellhausen deutete die Gleichnisgeschichte ethisch: »Aber Goethe hat sie verstanden: mein Acker ist die Zeit«.

Historische Beurteilung

Das Gleichnis ist Jesus nicht abzusprechen. Gerade die vielleicht provozierende Sorglosigkeit, die aus der Geschichte spricht und in anderen Jesusworten ihre Analogien besitzt (Mt 6,25ff), bestätigt dies. Die Heilszusage war in der Botschaft Jesu nicht bloß eine endzeitlich-zukünftige, sondern auch eine in die Gegenwart hineinwirkende. Von kühnen Konkretisierungen einer Situation für das Gleichnis im Leben Jesu sollte man lieber absehen. Der Evangelist Markus konnte die Geschichte unverändert übernehmen.

8. *Das Gleichnis vom Senfkorn (4,30–32)*

Literatur: Mußner, F., 1Q Hodajoth und das Gleichnis vom Senfkorn, BZ 4 (1960) 128–132; *McArthur, H. K.*, The Parable of the Mustard Seed, CBQ 33 (1971) 198–201; *Klauck*, Allegorie 210–218.

30 **Und er sprach: Wie sollen wir das Reich Gottes vergleichen, oder in welchem Gleichnis läßt es sich darstellen?** 31 **Wie mit einem Senfkorn, das, wenn es auf die Erde gesät wird, am kleinsten unter allen Saatkörnern ist.** 32 **Und wenn es gesät ist, wächst es empor und wird am größten unter allen Gemüsekräutern und treibt große Zweige, so daß unter seinem Schatten die Vögel des Himmels nisten können.**

Analyse

Das kleine Gleichnis ist innerhalb der Evangelien in zwei Versionen überliefert: in der vorliegenden markinischen und einer anderen, auf die Spruchquelle zurückgehenden, die Lk 13,18f besser aufbewahrte als Mt 13,31f. Dieser hat die Q-Fassung mit der markinischen kombiniert. Hinzu kommt eine weitere Fassung des Thomasevangeliums (Logion 20)[1], die sich stärker mit Mk 4,30–32 berührt. Die auffallendsten Unterschiede zwischen Markus und Q sind, daß nach Q »ein Mann« das Senfkorn in seinem Garten (Mt: Acker) sät, während bei Markus der Säer überhaupt nicht in Erscheinung tritt; und daß Markus den Gegensatz zwischen Samen und hoher Staude (»am kleinsten – am größten«) ausmalt. Jedoch kann »der Mann« nachgetragen sein, weil das Gleichnis in Q mit dem anderen vom Sauerteig, das von einer Frau erzählt, eine Liaison eingegangen ist (Mt 13,33 / Lk 13,20f)[2]. Auch ist in Q der Kontrast nicht völlig abhanden gekommen, die staunenerregende Größe sogar noch übertrieben worden, insofern am Schluß »ein Baum« dasteht[3]. Man sollte darum mit weiterrei-

[1] Es lautet: »(Das Reich der Himmel) gleicht einem Senfkorn, das kleiner ist als alle Samen. Wenn es aber auf das Land fällt, das man bebaut, sendet es einen großen Sproß heraus und wird zum Schutz für die Vögel des Himmels«.

[2] Vgl. Michaelis, Gleichnisse 56.

[3] C. H. Dodd, The Parables of the Kingdom, London 1935, 190, Anm. 1, hält die Ausmalung des Kontrastes bei Mk für Mk-R; Kuhn, Sammlungen 103f, setzt sie auf das Konto des Redaktors einer vormarkinischen Gleichnisquelle. E. Jüngel, Paulus und Jesus, 1962 (HUTh 2) 152f, rechnet umgekehrt mit der Möglichkeit, daß Lk die Ausmalung tilgte.

chenden Konsequenzen zurückhaltend sein. Wir dürften es mit zwei nebeneinander umlaufenden Fassungen des Gleichnisses zu tun haben, die in ihrer mündlichen Weitergabe unterschiedlich geformt wurden. Zu beachten ist, daß Markus im Präsens (nur die Aussaat ist Vergangenheit), Q im Aorist erzählt. Die Geschichte ist ein Gleichnis im engeren Sinn. Sollte sie Q als Parabel und damit das Berichtete als besonderen Vorfall betrachtet haben? Vers 32b enthält Anspielungen auf das Alte Testament (Dan 4,9.18; Ez 17,23; 31,6; LXX Ps 103,12), ein direktes Zitat liegt nicht vor. Vielfach hat man diesen Halbvers für markinische Zutat erklärt[4]. Gewiß ist die Schilderung der Weite des Wipfels entbehrlich. Weil sie aber auch in Q vorhanden ist, ist sie als alt anzusehen. Die frei formulierte Wiedergabe eines verbreiteten alttestamentlichen Bildes spricht sogar dafür, daß sie von Anfang an Bestandteil der Geschichte war[5].

Erklärung

Eine dreigeteilte Einleitungsformel führt das Gleichnis ein. Sie hat im Erzählen der Rabbinen ihre Analogien[6]. Nahe heran kommt folgende: »Ich will dir ein Gleichnis sagen. Womit läßt sich das vergleichen? Mit dem und dem«. Der Redner wirbt um die Aufmerksamkeit seines Publikums. Im Mittelpunkt der Geschichte steht eine Senfpflanze. Die Mischna rechnet sie zu den Feldfrüchten, Theophrast zu den Gartengewächsen[7]. Die Winzigkeit des Senfkornes war sprichwörtlich: »Nie geht die Sonne unter, bevor sie nicht geworden ist wie ein Senfkorn Blut«, sagte man etwa, um die geringfügigste Quantität des Sonnenlichtes zu bezeichnen[8]. Die ausgewachsene Senfstaude erreicht am See Gennesaret eine Höhe bis zu drei Metern und übertrifft damit die anderen Gemüsekräuter[9].

Ähnlich wie das Gleichnis vom Saatkorn kündet die Geschichte des Senfkornes vom sicheren Kommen des Reiches Gottes, das bereits jetzt wirksam ist. Der Anfang hat es in sich[10], mag er auch unbedeutend wirken. Es geht um die Beziehung von Anfang und Ende und darum, daß der Anfang das wunderbare Ende gewiß macht. Hat sich dieser Sinn des Gleichnisses in der Verkündigung Jesu bis hin zu Markus verschoben? Ist die Geschichte »unter der Hand zur Allegorie auf die Großkirche geworden, die das Ereignis des sich ausbreitenden Wortes ist«[11] oder gar auf die »Kirchengeschichte«, die bereits an ihr Ziel gelangt ist[12]? Am ehesten könnte in diese Richtung die Schriftanspielung, die von

[4] Suhl, Funktion 154, im Anschluß an Jülicher, Gleichnisreden II,576.

[5] Black, An Aramaic Approach 123, stellt bei einer Rückübersetzung des Gleichnisses ins Aramäische zahlreiche Wortspiele fest.

[6] Billerbeck II,7–9.

[7] Billerbeck I,668f; Jülicher, Gleichnisreden II,576. Diese Differenzierung ist Mt 13,31 und Lk 13,19 zu beobachten. Die Mischna unterscheidet zwischen dem gewöhnlichen und dem ägyptischen Senf.

[8] Lev r 31 (129b). Weitere Belege bei Billerbeck I,669.

[9] Jeremias, Gleichnisse 147. Die Senfsamen ziehen die Vögel an. bKeth 111b wird von einer Riesensenfstange berichtet, mit deren Holz man eine Töpferhütte deckte.

[10] Jüngel (Anm. 3) 153, der zurecht vor einer allzu konkreten Situierung des Gleichnisses warnt (154).

[11] Gräßer, Parusieverzögerung 141f. Vgl. Schulz, Stunde 154.

[12] Suhl, Funktion 155f.

den im Schatten der Staude nistenden Vögeln redet, weisen, weil sie als Hinweis darauf aufzufassen sein dürfte, daß die Heidenvölker kommen. Am klarsten ist diese Bildausdeutung in Ez 31,6 im Bild von der Zeder, die den Pharao darstellt: »In ihren Zweigen nisteten allerlei Vögel des Himmels . . ., allerlei zahlreiche Völker wohnten in ihrem Schatten«. Auf das messianische Reich bezogen ist das Bild in Ez 17,23[13]. Am Ende des Gleichnisses steht nicht die weltweite Kirche, sondern das vollendete Reich Gottes, zu dem die Völker strömen (vgl. Mt 8,11 par).

Historische Beurteilung

Dieser eschatologische Ausblick paßt zur Reich-Gottes-Verkündigung Jesu. Wenn für Markus an die Stelle der Völkerwallfahrt die aktive Heidenmission getreten ist (vgl. Mk 13,10), hat er dennoch das Gleichnis nicht retuschiert.

Wirkungsgeschichte

Die beiden kleinen Gleichnisse vom Saatkorn und vom Senfkorn werden zu den sogenannten Wachstumsgleichnissen gezählt. Ob diese Bezeichnung glücklich gewählt ist, bleibe dahingestellt. Sie vermag auf den Tatbestand aufmerksam zu machen, daß in der Nacherzählung der Geschichte in der christlichen Verkündigung der zwischen Aussaat und Ernte bzw. Samen und ausgewachsener Staude liegende Wachstumsprozeß an Aufmerksamkeit gewann. Dabei kann von der moralischen Deutung, die diesen Prozeß auf den Fortschritt des Christen im Guten bezieht, hier weitgehend abgesehen werden, obwohl sie verbreitet gewesen zu sein scheint. So bezieht Gregor d. Gr.[14] das Gleichnis vom Saatkorn auf das Zusammenwirken der gratia praeveniens und der menschlichen Tugend; Theophylakt interpretiert das Senfkorngleichnis ähnlich[15]. Die Sorglosigkeit des Landmannes wird zur Ruhe des guten Gewissens. Wichtiger ist, daß die Kontraststruktur der Geschichten gesehen wurde. Der unscheinbare Anfang wird wiederholt mit dem unansehnlichen Beginn der Predigt in der apostolischen Zeit gleichgestellt, das Wirksamwerden der Basileia in der Gegenwart in der Evangeliumsverkündigung gesehen. Diese akzeptable Interpretation wird durch Calvin[16] dahingehend modifiziert, daß er Mk 4,26–29 in besonderer Weise auf »die Diener am Wort« gerichtet sieht, die durch das Beispiel des Landmannes ermuntert, bei Erfolglosigkeit nicht mutlos werden sollten. Wird hinter dem Landmann Christus gesehen, so legte es sich nahe, bei der Zeit, in der die Saat der Erde überlassen ist, an das Intervall zwischen Himmelfahrt und Parusie zu denken[17].

Problematisch wird die Erklärung des Wachstumsprozesses dort, wo das Reich Gottes nicht scharf genug von der Kirche getrennt wird. Vorbereitet wird diese Sicht durch eine bei Chrysostomos[18] sich findende Interpretation des Senfkorngleichnisses, die in diesem die weltweite missionarische Verkündigung be-

[13] Dan 4,9.18 bezieht das Bild auf das Königtum Nebukadnezzars. Jeremias, Gleichnisse 146, zitiert Joseph und Aseneth 15, wo das Verb κατασκηνοῦν »geradezu eschatologischer Terminus technicus für die Einverleibung der Heiden in das Gottesvolk ist«. Mußner* entdeckt in 1QH 8,8f ein Analogon. Hier ist die Pflanzung, die Tieren, Wanderern und Vögeln Schutz gewährt, die Gemeinde.

[14] Hom. in Ez. lib. 2 hom. 3 (PL 76,960).

[15] In ev. Mt. 13 (PG 123,285).

[16] I,403.

[17] Theophylakt: PG 123,533.

[18] Hom. in Mt. 46 (PG 58,476).

schrieben sieht. Die Predigt der Jünger verwandelte die ganze Welt! Diese optimistische Sicht, die zu einer Zeit, da der ganze Erdkreis christlich zu sein schien, als angemessen gegolten haben mag, trifft das Gleichnis nicht und ist uns fremd geworden. Abgewandelt lebt sie bei M. Schmaus[19] fort, wenn dieser sagt, daß das Reich Gottes wie ein Senfkorn sich aus kleinen Anfängen *entwikkelt*. K. Barth[20] spricht von einem zweifachen Wachsen der Gemeinde, ihrer Vergrößerung und Erweiterung aus sich selbst heraus auf der einen Seite, und ihrer inneren Reifung, daß ihre Glieder sancti werden, auf der anderen. In der zweiten Auffassung berührt er sich mit Gregor. Αὐξάνειν ist für Barth Parallelbegriff zu οἰκοδομεῖν. Dennoch möchte er das Reich Gottes nicht gänzlich mit der Ekklesia identifizieren. Ihr Verhältnis wird so bestimmt: »In der in der Geschichte existierenden Gemeinde hat das Reich Gottes, solange es Geschichte überhaupt gibt, seine Geschichte. Die beiden Gleichnisse sagen, daß die Geschichte der Gemeinde, weil und indem sie als die Gemeinschaft der Heiligen vom Reiche Gottes herkommt, dem Reiche Gottes entgegengeht, das Reich Gottes verkündigt, die Geschichte eines aus sich selbst *wachsenden* Subjektes ist«.

Basileia und Ekklesia haben miteinander zu tun. Letzterer ist das Wort anvertraut. Durch es will Gottes eschatologische Herrschaft nach wie vor wirksam werden, Menschen und Welt verwandeln. Als *Gottes* Herrschaft ist sie nicht verfügbar oder institutionalisierbar. Die Ekklesia ist für die Zeit, die Basileia wird die Zeit überdauern. Die Ekklesia ist als Treuhänderin der Basileia – und nicht aus sich selbst – Zeichen der Hoffnung. Sie ist dies in dem Maß und so lang, als sie sich diesem Anspruch stellt und für die kommende Basileia Zeugnis gebend auf diese hin lebt. Die paradoxe Verborgenheit der Basileia ist nicht ihre ewige Gestalt. J. Moltmann[21] betont im Anschluß an die Theologie der Reformation, das Reich Gottes sei tectum sub cruce et sub contrario, »sei verborgen unter seinem Gegenteil: seine Freiheit unter der Anfechtung, sein Glück unter dem Leiden, sein Recht unter der Rechtlosigkeit . . .«. Wird das Reich Gottes in der Gestalt der Herrschaft des Gekreuzigten erkannt, so führe die Auferstehungshoffnung und die Sendung Christi in die Schwachheit, das Leiden, die Rechtlosigkeit hinein. Der Widerspruch ergebe sich nicht von selbst »aus den Erfahrungen des Menschen mit der Geschichte, mit Schuld und Tod«, sondern aus der Verheißung, die diesen Erfahrungen zuwiderläuft und es nicht gestattet, sich mit ihnen abzufinden.

[19] Katholische Dogmatik III/1, München 1958, 105. Noch deutlicher L. Fonck, Die Parabeln des Herrn im Evangelium, Innsbruck ³1909, 118–120, der vom »Wachstum des Himmelreiches auf Erden für alle Zeiten bis zum Tage der Vollendung« spricht und dieses Himmelreich mit der Kirche gleichstellt.

[20] Dogmatik IV/2, 728f.

[21] Theologie der Hoffnung, München ⁵1966, 203f.

9. *Der Abschluß der Gleichnisrede (4,33–34)*

Literatur: Molland, E., Zur Auslegung von Mc 4,33: καθὼς ἠδύναντο ἀκούειν, SO 8 (1929) 83–91; *Skrinjar, A.*, Le but des paraboles sur le règne, Bib 11 (1930) 291–321.426–449; 12 (1931) 27–40; *Gnilka*, Verstockung, 50–60; *Räisänen, H.*, Die Parabeltheorie im Markusevangelium, Helsinki 1973, 48–64.

33 **Und in vielen solchen Gleichnissen redete er zu ihnen das Wort, wie sie es hören konnten.** 34 **Ohne Gleichnis aber redete er nicht zu ihnen. Abseits aber löste er den eigenen Jüngern alles auf.**

Analyse Die Aussage von 33 ist mit der von 34 nur schwer zu vereinbaren. Zunächst gibt 33 zu verstehen, daß im Vorausgehenden nur eine Auswahl von Gleichnissen geboten wurde. 34a dagegen erhebt die Gleichnisbelehrung zur ausschließlichen Belehrung des Volkes. Das entspricht 4,11 und dem markinischen Anliegen. Nach 33b kommen die Gleichnisse der Verstehenskraft der Hörer entgegen. 34b dagegen berichtet, daß Jesus sie den Jüngern auflöst. Das setzt ihre schwere Verstehbarkeit voraus. Vers 33 ist vormarkinisch. Zwar hat die Wendung »er redete zu ihnen das Wort« in 2,2 ihre Entsprechung, sie ist aber schon der christlichen Missionssprache bekannt, wie Apg 11,19; 14,25; 16,6 nahelegt. Bei markinischer Formulierung wäre auch ἐν παραβολαῖς (3,23; 4,2; 12,1) zu erwarten und in Responsion zu 4,2 »er lehrte sie«. Kann man 34a Markus zuschreiben, so legt sich für 34b ein anderer Verfasser nahe, der aber wegen des erwähnten Gegensatzes zu 33 vom Autor dieser Schlußbemerkung wiederum zu unterscheiden ist. In 34b sprechen die singuläre Formulierung »die eigenen Jünger«, doppelter Anschluß mit δέ (nach 34a)[1] und ἐπιλύω gegen Markus. Wir müssen in diesem Fall ähnlich wie in 4,10ff mit der doppelten Überarbeitung einer Vorlage rechnen. Die »Auflösung« einer Rede paßt ausgezeichnet zu der in 4,13–20 gebotenen Gleichnisdeutung. Es ergibt sich somit: Der älteste Bestand ist 33. 34b wurde von einem vormarkinischen Redaktor hinzugefügt, 34a vom Evangelisten[2]. Alle beachteten dieselbe Zeitform (Imperfekt). Es entstand ein antithetischer Parallelismus[3].

Erklärung Die Überlieferung weiß davon, daß Jesus gern in seinen Reden Gleichnisse verwendete, wenn sie sich auch damit begnügt, nur eine Auswahl vorzustellen. Die Gleichnisse sind die Belehrung, die das Volk versteht. Καθὼς ἠδύναντο ἀκούειν wollte man mit Berufung auf Joh 6,60; 8,43 auf den Willen zuzuhören beziehen und übersetzte: »So mochten sie ihm zuhören«. Die Belege über-

[1] B freilich liest καὶ χωρίς.
[2] Vielfach wird 33 der Tradition, 34 Markus bzw. einer Zwischenredaktion zugeschrieben. So Kuhn, Sammlungen 132–135; Klostermann; Wellhausen; Wendling, Entstehung 40; Räisänen*, 63f. Ebeling, Messiasgeheimnis 188–190, hält 33f insgesamt für Mk-R.
[3] Anders noch Gnilka, Verstockung 50–60.

zeugen nicht[4]. In Verbindung mit dem Können liegt es viel näher, im Hören die Nunance des Verstehens angesprochen zu sehen, die im wirklichen Hören stets gegeben ist. Ist das der ursprüngliche Sinn der Vorlage, so wird dieser durch die redaktionellen Bemerkungen in 34 verändert. Jetzt wird das eigentliche Verstehen erst durch die Auflösung geschenkt. Das durch die Gleichnisse vermittelte[5] Verstehen ist ein vorläufiges. Für Markus ist es entscheidend, um das Gottes-Sohn-Geheimnis zu wissen. Ohne dieses bleiben die Gleichnisse unverstanden.

Weil die Gleichnisse die spezielle Belehrung des Volkes sind, diese aber das Geheimnis nicht lüften, bleibt das Volk noch im Dunkeln. Die Stunde der eigentlichen Offenbarung steht noch aus. Sie wird sich im Kreuz ereignen. Den Jüngern wird alles aufgelöst. Sie werden in ihre spätere Verkündertätigkeit eingeführt. Wenn sie als die Privilegierten erscheinen, bedeutet das nicht, daß sie dem Kommenden als die Unangefochtenen entgegengehen. Sie haben die größere Verantwortung übernommen. Sie heißen die ihm eigenen Jünger. Die Möglichkeit zu versagen, bleibt um so mehr gegeben.

Vormarkinische Sammlung

Die Erörterung von 4,1–34 hat uns wiederholt die Einsicht eröffnet, daß dieser Abschnitt mehrfach überarbeitet wurde. Es stellt sich die Frage, ob hier dem Evangelisten ein größerer Traditionskomplex bzw. eine Sammlung von Gleichnissen vorgegeben war. Die Frage wird von der Forschung heute weitgehend bejaht. Nur werden die Grenzen einer vormarkinischen Gleichnissammlung recht unterschiedlich abgesteckt. Die Lösungsvorschläge unterscheiden sich vor allem darin, ob man die drei Gleichnisse von Mk 4 oder das Gleichnis vom Sämann und seine Deutung zum Ausgangspunkt der Sammlung nimmt[6]. Für beides lassen sich Gründe anführen. Die drei Gleichnisse sind durch ihr Bildmaterial, das aus dem Leben des Landmannes stammt, aufeinander hingeordnet. Sämannsgleichnis und Deutung bilden ein klassisches Beispiel dafür, wie zwei Traditionen zusammenwachsen, die durch eine veränderte Situation in der tradierenden Gemeinde einander bedingen. Die Deutung des Gleichnisses setzt bereits einen fortgeschrittenen Reflexionsprozeß voraus. Schlichte Traditionssammlungen dürften früh anzusetzen sein. Auf ein frühes Stadium wies uns Vers 33. Wir möchten vermuten, daß die drei Gleichnisse vom Sämann, Saatkorn und Senfkorn – eingeführt mit einer einfachen Einleitung (etwa: Und Jesus sprach), verbunden durch καὶ ἔλεγεν (26 und 30)[7] und abgeschlossen mit 33 – den Grundbestand ausmachen. Im zweiten Stadium trat die Gleichnisdeutung hinzu. Sie wurde durch die Frage der »um ihn Befindlichen nach dem Gleichnis« und die Jesusfrage in 13a dazwischengeschaltet. Den neuen Abschluß bildet 34b. Auf dieser Traditionsebene herrscht das Anliegen vor, die überkommenen Überlieferungen neu aussagbar zu machen. Wir haben gleiches in 7,17ff; 9,28f; 10,18ff. Man

[4] Gegen Molland*, der zusätzlich Epict., diss. 1,29,65f; 2,24,11; 3,2,3 zitiert. Alle Beispiele zielen auf ein Nichthörenwollen ab, sind also negativ gefärbt.

[5] Markus hat zwischen 33 und 34 keinen Widerspruch empfunden. Vgl. Jülicher, Gleichnisreden I,120; Dehn, Gottessohn 101. Nach Skrinjar* 32f, besitzt das Volk in schuldhafter Weise nicht die Disposition, um volle Klarheit zu erlangen.

[6] Das erste tut Jeremias, Gleichnisse 10, Anm. 5, das zweite Räisänen*, 110f. Daneben existiert eine größere Zahl von anderen Entstehungshypothesen, zusammengestellt bei Gnilka, Verstockung 53–56.

braucht keine zusammenhängende Schrift, die diese Perikopen vereinigt hätte (»Jüngerschicht«), anzunehmen. Das allgemeinere Anliegen erklärt den Tatbestand hinreichend. Mittel für die Übersetzung des Gleichnisses in eine neue Situation ist die allegorische »Auflösung«. Sie entspricht nicht einer unmittelbar markinischen Intention, besitzt aber anderswo zahlreiche Analogien[8]. Markus endlich versieht die Sammlung mit einer ausgeführten Einleitung, bringt das Logion vom Geheimnis des Reiches Gottes und die Sprüche 21–25 ein und paßt mit 34a den Abschluß seinem Ziel an. Damit ist die Sammlung über das Paränetische hinaus seinem theologischen bzw. christologischen Konzept dienstbar gemacht.
Näheres über den Entstehungsprozeß und -ort der Sammlung auszumachen, ist schwierig. Sicherlich erfolgte sie im Dienst der Verkündigung. Auf Stufe 1, die Jahrzehnte vor Markus liegen kann, könnte einfach die Hilfe für das Gedächtnis maßgeblich gewesen sein. Der verwandte Stoff ließ sich leicht einprägen. Kuhn sieht als verbindendes Element für die Gleichnisse deren Intention an, der angefochtenen Gemeinde Vertrauen einzuflößen, geht aber dabei von teilweise anderen Analysen und Interpretationen aus, als sie oben gewonnen wurden[9]. Eher ist die in den Gleichnissen enthaltene allgemeine Idee, daß das Wort der Verkündigung im Menschen wirkt und sich durchsetzt, für Stufe 2 in Betracht zu ziehen[10]. Lehrer bzw. Katecheten werden die Sammlung zusammengestellt und bearbeitet haben[11].

10. Die Jünger versagen im Seesturm (4,35–41)

Literatur: Schille, G., Die Seesturmerzählung Markus 4,35–41 als Beispiel neutestamentlicher Aktualisierung, ZNW 56 (1965) 30–40; *Hilgert, E.*, Symbolismus und Heilsgeschichte in den Evangelien. Ein Beitrag zu den Seesturm- und Gerasenererzählungen, in: Oikonomia (FS O. Cullmann), Hamburg 1967, 51–56; *Kertelge*, Wunder Jesu, 91–100; *Schmithals, W.*, Wunder und Glaube. Eine Auslegung von Markus 4,35–6,6a, Neukirchen 1970; *Schenke*, Wundererzählungen, 1–93; *Koch*, Bedeutung, 93–99.

35 **Und er spricht zu ihnen an jenem Tag, als es Abend geworden war: Wir wollen hinüberfahren an das andere Ufer! 36 Und sie entlassen die Volksmenge und nehmen ihn mit, so wie er im Boot war. Und andere Boote waren bei ihm.** 37 **Und es erhebt sich ein großer Sturm-**

[7] Räisänen* 108f, bestreitet, daß καὶ ἔλεγεν nicht markinisch sei mit Hinweis auf 5,30; 8,24; 12,38; 14,36; 15,35. Es bleibt aber doch das Gegenargument, daß 4,9.26 und 30 die absolute Verwendung der Form vorliegt und daß sie sich in Mk 4 vom καὶ ἔλεγεν αὐτοῖς (11,21,24) abhebt.

[8] Nach Gen (Aquila) 40,8; 41,8 werden Träume »aufgelöst«, nach JosAnt. 8,167 schwer verständliche Reden, nach Herm s 5,3,2 (»Alles will ich dir auflösen«); 5,4,2f; 5,5,1; 5,6,8 usw. Parabeln. Weitere Belege für diese Verwendung von ἐπιλύω bei Gnilka, Verstokkung 63. Jetzt auch Räisänen* 52f.

[9] Kuhn, Sammlungen 139f.

[10] Vgl. Luck, WuD 11 (1973) 92, der anmerkt, daß sich ein gleiches auf das Gesetz bezogenes Verständnis in der Weisheitsliteratur fände.

[11] Kuhn, Sammlungen 145, plädiert für Kleinasien oder Syrien als den Ort, wo die Gleichnissammlung anzusiedeln sei. Besser enthält man sich eines so präzisen Urteils.

wind. Und die Wellen schlugen ins Boot, so daß sich das Boot schon füllte. 38 **Und er war auf dem Heck, (wo) er auf dem Sitzkissen schlief. Und sie wecken ihn und sagen ihm: Lehrer, kümmert es dich nicht, daß wir zugrunde gehen?** 39 **Und als er wach war, gebot er dem Sturm und sprach zum Meer: Schweige, verstumme! Und der Sturm legte sich, und es entstand eine große Stille.** 40 **Und er sagte zu ihnen: Was seid ihr so feige? Warum habt ihr keinen Glauben?** 41 **Und große Furcht überfiel sie, und sie sprachen zueinander: Wer ist denn dieser, daß auch der Sturm und das Meer ihm gehorchen?**

Analyse

Am Anfang der Perikope ist Markus sichtlich bemüht, einen Anschluß nach vorn zu schaffen. Der Tag, der zur Neige geht, ist jener, an dem die große Seepredigt stattfand. Das Boot, mit dem die Überfahrt über den See geschieht, ist dasselbe, das als Seekanzel diente. Die anderen Boote, die zur Stelle sind, werden im weiteren Verlauf nicht mehr genannt. Gehören sie zur Einleitung der vormarkinischen Geschichte[1]? Weil die Geschichte ausschließlich im Boot Jesu spielt, ist dies kaum anzunehmen. Für Markus aber können sie für die Unterbringung der Zwölf und der übrigen in 4,10 Genannten von Bedeutung gewesen sein[2]. Der Perikopenbeginn zeichnet sich dadurch aus, daß die Initiative für die Überfahrt zunächst von Jesus und dann von den Jüngern ausgeht. Das erste ist der markinischen Redaktion zuzuschreiben, die ab hier wiederholt das Bild vom Boot, mit dem Jesus und die Jüngerschaft den See überquert, bietet und damit eine verbindende Klammer schafft (5,1.21; 6,45; 8,31). Somit hat Vers 35 als markinisch zu gelten, aber auch der Anfang von 36 (ἀφέντες τὸν ὄχλον)[3], da der Weggang von der Volksmenge gleichfalls einen Anschluß darstellt. Die einbrechende Dunkelheit bietet zwar für die folgende Geschichte eine eindrucksvolle Kulisse, ist aber entbehrlich[4]. Wenn es überhaupt möglich ist, die Einleitung der Vorlage zu rekonstruieren, könnte sie gelautet haben: »Und sie nahmen Jesus mit im Boot . . .«[5]. – Für die Geschichte fällt auf, daß sich in ihr zwei Interessen überschneiden, einmal das christologische und das anderemal der Jüngertadel. Da letzterer ein markinisches Anliegen ausmacht, wird man hier zuerst die Redaktion des Evangelisten vermuten. Der Jüngertadel steht als Doppelfrage in 40. Er scheint allerdings zu spät zu kommen. Man erwartet ihn vor dem wunderbaren Eingreifen Jesu. Theißen vermutet, daß er eine Akklamation verdrängte[6]. Das ist wegen 41 unwahrscheinlich. Markus

[1] So Schenke, Wundererzählungen 31–33; Bultmann, Geschichte 230.

[2] Mit Lohmeyer 90.

[3] Die Formel ist zwar einmalig bei Mk, hat aber Analogien in 8,13; 12,12.

[4] ὀψίας γενομένης in 1,32 gleichfalls Mk-R. Vgl. noch 6,47; 14,17; 15,42.

[5] Vgl. Schenke, Wundererzählungen 48, der allerdings die Zeitbestimmung noch hinzunimmt.

[6] Wundergeschichten 170–172. Theißen hält es für möglich, daß Mk titulare Akklamationen zugunsten der gültigen Akklamation des Kenturio unter dem Kreuz verdrängte. Die Wundergeschichten mit titularen Akklamationen sind zusammengestellt bei Theißen 163. Beachtenswert ist, daß beim Seitenreferenten Mt 14,33 die Titulatur eindringt: »Die im Boot aber warfen sich vor ihm nieder und sagten: Du bist in Wahrheit Gottes Sohn«.

hat den Tadel bewußt an diese Stelle gesetzt[7]. Der Tadel korrespondiert mit dem Vorwurf, den die Jünger in 38c Jesus machen. Auch er ist markinisch[8]. Formgerecht wäre eine Bitte um Hilfe, wie sie Mt 8,25/Lk 8,24 vorliegt. 41b – die abschließende Frage – gehört zur Tradition[9]. Ein ähnlicher Abschluß lag 1,27 vor. Der Evangelist hat demnach seine Vorlage am Beginn überarbeitet und in 38c und 40 eingegriffen[10].

Markus lag eine Geschichte vor, die der Form nach als Wundergeschichte anzusprechen ist. Die Schilderung der Notsituation, das vollmächtige Wort des Wundertäters, der Eintritt des Wunders und die Reaktion der Beteiligten kennzeichnen diese. Das Vokabular entspricht dem einer Exorzismusgeschichte. Die Elemente Wind und Wasser bäumen sich auf. Jesus gebietet ihnen Schweigen, und sie verstummen. Markus hat die Form aufgebrochen und die Erzählung zu einer Jüngergeschichte gemacht. Der epifan werdende Wundertäter tritt zurück. Das Wunder wird zum Anlaß für eine Diskussion über den Unglauben, der an den Jüngern exemplifiziert wird. – Die Tempora wechseln zwischen Präsens, Imperfekt und Aorist. Die Sätze sind mit καί gleichförmig verbunden. Dennoch will es nicht gelingen, eine überzeugende strophische Struktur nachzuweisen[11].

Die Perikope besitzt Ähnlichkeiten mit der Jonageschichte: ein Sturm bricht los, Jona schläft im Innern des Schiffes. Die Seeleute wecken ihn, er möge zu seinem Gott beten, »damit Gott uns rette und wir nicht zugrunde gehen« (LXX Jon 1,6). Es tritt eine Stille ein, allerdings erst, nachdem Jona ins Meer geworfen wurde. Eine analoge Geschichte erzählt der Talmud[12]. Ein jüdischer Knabe bittet Gott um Stillung des Sturmes. Der Erfolg beeindruckt die heidnischen Seeleute, deren Götter nicht halfen. Bultmann hält die synoptische Geschichte für ein Zwischenglied zwischen Jona 1 und der Talmud-Episode[13]. Man wird aber die Unterschiede beachten müssen. Die auftauchenden Motive haben ein größeres Verbreitungsfeld, wie die Interpretation zeigen wird. Direkte Abhängigkeit von einer literarischen Vorlage ist unwahrscheinlich.

Erklärung 35–38

Die Überleitung und die Exposition führen die Beteiligten, Jesus und die Jüngerschaft, in die Perikope ein. Beide brauchen nicht eigens vorgestellt zu werden. Der Anschluß nach vorn stellt sicher, daß die Jünger Zeugen des folgenden Geschehnisses werden. Ob in der isoliert erzählten Geschichte andere das

[7] Entscheidend für dieses Urteil ist das formkritische Argument. Stilistisch spricht die an die Jünger gerichtete Frage, die Mk bevorzugt, für Mk-R. Schenke, Wundererzählungen 41, hält 40a eventuell für Tradition.

[8] Ähnlich Koch, Bedeutung 96.

[9] Vielleicht stammt auch der ὥστε-Satz in 37, der die Szene ausmalt, von Mk. Die Wiederholung des Wortes πλοῖον ist auffällig.

[10] Gegen Schille* 34.

[11] Versuche bei Wendling, Entstehung 46f; Lohmeyer; Schille* 34; Pesch I,269. Dagegen Schenke, Wundererzählungen 45–48; Kertelge, Wunder Jesu 93f.

[12] pBer 9,13b, bei Billerbeck I, 452.

[13] Geschichte 249. Wendling, Entstehung 46f, spricht von einer Nachbildung von Jon 1,4ff.

Wunder miterlebten, bleibt unsicher, ist aber nicht wahrscheinlich.[14] Schauplatz des Ereignisses ist das Meer, genauer das Boot, in dem sich Jesus befindet. Die anderen Boote spielen – auch im Chorschluß – keine Rolle mehr. Der Zeitpunkt ist die hereinbrechende Nacht. Wenn Markus den Abend mit dem voraufgehenden Tag verbindet, setzt er den griechischen Tagesablauf voraus, da für den Juden mit dem Abend der neue Tag begann. Die Initiative zur Überfahrt geht von Jesus aus. Er übernimmt somit für das Folgende von vornherein die Verantwortung. Die Jünger, die ihn, so wie er im Boot sich befindet, mitnehmen, handeln auf seinen Befehl. Mit der Abfahrt vom Ufer wird die Volksmenge, die die Seepredigt hörte, verabschiedet.

Unvermittelt bricht der Seesturm los, dessen Gewalt und Bedrohlichkeit detailliert geschildert wird. Das Boot droht, im Meer zu versinken. Im Kontrast hierzu schläft Jesus im Hinterteil des Bootes[15], der – weil etwas erhöht – vom eindringenden Wasser offenbar noch verschont bleibt. Sein Schlaf ist nicht Folge der anstrengenden Predigttätigkeit[16] oder durch die beginnende Nachtzeit bedingt, sondern Ausdruck seiner Souveränität und Sicherheit. Ganz im Gegensatz hierzu steht die Aufregung der Jünger, die in ihrer Not Jesus aufwecken. Aus ihrem Wort muß vor allem der Vorwurf herausgehört werden[17]. Ihre Sorge um ihr eigenes Überleben scheint Jesus nicht zu teilen. Die hier zum ersten Mal verwendete Anrede διδάσκαλε umschreibt ihr Schülerverhältnis, sie kann aber auch von Nichtjüngern benutzt werden. Stand in der Geschichte ehemals eine schlichte Bitte um Hilfe, entsprach das der Form einer Wundererzählung. Mit dem Vorwurf treten die Jünger in das Rampenlicht. An dieser Stelle – Jesus und die Jünger im sturmbedrohten Boot – ist der dramatische Höhepunkt erreicht.

39–41

Jesus reagiert noch nicht auf den Vorwurf der Jünger, sondern spricht das wunderwirkende Wort. Dabei werden Sturm und Meer wie lebende Wesen angesprochen. Ihnen wird befohlen zu schweigen und zu verstummen. Beides besitzt seine Parallelen in den Exorzismusgeschichten (vgl. Mk 1,25). Das Befehlen (ἐπιτιμάω) ist bereits in der Septuaginta Term für die Schelte Gottes, die sich gegen unheilvolle Mächte richtet (LXX Ps 9,6; 67,31; 105,9; 118,21)[18]. Da das Verb in hellenistischen Exorzismuserzählungen fehlt, schließt die Geschichte an biblische Terminologie an. Die Aufforderung zu verstummen ist nicht bloße Wiederholung des Schweigebefehls, sondern Bannwort[19]. Hinter der Schilderung steht die Vorstellung, daß in den schädigenden Naturgewalten Dämonen am Werk sind. So redet das Henochbuch von »Geistern des Wassers, der Winde und aller Lüfte«[20]. Die unheimliche Macht des Meeres, um die der

[14] Schenke, Wundererzählungen 34, rechnet mit einem erweiterten Zeugenkreis für die ursprüngliche Geschichte. –Der Koine-Text spricht volkstümlich von »anderen Bötchen« (πλοιαρία).

[15] Nach Passow ist προσκεφάλαιον das Sitzkissen der Matrosen.

[16] Joh 4,6 ist keine Parallele.

[17] Zur Formulierung vgl. Lk 10,40.

[18] Vgl. Schenke, Wundererzählungen 55.

[19] Vgl. F. Pfister, RAC II,174.

[20] äthHen 69,22; vgl. 60,16; 4Esr 6,41f; Jub 2,2.

biblische Mensch von Anfang an weiß[21], wird hier verstärkt durch die bedrohende Finsternis der Nacht. Die angefahrenen Naturgewalten folgen aufs Wort. Die Beruhigung des Sturmes hat ihre wörtliche Entsprechung in der parallelen Erzählung vom Seewandel (6,51), das Eintreten der Stille steht erzählerisch im Kontrast zum Eintreten des Sturmes in 37. Motivisch erkennt man in der Darstellung die im Alten Testament und besonders in den Psalmen wiederholt beschriebene und gefeierte Macht Jahwes über Wasserfluten, Sturm und Meer wieder. Dabei herrscht der Gedanke vor, daß Gott aus der Bedrängnis errettet: »Die dann zum Herrn schrieen in ihrer Not und die er aus ihrer Drangsal herausführte, da er den Sturm zum Säuseln stillte, daß die Wellen des Meeres schwiegen« (Ps 107,28f)[22], aber auch die Vorstellung des Kampfes Jahwes mit chaotischen Gewalten: »Du hast das Meer zerspalten mit deiner Kraft, die Häupter der Drachen über den Fluten zerschmettert. Du hast zerschlagen die Köpfe des Leviathan . . .« (Ps 74,13f)[23]. Der biblische Hintergrund ist für die Geschichte der bestimmende, nicht Vorbilder aus dem griechisch-römischen Bereich. Zwar werden dem Asklepios, Pompejus und Caesar die Gewalt über die Naturmächte gelegentlich zugesprochen, aber es fehlt eine ausgeführte Geschichte[24]. Wichtig ist zu sehen, daß die Vollmacht, die im Alten Testament Jahwe zugesprochen wird, von Jesus ausgesagt wird, der nicht wie Jona durch Gebet, sondern aus eigener Machtfülle das Wunderbare geschehen läßt. Erst nach dem erfolgten Wunder wendet sich Jesus den Jüngern zu. Der Tadel, der sie trifft, ist hart. Er beklagt ihre Feigheit und ihren Unglauben. Daß der Mangel des Glaubens gerügt wird, war wohl der Anlaß für eine abmildernde Textkorrektur: »Habt ihr noch keinen Glauben?«[25] Der Tadel »Habt ihr keinen Glauben« setzt bereits die längere Gemeinschaft der Jünger mit Jesus voraus[26]. Das macht seine Besonderheit aus. Aber worin besteht das Versagen der Jünger? Wenn man ihnen nur mangelndes Vertrauen vorgehalten sieht, käme die Schärfe der Anklage nicht genügend heraus[27]. Haben sie nicht richtig gehandelt, als sie sich in der Not an den Meister wandten? Ihre falsche Haltung bestand darin, daß sie nur an sich dachten und nicht bereit waren, untereinander und mit Jesus die Gefahr zu teilen. Die Situation wird sich in ihrer Flucht vor dem Kreuz wiederholen. In der Haltung des Petrus Mk 8,32f drückt sich der gleiche Geist aus. Vor der δειλία (Furchtsamkeit, Feigheit) wird im Neuen Te-

[21] Ps 95,5; Jes 40,12; 51,15; Jer 31,35; Am 5,8; 9,6; Ijob 12,15.

[22] Ps 69,2f.15f; 18,16f; 32,6; 46,3f; 65,8; Jes 43,2.

[23] Ps 89,10f; 104,6–9; Ijob 26,12f; 38,8–10. Das Material ist gesammelt bei Schenke, Wundererzählungen 65–69.

[24] Vgl. Ael. Aristides, or. 42,10; 45,29.33; Cicero, De imperio Cn. Pompeji ad Quirites or. 48; Dio Cassius, hist. 41,46, und Kertelge, Wunder Jesu 97 Anm. 253 und 254. Bultmann, Geschichte 253, bemerkt: »Eine einzelne Wundergeschichte, in der die Stillung des Sturmes auf einen ϑεῖος ἄνϑρωπος, eine Heilandsgestalt, übertragen wäre, ist mir nicht bekannt«.

[25] BC 33 D Θ lat οὔπω πίστιν, vielleicht Angleichung an 8,21.

[26] Damit wird der Tadel nicht zu einem Wort des historischen Jesus. Sollte das Roloff, Kerygma 165, meinen? Für Markus wird das Wunder aber auch für den Fall, daß die Jünger Glauben hätten, nicht überflüssig. Gegen Koch, Bedeutung 98, Anm. 33.

[27] So treffend Roloff, ebd.

stament wiederholt gewarnt, in Offb 21,8 stehen die Feigen neben den Ungläubigen (vgl. 2Tim 1,7; Joh 14,1). Die von Markus gezeichneten versagenden Jünger werden für die Gemeinde zum warnenden Beispiel, nicht in den gleichen Unglauben zu verfallen. Daraus konkrete Rückschlüsse auf die (markinische) Gemeinde zu ziehen, ist problematisch, wie die recht unterschiedlichen Meinungen zeigen[28]. Große Furcht ist die angemessene Reaktion auf die Epifanie Gottes. Die abschließende Frage: »Wer ist dieser . . .?« erkennt die Macht des Wundertäters an und wollte beim Vortrag der Geschichte von den Hörenden beantwortet sein. Im Makrotext des Evangeliums wird sie später beantwortet werden. Das erste vorläufig gültige Bekenntnis wird Petrus sprechen.
Wiederholt hat man versucht, der Geschichte einen zusätzlichen symbolischen Sinn abzugewinnen. Mt 8,23 stellt sie unter den Gedanken der Nachfolge. Damit wird die Gemeinschaft der Jünger mit Jesus im Boot transparent und zum Bild für die Risiken, die die Jüngernachfolge mit sich bringt, und letztlich zum Bild für die Gemeinde[29]. Diese Gedankenführung wird man bereits für Markus annehmen dürfen, denn er – und nicht die vormarkinische Tradition – hat mit dem Interesse an der Jüngerschaft diese Sinnverschiebung eingeleitet[30]. Im übrigen wird man mit der Entdeckung weiterer symbolischer Hinweise – z. B. auf die Mission – zurückhaltend sein müssen[31]. Die symbolische Gleichstellung des Schiffes mit der Gemeinde bzw. einer Gemeinschaft war der antiken Literatur nicht unbekannt[32]. Beachtung verdient, daß in TestN 6 eine Jakob und seine Söhne betreffende, der synoptischen Perikope verwandte Seesturmgeschichte erzählt wird, in der das Schiff Israel bedeutet.

Zusammenfassung

Markus eröffnet mit der Perikope von der Sturmstillung einen Zyklus von Wundergeschichten. Bei seiner redigierenden Arbeit kam es darauf an, daß von Jesus die Initiative für die risikoreiche Überfahrt ausgeht und die Jünger in eine Schule genommen werden, in der sie versagen. Der Tadel des Wundertäters an den Jüngern als Antwort auf deren egoistischen Vorwurf hebt das Wunder nicht auf, sondern gibt ihm die richtige Richtung. In die gleiche Richtung weist der Weg, den Jesus im Evangelium geht. Glaube ist erst am Ende des Weges möglich, nicht, wenn dieser theoretisch erfaßt, sondern gegangen wird.

Wirkungsgeschichte

Die Perikope wurde in der Folgezeit christologisch und ekklesiologisch relevant. Daß man sie auch paränetisch auswertete – der Christ wird in den Stür-

[28] Nach Schenke, Wundererzählungen 78, spiegelt die vormarkinische Tradition eine Situation höchster Anfechtung für die christliche Gemeinde wider, die gekennzeichnet sei durch äußere Verfolgung und inneren Zwiespalt wegen der sich verzögernden Parusie. Nach Koch, Bedeutung 98, ist eine Haltung eingefangen, die die Abwesenheit des Herrn als Verlassensein der Gemeinde empfindet. Phantastisch Schille* 37f, nach dem die Geschichte den erlöschenden Glauben an den Wundertäter Jesus nach dessen Kreuz entfachen soll. Die Auferstehung ist dabei ausgeklammert.

[29] Vgl. G. Bornkamm, Die Sturmstillung im Matthäusevangelium, in: G. Bornkamm/G. Barth/H. J. Held, Überlieferung und Auslegung im Matthäus-Evangelium, ²1961 (WMANT 1) 48–53.

[30] Schenke, Wundererzählungen 74–79, nimmt diese Sinnverschiebung schon vor Markus an.

[31] Zu weit geht Hilgert* 51ff.

[32] Vgl. J. Kahlmeyer, Seesturm und Schiffbruch als Bild im antiken Schrifttum, Hildesheim 1934.

men des Lebens versucht und erprobt[33] – braucht nur am Rand vermerkt zu werden. Das kontrastierende Verhalten Jesu, sein Schlafen im Heck des Bootes und sein machtvoller Auftritt vor den stürmenden Wogen regte an, über die Person Jesu nachzudenken. Die abschließende Frage in 41 wies auch in diese Richtung. Theophylakt[34] empfindet – durchaus textgemäß –, daß der Schlaf die Größe des Wunders eigentlich erst so recht hervortreten läßt. Beda[35] hebt unmittelbar auf Christus ab und findet in der Kontrastierung die beiden Naturen Christi wieder: der als Mensch im Schiff schlief, bezwingt als Gott mit einem Wort das tobende Meer. Diese Deutung dürfte lang verbreitet gewesen sein. Sie begegnet bei Calvin[36] wieder, der zusätzlich den Willen Gottes ins Spiel bringt. Es war kein zufälliger Sturm. Alles hatte die göttliche Vorsehung gelenkt. Die Apostel sollten lernen, »wie schwach und gebrechlich ihr Glaube noch war«. Die ekklesiologische Auswertung knüpft bei dem schon bei Markus gegebenen symbolischen Verständnis an, das das Boot mit der Gemeinde identifiziert. Dieses Verständnis blieb durch alle Jahrhunderte lebendig. Das Schiff der Kirche fährt durch das Meer dieser Welt und ist Gefahren ausgeliefert, bis es den Strand des Reiches Gottes erreicht. Dieses fast idyllisch anmutende Bild konnte nun gerade im Hinblick auf jene als warnende Frage ausgemünzt werden, die ein Amt und damit besondere Verantwortung in der Kirche übernommen haben. So stellt Erasmus[37] in seiner Markus-Kommentierung die Überlegung an, wann Christus heute im Boot schlafe und dieses sich selbst überlassen scheint. Und er meint, dies geschähe immer dann, wenn die Hirten pflichtvergessen sind. Umgekehrt sieht K. Barth[38] in der Perikope für die Kirche dargestellt, wie der Herr sich sichtbar macht »als den festen Grund ihrer Existenz als sein Volk«. Nicht das Amt oder die Tradition oder irgendetwas anderes gebe dem Schiff Sicherheit, sondern er allein. Barth kann dabei mit etwas Ironie auf eine bildliche Darstellung des Geschehens verweisen, wo die Apostel mit Bischofsmützen gemalt sind. Bei dieser Überschau wird man im Rahmen von möglichen ekklesiologischen Auswertungen gerade im Sinn des Evangelisten radikaler die Glaubensfrage im Anschluß an diese Perikope zu stellen haben. Negativ formuliert: der Unglaube beginnt dort, wo der Christ nicht bereit ist, aus Feigheit und Angst mit Jesus und anderen Menschen Gefahren auf sich zu nehmen und zu teilen. Positiv gewendet: der Glaubende folgt Jesus in die Dunkelheit des Leids[39]. Er darf dann auch in der Gemeinschaft der Kirche ein Hoffender sein.

[33] Jansenius nach Knabenbauer 137f.

[34] PG 123,538.

[35] PL 92,173. Es ist interessant, daß Beda noch um den exorzistischen Hintergrund der Sturmgeschichte weiß (PL 92,174f). Thomas von Aquin bemerkt ihn nicht mehr. Zum Schweigegebot Jesu, das ihm eigenartig erscheint, sagt er, daß Sturm und Wellen ein lautes Tosen verursachten. Dieses bringe Jesus zum Schweigen. Vgl. Catena aurea 464.

[36] I,282.

[37] Bd. 7,192.

[38] Dogmatik IV/3,838–840.

[39] Die Verbindung mit dem Kreuz hat Beda (PL 92,174f) gesehen, der in einer allegorischen und so nicht übernehmbaren Deutung Schlaf Jesu und Sturmstillung auf Kreuz und Auferstehung bezieht.

11. Ein Besessener wird zum Verkünder (5,1–20)

Literatur: Sahlin, H., Die Perikope vom gerasenischen Besessenen und der Plan des Markusevangeliums, StTh 18 (1964) 159–172; *Cave, C. H.*, The Obedience of Unclean Spirits, NTS 11 (1964/65) 93–97; *Craghan, J. F.*, The Gerasene Demoniac, CBQ 30 (1968) 522–536; *Lamarche, P.*, Le Possédé de Gérasa, NRTh 90 (1968) 581–597; *Bligh, J.*, The Gerasene Demoniac and the Resurrection of Christ, CBQ 31 (1969) 383–390; *Kertelge*, Wunder Jesu, 101–110; *Pesch, R.*, Der Besessene von Gerasa, 1972 (SBS 56); *Schenke*, Wundererzählungen, 173–195; *Koch*, Bedeutung, 55–64; *Annen, F.*, Heil für die Heiden, 1976 (FTS 20).

1 **Sie kamen an das gegenüberliegende Ufer des Meeres in die Landschaft der Gergesener.** 2 **Und als er aus dem Boot ausstieg, kam ihm sogleich aus den Grabhöhlen ein Mensch in einem unreinen Geist entgegen,** 3 **der seine Behausung in den Grabhöhlen hatte. Und keiner konnte ihn bisher mit einer Fessel binden.** 4 **Denn oft schon war er mit Fuß- und Handfesseln gebunden worden, und die Handfesseln waren von ihm zerrissen und die Fußfesseln zerrieben worden. Und keiner vermochte ihn zu bändigen.** 5 **Und ständig, nachts und tags, in den Grabhöhlen und auf den Bergen, schrie er und warf sich selbst mit Steinen.** 6 **Und als er Jesus von weitem sah, lief er herbei und warf sich vor ihm nieder** 7 **und schrie mit lauter Stimme: Was habe ich mit dir zu schaffen, Jesus, Sohn des höchsten Gottes? Ich beschwöre dich bei Gott, quäle mich nicht!** 8 **Denn er hatte zu ihm gesagt: Fahre aus, unreiner Geist, aus dem Menschen!** 9 **Und er fragte ihn: Was ist dein Name? Und er sagt ihm: Legion (ist) mein Name, denn wir sind viele.** 10 **Und er bat ihn inständig, daß er sie nicht aus der Gegend verjage.** 11 **Dort beim Berg befand sich aber gerade eine große Schweineherde, die weidete.** 12 **Und sie baten ihn: Banne uns in die Schweine, daß wir in sie einziehen.** 13 **Und er gewährte es ihnen. Und die ausgetriebenen unreinen Geister fuhren in die Schweine. Und die Herde stürmte den Abhang hinab in das Meer, an die zweitausend, und sie ertranken im Meer.** 14 **Und ihre Hirten flohen und meldeten es in der Stadt und in den Gehöften. Und sie kamen, um zu sehen, was geschehen war.** 15 **Und sie kommen zu Jesus. Und sie sehen den Besessenen dasitzen, bekleidet und vernünftig, ihn, der die Legion gehabt hatte. Und sie fürchteten sich.** 16 **Und die es gesehen hatten, erzählten ihnen, wie es dem Besessenen ergangen war, und von den Schweinen.** 17 **Und sie begannen, ihn zu bitten, aus ihrer Gegend wegzugehen.** 18 **Und als er in das Boot stieg, bat ihn der Mann, der besessen gewesen war, er möchte mit ihm gehen.** 19 **Und er gestattete es ihm nicht, sondern er spricht zu ihm: Geh' in dein Haus zu den Deinen und melde ihnen, was der Herr Großes an dir getan und welche Barmherzigkeit er dir erwiesen hat.** 20 **Und er ging fort und begann in der Dekapo-**

lis zu verkünden, was Jesus Großes an ihm getan hatte. Und alle waren voll Staunen.

Analyse Die Wundergeschichte, die zu den umfangreichsten der synoptischen Tradition gehört, hat in der Forschung recht unterschiedliche Dekompositionen erfahren. So rechnen manche Autoren mit mehreren vormarkinischen Überlieferungsstufen, Schenke und Kertelge mit drei, Pesch mit vier. Dabei möchten Kertelge und Pesch annehmen, daß Markus die mannigfaltig gestaltete Geschichte unverändert in sein Evangelium übernahm[1]. Beides ist unwahrscheinlich. Die Annahme der wiederholten Überarbeitung setzt in das subtraktionelle analytische Verfahren zu großes Vertrauen und läßt die Möglichkeit außer acht, daß Ausführlichkeit nicht darauf zurückzuführen zu sein braucht, daß eine Überlieferung überarbeitet und erweitert worden ist, sondern darauf, daß sie einem Stadium, das der mündlichen Erzählung noch nahe ist, entspricht. Die Annahme, daß Markus an der Formung unbeteiligt war, geht in der Regel davon aus, daß die Perikope zu einem vormarkinischen Wunderzyklus gehörte, der mit 4,35ff eingesetzt habe[2]. Dies wird zu prüfen sein. Andere Autoren sahen alttestamentliche Vorbilder als Gestaltungsfaktoren für die Perikope an. Sahlin spricht von einem christlichen Midrasch zu Jes 65,1–5[3], einer Stelle, in der der heidnische Mensch beschrieben wird, Cave vermutet Anlehnung an Ex 14,27ff[4]. Man hat ferner geglaubt, daß der Überlieferung eine schlichte Exorzismusgeschichte (vgl. Mk 1,23ff) zugrunde liege, die später insbesondere um die anschauliche Schilderung des Besessenen in 3–5 und die Episode von den Schweinen bereichert worden sei. Dazu ist zu sagen, daß eine Rumpfgeschichte – wie sie etwa Pesch rekonstruiert[5] – recht blaß ausfällt und daß vor allem die Lokalisierung des Berichteten in heidnischem Land von vornherein eine besondere Ausrichtung erwarten läßt[6].

Die Einleitung der Perikope ist vom Evangelisten gestaltet worden. Mit der Ankunft am jenseitigen Ufer ist das Vorhaben von 4,35 ausgeführt. Das Interesse am Boot und den Überfahrten haftet nicht an der Tradition, sondern ist markinisch. Die Einleitung besaß ehedem nur eine Ortsangabe: »Und er kam in die Landschaft der G.«. Auch die Änderung in den Plural »sie kamen« ist markinische Angleichung an das Vorangehende. Die Jünger spielen in der ganzen Geschichte keine Rolle. Die Ankunft des Besessenen in 2 besitzt in 6 eine Wiederholung. Der ursprüngliche Text kann gelautet haben: »Und da war ein

1 Pesch, Der Besessene 49; Kertelge, Wunder Jesu 108. Im Kommentar spricht Pesch I,282 nurmehr von zwei Traditionsstufen.

2 Etwa Pesch, Der Besessene 17; Kertelge, Wunder Jesu 90f. Vgl. J. P. Achtemeier, Toward the Isolation of Pre-Markan Miracle Catenae, JBL 89 (1970) 265–291. Stellungnahme unten S. 237f.

3 *160.

4 *97.

5 Danach umfaßt der Grundbericht die Verse 1*2b.5*.7.8 (umgeformt). Reste von 13f.15*.16a.20b (bzw. statt 16a und 20b: 17). Das Sternchen bedeutet, daß nicht der ganze Vers für die Rekonstruktion verwendet wurde. Vgl. jetzt Pesch I,282.

6 Unklar ist, warum ausgerechnet Hirten zu Zeugen werden in Peschs Vorlage. Das heißt doch, daß die Herde von Anfang an zur Erzählung gehörte.

Mensch in einem unreinen Geist, der hatte seine Behausung in den Grabhöhlen«. Der Ausstieg Jesu aus dem Boot korrespondiert mit dem Einstieg in 18 und verrät wieder das markinische Anliegen, Zusammenhänge nach vorwärts und rückwärts zu bilden[7]. Es ergibt sich daraus, daß das Meer in der Einleitung der vormarkinischen Überlieferung nicht erwähnt war. Darf man daraus den Schluß ziehen, daß die Geschichte gar nicht am Meer lokalisiert war, sondern erst redaktionell dahin verlegt wurde? Dafür könnte Gerasa sprechen, eine Stadt, die zwei Tagreisen vom See Gennesaret entfernt war und die mit der Stadt von 14 identisch wäre. Die Hirten und die Leute aus der Stadt hätten dann, ist Gerasa gemeint und der Schauplatz der See, Tage gebraucht, um die in 14ff geschilderte Kommunikation herzustellen! Das Meer aber wird für den Untergang der Schweine benötigt. Es bleiben zwei diskutable Lösungsversuche. *Entweder* ist die Bemerkung in 13c »und sie ertranken im Meer« redaktionell. Dagegen wäre einzuwenden, daß der Untergang der Schweine eine Pointe der Erzählung ausmacht. Die Dämonen gelangen damit an ihren Ort, in den Abyssos. Auch ist die Schadenfreude des von Haus aus jüdischen Erzählers über den Untergang der Schweine, deren Genuß Mose verboten hatte, nicht zu übersehen[8]. *Oder* die Stadt Gerasa verdrängt einen anderen Ort, mit dem die Erzählung einmal verbunden war. Mt 8,28 verlegt die Begebenheit in das Gebiet von Gadara, zwei Wegstunden vom See entfernt und durch den Jarmuk von ihm getrennt. Gergesa, am Südostufer des Sees, von Dalman mit Kurse am Wadi es-samak identifiziert, entspricht – Steilhang zum See – der Ortsbeschreibung[9]. Für die Verdrängung des relativ unbekannten Ortsnamens lassen sich Gründe anführen. Wurde die Geschichte als Illustration für ein Auftreten Jesu im Heidenland verwendet, war Gergesa Fremden gegenüber bedeutungslos, Gerasa aber eine der bedeutendsten Städte der Dekapolis[10], deren Kenntnis man sich auch durch die Landkarte aneignen konnte. Ob Markus für diesen größeren Rahmen interessiert sein konnte, muß der Abschluß der Geschichte zeigen. Hier steht der Auftrag Jesu, der Kranke solle die Heilung in seinem

[7] Die Genitivi absoluti deuten Mk-R an, ebenso der Wechsel von μνημεῖον zu μνῆμα in 2f. Vgl. Schenke, Wundererzählungen 175.

[8] Zum Schweineverbot vgl. Lev 11,7; Dtn 14,8. Wird hier nur der Genuß des Schweinefleisches verboten, so untersagt später die Mischna BQ 7,7 die Schweinezucht. Bei der Verwerfung der Schweine als unreine Tiere ist als Hintergrund der Kampf gegen syrische Kulte, in denen das Schwein eine Funktion hatte (Jes 65,4; 66,17), mit in Betracht zu ziehen. Wann es zum Verbot der Schweinezucht kam, ist ungewiß. Eine legendarische Überlieferung bringt es mit dem Krieg zwischen Hyrkan und Aristobul II. (65 v. Chr.) in Verbindung. Vgl. Billerbeck I,492f; K. H. Rengstorf, Rabbinische Texte 1. Reihe. Die Tosefta Bd. 3, Stuttgart 1953, 36, Anm. 28. Die jüdische Mentalität macht es ganz unwahrscheinlich, daß Mk-R die Bemerkung in 13c geschaffen haben soll. So Schenke, Wundererzählungen 178. Zur Bedeutung des Schweines bei den alten Völkern vgl. Annen* 162–173.

[9] Dalman, Orte und Wege 190–193. Wichtig ist, daß pSchebi 36c den gleichnamigen Ort in der Gegend von Susitha und Hippos voraussetzt. Die Angaben des Origenes (zu Joh 6,41) und Euseb, Onomastikon (GCS 11/1,74), sind unzuverlässig. In der Nähe einer Ortschaft gab es auch Totenbestattung. Gegen den Einwand von Pesch, Der Besessene 18, daß man in Kurse keine Grabhöhlen gefunden habe.

[10] Vgl. Schürer II,177–189.

Haus bekannt machen, in Spannung zu seiner Verkündigung in der Dekapolis. Dies zeigt sich vor allem darin, daß die Großtat in 19 mit dem Herrn (= Gott), in 20 dagegen mit Jesus unmittelbar verknüpft wird. Der Befehl, zu gehen bzw. ins Haus zu gehen, ist typisch für den Abschluß von Wundergeschichten (1,44; 2,11; 5,34; 8,29; 10,52), das Verkünden dagegen ist dem Evangelisten angelegen[11]. Der abschließende Vers 20 ist markinisch. So scheint die Auffassung berechtigt, Ähnliches für das Eindringen von Gerasa in 1 anzunehmen, nur daß hierfür ein nachmarkinischer Abschreiber verantwortlich zu machen sein wird, der Gergesa durch Gerasa ersetzte. Dieser dachte freilich im Duktus der Entwicklung weiter[12]. Im Erzählverlauf wirkt Vers 8 wie ein Nachtrag. Der Ausfahrbefehl erscheint zu früh eingesetzt. Stilistisch spricht Vers 8 für den Evangelisten. Begründungssätze, die eine Nachinformation liefern, sind charakteristisch für seine Hand (bisher 1,38; 2,15; 3,10; 4,22.25). Ob Markus mit dieser Nachinformation indirekt den Schweigebefehl, der wegen des folgenden Gesprächs mit den Dämonen nicht gut möglich war, zur Geltung bringen wollte, bleibe dahingestellt[13]. Den Wechsel vom Singular zum Plural in der Rede des Dämonischen (etwa in 9: »er sagt . . . wir sind viele«) kann man nicht als Seziermesser für Traditionsschichten benutzen. Er liegt auch 1,23f vor. Der Wechsel ist offenbar beabsichtigt und keine Ungeschicklichkeit[14]. Dasselbe hat man für die Schilderung vielfältiger Reaktionen anzunehmen. Alles fügt sich durchaus ineinander. Die Hirten holen die Leute aus der Stadt. Diese kommen und sehen das Geschehene, Jesus und den geheilten Besessenen. Man könnte höchstens fragen, ob 16 redaktionell ist. Schenke meint hier die markinische Absicht zu erkennen, das Nicht-zum-Glauben-Kommen der Sehenden darzustellen[15]. Diese Aussageintention könnte Markus aber auch dem vorgegebenen Satz beigefügt haben. Daß der Vers die Glaubensproblematik bespricht, sieht man ihm zunächst nicht an. Vers 17 ist nicht der ursprüngliche Schluß der Geschichte[16]. Schon Lohmeyer hat treffend beobachtet, daß der Geheilte der eigentlich Verstehende ist. Darum muß von seiner Reaktion berichtet werden. Die Perikope endete vormarkinisch mit 19.

In der Form ist die Perikope als Exorzismusgeschichte zu bestimmen[17]. Die Begegnung mit dem Exorzisten erinnert stark an 1,23f. Kennzeichnend ist das Fehlen des Ausfahrbefehls (Apopompe), der von Markus nur als Nachinformation nachgetragen wird. Statt dessen bittet der Dämon um eine Konzession (2mal: 10 und 12), die ihm – zu seinem Verderben – gewährt wird (Epipompe in

[11] Die Reaktion der Leute in 20 weitet die von 14f aus: »*Alle* waren voll Staunen«. Daß Mk für Provinzen interessiert ist, läßt schon seine Bevorzugung von Galiläa erkennen. Die Dekapolis begegnet noch in 7,31.

[12] Das heißt, die Lesart Γεργεσηνων, bezeugt durch L Θ 33 sy^{s}, ist zu bevorzugen. Sie wurde durch Γερασηνων, bezeugt durch B ℵ D lat, verdrängt. Γαδαρηνων, geboten vom Koine-Text, entstand durch Einfluß von Mt 8,28, der wiederum meinte, das unbekannte Gergesa durch Gadara, dessen Nähe zum See bekannt war, zu ersetzen.

[13] Vermutung von Koch, Bedeutung 63f.

[14] Besonders deutlich ist der Übergang in 10.

[15] 193f.

[16] Gegen Schenke, Wundererzählungen 182.

[17] Daß ein volkstümlicher Schwank auf Jesus übertragen wäre, wie Bultmann, Geschichte 224f, meint, ist unbewiesen.

die Schweineherde). Die Bestätigung des Wunders geschieht nicht durch einen Chorschluß, sondern durch die Schilderung des Genesenen. Wieder werden zwei Bitten an Jesus herangetragen, die des Volkes und die des Geheilten[18]. Am Ende kommt die Geschichte zu den beiden Hauptpersonen, Jesus und den Geheilten, zurück. – Die Geschichte ist von Schille[19] als Gemeindegründungstradition für die Dekapolis bestimmt worden. Aufgrund der vorliegenden Analyse ist diese Meinung sehr unwahrscheinlich. In der Interpretation ist nochmals darauf zurückzukommen.

Erklärung 1–5

Nach glücklicher Überfahrt über das Meer kommt Jesus am Ostufer, im heidnischen Land, an. Wie die Analyse vermuten ließ, ist Gergesa das Ziel der Reise. Die zunächst nur angedeutete Gegenüberstellung eines Besessenen jener Gegend mit Jesus macht einer eingehenden Schilderung der schrecklichen Lage des Menschen Platz. Er ist ein doppelt Verfluchter und Unreiner, als ein von einem unreinen Geist Behauster und als ein in den Grabhöhlen Hausender[20]. Er trägt die Zeichen eines Wahnsinnigen an sich, die nach dem Talmud sind: Wenn jemand des Nachts hinausläuft, an einer Begräbnisstätte übernachtet, sein Gewand zerreißt und vernichtet, was man ihm gibt[21]. Es gehört zum Stil einer guten Heilungsgeschichte, das Elend des gequälten Menschen eindrücklich zu schildern[22]. Die Schilderung bildet den kontrastierenden Hintergrund zur Macht des Wundertäters, der Hilfe gewährt. Diese wird hier insbesondere vorbereitet durch die Bemerkung, daß es bisher noch niemandem gelang, den Menschen zu fesseln, obwohl man schon wiederholt den Versuch unternommen hatte, ihm Hand- und Fußfesseln anzulegen. Hintergründig wird die Darstellung insofern, als man vermuten darf, daß in ihr das Wesen des Heidentums veranschaulicht werden soll. Sie berührt sich in manchen Punkten mit Jes 65,1–7, wo von den Abtrünnigen und Götzendienern die Rede ist. Sie heißen Leute, »die da in Gräbern hocken und in Höhlen übernachten, die Fleisch von Schweinen essen und Brühe von Unreinem ist in ihren Töpfen«, »die auf den Bergen räuchern und auf den Hügeln mich lästern« (Vers 4 und 7). Es ist nicht auszuschließen, daß der Erzähler sich an dieses Vorbild anlehnt[23]. Das Schreien des Besessenen »auf den Bergen« und im weiteren Verlauf die Schweine gewinnen dann weiterreichende Bedeutung. Dem Kenner des Alten Testaments ist vertraut, daß Jes 65 mit den Worten beginnt: »Ich lasse mich suchen von de-

[18] Das vierfache παρακαλεῖν, das die Geschichte auszeichnet, und immer auf Jesus gerichtet ist, unterstreicht dessen beherrschende Stellung. Es ist darum abwegig, mit O. Bauernfeind, Die Worte der Dämonen im Markusevangelium, 1927 (BWANT 44) 43, die Bitte des Volkes mit dem Motiv vom betrügenden Teufel in Verbindung zu bringen.

[19] G. Schille, Anfänge der Kirche, München 1966, 64.

[20] Nach Böcher, Christus Exorcista 74f, sind Stätten des Todes, Grabhöhlen und Friedhöfe, bevorzugter Wohnort unreiner Dämonen.

[21] pTer 1,40b,23 bei Billerbeck I,491.

[22] Beispiele bei Bultmann, Geschichte 236.

[23] Jes 65,11: »die ihr meinen heiligen Berg vergeßt, die ihr dem Gad (= Glücksgott) den Tisch bereitet« ist vielleicht auch mit heranzuziehen, zumal LXX Gad mit δαίμων wiedergibt. Eine Anlehnung an LXX Ps 67,7 ist nicht auszumachen.

nen, die nicht nach mir fragen, und lasse mich finden von denen, die mich nicht gesucht . . . Ich breite aus meine Hände den ganzen Tag zu einem abtrünnigen und widerspenstigen Volk, die einen Weg gehen, der nicht gut ist«. – Der Besuch Jesu im heidnischen Gebiet ist von grundsätzlicher Art.

6–8 Wie von einem Magneten angezogen, läuft der Besessene zu Jesus. Wenn er sich vor Jesus niederwirft, erkennt er von vornherein dessen Herrschaft und Überlegenheit an. Damit ist der Ausgang des Geschehnisses schon angedeutet, so daß von einem Kampf zwischen diesem Exorzisten und dem Dämon keine Rede sein kann. Die Rede des Dämons ist der von 1,23f strukturell und bis in die Wortwahl hinein verwandt. Die Abweisungsformel »Was habe ich mit dir zu schaffen?« läßt sich aber hier nicht wie dort als Reminiszenz an die Elijageschichte auffassen. Dafür ist sie zu häufig und vor allem verwendet der Dämon einen anderen Hoheitstitel in seiner Anrede. Er bezeichnet Jesus als »Sohn des höchsten Gottes« und bestätigt damit, daß die Dämonen in der Lage sind, Jesu Hoheit zu erkennen (vgl. Jak 2,19). Die Namensnennung könnte den Anschein erwecken, als wolle der Dämon Macht über Jesus gewinnen. In der antiken Zauberliteratur kommt es äußerst selten vor, daß der Dämon den Exorzisten benennt, höchstens dort, wo dieser von göttlicher Qualität ist. Damit wird die Anrede des Dämons zur Mitteilung an den Hörer der Geschichte[24]. Das Prädikat »Sohn des höchsten Gottes« nimmt auf einen Gottesnamen Bezug, der in der Auseinandersetzung des Judentums mit dem Griechentum seine Vorgeschichte hat, den Gottesbezeichnungen »Gott des Himmels« oder »Herr des Himmels« verwandt ist und im Neuen Testament verständlicherweise selten gebraucht wird. »Der Höchste« ist dagegen in frühen Zeugnissen der jüdischen Diaspora häufig zu belegen. Dem Namen stand man später und auch im Christentum wegen seines polytheistischen Mißverständnisses kritisch gegenüber. Es ist bezeichnend, daß er meist heidnischen Menschen – so auch hier – als Benennung des Gottes der Bibel in den Mund gelegt wird[25]. Die Beschwörungsformel, deren sich der Dämon bedient, markiert die Ausweglosigkeit seiner Lage. Die Formel »ich beschwöre dich bei Gott« ist entsprechend dem Exorzismusritual natürlich dem Exorzisten vorbehalten[26]. Im Mund des Dämons wirkt sie als Parodie. Wenn er sich angesichts des Sohnes des höchsten Gottes

[24] Vgl. Koch, Bedeutung 59f; Burkill, Revelation 88f.

[25] Zur Vorgeschichte des Namens ϑεὸς ὕψιστος vgl. Hengel, Judentum und Hellenismus 544f. Ὕψιστος ist als Zeusepitheton verbreitet. Bei der synkretistischen Gemeinde der »Verehrer des höchsten Gottes« ist jüdischer Einfluß anzunehmen. Vgl. Schürer III,174 Anm. 70 (griechischer Kultverein). Im NT sind zu nennen Apg 16,17 (die heidnische Magd in Philippi heißt den Paulus und seine Mitarbeiter »Diener des höchsten Gottes«). Nach Hebr 7,1 ist Melchisedek »Priester des höchsten Gottes«. »Der Höchste« kommt vor in Lk 1,32.35.76; 6,35; Apg 7,48. Siehe ferner Philo, LegGai 278.317; die jüdischen Rachegebete von Rheneia bei Dittenberger, Sylloge 1181,1f; Sib 3,519.719.

[26] Belege in den Zauberpapyri: »Ich beschwöre dich, Dämon, bei deinem Namen« (7,242); »ich beschwöre dich beim Himmel« (Orph. frg. Nr. 299). Vgl. ZP 3,36f; 4,289 und J. Schneider, ThWNT V,463f. ὁρκίζω im Gegensatz zu ἐπιτιμάω entspricht den hellenistischen Beschwörungstexten. Vgl. H. C. Kee, The Terminology of Marks Exorcism Stories, NTS 14 (1967/68) 232–246.

an Gott wendet, mag dies ein verzweifelter Akt sein. Die Qual, die er befürchtet, ist seine Vernichtung[27]. Der nachgetragene Ausfahrbefehl Jesu (s. die Analyse) übersieht die Ironie der Geschichte, daß der Dämon zum hilflosen Beschwörer gemacht ist. Er hat wohl die Absicht, die Initiative sicherzustellen. Daß es zu einem Gespräch zwischen Exorzist und Dämon kommt, hat seine Parallelen in antiken Austreibungsgeschichten[28]. Die Feststellung des Namens dient dazu, die wahre Natur des Dämons zu ermitteln. Wenn er bereitwillig antwortet, tut er das im Gehorsam. Sein Name »Legion« wird auf die Vielzahl der im Besessenen hausenden bösen Geister hin ausgelegt. Der sonst nicht bezeugte Dämonenname »Legion« wurde von Billerbeck[29] im Sinn von »Legionär« gedeutet, weil »Legion« als Fremdwort im Rabbinischen so verstanden wurde. Die Vielzahl aber ist durch die folgende Episode gesichert, wonach die Dämonen in zweitausend Schweine fahren[30]. Dennoch wird man in der Wortwahl mehr vermuten dürfen, nämlich eine Anspielung auf die politischen Verhältnisse im Land[31]. Die Römer saßen als Besatzungsmacht hier und hatten nicht die Absicht, das Land zu verlassen. Genau dem entspricht die erste Konzessionsbitte, Jesus möge die Dämonen nicht aus dem Land verjagen. Deren natürliche Behausung war die Wüste bzw. der Abyssos. Die Erzählung bewegt sich weiter auf zwei Ebenen, die Auseinandersetzung mit dem Heidentum, jetzt dem römischen, ist die zweite Ebene. Das Gespräch nimmt eine Wendung durch die erst jetzt eingeführte Schweineherde, die in der Nähe, beim Berg, weidet. Diese macht dem jüdischen Hörer, dem Schweinegenuß ein Greuel ist, überdeutlich, daß die Umgebung heidnisch war. Die Dämonen können ihre Bitte präzisieren[32]. Die Möglichkeit, in die Schweine zu fahren, erscheint ihnen als Abmilderung des Verderbens. Wieder sind die Rollen vertauscht. Die Konzessionsbitte kommt zwar herkömmlicherweise gelegentlich dem Dämon zu, der Verbannungsbefehl in andere Wesen (Epipompe) bleibt dem Exorzisten vorbehalten. Jesus gewährt die Bitte. Diese knappe Zeichnung läßt seine Hoheit erneut hervortreten[33]. Die Folge des erfüllten Wunsches ist unerwartet. Der Ausgang gibt der Erzählung etwas Schwankhaftes. Dennoch sollte man

9–13

[27] Als Bitte des Dämons erscheint »Quäle mich nicht« auch in Philostrat, Vit. Ap. 4,25.

[28] Bultmann, Geschichte 239; Koch, Bedeutung 56, Anm. 7 (Belege).

[29] II,9. Nach H. Preisker, ThWNT IV,69 war nach jüdischer Vorstellung die Zahl der Dämonen unzählbar. Der Intention Billerbecks kommt eine Lesart in ℵ entgegen: μὴ αὐτὸν ἀποστείλῃ.

[30] Die Zahl ist nicht wörtlich zu nehmen. Eine Legion hatte zur Zeit des Augustus etwa 6000 Mann, dazu ebenso viele Hilfstruppen.

[31] Ebenso P. Winter, On the Trial of Jesus, 1961 (SJ 1) 129, der von einer antirömischen Tendenz in Mk 5,9 spricht. Theißen, Wundergeschichten 252 und Anm. 58, möchte noch weiter gehen und vermuten, daß die bösen Geister Totengeister seien, die nicht zur Ruhe kommen. Darum hielten sie sich in Gräbern auf, vielleicht in Gräbern von Gefallenen, die bei Widerstandskämpfen getötet wurden. Träfe diese Vermutung, die allerdings zu spekulativ ist, zu, wäre der Ursprung der Geschichte ein zelotischer.

[32] Konzessionsbitten der Dämonen sind aus der Umweltliteratur bekannt. Meist geht es den Dämonen darum, sich ein eingeschränktes Wirken zu sichern. Beispiele bei Bultmann, Geschichte 239; Pesch, Der Besessene 34f.

[33] Verschiedene Handschriften füllen auf, etwa D it: »Sogleich schickte sie der Herr Jesus in die Schweine«.

sich nicht damit begnügen zu sagen, daß die Dämonen um ihr Logis geprellt wurden[34]. Vielmehr wurde das Übel an der Wurzel beseitigt. Mit dem Untergang im Meer sind die Dämonen für immer unschädlich gemacht.

14–20 Die Reaktion auf das Geschehnis ist vielfältig und läßt die Erregung der Beteiligten erahnen. Zunächst werden die Hirten als die unmittelbar anwesenden Zeugen erwähnt. Erst jetzt werden sie für den Erzähler wichtig. Sie fliehen vor Entsetzen und melden in der Stadt und den Gehöften[35] das Ereignis. Betroffen sind vor allem die Besitzer der Schweine, betroffen ist aber auch der ganze Ort, in dessen Bannmeile es geschah. Die herauskommen, um zu sehen, erblicken Jesus und den geheilten Menschen, der sein unheimliches Wesen völlig abgelegt hat. Der Bericht, den die Augenzeugen den aus der Stadt Herausgeeilten geben, schließt das Schicksal der Schweineherde ausdrücklich mit ein. Man wird darum die Bitte der Stadtbewohner, Jesus möge ihre Gegend verlassen, darin motiviert sehen, daß dieser Exorzist ihnen unheimlich geworden ist[36]. Der Kreis der Augenzeugen erweitert den Kreis der Hirten. Er ist nicht mit den Jüngern gleichzusetzen, die niemals in diesem Sinn Informationen vermittelnd zwischen Jesus und das Volk treten. Zurecht besteht die Vermutung, daß die sehenden Zeugen die Bedeutsamkeit des Wunders zu sehen, nicht imstande waren[37]. Die Reaktion des Geheilten hebt sich positiv hiervon ab. Er, der bislang wie ein Tier leben mußte, ist der Verstehende. Er muß fürchten, daß die Bevölkerung nicht bereit sein wird, ihn zu integrieren, und bittet, mit Jesus gehen, sein Jünger werden zu dürfen. Die Bitte wird abgeschlagen, aber durch einen Auftrag ersetzt. Der Geheilte soll zu den Seinen in sein Haus gehen[38]. Das Erbarmen des Herrn impliziert es, daß die Seinen ihn wieder annehmen werden. Unter Berufung auf das Erbarmen Gottes, das im Wunder sich offenbarte, erreicht dieses in der völligen Eingliederung des bislang Ausgeschlossenen in die menschliche Gesellschaft sein Ziel. Man wird darum in diesem Auftrag keinen Verkündigungsbefehl sehen dürfen. Das verwendete Verbum ἀπαγγέλλω, das in Apg 15,27; 26,20 zwar als Term christlicher Missionssprache belegt ist[39], wurde in Vers 14 für die Meldung der Hirten gleichfalls völlig neutral gebraucht. So schloß die vormarkinische Geschichte mit dem Ausblick auf die Aufnahme des von schrecklicher Plage befreiten Menschen in der Heimat. Erst Markus gibt ihr mit dem abschließenden Vers 20 eine neue Ausrichtung. Von hier aus könnte auch der Sinn von Vers 19 sich verschoben haben. Auch für den Evangelisten ist ἀπαγγέλλω nicht Missionsterm (vgl. 6,30). Der Ausblick auf die Reintegration des Ausgestoßenen bleibt erhalten, der Befehl,

[34] Bultmann, Geschichte 224.

[35] Die Gehöfte kommen nochmals 6,36 und 56 vor.

[36] Nach Böcher, Christus Exorcista 167, erschien Jesus den Ortsbewohnern als gefährlicher Magier.

[37] Schenke, Wundererzählungen 193f, der freilich V 16 für Mk-R hält.

[38] Die Entlassung des Geheilten gehört zum Stil der Wundergeschichte. Vgl. Bultmann, Geschichte 240. Selten ist jedoch der Ausblick auf die Reintegration. Er muß – zumindest der Sache nach – als spezifisch christliches Anliegen aufgefaßt werden.

[39] So die Argumentation Lohmeyers 98, Anm. 3.

das Geschehen den eigenen Angehörigen zu melden, aber wird zu einer besonderen Form des Schweigebefehls. Wenn nur die Hausgenossen Adressaten der Meldung sind, wird dies jetzt zur Einschränkung[40]. Im Gegensatz hierzu verkündet der Geheilte das ihm Widerfahrene in der Dekapolis und bricht somit das »Schweigegebot« (vgl. 1,44f). Noch in einer anderen Weise verhält sich der Geheilte anders als ihm aufgetragen. Im Mittelpunkt seines Verkündens steht Jesus. Er wird somit zum echten Vorläufer christlicher Verkündigung und damit zum Jünger. Was Jesus ihm zunächst abschlug, wird ihm durch sein Tun wirklich zuteil. Die ihn hören, geraten in Erstaunen. Die im Wunder geschehene Epifanie wird in der Verkündigung präsent. Das bedeutet keine Kritik des Wunders, sondern signalisiert, daß dieses nunmehr in die Verkündigung hinein aufgehoben ist. Die Dekapolis, die von Damaskus im Norden bis Philadelphia im Süden reichte, hat Markus klar von Galiläa getrennt[41]. Wie sich Jesus im Boot an das Ostufer begeben hatte, zieht er sich jetzt wieder an das Westufer, das heißt nach Galiläa, zurück. Die Epifanie Jesu im Heidenland hat Markus durch Vers 20 akzentuiert und durch die Verkündigung die spätere missionarische Situation eingeblendet.

Markus hat mit dieser Perikope eine Geschichte aufgegriffen, die vom judenchristlichen Standpunkt aus von einem Wunder Jesu im Heidenland zu berichten wußte. Die Vertrautheit mit der örtlichen Lage läßt Galiläa als Ursprungsort der Geschichte vermuten. Ihre hellenistische Färbung, angezeigt durch die seltene Gottesprädikation, die Beschwörungsformel, spricht nicht gegen eine solche Vermutung. Die Erzählung dürfte die Absicht verfolgt haben, mit Hinweis auf ein Beispiel Jesu für die missionarische Tätigkeit zu werben. Die abweisende Haltung der Leute, die Jesus zum Verlassen ihres Gebietes auffordern, und ihre Unfähigkeit, das Geschehene zu erfassen, sind kein Gegenargument, da der Besessene und seine einzigartige Befreiung symbolischen Rang für das Heidentum und die diesem mit Jesus erschlossenen Möglichkeiten gewonnen haben[42]. Eine Gebiets- oder Gründungslegende liegt nicht vor. Ebenso ist eine konkrete historische Erinnerung wegen des symbolischen Gehalts nicht sehr wahrscheinlich.

Zusammenfassung

Für Markus war die Überlieferung in mancherlei Hinsicht interessant. Die Ausrichtung auf die Heidenmission kam seinen Intentionen entgegen. Er ver-

[40] Anders Kertelge, Wunder Jesu 109f.

[41] Zur Dekapolis vgl. Schürer II,148–193. Diese zehn hellenistischen Städte, mit Ausnahme von Skythopolis alle östlich des Jordan bzw. des Sees Gennesaret gelegen, waren durch Alexander Jannai unterworfen und durch Pompejus von der jüdischen Herrschaft befreit worden. Vermutlich schlossen sie sich in dieser Zeit zu einer Art Städtebund zusammen. Marxsen, Evangelist 42, meint, daß für Markus die Grenze zwischen Galiläa und der Dekapolis aufgehoben sei. In der Gegenwart empfinde die judenchristliche Gemeinde die geeinte Heimat. Schreiber, Theologie des Vertrauens 177f, sieht demgegenüber die Einheit durch das Galiläa der Heiden gewährleistet. Beides trifft nicht zu. Lohmeyer 99 initiierte die Auffassung von der geeinten galiläischen Heimat. Markus jedoch schreibt aus räumlichem Abstand zum Land.

[42] Ähnlich Annen* 190, der das missionarische Anliegen gleichfalls herausarbeitet. Calvin I,281, weitet die symbolische Deutung aus: »Christus gab uns an der Person eines einzigen Menschen das Beispiel seiner Gnade, die er dem ganzen menschlichen Geschlecht zukommen läßt.«

stärkt diese durch Vers 20. Nunmehr wird das Ereignis in der ganzen Dekapolis bekanntgemacht. Gleichzeitig wird das Wunder in die Verkündigung integriert und erhält damit im Makrotext des Evangeliums sein Korrektiv durch das Gesamtschicksal Jesu[43]. Christologisch entspricht die Tradition dem Evangelium im Gottes-Sohn-Prädikat, das den Ausblick auf die anderen Gottessohn-Stellen, vorab 15,39, eröffnet. Der Besessene, der zum Verkünder wird, veranschaulicht darüber hinaus den wesentlichen Aspekt der Jüngerexistenz, der darin besteht, Jesus zu verkünden.

12. Die Heilung der Frau und die Erweckung des toten Mädchens (5,21–43)

Literatur: Loos, Miracles, 509–519.567–573; *Suhl, A.,* Die Wunder Jesu. Ereignis und Überlieferung, Gütersloh 1968; *Kertelge,* Wunder Jesu, 110–120; *Pesch, R.,* Jairus (Mk 5,22/Lk 8,41), BZ 14 (1970) 252–256; *Dambrine, L.,* Guérison de la femme hémorroisse et résurrection de la fille de Jaire, in: Mélanges S. de Dietrich, Paris 1971, 75–81; *Schenke,* Wundererzählungen, 196–216.

21 **Und als Jesus wieder das andere Ufer erreicht hatte, versammelte sich bei ihm eine große Volksmenge. Und er war am Meer.** 22 **Und es kommt ein Synagogenvorsteher mit Namen Jairus. Und als er ihn sieht, fällt er zu seinen Füßen nieder** 23 **und bittet inständig: Meine kleine Tochter liegt im Sterben. Komm, leg' ihr die Hände auf, damit sie gerettet wird und am Leben bleibt!** 24 **Und er ging mit ihm weg. Und es folgte ihm eine große Volksmenge. Und sie bedrängten ihn.**
25 **Und da war eine Frau, die zwölf Jahre an Blutfluß litt** 26 **und von vielen Ärzten viel ausgestanden und ihr ganzes Vermögen aufgewendet hatte, aber es hatte nichts genützt, sondern es war nur schlimmer mit ihr geworden.** 27 **Da sie von Jesus gehört hatte, kam sie in der Volksmenge von rückwärts heran und berührte sein Gewand.** 28 **Denn sie sagte: Wenn ich auch nur sein Gewand berühre, werde ich gerettet werden.** 29 **Und sogleich versiegte die Blutquelle in ihr. Und sie spürte am Leib, daß sie von der Plage geheilt war.** 30 **Und Jesus, der sofort die Kraft bei sich merkte, die von ihm ausgeströmt war, wandte sich in der Volksmenge um und sprach: Wer hat mein Gewand berührt?** 31 **Und seine Jünger sagten ihm: Du siehst die Volksmenge, die dich umdrängt, und sprichst: Wer hat mich berührt?** 32 **Und er blickte umher, um die zu sehen, die dies getan hatte.** 33 **Die Frau aber, die von Furcht und**

[43] Das bedeutet weder eine Abwertung des Wunders, noch wird man behaupten können, daß Mk gegen eine falsche Christologie, die in Gemeinden eine akute Gefahr war, polemisiert. So Schenke, Wundererzählungen 194f, der seine interessanten Analysen mit dieser These belastet.

Schrecken ergriffen war, weil sie wußte, was ihr geschehen war, kam und warf sich vor ihm nieder und sagte ihm die volle Wahrheit. 34 **Er aber sprach zu ihr: Tochter, dein Glaube hat dich gerettet. Gehe in Frieden und sei gesund von deiner Plage!**
35 **Als er noch redet, kommen sie vom Synagogenvorsteher und sagen: Deine Tochter ist gestorben. Was belästigst du den Lehrer noch?** 36 **Jesus aber überhörte das Wort, das geredet wurde, und spricht zum Synagogenvorsteher: Fürchte dich nicht, glaube allein!** 37 **Und er erlaubte keinem, zusammen mit ihm zu gehen, außer dem Petrus und Jakobus und Johannes, dem Bruder des Jakobus.** 38 **Und sie kommen zum Haus des Synagogenvorstehers. Und er sieht den Lärm, die Weinenden und laut Heulenden.** 39 **Und wie er hineingeht, sagt er zu ihnen: Was lärmt und weint ihr? Das Kind ist nicht gestorben, sondern es schläft.** 40 **Und sie verlachten ihn. Er aber trieb alle fort und nimmt nur den Vater des Kindes und die Mutter und seine Gefährten und geht hinein, wo das Kind war.** 41 **Und er faßte das Kind bei der Hand und sagt ihm: Talitha kum! Das heißt übersetzt: Mädchen, dir sage ich, stehe auf!** 42 **Und sogleich stand das Mädchen auf und ging umher. Denn es war zwölf Jahre. Und daraufhin gerieten sie vor Entsetzen ganz außer sich.** 43 **Und er befahl ihnen streng, daß keiner dies erfahren sollte. Und er sagte, man möge ihr zu essen geben.**

Analyse

In der vorliegenden Erzählung sind zwei Wundergeschichten ineinander verwoben worden. Die Jairusgeschichte wird, nachdem ihr Anfang erzählt ist, durch den Bericht von der Heilung der blutflüssigen Frau unterbrochen. Allerdings ist die Heilung in der Volksmenge durch die Versammlung des Volkes in 21 schon vorbereitet. Die Heilungsgeschichte schafft eine die Spannung steigernde Unterbrechung. Beide Geschichten aber haben von Haus aus nicht zusammengehört, sondern zunächst für sich existiert. Dies erkennt man daran, daß die Volksmenge beim Auftritt des Jairus gar nicht erforderlich ist. Im Gegenteil ergibt sich jetzt die Vorstellung, daß Jesus im eiligen Marsch zum Haus des Jairus und dabei von der Volksmenge begleitet, von der kranken Frau berührt wird. In einer ruhigen Szene ist die heimliche Berührung viel passender. Die Auffassung[1], die die Perikope von vornherein als ineinander geschachtelte Doppelgeschichte entstanden sein läßt, überschätzt das Verzögerungsmoment, das durch die Begegnung mit der kranken Frau gegeben ist. Dieses ist zwar ein willkommenes, aber keinesfalls konstitutives Element der Darstellung. Es entsteht die Frage, wer die beiden Geschichten verwob. War es Markus oder ein vormarkinischer Redaktor? Die Vertreter eines dem Evangelisten vorliegenden Wunderzyklus, der mit 4,43ff begonnen habe, schreiben die Verzahnung der

[1] Diese Auffassung scheint Pesch, Jairus 255, zu vertreten, der meint, die Jairus-Geschichte sei ursprünglich nicht selbständig gewesen. Pesch I,295f spricht von mechanischer Redaktion eines vormarkinischen Redaktors.

vormarkinischen Redaktion zu[2]. Man kann eine Anzahl von Nuancen ins Feld führen, die in beiden Geschichten festzustellen sind und als Stileigenheiten eines vormarkinischen Erzählers gelten sollen. Dazu rechnet Kertelge[3] die Motive des Niederfallens des Bittstellers, der Furcht, des Glaubens, die Ausführlichkeit, die Tatsache, daß beidemale weibliche Wesen Hilfe erfahren und die Zahl Zwölf eine Rolle spielt (zwölf Jahre alt bzw. krank). Diese Übereinstimmungen können aber durchaus als Motive betrachtet werden, die vielen anderen Wundergeschichten zu eigen sind und darum zur Form zu rechnen sind, bzw. können als eine Art Stichwortassoziation mitgeholfen haben, die beiden Erzählungen zusammenzubringen. Weil wir bereits oben in der Verknüpfung der Wundergeschichten die markinische Hand feststellen konnten, legt sich auch diesmal die Vermutung nahe, daß der Evangelist am Werk war. Stilistisch ist Vers 21 durchaus markinisch[4]. Die Überfahrt über den See knüpft an 5,1f.18, der Aufenthalt am See an 4,1 an. Die Jairusgeschichte begann ursprünglich mit 22. Vers 24, der die beiden Erzählungen miteinander verknüpft, ist ein vom Evangelisten geschaffener Übergang. Vielleicht ist καὶ ἀπῆλθεν μετ' αὐτοῦ vormarkinisch. Die Jesus begleitende Volksmenge wie die Bemerkung, daß sie ihn bedrängt, bereitet das folgende vor und hat in der Jairusgeschichte keine Funktion. In dieser taucht die Menge erst beim Trauerhaus auf. Die zweite Nahtstelle liegt am Beginn von 35 vor. Hat Markus auch hier ein verbindendes Wort eingefügt? Wenn nicht, bezog sich der Satz »Als er noch redete« ehedem auf die Rede des Jairus in 23. Während Jairus noch sprach, wären schon die Todesboten gekommen. Wenn dem so wäre, müßte man natürlich καὶ απῆλθεν μετ' αὐτοῦ in 24 Markus zurechnen. Wahrscheinlich aber ist der Genitivus absolutus am Beginn von 35 markinisch (vgl. 14,43).
Die Jairusgeschichte hat Markus nicht unbearbeitet übernommen. Es fällt auf, daß die Auswahl der drei Jünger in 37 zu Vers 40 in einer gewissen Spannung steht. Die Bevorzugung der Drei spricht für markinische Redaktion[5]. Markus hat dann aus besonderem Anlaß – und eine Totenerweckung ist gewiß ein solcher – die Drei bevorzugt wissen wollen. Diese Vermutung wird bestärkt durch die unten zu prüfende Möglichkeit, daß auch in 31 die Jünger nachgetragen wurden. Beide Wundergeschichten ließen demnach die Jünger ehedem außer acht. Stimmt dies, dann ist auch τοὺς μετ' αὐτοῦ in 40 markinisch. Schwierig ist die Übersetzung des aramäischen Talitha kum zu beurteilen. Sie hat Entsprechungen in 7,34; 15,34. Von der gänzlich unbewiesenen Meinung Lohmeyers[6], daß die Erzählung ursprünglich insgesamt aramäisch abgefaßt gewe-

[2] Für vormarkinische Redaktion sind Wendling, Entstehung 47; Bultmann, Geschichte 228–230; Dibelius, Formgeschichte 69. Neuerdings setzt sich die Auffassung der markinischen Redaktion stärker durch: Kuhn, Sammlungen 200–202; Theißen, Wundergeschichten 184f; Schenke, Wundererzählungen197–200; Tillesse, Le secret 52–57.

[3] Wunder Jesu 110–114.

[4] Der Genitivus absolutus wird von Mk bevorzugt. Zu διαπεράω vgl. 6,53. Nach Gaston sind Vorzugswörter in mk Editorial sentences: πλοῖον, πάλιν, πέραν, θάλασσα.

[5] Anders Kertelge, Wunder Jesu 110.

[6] 104.

sen sei, kann abgesehen werden. Die Übersetzung eines aramäischen Satzes legte sich aber für ein griechisches Publikum nahe. Es muß bedacht werden, daß die Darbietung der Übersetzung den Sinn des Ganzen verändert. Ohne Übersetzung erscheint das fremdartige Wort als ῥῆσις βαρβαρική, als geheimnisvolles Wort, dem ein Zauber eignet. Diese ῥῆσις βαρβαρική ist in antiken Wundergeschichten verbreitet[7]. In ein solches Verständnis fügte sich das Verbreitungsverbot in 43a gut ein. Das Verbot hätte dann die Bekanntmachung des wunderbaren Wortes betroffen. Die Übersetzung des aramäischen Sätzchens nimmt diesem den Charakter des Geheimnisvollen. Stammt diese von Markus, gewönne das Verbreitungsverbot eine neue, umfassendere Bedeutung, nämlich das Wunder der Erweckung nicht bekanntzumachen. Möglich ist aber auch eine andere Entwicklung. Die Übersetzung des Talitha kum ist schon traditionell und Markus fügt das Verbreitungsverbot ein. Weil dieses in seiner Formulierung markinisch anmutet[8], einer markinischen Intention entspricht, im Wortlaut und an der gegenwärtigen Stelle so verstanden werden muß, daß das Wunder nicht bekannt werden soll, ist es wahrscheinlicher, daß es vom Evangelisten herrührt[9].

Hat die Jairusgeschichte eine vormarkinische Entwicklung durchgemacht? Zunächst hat man gemeint, daß der Jairusname sekundär sei[10]. Daß er in Mt 9,18 fehlt und der Mann in der markinischen Geschichte sonst mit seinem Amtsnamen »Synagogenvorsteher« bezeichnet wird, besagt nichts. Mt 20,29ff übernimmt auch nicht den Namen Bartimäus in der anderen, mit einem Personennamen ausgezeichneten Wundergeschichte. In deren markinischer Version fällt der Name gleichfalls nur am Anfang (10,46)[11]. Man wird darum mit Pesch der Auffassung sein, daß der Name Jairus eh und je zur Perikope gehörte, aber nicht die Meinung teilen, es liege ein Symbolname vor[12]. Dazu ist die Deutung des Namens allein schon umstritten. Ein synoptischer Vergleich ergibt, daß nach Mt 9,18 der Vater bereits zu Jesus mit der Nachricht kommt, seine Tochter sei soeben gestorben und ihn bittet, ihr das Leben wieder zu schenken. Die-

[7] Beispiele bei Bultmann, Geschichte 238.

[8] διαστέλλομαι ist mk Vorzugswort, γινώσκω ebenfalls in 7,24; 9,30 im Rahmen der mk Geheimnistheorie. Anders Tagawa, Miracles 166f, der auf die Motivverbundenheit mit dem Ausschluß des Publikums hinweist. Verborgen bleiben aber soll nicht eine wunderwirkende Heilungspraxis, sondern die Erweckungstat als solche. Das aber hat mit der Glaubensfrage und dem »Messiasgeheimnis« zu tun und ist als mk Anliegen überzeugender erklärbar.

[9] Theißen, Wundergeschichten 151f, der das Verbreitungsverbot für vormarkinisch hält, sieht sich veranlaßt, die Verse 42 und 43 umzustellen.

[10] Bultmann, Geschichte 230; Schmidt, Rahmen 147.

[11] Wenn ὀνόματι Ἰάϊρος Mk 5,21 in D it ausgefallen ist, ist das auf Paralleleinfluß von Mt 9,18 zurückzuführen.

[12] Pesch, Jairus 255, versteht Jairus etymologisch im Sinn von »er (= Gott) wird erwekken«. Der Vater des Mädchens trage einen Namen, der eine Verheißung ist. P. räumt freilich ein, daß der Name auch »er wird erleuchten« besagen kann. Für diese etymologische Ableitung tritt Billerbeck II,9 ein. Der Name ist im AT häufiger anzutreffen (Num 32,41; Dtn 3,14; Ri 10,3ff; Est 2,5). Der syrische Text überliefert den Namen Joarasch. Nach Schmidt, Rahmen 147, bewegt man sich bei diesen allegorischen oder symbolischen Deutungen »auf einem recht unsicheren Gebiet«. Ähnlich ablehnend ist Lohmeyer 104, Anm. 1.

ser Verzicht auf die Steigerung von der tödlichen Krankheit zum Tod hat offenbar mit dazu beigetragen zu mutmaßen, daß in umgekehrter Richtung die Erzählung einmal nur von einer Heilung erzählt habe und erst später zu einer Totenerweckung gesteigert worden sei[13]. Diese Behauptung ist aus der Luft gegriffen. Der ganze erzählerische Hintergrund zielt auf eine Totenerweckung ab. Ebenso fragwürdig ist es zu sagen, daß eine vorausgehende Überlieferung der Geschichte vom Hauptmann von Kafarnaum entsprochen habe (Mt 8,5ff) und »zu einem späteren Zeitpunkt, als das Motiv der Totenerweckung in den Blick der Überlieferung vom irdischen Jesus kam, der Prädizierung Jesu als Totenerwecker dienstbar gemacht worden« sei[14]. Vergleicht man die beiden Geschichten, so bleibt die allgemeine Übereinstimmung, daß hier wie dort ein vornehmer Mann (dort ein Heide) zu Jesus kommt, um ihn um eine Heilung zu bitten, und dieser sogleich bereit ist, zum Kranken zu gehen. In den übrigen Erweckungsgeschichten begegnet gleichfalls der Zug, daß der Wundertäter geholt wird und bereit ist zu kommen (Joh 11,3ff; Apg 9,36ff; 2Kön 4,25ff: Elischa kommt zögernd). Näher als Vorbild für die Jairusperikope liegen die alttestamentlichen Erweckungsgeschichten der Elija-Elischa-Tradition (2Kön 4,25–37; 1Kön 17,17–24), deren Einfluß wir anderwärts schon feststellen konnten, und das Überbietungsmotiv. Eine direkte literarische Abhängigkeit läßt sich aber nicht nachweisen.

Der Beginn der Heilungsgeschichte von der blutflüssigen Frau könnte Vers 25 gewesen sein. Wahrscheinlich aber ist die schon oben geäußerte Vermutung, daß am Beginn eine Erwähnung der Jesus umgebenden Menschenmenge stand, von der in 21 ein Reflex erhalten geblieben sein kann. Die Geschichte ist von Markus, besonders in den ersten Sätzen (25–27), mit partizipialen Formen durchsetzt worden. Dies ermöglicht erzählerisch einen glatteren Einschub der Geschichte in die umgreifende Jairusperikope, da so die ausführliche Vorstellung der neu auftretenden Person wie eine nachgeholte Information wirkt[15]. Im Vergleich mit den Seitenreferenten ist die markinische Geschichte am ausführlichsten. Theißen spricht für Markus von einem kommentierend-repetierenden Erzählstil. Die Aufteilung der Erzählstruktur jeweils in Geschehen und Bewertung bestimmt den Aufbau:

Notlage, Versagen der Ärzte	Nutzlosigkeit des ärztlichen Beistandes
Berühren des Gewandes Jesu	Vertrauen auf Rettung
Heilung	Bewußtwerden der Heilung bzw. der entwichenen Kraft
Frage Jesu	Kommentar der Jünger
Ausschau nach dem Berührer	Das Wissen der Frau
Geständnis der Frau	Zuspruch Jesu[16].

13 Suhl, Funktion 51; Pesch I,296.312–314.

14 Kertelge, Wunder Jesu 113.

15 Die beiden Geschichten erscheinen auch dadurch voneinander abgehoben, daß in der Jairusperikope das Präsens überwiegt, während die Heilungsgeschichte von der Blutflüssigen in Tempora der Vergangenheit abgefaßt ist.

Dennoch muß geprüft werden, ob der Evangelist nicht am Ausbau der Geschichte beteiligt war. Der Begründungssatz in 28 entspricht dem markinischen Bemühen, einen Vorgang verständlicher zu machen. Solche Begründungssätze haben wir schon wiederholt als redaktionell erkennen können[17]. In diesem Fall wird 27b aufgegriffen – der Wechsel zum Plural fällt auf – und 34a wird vorbereitet. 34 steht in einer gewissen Spannung zum Vorausgehenden, da die Heilung nach 29 schon im Augenblick der Berührung erfolgte. 34 aber verlegt sie in den Glauben und macht sie erst durch das Wort Jesu definitiv. Vermutlich sprach Jesus ursprünglich nur den Friedensgruß, der in einer markinischen Wundergeschichte nur hier vorkommt (vgl. Lk 7,50; 8,48). Die Formel »Dein Glaube hat dich gerettet« hat in 10,52 ein Vorbild. Durch die angezeigten Eingriffe wird der Tenor der Geschichte entscheidend verändert. Eine durch Kontakt erfolgte Heilung, die auf Jesus den heilmächtigen Thaumaturgen abhebt, wird auf den menschlichen Glauben hin ausgelegt. Steht das erste in der Nähe eines hellenistischen Wunderbegriffs, nach dem der Wundertäter von heilender Kraft erfüllt ist, so verrät das zweite die Intention des Evangelisten. Ihm wird auch Vers 31 zu verdanken sein, der unvermittelt die Jünger einbringt. Schenke[18] hat beobachtet, daß 31 voraussetze, daß die Frau nicht die einzige gewesen sei, die Jesus berührte. Dies könnte dann nur den Sinn haben, den Glauben herauszustellen und einem magischen Wunderverständnis zu wehren. Dies läge ganz in der Richtung der schon festgestellten redaktionellen Tätigkeit. Festzuhalten bleibt also, daß der Wechsel von der Tradition zur Redaktion bedeutet, daß die menschliche Haltung des Glaubens als die dem Heiland Jesus adäquate Gesinnung herausgestellt wird. Die traditionelle Erzählung ist eine typische Wundergeschichte hellenistisch-christlicher Provenienz[19], die in der missionarischen Verkündigung verwendet worden sein dürfte. Letzteres gilt auch für die Jairusgeschichte. An die Stelle des bestätigenden Chorschlusses tritt aber das Geständnis der Frau, die Geheilte und Zeugin des Wunders zugleich ist.

Erklärung 21–24

Diese Erzählung ist von Anfang an voller Bewegung und Turbulenz. Jesus wird nach der Rückkehr an das galiläische Ufer des Sees erneut von einer großen Volksmenge empfangen. Durch die markinische Verknüpfung in 21 wird die Geschichte, die von Haus aus keine feste Ortsbindung besaß, mit dem Land am Westufer verknüpft[20]. Unklar bleibt, wer das Subjekt des Sätzchens καὶ ἦν παρὰ τὴν θάλασσαν ist. Ist es die Volksmenge, so entstünde fast der Ein-

[16] Nach Theißen, Wundergeschichten 136–139.
[17] Vgl. oben S. 202.
[18] Wundererzählungen 202f.
[19] Haenchen, Weg 206, sieht ein Analogon zu dem hier geschilderten Wundertäter Jesus in den großen Gestalten der jüdischen Mystik.

druck, daß sie auf Jesus wartete. Wahrscheinlicher ist Jesus der eine Weile am Meer Verharrende. Da tritt Jairus auf, ein vornehmer Jude, der Vorsteher einer Synagoge ist[21]. Als er Jesus in der Volksmenge wahrnimmt, entbietet er ihm die Huldigung (ähnlich die syrophönikische Frau in 7,25). Erkennt er damit die Macht und Hoheit Jesu an, so stimmt seine Bitte mit seiner äußeren Haltung überein. Da ihn die tödliche Krankheit seines Töchterchens zu Jesus trieb, erwartet er allein noch von ihm Hilfe und Rettung, und zwar dadurch, daß er dem Kind die Hand auflege. Nicht durch Gebet oder Heilungsmanipulationen soll es geschehen (vgl. 2Kön 4,33ff), sondern durch einen erklärten Gestus seiner helfenden Vollmacht. Damit ist die Szene von Vers 41 vorweggenommen. Die Bitte um Handauflegung wird sich beim Taubstummen wiederholen, während die Handauflegung sonst üblicher Heilungsgestus ist (vgl. 6,5; 8,23.25). Gedacht ist an die rechte Hand[22]. Es ist darum unwahrscheinlich, hier schon den urchristlichen und in Jak 5,14 bevorzugten Brauch im voraus abgebildet zu sehen, zu den Schwerkranken die Ältesten der Gemeinde zu rufen, zumal dort die Handauflegung gar nicht genannt ist[23]. Jesus folgt bereitwillig dem Jairus an das Krankenlager und wird dabei von der großen Volksmenge begleitet. Wenn sie ihn bedrängen, ist die folgende, dazwischen geschaltete Heilung vorbereitet, die episodenhaften Charakter gewinnt.

25–26 Aus der Menge taucht eine Frau hervor, die krank ist und Hilfe sucht. Sie wird am Schluß wiederum in der Menge untertauchen[24]. Ihre Heilungsgeschichte ist dadurch ausgezeichnet, daß sie auf jeder Ebene die inneren Reaktionen der Beteiligten wiedergibt. Die Exposition ist stilgemäß einer ausführlicheren Schilderung des Krankheitszustandes gewidmet. Blutfluß ist natürlich eine recht ungenaue medizinische Diagnose. Die Schwere der Krankheit wird durch ihre Dauer (12 Jahre) unterstrichen[25]. Das Berühren einer Blutflüssigen

[20] Schmidt, Rahmen 145, möchte die Geschichte wegen des Ausdrucks εἰς τὸ πέραν auf das Ostufer, näherhin nach Betsaida verlegen. Er hält den Ausdruck für eine formelhafte Wendung, die stets das Ostufer meine. Da wir es aber bei den ständigen Überfahrten mit Mk-R zu tun haben, ist dies abzulehnen. ἐν τῷ πλοίῳ ist textlich sehr umstritten. Es fehlt in P^{45} D Θ it sy^{sin}.

[21] Der Archesynagogos oder roš hakneseth hatte vor allem für äußere Ordnung beim Gottesdienst zu sorgen. Synagogenvorsteher treffen wir noch an in Lk 13,14; Apg 13,15; 18,8 (Krispos); 18,17 (Sosthenes). Bemerkenswert ist eine Jerusalemer Synagogeninschrift, aus der hervorgeht, daß das Amt vom Vater auf den Sohn übergehen konnte. Ihr Anfang lautet übersetzt: »Theodotus Vetteni, Priester und Synagogenvorsteher, Sohn eines Synagogenvorstehers, Enkel eines Synagogenvorstehers, erbaute die Synagoge für die Vorlesung des Gesetzes usw.« Vgl. H. L(ietzmann), Notizen, ZNW 20 (1921) 171–176, hier 171. – Zum Synagogeninstitut vgl. Billerbeck IV, 115–152.

[22] Zum Handaufheben, Handausstrecken, Handüberhalten und Handauflegen bei Heilungen vgl. Weinreich, Antike Heilungswunder 1–66.

[23] Gegen Lohmeyer 105, Anm. 1.

[24] In der apokryphen Überlieferung findet die Frau später besonderes Interesse. Act Pilati 7 erhält sie den Namen Berenike. Euseb, h.e. VII 18,1–3, weiß die Überlieferung zu erzählen, nach der die Frau aus Kaisareia Philippi stammte.

[25] Vgl. Mk 9,21, wo der Krankheitszustand »von Kindheit an« gegeben war oder Lk 13,11; Apg 3,2; 4,22; 9,33; 14,8; Joh 9,1.

machte unrein (vgl. Lev 15,25)[26], wie unreiner Blutfluß zum Bild für die Sünde genommen werden kann (Ez 36,17). Nach einem rabbinischen Zeugnis gab es in der Mosegeneration keine Flußbehafteten, Aussätzigen usw., solange sie auf Jahwe hörten. Ob allerdings die Heilung einer Blutflüssigen deshalb Jesus als Mosegleichen Propheten darstellen will (vgl. Dtn 18,15–18), der die Wunder von einst erneuert, erscheint recht fraglich. Dazu ist das Zeugnis zu vereinzelt und spät[27]. Das Urteil über das Versagen der ärztlichen Kunst findet sich oft in antiken Heilungsgeschichten[28]. Es muß berücksichtigt werden, daß sich nur reiche Leute Ärzte leisten konnten[29]. Die Frau ist durch die Konsultation der Ärzte arm geworden und wendet sich (erst?) jetzt an Jesus. Manche Hörer werden sich in diesem Verhalten wiedererkannt haben. Das Urteil über den Ärztestand war in der Antike weit gefächert. Es reichte vom höchsten Lob bis zur Verwünschung[30].

27–29 Die Frau hatte von Jesus gehört, offenbar von seinen wunderbaren Heilungen. Man darf vermuten, daß ihre Absicht, ihn unbemerkt zu berühren, mit ihrer Scheu zusammenhängt, öffentlich von ihrer Krankheit zu reden. In Wundergeschichten kann das Berühren sowohl vom Wundertäter (1,41) als auch von den Kranken ausgesagt werden[31]. Letzteres bevorzugt Markus in Sammelberichten, wo wir davon hören, daß ganze Scharen von Kranken sich auf Jesus stürzen, um ihn zu berühren, oder die Leute ihre Kranken zu ihm bringen mit der Bitte, ihn berühren zu dürfen (3,10; 6,56). Beides hat die Vorstellung zur Voraussetzung, daß der Thaumaturge von einer heilenden Kraft gleichsam geladen ist. Was die Frau tut, tut sie im Vertrauen darauf, durch Jesus Rettung zu erfahren, wie in einer eingeschalteten Reflexion zu verstehen gegeben wird. Die Heilung tritt sofort ein. Die Wendung von der »Quelle des Blutes«, die vertrocknete, lehnt sich an LXX Lev 12,7 an. In diesem Fall kann allein die Frau die Heilung bestätigen. Sie spürt diese an ihrem Körper, wobei das Wörtchen μάστιξ (Geißel, Plage) nochmals in Erinnerung ruft, was sie zu tragen hatte.

30–34 Doch auch dem Wundertäter ist das Ereignis nicht verborgen geblieben. Nicht daß er die Frau wahrgenommen hätte, vielmehr hat auch er die von ihm ausstrahlende Kraft an seinem Körper gespürt. Die Jesus erfüllende Kraft ist dennoch nicht als etwas Körperliches zu denken – darum sollte man lieber nicht von Kräften magnetischer Art sprechen[32] –, sondern als gottgegebene geistige Dynamis, die sich wie ein Fluidum dem anderen mitteilt. Einen Einblick verschafft 6,14, wo es über Jesus, der für den vom Tod erstandenen Johannes ge-

[26] Vgl. Zeb 5,1 und 6 (bei Billerbeck I,519f).

[27] Gegen Kertelge, Wunder Jesu 117f. Das Zeugnis stammt aus LevR 18,4 (118a) und gibt ein Wort des R. Schimeon b. Jochai (um 150 n. Chr.) wieder (bei Billerbeck I,594f).

[28] Zahlreiche Belege bei Weinreich, Antike Heilungswunder 195–197, in denen das derelictus a medicis (CIL VI Nr. 68) wiederholt aufklingt.

[29] Theißen, Wundergeschichten 234f, belegt dies auch damit, daß in Epidauros, wohin besonders die Armen wallfahrteten, der Topos vom Versagen der Ärzte fehlt.

[30] Vgl. Sir 38,1–15 (das Lob des Arztes): »Vor den Großen findet er Bewunderung«. Dagegen Qid 4,14: »Der beste Arzt ist der Hölle wert«.

[31] Belege wiederum bei Weinreich, Antike Heilungswunder 14ff. 63ff.

[32] So Grundmann.

halten wird, heißt: »Deshalb wirken diese Dynameis (göttlichen Wunderkräfte) in ihm«. Die Frage Jesu, wer ihn berührt habe, wird von den Jüngern, die erst jetzt in das Geschehen hereingeholt werden, angesichts der großen Menge als unbeantwortbar zurückgegeben. Die Meinung der Jünger geht dabei davon aus, daß auch viele andere Jesus berührten mit ähnlichen Absichten wie die Frau. Damit wird die Frage dringlich, was es denn ist, was die Frau vor den anderen auszeichnet, daß gerade ihr die Heilung zuteil wurde. So ist der Dialog zwischen der Frau und Jesus, der diese Geschichte abschließt, vorbereitet. Der suchende Blick Jesu veranlaßt die Frau zum Geständnis. Sie kommt mit Furcht und Zittern und wirft sich vor ihm nieder. Furcht und Zittern können in diesem Kontext nicht mehr rein psychologisch gedeutet werden. Sie resultieren nicht aus der Mißdeutbarkeit des Handelns der Frau, daß man ihr hätte nachsagen können, sie wollte durch Berührung auf magische Weise die eigene Krankheit auf Jesus übertragen, oder sie wollte sich als schöne Frau Jesus annähern[33]. Beide Vorstellungen, die von der Krankheitsübertragung und die vom Liebeszauber, sind gewiß verbreitet gewesen. Hier jedoch haben wir es mit einer Offenbarungsformel zu tun. Furcht und Zittern sind menschliche Reaktion auf die göttliche Epifanie[34]. Der Entlaßgruß Jesu intrepretiert das Handeln der Frau als Glaube[35]. Dieser Glaube, der als vollgültiger anerkannt, aber nicht näher entfaltet wird, ist die Grundlage gewesen, auf der ihr Rettung und Gesundheit geschenkt wurde. Was die Frau tat, ist nicht vergessen. Aber jetzt wird deutlich, daß sie nicht im blinden Vertrauen auf magische Kräfte, sondern aus Glauben handelte. So wird sie zum Vorbild für die Hörenden.

35–40 Die Erzählung kehrt zu Jairus zurück. Die Begegnung mit der Frau schuf einen zeitlichen Abstand, so daß eine neue Nachricht aus dem Haus des Synagogenvorstehers um so wirkungsvoller ist. Boten melden, daß das Kind inzwischen verstorben ist. Die Jairusgeschichte ist von zwei Bewegungen erfüllt. Die eine ist der Zug Jesu und seiner Begleiter zum kranken bzw. gestorbenen Mädchen. Die Stationen sind die Meldung des Vaters, die Meldung der Boten, die Ankunft beim Haus, der Eintritt in das Sterbezimmer. Die andere ist eine Gegenbewegung, die diesen Zug stoppen will. Die Blutflüssige gewinnt auch diese Funktion im Zusammenhang, die Boten tun es ausdrücklich, die Leute, die die Totenklage halten, noch ausdrücklicher. Welches ist die Kraft, die die Hindernisse überwindet? Auf dem Hintergrund dieser Frage sind die Einzelheiten einzuordnen. Die Todesboten geben den Rat, Jesus jetzt nicht mehr zu belästigen. Sie bezeichnen ihn als διδάσκαλος. Die Reaktion Jesu ist für das Ganze von grundlegender Bedeutung. Obwohl die Nachricht dem Jairus gebracht wurde ist es Jesus, der sie überhört und mißachtet[36]. Er richtet den Vater, dem die

[33] Erwägungen von Theißen, Wundergeschichten 137.

[34] Vgl. Phil 2,12; Ex 15,16; Dtn 2,25; 11,25; Jdt 15,2; 4Makk 4,10.

[35] »Gehe in Frieden« ist alttestamentlich. Vgl. 1Sam 1,17; 2Sam 15,9; Ri 18,6; Apg 16,36.

[36] Das seltene παρακούω heißt nach Bauer, Wb s.v. hören, was nicht für einen bestimmt ist, überhören, nicht hören auf, ungehorsam sein. Anders Schnackenburg, der übersetzt: »Jesus aber, der das Gespräch mit anhört«.

letzte Hoffnung geraubt zu sein scheint, wieder auf. Die Aufforderung »Fürchte dich nicht!« ist sonst Offenbarungsszenen vorbehalten (vgl. 6,50; Mt 28,5; Lk 1,13.30). Sie wird auch hier eine solche vorbereiten wollen. Der Glaube ist hier die Haltung, die den Menschen in der Hoffnungslosigkeit hoffen läßt, indem er sich an das Wort Jesu klammert. Die verzweifelte Lage macht den Glaubensimperativ noch eindrücklicher als in 9,23, wo er nochmals in einer Wundergeschichte vorkommt. Von einer Reaktion des Vaters wie dort hören wir freilich nichts. So liegt die Führung des Menschen aus der Hoffnungslosigkeit bei Jesus, an den sich der vom Schicksal geschlagene Mensch klammert. Die besondere Auswahl der drei Jünger bereitet gleichfalls die Offenbarungsszene vor. Sie ist nicht als Ansprache an den Leser gedacht, sich als den drei Augenzeugen gleichgestellt zu betrachten[37]. Die Drei werden zu qualifizierten Zeugen. Beim Haus sind schon die Leute versammelt, die die Totenklage angestimmt haben. Klageweiber und Flötenspieler gehörten zum Requisit jedes jüdischen Begräbnisses[38]. Wieder ist es Jesus, der die Initiative ergreift. Er hält das klagende Lärmen für unangebracht, weil das Kind schlafe und nicht gestorben sei. Diese Äußerung hat man wörtlich verstanden, zumal Jesus das Kind wie eine Schlafende ansprechen wird[39]. Liegt das Mädchen nach seiner Meinung nur in tiefer Bewußtlosigkeit? Der Schlaf ist ein sowohl im hellenistischen wie jüdischen Bereich bekannter Eufemismus für den Zustand des Gestorbenseins[40]. Aber auch diese Redeweise liegt hier nicht vor. Vielmehr redet Jesus als der Gottessohn, für den der Tod nur Schlaf bedeutet. Nach altbiblischem Glauben ist es das ausschließliche Privileg Gottes, Macht über den Tod zu haben[41]. Gott ist darum ein Gott der Lebenden und nicht der Toten (vgl. 12,27). Wenn sie Jesus verlachen, ist das Ausdruck ihres Unglaubens. Spott und Hohn sind allerdings ein bekanntes Motiv in Wundergeschichten[42]. Wenn Jesus alle fortjagt und nur wenige, die Eltern und die drei Gefährten, zuläßt, ist auch dies stilgemäß[43]. Die Erzählung zeichnet sich aber darin aus, daß sie zur göttlichen Epifanie gestaltet ist.

41–43

Im Totenzimmer ergreift Jesus die Hand des gestorbenen Mädchens. Die Wundervorstellung ist nicht dieselbe wie in der vorausgegangenen Geschichte. Zwar bringt die berührende Hand Jesu Rettung, aber der Vorstellungshorizont

[37] So Ebeling, Messiasgeheimnis 131f, der dieses Motiv in der Gnosis wiederfindet.

[38] Keth 4,4: »Auch der Ärmste in Israel stellt nicht weniger als zwei Flötenspieler und ein Klageweib«. JosBell 3,437 und Billerbeck I,521–523.

[39] Loos, Miracles 569.

[40] Vgl. Dan 12,2; LXX Ps 87,6; Billerbeck I,523; 1Thess 5,10; P. Hoffmann, Die Toten in Christus, [2]1972 (NTA 2) 186–206. Im jüdischen und christlichen Bereich gewinnt der Eufemismus einen neuen Stellenwert durch den Glauben an die Auferstehung der Toten.

[41] Taan 2a: »Drei Schlüssel sind in Gottes Hand, die in die Hand keines Bevollmächtigten gegeben werden, nämlich der zum Regen, der zum Mutterschoß und der zur Neubelebung der Toten«. Diese strenge Auffassung wurde zunehmend verwässert. So sagte man Rabbinen Erweckungsgeschichten nach. Vgl. P. Fiebig, Rabbinische Wundergeschichten des neutestamentlichen Zeitalters, Berlin 1933, 13; Billerbeck I,560. Läppische Geschichten bei Billerbeck I,557.

[42] Belege wiederum bei Weinreich, Antike Heilungswunder 87f.

[43] Belege bei Bultmann, Geschichte 239.

ist biblisch. Zu denken ist an Jahwes schützende, helfende, mächtige Hand: »Ob er auch strauchelt, er stürzt nicht hin. Denn der Herr ergreift seine Hand« (Ps 37,24; vgl. Ps 44,4; Ex 3,20; 7,5; Lk 1,66; Apg 11,21). Die Wirkung des Wunders ist an das Wort gebunden. Dieses ist kein Zauberspruch. Der dem griechischen Hörer unverständliche aramäische Text wird übersetzt und erscheint so als ein Wort, das in der Tat ebenso die Eltern gesprochen haben könnten, um das schlafende Mädchen zu wecken. Als Machtwort aber gibt es sich durch das eingefügte »ich sage dir« zu erkennen. Die Macht über den Tod ist an den Gottessohn gebunden. Textvarianten geben im übrigen den aramäischen Wortlaut in einer Form wieder, die stärker dialekhaft geprägt ist[44]. Die Tote folgt dem Wort Jesu unverzüglich. Sie demonstriert damit seine Kraft. Die Angabe ihres Alters, die formgemäß ist, zeigt, daß sie noch ein Kind ist. Erst mit zwölfundeinhalb Jahren war das Mädchen heiratsfähig[45]. Die Reaktion der Anwesenden ist im Blick auf die Eltern merkwürdig. Psychologisch erwartet man Dankbarkeit oder Freude. Das große Entsetzen entspricht der Tatsache, daß sich in diesem Geschehnis Gott offenbarte[46]. Wenn Jesus den Beteiligten Schweigen gebietet, so kann sich dies nur auf die Verbreitung des Geschehnisses der Totenerweckung und nicht auf eine geheimnisvolle Praxis des Thaumaturgen beziehen. Markus, den wir als den Redaktor des Verbreitungsverbotes erkannten, schafft damit eine Blockade gegen ein einseitiges Wunderverständnis[47]. Das Verhältnis der Erweckung der Toten zur Auferstehung Jesu ist zu diskutieren. Man könnte meinen, daß die Erweckungsgeschichte erst von Ostern her möglich und erzählbar ist, weil Ostern in ihr anwesend sei. Doch man wird zu differenzieren haben. Für die vormarkinische Tradition ist diese Reflexion nicht auszumachen. Erst Markus stellt sie auf, weil für ihn die in der Erweckungsgeschichte verkündete Epifanie im Licht der Offenbarung des Gottessohnes gesehen werden muß, die im Kreuzestod erfolgte. Der Befehl Jesu – an die Eltern gerichtet –, dem Kind zu essen zu geben, stellt sicher, daß das Mädchen wirklich lebt und nicht bloß sein Geist[48].

Historische Beurteilung

Die historische Beurteilung wird nicht davon ausgehen können, daß die Verschachtelung der Heilungs- in die Erweckungsgeschichte ein Indiz sei. K. L. Schmidt erkannte hierin ein instruktives Beispiel für geschichtliche Erinnerung[49]. Es zeigt sich, daß beide Geschichten zunächst unabhängig voneinander

44 Koine-Text D Θ lesen die alte palästinische Form des Imperativs κουμι. Demgegenüber ist κουμ die spätere mesopotamische Form. D bietet zusätzlich statt ταλιθα: ϱαββι θαβιτα. Dies ist als Korruption von ϱαβιθα (= Mädchen) aufzufassen. ταλιθα ist »gleichbedeutend, jedoch edler und weniger dialektisch« (Wellhausen). Wenn W ταβιθα liest, ist dies aus Apg 9,36ff, der Geschichte der Erwekkung der Tabita aus Joppe durch Petrus, übernommen. Zur buchstäblichen ῥῆσις βαϱβαϱική ist das Wort in e geworden: tabea acultha cumhi. – τὸ κοϱάσιον, die Anrede im Nominativ mit Artikel, ist ein Semitismus.

45 Vgl. Billerbeck II,10. Altersangaben in einer Wundergeschichte finden sich etwa Philostrat, vit. Apoll. 3,38f.

46 Die Formulierung in 42b – Dativ beim Verbalsubstantiv – ist Nachahmung des hebräischen Infinitivus absolutus. Vgl. Bl-Debr § 198,6.

47 Mit Koch, Bedeutung 85.

48 Vgl. das rabbinische Beispiel bei Billerbeck II,10.

49 Rahmen 148 und Anm. 1.

existierten und der missionarischen Verkündigung gedient haben dürften. In der Jairusgeschichte könnte die Überlieferung des Namens und des aramäischen Wortes für konkrete Erinnerung sprechen. Es fehlt aber eine Ortsangabe. Manche Autoren glauben, daß ursprünglich nur von der Heilung einer Todkranken die Rede war – eine Auffassung, die wir abgelehnt haben. Da die Erzählform bis in die Details hinein vorgeprägten Strukturen und Motiven entspricht, werden wir anzunehmen haben, daß beide Geschichten nicht konkrete Erinnerungen aufbewahrten, sondern die allgemeine Erinnerung an Jesu Wundertätigkeit konkretisierten. Wir gewinnen keinen Einblick in individuelle Wundergeschehnisse. Die Geschichten setzen aber voraus, daß Jesus Wunder gewirkt hat. Hat Jesus Tote auferweckt? Man darf dies nicht bestreiten, »nur weil man heute so etwas nicht für möglich hält«[50]. Angesichts der vorliegenden Totenerweckungsgeschichte wird man davon auszugehen haben, daß sie sich an den Erweckungsberichten der alttestamentlichen Elija-Elischa-Tradition entzündete. Jesus wird vorgestellt als der eschatologische Profet, der das Wirken aller Profeten vor ihm einholt und überbietet[51]. Theologischen Sinn und theologische Bedeutung hat diese Verkündigung heute noch, weil Jesus als der Gekreuzigte und als *erster* von Gott vom Tod zum Leben Auferweckte das Tor zum Leben ist. Darum ist – wie es Markus völlig richtig gesehen hat – diese Einzelverkündigung von der Erweckung des Töchterchens des Jairus im Gesamtrahmen des Evangeliums zu belassen und von hier aus zu beurteilen.

Zusammenfassung

Markus verfolgte mit der Aufnahme dieser Wundertrationen vielfältige Intentionen. Zusammenfassend lassen sich als die wichtigsten herausstellen: Mit der Verschachtelung zweier Geschichten bringt er sein historisierendes Anliegen zur Geltung. In der Perikope von der blutflüssigen Frau betont er den Glauben gegenüber einem möglichen Mißverständnis im Sinn der Wundermagie. Die Erweckungsgeschichte baut er durch die Auswahl dreier bevorzugter Jünger als Offenbarungsszene weiter aus. Vor allem aber holt er sie durch das Verbreitungsverbot in den Gesamtrahmen des Evangeliums. Damit korrigiert er einen einseitigen Wunderglauben vom Kreuz her, macht aber gleichzeitig die Gegenwartsbedeutung der Totenerweckung geltend. Wer zum Leben finden will, muß sich an das Wort dessen halten, den Gott als ersten der Toten auferweckte. Als Sohn Gottes hat dieser die bleibende Vollmacht über den Tod.

Wirkungsgeschichte

Die meist praktisch orientierten Behandlungen der Doppelperikope kreisen im wesentlichen um zwei Fragen: Zum einen bleibt die Erkenntnis bestimmend,

[50] Suhl, Funktion 7.

[51] Die Erweckung von Toten spielte auch in der griechischen Philosophenlegende eine Rolle. So werden Totenerweckungen berichtet von Apollonius von Tyana, Empedokles, dem berühmten Arzt Asklepiades und anderen. Diese Tradition hat auf die synoptische Perikope nicht abgefärbt. Eine Eigenheit der Philosophenlegende ist offenbar, daß das Wunder bei der Begegnung mit dem Leichenzug geschieht. Zauberpapyri bieten Anweisungen für Totenerweckungen. Zum Ganzen vgl. Weinreich, Antike Heilungswunder 171–174.

daß in ihrem Mittelpunkt der Glaube steht. Zum anderen hebt man das Verständnis auf eine symbolische Ebene. Damit ist das Problem der Historizität in ein neues Licht gerückt. Unter dem Aspekt des Glaubens werden die Blutflüssige und Jairus zusammengeschaut und damit die Verbindungen der beiden Geschichten unter verschiedensten Gesichtspunkten ausgebaut. Eine mehr psychologische Deutung geht davon aus, daß das Wunder an der Frau den Glauben des Jairus stärken sollte[52]. Oder man vergleicht den Glauben beider. Dabei schneidet die Frau in der Regel besser ab. Die Frau wird von Theophylakt πιστοτάτη genannt[53]. Dem Jairus wird der Vorwurf des Halbglaubens gemacht, weil er Jesus in sein Haus bemühen will[54]. Offenbar blickt man dabei auf den Hauptmann von Kafarnaum, der allein auf das Wort Jesu vertraut. Dieser moderne Zug in der Interpretation ist erstaunlich. Die nachteiligere Beurteilung des Jairus hängt hier aber gerade auch mit der Verknüpfung der beiden Perikopen zusammen. Die Frau ist als die Erstgeheilte die Bevorzugte. Die Selbständigkeit der Perikopen, die je eine Verkündigungsgröße für sich darstellen, hat gelitten. Tiefgang erreicht die Behandlung der Glaubensfrage, wenn sie vom anthropologischen Standpunkt aus angegangen wird. Erasmus und Luther, der sich zweimal mit der Perikope jeweils an einem 24. Sonntag n. Trin. befaßte[55], betrachten die Frau bzw. Jairus in ihrer konkreten Lage. Beiden droht nach Meinung der zwei Prediger die Verzweiflung. Wie unterschiedlich aber fallen die Urteile aus! Erasmus meint, die Jairus-Perikope zeige, daß Christus nicht dulde, daß der Mensch, der den Glauben nicht verweigert, in die Verzweiflung gerate. Und er kann resümierend sagen: Christianus . . . numquam desperat[56]. Für Luther dagegen ist der Ausgangspunkt die Verzweiflung! Er macht dies am Schicksal der Frau, deren Mühe um Heilung bislang völlig vergeblich war, deutlich. So steht die Frau für den Menschen, der durch Werke gerettet werden wollte, und wird die Perikope zum Bild, das die iustificatio impii veranschaulicht. Bevor wir Christus kannten, »sind wir gelaufen zu Ärzten, Predigern, Klöstern und Gelübden«. Fazit für Luther: »Ich bin ein Sünder, entweder zu verdammen oder daß ich mich zu Christus flüchte«[57]. Luther setzt dabei die allegorische Gleichsetzung des Blutflusses mit der Sünde voraus. Die kühne Beurteilung der Perikope von der paulinischen Theologie her werden wir nicht so ohne weiteres nachvollziehen können, wenngleich der anthropologische Ansatz bedenkenswert bleibt.

Die symbolische Deutung, die offenbar sehr verbreitet war, stellt die Blutflüssige der Tochter des Jairus gegenüber[58]. Dabei stellt die zweite die Synagoge

[52] Theophylakt: PG 123,544; Caietan nach Knabenbauer 156.
[53] Ebd.
[54] Theophylakt: PG 123,541f.
[55] WA 52,537–543; 34/2,407–416.
[56] VII,197.
[57] WA 34/2,408–411.
[58] Voll entfaltet ist die allegorisch-symbolische Deutung bei Beda, PL 92,179–182. Mit ihr hängt offenbar auch der Streit zusammen, ob die blutflüssige Frau Heidin oder Jüdin gewesen sei. Im allgemeinen hält man sie für eine Heidin, weil sie sich über die Gesetzesvorschrift hinwegsetzt und Jesus berührt. Vgl. das oben Anm. 24 angeführte Zeugnis des Euseb. Dagegen Tertullian, c. Marc. 4,20 (PL 2,408).

dar, die erste dagegen die Völkerkirche. Diese kommt zuerst zum Glauben. Die Berührung Christi ist der Glaube, näherhin der Glaube an die Menschwerdung Gottes. Im Blick auf die Synagoge wird das Schicksal der Jairus-Tochter zur endzeitlichen Hoffnung für Israel[59]. Auch diese Interpretation zeigt sich durch Paulus beeinflußt (Röm 9–11). Der Versuch, aus den Texten heilsgeschichtliche Entwürfe zu entwickeln, begegnete uns bereits in der Auslegungsgeschichte der Gleichnisse. Er läßt das Präjudiz über die Geschichtlichkeit des konkreten Wunderereignisses in den Hintergrund treten zugunsten einer theologischen Spekulation, die so sicherlich nicht im Sinn des Markus oder seiner Überlieferung war. Demgegenüber ist nochmals zu betonen, daß das theologische Anliegen der Doppelperikope der auf Christus gerichtete Glaube ist. Dabei ist festzustellen, daß diese zentrale christologische Intention bei den zahlreichen Versuchen, fremde Gedanken einzutragen, im Blickpunkt geblieben ist. Luther kann es paradox formulieren: »Der Tod bei dem Herrn Christo heißt ein Schlaf und die Krankheit ist bei ihm die Gesundheit«[60]. Man wird bei der Auslegung der Perikope darauf zu achten haben, daß sie Jesus als den Überwinder des menschlichen Elends, das im Tod kulminiert, verkünden will. Jesus protestiert gegen den Kult des Todes und tut damit etwas, was menschlicher Vernunft als Unsinn erscheint (V 39). Also steht die Realität des Todes gegen die Barmherzigkeit des allmächtigen Gottes. Es entsteht die Frage, welche Realität sich als die endgültige erweisen wird. Jesus hat diese Auseinandersetzung gesehen und sich in sie hineingestellt[61].

9. Exkurs: Wunder und Exorzimen Jesu

Geschichten von *Wundern Jesu* sind in der synoptischen Tradition zahlreiche vorhanden, und Markus hat eine verhältnismäßig große Anzahl in sein Evangelium aufgenommen. Ihre Form ist vorgeprägt und in der hellenistischen und jüdischen Umweltliteratur ebenfalls nachweisbar. Nur im Rahmen des vorgeprägten Schemas sind erzählerische Variationen möglich. Darin liegt das begründet, was man das Fehlen des Porträts genannt hat. Der Aufbau der Wundergeschichten umfaßt regelmäßig drei Teile: Die Exposition, in der die beteiligten Personen mit ihren Beweggründen und Verhaltensweisen vorgestellt werden, die Wunderhandlung und den Abschluß, der die Demonstration des Wunders, die Entlassung des Geheilten, die Akklamation oder Reaktion des Volkes und ähnliches umfaßt. Die Füllung oder Inventarisierung dieser drei Teile greift auf immer wiederkehrende Motive zurück, die wiederholt beschrieben wurden[1]. Zu ih-

[59] Die Allegorie geht bis in die Details und erfaßt auch die zwölf Jahre (Alter des Mädchens und Krankheitsdauer der Frau). Die Frau erkrankte, als Israel in Erscheinung trat. Jairus, dessen Name als illuminans bzw. illuminatus gedeutet wird, wird mit Mose identifiziert, der Blutfluß mit der heidnischen Sünde des Götzendienstes usw. Vgl. Beda, a.a.O.

[60] WA 52,541. Ähnlich schon Beda, PL 92,182.

[61] Vgl. Barth, Dogmatik IV/2,251.

[1] Bultmann, Geschichte 236–241; Theißen, Wundergeschichten 57–83, der 33 Motive aufführt und die Wundergeschichten in vier Teile gliedert: Einleitung, Exposition, Mitte, Schluß. Die Vierteilung wird damit zusam-

nen gehören etwa: die Charakterisierung der Not (5,25f), vergebliche Versuche der Ärzte (5,26), verächtliche Äußerungen gegenüber dem Heiland (5,40) in der Exposition; Berührung mit der Hand oder Handergreifung (1,31; 7,33 usw.), das wunderwirkende Wort (1,41; 3,5 usw.) in der Schilderung der Wunderhandlung; der Eindruck des Wunders auf das Publikum (2,12; 7,37 usw.) im Schlußteil. Jedoch begegnet die reine Form der Wundergeschichte bei Markus verhältnismäßig selten (etwa 1,29–31; 7,31–37; 8,22–26). Die damit angeschnittene Klassifizierung der Wunder bzw. Wundergeschichten kann auf verschiedene Weise geschehen. Wir beschränken uns dabei auf die bei Markus vorkommenden Beispiele. Die alte Einteilung in Wunder im menschlichen (Heilungen, Exorzismen) und natürlichen Bereich (Sturmstillung, Brotvermehrung)[2] berücksichtigt nicht die Entstehung und textliche Verfaßtheit der Erzählungen. Überzeugender sind die Klassifizierungen, die von den Formgeschichtlern und literaturwissenschaftlich bestimmten Exegeten vorgelegt wurden. Nach dem zutreffenden Urteil Bultmanns treten uns manche Heilungsgeschichten als Apoftegmata entgegen[3]. Die Heilung ist einem vom Wundertäter ausgesprochenen Weisungswort untergeordnet (z. B. 1,40–45). G. Schille führte die Form der Missionslegende ein. Er betrachtete einzelne Wundergeschichten als Gemeindegründungstradition oder Gebietslegende[4]. In ihnen sei das Missionarische so eindeutig im Vordergrund, daß bisweilen die Grenze zur reinen Beispielerzählung berührt werde. Für Markus hat sich Schilles Formbestimmung nicht bewährt (vgl. die Analyse zu 5,1–20). Es gibt darüber hinaus Wundergeschichten, die die Züge eines Streitgesprächs (3,1–6) oder Lehrgesprächs (7,24–30) angenommen haben. Die gemischte Form läßt auf verschiedene Verwendungen der Einheiten schließen, die auch auf einer späteren Traditionsstufe einem veränderten »Sitz im Leben« zugeordnet worden sein können. Die Missionspropaganda kann darum nicht als der alleinige Hintergrund der Wundertraditionen gelten[5]. Die Katechese und die apologetische Predigt sind gleichfalls als möglicher »Sitz im Leben« anzusehen. Kompositionell bzw. durch die Angabe verschiedener Motive oder Motivkombinationen läßt sich eine Einteilung der Wundergeschichten auf einer anderen Ebene gewinnen[6]. Die Resultate konvergieren teilweise mit denen der Formgeschichte. Die Textanalyse läßt Heilungs- und Exorzismusgeschichten präzise unterscheiden. Letztere bedürfen einer eigenen Vorstellung. Weitere Formbestimmungen dieser Sicht sind die Epifanie (besonderes Kennzeichen: der episodale Ausschnitt aus dem mythischen Geschehen. Vgl. 6,45–52), das Geschenkwunder (6,30–44; 8,1–9), das Rettungswunder (der Sieg über eine von außen kommende physische Bedrohung verbindet sich mit einer Epifanie, vgl. 4,35–41), das Normenwunder (ist weitgehend mit dem Apoftegma der Formgeschichte identisch). Das Überlieferungsgut der Wundergeschichten bei Markus stammt aus ver-

menhängen, daß sich in den beiden ersten Teilen nach Th. die meisten Motive (20) zusammendrängen.

[2] Bei van der Loos, Miracles.

[3] Geschichte 223.

[4] Wundertradition 26f.

[5] Für diese Auffassung beruft man sich auf D. Georgi, Die Gegner des Paulus im 2. Korintherbrief. Studien zur religiösen Propaganda in der Spätantike, 1964 (WMANT 11). Vgl. G. Petzke, Die historische Frage nach den Wundertaten Jesu, NTS 22 (1975/76) 180–204, hier 200f.

[6] Vgl. Theißen, Wundergeschichten 90–120. Daß auch die Formgeschichte schon »literaturwissenschaftlich« arbeitete, zeigt Dibelius, Formgeschichte 34–100, für dessen Unterscheidung der Wundergeschichten in Paradigmen und Novellen Kennzeichen wie Abrundung, Kürze, Hervorhebung des Wortes Jesu, Predigtschluß (für das Paradigma) maßgeblich waren.

schiedenen Gemeindetraditionen[7]. Er schöpft nicht nur aus hellenistischen, sondern auch aus palästinischen Gemeinden. Zu letzteren können wir 1,29–31.40–45; 2,1–12; 3,1–6; 6,34–44; 7,24–30; 10,46–52 rechnen. Doch werden die Grenzen fließend gewesen und Übernahmen palästinischer Überlieferungen durch hellenistische Gemeinden vorgekommen sein. Die Zuweisungen sind cum grano salis zu nehmen. Als hervorstechendes Charakteristikum der palästinischen Wundergeschichten darf man vielleicht nehmen, daß das Wunder in stärkerem Maße an das Wort gebunden erscheint. Nach hellenistischen Traditionen bedient sich Jesus vielfach medizinischer Manipulationen (Berührung, Speichel). Das Wunder geschieht durch Machtübertragung. Jesus ist Träger einer wunderwirksamen Dynamis. Manche Wundererzählungen sind durch alttestamentliche Vorbilder geprägt. Hier legte sich die Elija-Elischa-Überlieferung besonders nahe (5,21–24.35–43; 6,30–44). Die Vorlage einer Sammlung von Wundergeschichten in Mk 4–6, die wiederholt angenommen wurde, hat sich für uns nicht bestätigt[8]. Nur 7,32–37; 8,22–26 einerseits und 6,30–52 dürften als Doppelerzählungen weitergereicht worden sein.

Die Geschichten, die von *Jesu Exorzismen* berichten, berühren sich in manchen Punkten mit den Heilungserzählungen. Vor allem sind es die Vorstellung, daß Besessenheit und Krankheit durch dämonische Kräfte verursacht werden, und exorzistische Züge in Wundertherapien. Bei näherem Zusehen ergeben sich Differenzen, die eine Trennung von Wunder- und Exorzismusgeschichten rechtfertigen. Während der Kranke durch einen Dämon, der ihn mit einer bestimmten Krankheit geißelt, gequält wird, wohnt der Dämon im Besessenen ein. »Der Therapeut hat es mit den Auswirkungen des Dämons, der Exorzist mit seinem Dasein zu tun«[9]. Dahinter stehen Krankheitsbilder mit auffälligen und abschreckenden Anomalien. O. Böcher spricht von Geistes- und Gehirnkrankheiten[10]. Die Begegnung von Exorzist und Dämon wird zu einem Kampfgeschehen. Beide können sich derselben Strategien bedienen. Der Besessene ist das Schlachtfeld, auf dem der Kampf ausgetragen wird. Die Überwindung des Dämons geschieht durch den Ausfahrbefehl, der gleichzeitig die Exorzismusgeschichte kennzeichnet. Es kann die zerstörerische Wirksamkeit des Dämons geschildert werden (9,22), die auch auf die Natur gerichtet ist (5,13), jedoch wird in den Evangelien die Gefährdung durch dämonische Macht ausschließlich im Menschen gesehen. Der Aufbau der Exorzismuserzählungen ist, analog den Heilungsberichten, dreiteilig[11]. Die Unterschiede zeigen sich in der Verwendung bestimmter Motive. In der Exposition ist das Kommen des Besessenen mit der Gegenwehr des Dämons verknüpft. Es kann sich ein Gespräch zwischen Exorzist und Dämon entwickeln. Der Exorzismus tritt als Ausfahrbefehl (Apopompe), auch verbunden mit dem Gebot zu verstummen, oder Epipompe (Einweisung des Dämons oder der Dämonen in ein anderes Opfer: 5,13) in Erscheinung. Die Demonstration ist dramatisch entfaltet. Der Dämon quält vor seiner Bezwingung den Besessenen zum letztenmal. Die bei Markus vorkommenden Exorzismusüberlieferungen (1,21–28; 5,1–20; 9,14–27) dürften der palästinischen Gemeindetradition entwachsen sein. Zwar tritt in ihnen der Wundertäter mit seiner Vollmacht stärker hervor, was mehr hellenistischem Empfin-

[7] Vgl. Schenke, Wundererzählungen 373–382; Koch, Bedeutung 26–30; Bultmann, Geschichte 254–256.

[8] Vgl. S. 273f. und Schenke, Wundererzählungen 383–386.

[9] Theißen, Wundergeschichten 94.

[10] Christus Exorcista 166. Petzke (Anm. 5) 202, redet von psycho-somatischen Vorgängen; Grundmann 44 von Bewußtseinsspaltung.

[11] Vgl. K. Thraede, RAC VII,59–61.

den entspricht. Hellenistischer Einfluß hatte sich aber in Palästina längst Geltung verschafft.

Die *markinische Interpretation* der Wunderüberlieferungen geschah auf vielfache Weise. Zunächst hat der Evangelist die vielfältigen Wundergeschichten, die als Einzeltraditionen umliefen, durch die Einfügung in sein Evangelium »historisiert« (besonders deutlich 6,2 als Rückverweis auf 5,1–43). Weil das Evangelium auf die Passion hin ausgerichtet ist, treten die Wunder auch in dieses Licht. Wunder und Lehre rücken zusammen (1,22.27; 6,34ff), wobei das Wunder der Lehre untergeordnet ist. Jesu Vollmacht offenbart sich in seinem Wort, ist Vollmacht, Sünden zu vergeben (2,10), den Sabbat neu zu interpretieren (2,28). Auch die Nebeneinanderordnung der Kapitel 4 und 5 gehört hierher. Im Anschluß an das wichtige Summarium 1,14f stehen die Wundergeschichten – wenigstens ist das dem Leser des Evangeliums in den ersten Kapiteln noch bewußt – in einem eschatologischen Gefälle. Es bleibt aber zu berücksichtigen, daß Markus das Reich Gottes christologisch interpretiert (vgl. 4,11). Die Christologie tritt gegenüber der Reich-Gottes-Predigt in den Vordergrund[12]. Die Indienstnahme der Wunder für die markinische Christologie wird von den Interpreten einhellig festgestellt, kontrovers fallen aber die jweiligen Beurteilungen aus. Während für S. Schulz die Wunder im zweiten Evangelium Hinweise auf die Auferstehungsherrlichkeit Christi sind, die die irdische Existenz des Gottessohnes in Menschengestalt völlig bestimmen würde[13], meint Schenke[14], daß sie der Christologie des Evangelisten widerstreiten. Markus habe die Wundergeschichten in sein Evangelium aufgenommen, um die in ihnen sich ausdrückende Christologie zu bekämpfen und vom Kreuz her zu korrigieren. Diese Christologie von Jesus dem göttlichen Menschen (ϑεῖος ἀνήϱ) sei in den von Markus angesprochenen Gemeinden vertreten worden: nicht Jesu Wundertaten sollen als Epifanie seiner Gottessohnschaft dargestellt werden, sondern das Kreuz. Die These ist in dieser Überspitzung abzulehnen[15]. Gegen sie spricht schon die Fülle der Wundergeschichten, die wir bei Markus lesen. Die Wunder sind für Markus ein Teil der Offenbarung Gottes, die in Jesus erfolgte. Durch die Wunder wird Jesus – trotz des Gebotes, nicht zu reden – bekannt (vgl. vor allem die Sammelberichte 3,7–12; 6,53–56). Sie wollen zur Frage hindrängen, wer Jesus ist (1,27; 4,41; 6,3; 8,14–21; 6,14–16; 8,27–29). Die Zulassung von nur drei Jüngern zum großen Wunder der Totenerweckung (5,37) will dessen Bedeutung für das Offenbarungsgeschehen unterstreichen. Sind die Wunder ein positiver Bestandteil der Offenbarung, und gibt es für Markus keinen »unchristologischen Hohlraum« zwischen Taufe und Passion Jesu, so stand der Evangelist vor der Aufgabe, das Passionskerygma mit den Wundergeschichten, die von diesem Kerygma nicht gezeichnet sind, miteinander zu verknüpfen. Weil für ihn der Weg Jesu auf

[12] Robinson, Geschichtsverständnis passim, entwickelt die These, daß Mk das Wirken Jesu als kosmologischen Kampf Jesu mit dem Satan dargestellt habe. Das Kampfesthema ist in den Exorzismusgeschichten vorgegeben, wurde vom Evangelisten aber nicht programmatisch entfaltet. Dazu vgl. Koch, Bedeutung 172f.

[13] Stunde 76. Modifiziert erscheint die These bei Schreiber, Theologie des Vertrauens 225, Anm. 40. Zur Auseinandersetzung vgl. Koch, Bedeutung 176–178.

[14] Wundererzählungen 396–416. Vgl. auch T. J. Weeden, Mark-Traditions in Conflict, Philadelphia 1971 und The Heresy that necessitated Mark's Gospel, ZNW 59 (1968) 145–158. – Kertelge, Wunder Jesu 194, möchte die Wunder kerygmatisch auflösen. Sie werden für ihn zum Anschauungsmaterial der österlich-eschatologischen Offenbarung. Diese These, entworfen im Gefolge Marxsens kerygmatischer Evangeliumsauffassung, ist gleichfalls nicht zu übernehmen.

[15] Vgl. Koch, Bedeutung 180–193; Theißen, Wundergeschichten 287–297.

das Kreuz zuläuft, von dem her Jesus erst voll verstanden werden kann, bemißt sich der Offenbarungswert der Wunder als ein im Kreuz gebrochener. Macht des Wundertäters und Ohnmacht des Gekreuzigten stehen in einem dialektischen Verhältnis zueinander, das nicht aufgelöst werden darf. Von hier aus läßt sich die markinische Wunderinterpretation, so mannigfach sie im Detail sein mag, als Einheit begreifen. Zu diesem Detail gehört Folgendes: Wunder bewirken Mißverständnis und Ablehnung (3,6; 3,22; 6,3f; 6,14–16). Markus baut Wundergeschichten zu Jüngergeschichten aus oder bringt das Motiv des Jüngerunverstands (4,35–41; 6,45–52) oder der Nachfolge in sie ein (10,46–52). Er forciert das Glaubensmotiv (4,40; 9,23f). Er knüpft an die in den Heilungs- und Exorzismusgeschichten vorhandenen Schweigegebote und Verhüllungstendenzen an, deutet diese christologisch und führt das christologisch bestimmte Schweigegebot in diese Tradition ein, wie er es auch in seinen Sammelberichten zur Geltung bringt (1,34; 3,11f). Damit ordnet sich die markinische Wunderinterpretation in das markinische Messiasgeheimnis als dessen hermeneutischer Voraussetzung und die Gesamtstruktur des Evangeliums ein[16].

Die *historische Rückfrage* nach den Wundern Jesu wurde so gestellt: Sind die von Jesus berichteten Wunder im Leben des irdischen Jesus verankert, oder wurzeln die Wundergeschichten in der Missionspraxis der frühen Kirche, von der sie in das Leben Jesu zurückverlegt wurden[17]? Sicher ist, daß die Masse der Wunder- und Exorzismuserzählungen, wie wir sie gerade bei Markus antreffen, den falschen Eindruck entstehen lassen kann, daß Jesus sich primär und überwiegend als Thaumaturg betätigt habe. Auf der anderen Seite wird diese Art seines Wirkens durch eine Anzahl von Logien gedeckt, die ihm nicht abgesprochen werden können[18]. Für unser Evangelium, das diese Logien nur spärlich überliefert, wäre insbesondere auf 3,24–27 zu verweisen. Wenn man die Wirksamkeit Jesu als Wundertäter und Exorzist nicht ernsthaft bestreiten kann, muß man zugestehen, daß er das mit den Wundern und Exorzismen verbundene dämonische Weltbild geteilt hat. Es war das Weltbild seiner Zeit. Sich einer Zeit verständlich zu machen, ist nur möglich, wenn man die sie beherrschenden Vorstellungen von Mensch und Welt berücksichtigt. Jesu charimatische Wundertätigkeit, die von seinen Jüngern und von christlichen Missionaren in der Frühzeit weitergetragen wird, besitzt in der Umwelt gewisse Parallelen, unterscheidet sich aber erheblich von der institutionalisierten Wunderheilkunst an den Wallfahrtsstätten der Antike (Epidauros). Ihre unverwechselbare Eigenheit gewinnt sie durch die Intentionen, die sich mit ihr verbinden. Hierzu läßt sich folgendes sagen: In ihrer Ausrichtung auf die Reich-Gottes-Botschaft zeigt sie an, daß die universale Heilszukunft im Auftreten Jesu bereits wirksam und erfahrbar geworden ist. Sie kündet die eschatologische Wende an (vgl. 3,27). Mit Recht sagt Theißen: »Nirgendwo sonst finden wir Wundertaten eines irdischen Wundercharismatikers, die Ende der alten Welt und Anfang einer neuen Welt sein sollen.«[19] Sabbatheilungen, die gleichfalls in das Leben des irdischen Jesus gehören, sind Ausdruck einer wiederherzustellenden Menschenwürde angesichts verkrusteter, den Menschen

[16] Für Mk 7,31–37; 8,22–26 ist mit einem symbolischen Sinn zu rechnen (vgl. die Interpretation). Auch dieser bedeutet eine Neuinterpretation des Wunders. – Mk 8,11f läßt sich nicht als Kriterium für die mk Wunderbewertung ausnutzen. Es geht vielmehr um die Glaubensfrage. Dem Ungläubigen wird das Zeichen verwehrt, dem Glaubenden wird das Wunder zuteil. Vgl. 6,5. Anders Schille, Wundertradition 21.

[17] Vgl. Petzke (Anm. 5) 199–202.

[18] Vgl. Theißen, Wundergeschichten 274–277; Böcher, Christus Exorcista 166f.

[19] 275.

entwürdigenden Institutionen. Man wird auch das in den synoptischen Wundergeschichten immer wiederkehrende und von Markus forcierte Thema des Glaubens, das die Überlieferung der Evangelien gegenüber antiken Wundergeschichten auszeichnet, letztlich auf Jesus zurückführen können. Darüber hinaus kann aus Jesu exorzistischer und therapeutischer Wirksamkeit ein Protest gegen die dämonischen Ängste seiner Zeitgenossen herausgelesen werden[20]. Innerhalb des Markusevangeliums ist auf die Ablehnung einer dinglichen Heiligkeitsauffassung (7,15), auf die Zurückweisung bestimmter exorzistischer Praktiken (3,22f)[21] und die Freiheit des Nicht-fasten-müssens hinzuweisen, die vielleicht auch in diesen Zusammenhang gehört (2,19)[22]. Jesus befreit mit seinem Heilen den Menschen, indem er ihn aus Entfremdung, Verzweiflung und Verzerrung herauslöst und Gott zuführt. Die formalisierte Darstellung des Wundertäters Jesus in den synoptischen Wundergeschichten gestattet uns keinen direkten und lebendigen Einblick in diese seine Tätigkeit, sondern vermittelt nur die allgemeine Nachricht von dieser Art seines Wirkens. Es besteht kein Zweifel, daß im Zug des Tradierens die Wundergeschichten nicht bloß schematisiert und geformt, sondern auch vermehrt und qualitativ gesteigert wurden. Diese Entwicklung muß im Zusammenhang mit der Mission und rivalisierenden missionarischen Bemühungen in der Umwelt gesehen werden. Sie hängt aber auch mit dem Singularitätsbewußtsein der christlichen Gemeinden zusammen und mit ihrem Glauben, der sie mit ihrem erhöhten Kyrios verband. Die Interpretation vermag trotz der Formalisierung in einzelnen Wundergeschichten noch historisches Detail zu entdecken (vgl. 1,29–31; 10,46–52). Wo dies nicht möglich erscheint, ist in der Interpretation dieses Kommentars in der Regel auf die historische Rückfrage verzichtet. Hilfreich sind in neuerer Zeit vorgetragene soziologisch geprägte Deutungen der Wunder- und Exorzismusgeschichten. Die Wundergeschichten werden als Ausdruck des Protestes gegen menschliches Elend aufgefaßt, der unter Berufung auf die Offenbarung geschieht. Die massenhafte Besessenheit wird als Erscheinung in einer Gesellschaft gewertet, die ihre vielfältig erfahrenen Bedrohungen und Ängste in mythischer Sprache artikulierte[23]. Das dämonische Weltbild ist für uns nicht übertragbar. Dennoch behalten die Wundergeschichten ihre eigentliche Bedeutung im theologischen Bereich, als Kundgabe des Willens Gottes, den ganzen Menschen aus seiner psychischen und physischen Not zu erlösen, und als Aufruf an die Christen, sich um Gottes Willen an dieser Befreiungsaktion zu beteiligen[24].

13. *Jesus wird in seinem Heimatort abgelehnt (6,1–6a)*

Literatur: Preuschen, E., Das Wort vom verachteten Propheten, ZNW 17 (1916) 33–48; *Haenchen, E.*, Historie und Verkündigung bei Markus und Lukas: Die Bibel und wir, Tübingen 1968, 156–181; *Stauffer, E.*, Jeschu ben Mirjam (Mk 6,3), in: Neo-

[20] Vgl. Böcher, Christus Exorcista 138–165.

[21] Nach Böcher, ebd. 161f basiert der Vorwurf Mk 3,22 auf der praktizierten Gesetzmäßigkeit der sogenannten homöopathischen Magie.

[22] Das Fasten kann als weitverbreitete exorzistische Vorbereitungspraxis gelten. Vgl. Böcher, ebd. 113–117.

[23] Vgl. Theißen, Wundergeschichten 251–256. 295–297; Petzke (Anm. 5) 202–204.

[24] M. E. Glasswell, The Use of Miracles in the Markan Gospel, in: C. F. D. Moule, Miracles. Cambridge Studies in their Philosophy and History, London 1965, 149–162, betont, daß die Wunder nicht aus dem geschichtlichen Wirken Jesu herausgelöst werden können. Aber auch dieser Teil der Geschichte Jesu müßte in seinem Gegenwartsbezug aufgewiesen werden.

testamentica et Semitica (FS M. Black), Edinburgh 1969, 119–128; *Gräßer, E.*, Jesus in Nazareth (Mk 6,1–6a), in: *E. Gräßer u. a.*, Jesus in Nazareth, 1972 (BZNW 40) 1–37; *Crossan, J. D.*, Mark and the Relatives of Jesus, NT 15 (1973) 81–113 (98–105); *McArthur, H. K.*, »Son of Mary«, NT 15 (1973) 38–58; *Koch*, Bedeutung, 147–153.

1 **Und er ging von dort weg. Und er kommt in seinen Heimatort. Und seine Jünger folgen ihm nach.** 2 **Und als es Sabbat war, begann er in der Synagoge zu lehren. Und die vielen, die ihn hörten, gerieten außer sich und sagten: Woher hat dieser das? Und was ist das für eine Weisheit, die ihm gegeben ist? Und was sind das für Wunder, die durch seine Hände geschehen?** 3 **Ist dieser nicht der Bauhandwerker, der Sohn Marias und der Bruder von Jakobus und Judas und Joses und Simon? Und sind nicht seine Schwestern hier bei uns? Und sie nahmen an ihm Anstoß.** 4 **Und Jesus sagte zu ihnen: Der Profet wird nicht verachtet, außer in seinem Heimatort und bei seinen Verwandten und in seinem Haus.** 5 **Und er konnte dort keine Wunder wirken. Nur wenigen Kranken legte er die Hände auf und heilte sie.** 6 **Und er wunderte sich über ihren Unglauben.**

Analyse

Über die Genese der vorliegenden Perikope gibt es unterschiedliche Auffassungen. Nach Bultmann[1] haben wir es mit einem Musterbeispiel dafür zu tun, wie aus einem frei umlaufenden Logion eine ideale Szene komponiert worden sei. Das den Erzählprozeß auslösende Logion sei das Wort vom verachteten Profeten gewesen, dessen älteste Form in POxy 1,5 aufbewahrt sei: »Kein Profet ist angesehen in seinem Heimatort, kein Arzt wirkt Heilungen bei seinen Bekannten«. Die zweite Hälfte des Spruches sei in Erzählung umgesetzt worden und die Bekannten seien in Vers 4 zu den Verwandten geworden. Weiter beobachtete schon Bultmann die Spannung, die zwischen den Reaktionen der Leute in 2 (sie geraten außer sich) und 4 (sie nehmen Anstoß) besteht. Er vermutet, daß ursprünglich von einem erfolgreichen Auftritt Jesu in seinem Heimatdorf erzählt worden sei. Erst bei der Verbindung beider Elemente, jenem Logion und der Erfolgsszene, sei letztere unter dem Eindruck späterer missionarischer Erfahrungen in ihr Gegenteil verkehrt worden. – Koch, der mit Bultmann von einer idealen Szene redet, meint, daß mit Vers 5 ein neuer Gesichtspunkt eingebracht werde. Der Auftritt Jesu in Nazaret (3f) sei um das Thema vom Zusammenhang zwischen Glauben und Wunder erweitert (5a.6a) und um eine Exposition, die Lehre und Wunder verbindet, bereichert worden (2)[2]. Das mit Vers 4 abschließende Stück ließe sich als stilreines Apoftegma ansprechen[3]. – Gräßer beurteilt die Perikope ganz anders. Mit Haenchen geht er davon aus, daß dem Erzähler Markus nur eines bekannt gewesen wäre, »daß Jesus in seiner Hei-

[1] Geschichte 30f.
[2] Bedeutung 148–151. Von einer Erweiterung um die Verse 5f sprach schon Dibelius, Formgeschichte 107. Er hielt die Erweiterung für Mk-R.
[3] Koch, Bedeutung 150, Anm. 14.

matstadt ohne Erfolg gepredigt hat. Alles andere sind Versuche der christlichen Tradition, sich mit dieser schwer begreiflichen Tatsache auseinanderzusetzen«[4]. So kann Gräßer auf eine Rekonstruktion der markinischen Vorlage verzichten und sich ganz dem Aufspüren markinischer Tendenzen widmen[5].
Wir haben uns zunächst um die markinische Vorlage zu kümmern. Ausgehen wird man dabei von der Bultmannschen Beobachtung, daß das Wort vom verachteten Profeten ein isoliertes ist. Dabei ist aber auch die umgekehrte Möglichkeit zu prüfen, ob dieses sentenzartige Wort nicht sekundär in die Perikope hereinkam. Die markinische Anreihungsformel καὶ ἔλεγεν αὐτοῖς scheint dafür zu sprechen. Der erste Satz »Und er ging von dort fort«, der die Verbindung zur Jairus-Perikope herstellt, ist sicher markinisch[6]. Der Übergang vom Aorist zum Präsens verrät den ursprünglichen Perikopenbeginn. Dieser sprach aber wohl von Nazaret (etwa: καὶ ἔρχεται ὁ Ἰησοῦς εἰς Ναζαρέτ). Die Kenntnis des Heimatdorfes Jesu ist bei den Hörern nicht ohne weiteres vorauszusetzen. Markus kann dies aber wegen 1,9, wo diese Information bereits vermittelt wurde, tun. Die Umbenennung in εἰς τὴν πατρίδα αὐτοῦ kann in Verbindung mit dem Einbringen des Spruchs in Vers 4 erfolgt sein. Auch die Erwähnung der Jünger in 1b ist auf das Konto des Evangelisten zu setzen. In der Geschichte selbst spielen die Jünger keine Rolle. Für Markus aber ist ihre Begleitung wegen der folgenden Aussendung von Bedeutung. Sie können schon jetzt im Hinblick auf ihre Aussendung Erfahrungen sammeln, daß sie nicht enttäuscht sind, wenn sie abgelehnt werden[7]. Der Auftritt in der Synagoge ist in Anlehnung an 1,21f formuliert worden[8]. Verbindende Elemente sind der Sabbat, die Synagoge, die Lehre, das Außer-sich-geraten der Menge. Die Gestaltung dieses Satzes ist darum als markinisch anzusehen. Sie schuf auch die Spannung zur Reaktion der Leute in Vers 3. Im vormarkinischen Bericht muß aber bereits vom Auftritt in der Synagoge die Rede gewesen sein. Dies erfordert die folgende Reaktion[9]. Der Markus vorgegebene Satz ist nicht mehr rekonstruierbar. Die Verse 2b und 3 sind traditionell. Zwar entspricht die Abfolge Lehre – Wunder in 2b 1,21ff, Markus aber hätte anders formuliert. Nur hier wird bei ihm von der Weisheit gesprochen[10]. Vers 4 bringt den Profetenspruch, den erst

4 Gräßer* 13. Vgl. Haenchen, Weg 220.

5 Gräßers geistreiche, aber überpointierte Interpretation ist einmal durch diesen Verzicht belastet und zum anderen dadurch, daß er mit einer nachmarkinischen Redaktion rechnet (27). – Schmidt, Rahmen 155f, findet in 6,1–6a zwei Berichte ineinandergearbeitet (A: 2a.3ab.4; B: 2b.3c.5.6a), die schon sehr früh im Sinn einer endgültigen Auseinandersetzung Jesu mit Nazaret verknüpft worden seien. Die Doppelung deute möglicherweise mehrere Nazaretbesuche Jesu an.

6 ἐξέρχεσθαι und ἐκεῖθεν sind nach Gaston Vorzugswörter in mk Editorial sentences.

7 Anders Schmidt, Rahmen 153f, der in der Erwähnung der Jünger konkrete geschichtliche Erinnerung vermutet.

8 So bereits Wendling, Entstehung 52ff.

9 Ähnlich Koch, Bedeutung 152 Anm. 24.

10 Gräßer* 21 bemerkt, daß die Hörer in der Synagoge zwar Veranlassung haben, Jesu Weisheit zu rühmen, nicht aber, nach seinen Wundern zu fragen. Dies erkläre sich im Sinn einer übergreifenden Komposition. Auch in der isolierten Geschichte aber ist die Frage nach den Wundern Jesu sinnvoll, weil für die Hörer der Perikope vorausgesetzt werden kann, daß sie um Jesu Wundertätigkeit wissen. Kertelge, Wunder Jesu 122, möchte die Frage nach der Weisheit Jesu als traditionell und die nach seinen Wundern als redaktionell eingestuft wissen. Die Begründung überzeugt nicht: die erste

Markus in die Tradition einfügt und in einem zweiten Teil um die Verwandten und das Haus erweitert. Ursprünglich lautete der Spruch: »Kein Profet ist verachtet außer in seinem Heimatort«[11]. Steck hat die Vermutung geäußert, daß der Spruch als Verdichtung der Erfahrungen jüdischer Reiseprediger entstanden sei. Diese konnten Profeten genannt werden[12]. Ins Christliche übernommen, paßte diese Erfahrung ausgezeichnet zum anschließenden Aussendungsbericht 6,6bff. Wenn der Evangelist auf die Verwandten und das Haus Jesu hinweist, belastet er diese und erinnert an 3,20f.31–35. Auch der Nachsatz in 5b, der zu 5a in Spannung steht, dürfte markinisch sein[13]. Er will nicht die (unbestrittene!) Vollmacht Jesu retten, sondern das Urteil über die Nazaretaner – wie schon 2a – abmildern (vgl. die Interpretation). 5a und 6a sind traditionell und mit der Erzählung vereinbar. Diese war von Haus aus kein Apoftegma[14]. Was dem Evangelisten vorlag, war demnach eine Geschichte, die vom Auftritt Jesu in Nazaret und der ungläubigen Reaktion der Nazaretaner berichtete, die ihn keine Wunder wirken ließ und sein Erstaunen hervorrief. Die Form der Erzählung ist nicht so ohne weiteres mit den bekannten Erzählformen vergleichbar, sondern sui generis. Dies ist am ehesten dadurch zu erklären, daß sie eine historische Erinnerung an eine konkrete Ablehnung Jesu in seiner Heimat aufbewahrt hat[15]. Markus hat die Geschichte nach zwei Richtungen ausgebaut, die negative Einstellung der Verwandten zu Jesus und die Schulung der Jüngerschaft. Die Interpretation hat dies zu beachten. Die Perikope ist wie folgt zu gliedern: Auf die Exposition, die von Jesu und der Jünger Ankunft in seiner Heimat und von seiner Lehre in der Synagoge erzählt, schließen sich die Reaktion der Leute und die Stellungnahme Jesu an. Wie die Reaktion der Leute am Schluß mit ἐσκανδαλίζοντο zusammengefaßt wird (3c), so die Stellungnahme Jesu mit ἐθαύμασεν. Diese beiden Verben korrespondieren miteinander.

Erklärung 1–3

Jesus verläßt Haus und Ort des Jairus und gelangt in sein Heimatdorf. Daß es sich um Nazaret in Galiläa handelt, wissen die Leser bereits (1,9). Das Dorf

Frage impliziere eine Wesensaussage (?), die zweite den Geschehenscharakter der Taten Jesu.

11 Die Auffassung Bultmanns, Geschichte 30, der Spruch sei als Doppelspruch, wie in POxy 1,5 überliefert, ursprünglich, wird heute kaum noch geteilt. Profet und Arzt vertreten zwei ganz verschiedene Bereiche. Vor allem hat Haenchen* 160, aufgezeigt, daß POxy 1,5 nur die griechische Fassung des Spruches in Tho 31 ist und das Thomasevangelium auch sonst Einzelsprüche durch die Hinzufügung von Parallelen erweitert. Joh 4,44 ist der Spruch in einfacher Form überliefert.

12 Steck, Israel 213f. Zum besonderen Gebrauch des Profetentitels weist Steck auf TestD 2,3 und Jud 18,5 hin.

13 θεραπεύω ist mk Vorzugswort. ἀρρώστοις nimmt 6,13 vorweg. Das Wort bringt Mk nur an diesen beiden Stellen.

14 Gräßer* 25 hat richtig empfunden, daß die Erklärung des Unglaubens, die Vers 4 liefert, in Spannung steht zu dem schrillen Skandal der Nazaretaner, von dem 3c berichtet. Die mk Interpretation liegt allerdings nicht in 3c, sondern in 4 vor. Auch in 4,11f fügte Mk ein isoliertes Logion in einen vorgegebenen Zusammenhang.

15 Historische Reminiszenz schließt natürlich Details aus, die wir vermissen, so daß Gräßer* 2 mit Recht feststellt: »Wir erfahren z.B. nicht, was Jesus in Nazaret gepredigt hat (so daß Lukas das getrost ergänzen konnte), wie sich der Besuch im einzelnen gestaltete, ob Jesus seine Verwandten wiedergesehen hat usw.«

liegt etwa 30 km westlich von Tiberias und vom See Gennesaret und muß seinerzeit ein kleiner, unwichtiger Ort gewesen sein (vgl. Joh 1,46). Im Alten Testament wird es nirgendwo genannt. Seine Lage im Gebirge (350–400 m ü. M.) ließ es, besonders nach Süden, zu einem weithin sichtbaren Flecken werden[16]. Die Jünger begleiten Jesus. Die Erfahrungen mit Jesus, dem Missionar in seiner Heimat, sollen für sie von Bedeutung sein. Darum kann ihre Begleitung als Nachfolge gekennzeichnet werden. In bezug auf die Jüngerschaft setzt Markus den Nachfolgegedanken in der Regel bewußt ein (vgl. 2,15; 10,32; 15,41). Im sabbatlichen Synagogengottesdienst nimmt Jesus die Gelegenheit wahr zu predigen. Er tut damit etwas bereits Gewohnheitsmäßiges (vgl. 1,21f.39). Die Synagoge von Nazaret ist eine von vielen unter den Synagogen Galiläas, in denen er auftritt. Was diesem Auftritt Besonderheit verleiht, ist die Begegnung der Leute mit ihrem inzwischen berühmt gewordenen Landsmann in der Heimat, »wo Abderitenwitz die Eierschalen seines Genius begutachtet«[17]. Die unmittelbare Antwort auf die Lehre Jesu ist zunächst – wiederum wie gewohnt – positiv. Das Außer-sich-geraten ist wiederholt Reaktion auf die Lehre (1,22; 11,18), ein Wunder (7,37) oder ein bestürzendes Wort (10,26). Markus sichert mit dieser Reaktion der Menge die Verkündigung Jesu als Offenbarungsgeschehen ab, das sich auch in Nazaret ereignete. Nachdem dies sichergestellt ist, kann die Kritik folgen, die somit von vornherein als Äußerung des Unglaubens aufzufassen ist. Die Kritik artikuliert sich in fünf Fragen, von denen drei Jesu Wirksamkeit und zwei seine Verwandtschaft betreffen. Der prädikative Stil der ersten drei Fragen soll wohl die Erregung widerspiegeln, in die die Leute hineingeraten sind. Die erste Frage beurteilt ihn allgemein, die zweite seine Lehre, die dritte seine Wunder. Die Frage nach dem Woher – nahezu johanneisch – fragt nach dem Ursprung. Damit rücken die Verwandten bereits in den Blick. Der Glaube weiß um den eigentlichen Ursprung Jesu. Dieser ist Gottes Sohn. Die Kenntnis des heimatlichen Milieus Jesu wird für die Landsleute zum nahezu unüberwindlichen Hindernis, seinen Offenbarungsanspruch anzuerkennen. Als Weisheitslehrer hat er sich eben in der Synagoge ausgewiesen. Die Weisheitsrede ist ihm von Gott gegeben und läßt ihn in dessen Auftrag vollmächtig (vgl. 1,27) verkünden. Indem sie fragen, erkennen dies die Landsleute nicht an, sondern stellen es in Zweifel[18]. Nach den Wundern zu fragen, haben die Nazaretaner unmittelbar keine Veranlassung. Selbstverständlich können sie von seinen Wundern gehört haben. Im Kontext sind mit den δυνάμεις die vorangegangenen Wundertaten gemeint. Man darf deshalb vermuten, daß Markus voraussetzt, daß auch das Verbreitungsverbot in 5,43 durchbrochen

[16] Vgl. Dalman, Orte und Wege 61–88; C. Kopp, LThK ²VII,851–853. Die Nichterwähnung Nazarets im AT besagt nicht viel, da Hunderte von Ortsnamen in der alten Literatur nicht enthalten sind. Auffällig ist sein Fehlen in Jos 19,10–15. Kopp nimmt als sicher an, daß Nazaret zusammen mit dem 3 km südwestlich gelegenen Japha im Jahre 67 n. Chr. von den Römern zerstört und später wieder aufgebaut worden sei.

[17] Holtzmann 161.

[18] Der Zweifel rührt primär nicht daher, daß Jesus keine Gelehrtenschule besucht hat. So Billerbeck I,678 und Joh 7,15.

wurde. Die Charakterisierung der Wunder Jesu als δυνάμεις ist aufschlußreich, handelt es sich dabei doch um die gängige hellenistische Wunderbezeichnung. Die Formulierung setzt sich aber vom hellenistischen Verständnis ab, da sie nicht auf die Wunderkraft abhebt, über die Jesus verfügt, sondern die Wundertaten, die durch seine Hände geschehen[19]. Dieser Geschehenscharakter entspricht altbiblischem Wunderverständnis und will besagen, daß sich in Jesu machtvollem Handeln Gottes heilvolle Zuwendung zu den Menschen ereignete. Der göttliche Anspruch steht im Widerspruch zur irdischen Herkunft. Jesus ist den Landsleuten als τέκτων bekannt. Er hat unter ihnen einen bestimmten Beruf ausgeübt und ist für sie damit eindeutig bezeichnet[20]. τέκτων entspricht lateinischem faber, meint also den Handwerker, der Holz oder Stein bearbeitet. Darum empfiehlt sich die Übersetzung Bauhandwerker, weil Zimmermann oder Stellmacher nur einen Aspekt berücksichtigt[21]. Die textliche Überlieferung des Verses 3a ist jedoch unsicher.
Drei Varianten kommen in Betracht:
1. «der Bauhandwerker, der Sohn Marias« (sämtliche Majuskel- und zahlreiche Minuskelhandschriften)
2. »der Sohn des Bauhandwerkers« (P^{45} 13 124)
3. »der Sohn des Bauhandwerkers und der Maria (it arm Orig 33 69).

Lesart 1 hat als die ursprüngliche zu gelten, weil sie die anstößigste ist. Lesart 2 ist dem Einfluß von Mt 13,55 verdankt. Lesart 3 ist offenkundige Glättung. Durch den Beruf und durch seine Familie ist Jesus also für seine Landsleute unverwechselbar bestimmt. Ganz ungewöhnlich ist die Benennung nach der Mutter. Der Sohn wurde immer nach dem Vater benannt. Man hat darum vermutet, daß Josef, der Vater Jesu, inzwischen verstorben sei. Weil aber auch in diesem Fall die Benennung nach der Mutter ungewöhnlich ist, hält McArthur* sie nicht für eine genealogische Bestimmung, sondern für situationsbezogen: »that's Mary's boy from down the street«[22]. Josef wird bei Markus überhaupt nicht erwähnt. Es ist aber zu beachten, daß »der Sohn Marias« ein Name für Jesus bleibt. Der Name wird entweder polemisch und als Schimpfwort oder als Hinweis auf die Jungfrauengeburt verwendet. Das erste ist in jüdisch beeinflußter Literatur der Fall, wo auf diese Weise eine uneheliche Geburt insinuiert wird. Für das zweite kann der Koran als Zeuge herangezogen werden, der die Jungfrauengeburt Jesu voraussetzt[23]. Darum kann vermutet

[19] Vgl. Lk 10,13 par und Kertelge, Wunder Jesu 123f.

[20] Der Artikel beim Prädikatsnomen besagt, daß Jesus der unter dieser Bezeichnung in Nazaret Bekannte ist. Vgl. Bl-Debr § 273,1.

[21] Grundmann bevorzugt Stellmacher. Nach Max. Tyr. 15,3c verfertigt der τέκτων Pflüge, nach JustDial 88 Pflüge und Joche. Nach Epict. 1,15,2 hat er es mit Holz zu tun, nach Ael. Arist. 46p.211D mit Steinen. JosAnt 15,390 denkt beim τέκτων an den Zimmermann, 2Kön 5,11 LXX spricht von τέκτονας ξύλων καὶ τέκτονας λίθων.

[22] 57.

[23] Zur jüdischen Polemik vgl. Stauffer* 122f.126f; W. Ziffer, Two Epithets for Jesus of Nazareth in Talmud and Midrasch, JBL 85 (1966) 356f; Ginza, Rechter Teil, Buch 18 (Lidzbarski 410,31ff): »Jesus, Sohn der Mirjam, wurde nicht in Jerusalem geboren«. Zur Polemik vgl. Ginza, Rechter Teil, Buch 2, Stück 1,146ff (Lidzbarski 50f). – Zum Koran vgl. besonders die Sure 19, die den Titel Maria trägt. Ferner Sure 3,45: »Jesus Christus, der

werden, daß im Bericht vordergründig die Landsleute Jesus beschimpfen, hintergründig aber eine Glaubensaussage angedeutet ist, die auf die Jungfrauengeburt Bezug nimmt. Für diese Deutung sprechen die grundsätzliche Frage nach dem Ursprung Jesu am Anfang und vielleicht die Tatsache, daß es Markus vermeidet, den Vater zu erwähnen[24]. Was Markus noch nicht kennt, ist eine Lk 1,26ff vergleichbare Perikope. Die vier Brüder Jesu tragen Patriarchennamen[25]. Das mag für eine fromme Gesinnung seiner Familie zeugen. Vielleicht werden die Namen der Schwestern nicht angeführt, weil diese verheiratet sind. Es ist aber kaum anzunehmen, daß nur diese noch am Ort ansässig sind. Die Formulierung könnte es nahelegen. Bei der parallelen Struktur der Sätze ist aber »hier bei uns« auch auf die Mutter und die Brüder zu beziehen. Der Verweis auf die Familienangehörigen gibt noch nicht zu erkennen, wie diese über ihren Bruder Jesus denken. Die Verwurzelung Jesu in der kleinbürgerlichen Familie trägt hier nur dazu bei, daß die Landsleute Jesus ablehnen und seine Lehre nicht akzeptieren. Das Ärgernis, das sie nehmen, ist gleichbedeutend mit ihrem Unglauben.

4–6a Nachdem der prinzipielle Unglaube der Landsleute festgestellt ist, wirkt die Stellungnahme Jesu, der ein »geflügeltes Wort« zu zitieren scheint, wie eine Entschuldigung und damit wie eine Abschwächung. Markus aber geht es einmal darum, daß mit dem Regelwort der Jüngerschaft eine Instruktion erteilt wird. Sie steht vor der Aussendung und soll aus diesem Erlebnis lernen, sich durch Abweisung nicht enttäuschen zu lassen. Steck hat zutreffend von einem Regelwort gesprochen und vermutet, daß es aus dem Judentum stammt und die Erfahrung jüdischer Reiseprediger wiedergibt[26]. Hellenistische Parallelen des Spruches kommen diesem recht nahe: »Die Philosophen haben ein schweres Leben in ihrer Heimat«[27]. Zum anderen erweitert Markus den Spruch um die Verwandten und das Haus. Letzteres meint die Familie. Damit werden Jesu Angehörige, die bislang Anlaß für seine Ablehnung waren, explizit in den Unglauben miteinbezogen. Die Linie von 3,20ff wird fortgesetzt. Diese Kritik kann nicht aus den Verhältnissen der markinischen Gemeinde abgeleitet werden, die sich angeblich gegenüber der Kirche von Jerusalem, die hegemoniale Ansprüche gestellt habe und in der die Familie Jesu dominierte, durchsetzen wollte[28]. Die Kritik reflektiert einfach die auch anderswo bezeugte ablehnende Haltung der Familie, insbesondere der Herrenbrüder (Joh 7,1ff), die erst nachösterlich zum Glauben kamen. Die Reflexion erfolgt um der Christologie willen. Der Gottessohn ist der von allen, auch von seiner eigenen Familie Mißver-

Sohn der Maria«; 5,72: »Christus, der Sohn der Maria«. Zur Sache vgl. H. Räisänen, Das koranische Jesusbild, Helsinki 1971, 23–37.

[24] Nach Crossan* 102 ist Markus »positively uninterested in the father of Jesus«.

[25] Joses ist die gräzisierte Form von Josef, kaum die galiläische Abkürzung für Josef (so Lohmeyer). Der Name Joses ist inschriftlich belegt. Vgl. Bauer, Wörterbuch s.v.; Schürer III,47.

[26] TestJud 18,5; TestD 2,3 und Steck, Israel 213f.

[27] Dio Chrys. 30(47),6. Vgl. Epict. 3,16,11; Philostrat I,354,12 (Brief 44 des Apollonius).

[28] Gegen Crossan* 111. Manche Resultate der Redaktionsgeschichte sind so total hypothetisch, daß sie an Phantasieprodukte herankommen.

standende und allein Gelassene in dieser Welt. Wenn er in seinem Heimatdorf keine Wunder wirken kann, ist das Verhältnis von Wunder und Glaube ins Spiel gebracht. Mt 13,58 hat die Bemerkung abgeändert: »Und er wirkte dort nicht viele Wunder«, offenbar weil ihm das Mißverständnis eines Nichtkönnens zu gefährlich schien. Das Nichtkönnen aber will nicht die Vollmacht Jesu in Zweifel ziehen oder das Zustandekommen eines Wunders von psychologischen Voraussetzungen abhängig machen. Vielmehr knüpft der Satz an der Vorstellung vom Wunder als Heilsgeschehen an (s. oben zu Vers 2b). Wo das im Wunder liegende Heilsangebot völlig abgelehnt wird, ist dieses unmöglich geworden. Anders würde Jesus seiner Sendung untreu werden[29]. Wiederum bedeutet der Nachsatz, daß er doch einige Kranke heilte, eine Abschwächung. Er vermeidet die völlige Erfolglosigkeit des Auftritts Jesu in seiner Heimat und mildert so das Urteil über die Landsleute etwas ab. Konsequent dagegen ist der Schlußsatz, der den Unglauben konstatiert. Nur an dieser Stelle ist in unserem Evangelium vom θαυμάζειν Jesu die Rede[30].

Historische Beurteilung und Zusammenfassung

Fragt man nach dem historischen Kern der Überlieferung zurück, so bewahrte diese die Erinnerung an einen erfolglosen Besuch Jesu in seinem Heimatdorf. Nicht unwichtig sind die Mitteilungen über die Namen der Brüder und den Beruf Jesu. Markus setzt die Perikope so ein, daß sie zunächst im Anschluß an einen Wunderzyklus und die voraufgegangene Gleichnisrede Lehre und Machttaten Jesu zusammenfaßt. Er redete die Wahrheit Gottes und ließ Gottes Heil präsent werden in seinen δυνάμεις. Dennoch lehnten sie ihn ab. Man darf vermuten, daß die Zurückweisung in der Heimat exemplarisch wird für den Unglauben Israels. Dieses ist verstockt (4,10ff). Angehörige und Landsleute sind als »die draußen« (3,31; 4,11) nicht in der Lage, sein Wort zu verstehen. Für das Heilsangebot der Wunder, die trotz des Verbreitungsverbotes (5,43) ihnen bekannt waren, mangelt es ihnen an Glauben. Der Anspruch der göttlichen Offenbarung wird ihnen durch den Menschen Jesus, ihren Bruder und den ehemaligen τέκτων ihres Dorfes, zum Ärgernis. Gräßer* hat durchaus etwas Richtiges getroffen, wenn er pointiert feststellt, daß das Problem unserer Perikope eine Art Zwei-Naturen-Lehre sei[31]. Die Christologie des Markus ist keine doketische. Weil sie im Kreuz kulminiert, fügt sich die Perikope in das Evangelium nahtlos ein. Gottes Sohn wird nur als Mensch, als purer Mensch, offenbar. Wie das Skandalöse dieses Geschehens im Tod des Gottessohnes seinen Höhepunkt erreicht, so können seine Wunder und seine Lehre durch einen Hinweis auf seine Herkunft außer Kraft gesetzt werden. Wie Glaube und Unglaube auseinandergehen, zeigen die divergierenden Antworten auf die Frage nach seiner Herkunft an: »that's Mary's boy« oder »dieser Mensch war der

[29] Unwahrscheinlich ist die Vermutung Bultmanns, Geschichte 31, daß V 5 seinen Ursprung in den Missionserfahrungen der Gemeinde habe.

[30] Crossan* 105 möchte V 6b noch zur Nazaret-Perikope ziehen und in ihm den Erfolg Jesu in der Umgebung im Gegensatz zum Mißerfolg in der Heimat angedeutet sehen. Der Erfolgsgedanke ist aber nicht erkennbar. V 6b ist eine typisch mk Übergangsbemerkung.

[31] 28; vgl. 27–35.

Sohn Gottes« (15,39). Markus legt darüber hinaus Wert darauf, daß der Auftritt in Nazaret zur Schulung für die Jünger wird.

Wirkungsgeschichte

In der Beschäftigung mit der Nazaret-Perikope wurde immer wieder die Frage nach den Brüdern Jesu gestellt, die freilich im Zusammenhang steht mit den anderen Stellen, wo seine Brüder ebenfalls erwähnt werden (Mk 3,31–35 par; Joh 2,12; 7,3ff.9f; Apg 1,14; 1Kor 9,5; Gal 1,19). Eusebios von Kaisareia weiß zu berichten, daß der Herrenbruder Simon ein »Sohn des Klopas, eines Onkels des Herrn« gewesen, in der Nachfolge des Herrenbruders Jakobus Bischof von Jerusalem geworden und in hohem Alter den Martertod gestorben sei[32]. Von den Enkeln des Herrenbruders Judas wird überliefert, daß sie vor Kaiser Domitian geführt worden seien, dieser sie aber wegen ihrer Harmlosigkeit verachtet und wieder freigelassen habe[33]. Für die katholische Auslegung war es wichtig zu erhärten, daß es sich nicht um leibliche Brüder, sondern um Vettern oder entferntere Verwandte Jesu handeln würde wegen des Glaubenssatzes von der Jungfrauschaft Marias. Bei vielen, besonders griechischen Vätern und in der griechisch-orthodoxen Kirche, gelten die Herrenbrüder als Kinder Josefs aus einer ersten Ehe[34]. Die Auffassung geht auf das pseudepigrafe Protevangelium Jacobi (8,3; 9,2) zurück. Während Tertullian noch an nachgeborene Kinder aus der Ehe Josefs mit Maria dachte[35], ist die herrschende Meinung die geworden, die den Begriff Bruder im weiteren Sinn faßte[36]. Sie ist auch noch bei Calvin vorhanden: »Als Brüder werden nach jüdischer Sitte jegliche Blutsverwandten bezeichnet . . . Das weiß ein Mann wie Helvidius wohl nicht, wenn er mehrere Söhne der Maria erfindet, weil Brüder Christi hin und wieder erwähnt werden«[37]. In der gegenwärtigen protestantischen Exegese hat sich die Ansicht, die schon Tertullian vertrat, weitgehend durchgesetzt. M. Goguel drückt es so aus: »Es gibt kein Herrenbrüderproblem für die Geschichte, es gibt ein solches nur für die katholische Dogmatik«[38]. Trotz dieser entschiedenen Stellungnahme hat es katholischerseits in der Gegenwart J. Blinzler wiederholt unternommen[39], die traditionelle Auffassung zu rechtfertigen. Aus seiner komplizierten Argumentation sind insbesondere die alten Argumente erwägenswert, daß es zahlreiche (durch Blinzler noch vermehrte) Belege für die Verwendung des Brudernamens im weiterreichenden verwandtschaftlichen Sinn gibt und das Aramäische keine Kurzbezeichnung für die etwas weiterreichenden Verwandtschaftsverhältnisse kennt. Historisch stringent läßt sich weder die eine

[32] h.e. 4,22,4; 3,11; 3,32,1–3.

[33] Euseb, h.e. 3,19f.

[34] Klemens von Alexandria, Origines, Epiphanios, Ephräm, Hilarius von Poitiers. Zitiert nach J. Blinzler, LThK ^{2}II,715.

[35] Zitiert nach Blinzler, ebd.

[36] Etwa Beda, PL 92,185; Thomas von Aquin, Catena aurea I,473; M. Schmaus, Der Glaube der Kirche II, München 1970, 678. Dabei beruft man sich durch die Jahrhunderte darauf, daß im AT Abraham und Lot Brüder genannt werden (Gen 13,8; 14,14).

[37] II,10.

[38] Zitiert nach J. Blinzler, Die Brüder und Schwestern Jesu, 1967 (SBS 21) 19.

[39] Vgl. noch Blinzler, Simon der Apostel, Simon der Herrenbruder und Bischof Symeon von Jerusalem, in: Passauer Studien (FS S. K. Landersdorfer), Passau 1953, 25–55; ders., Zum Problem der Brüder des Herrn, TThZ 67 (1958) 129–145.224–246.

noch die andere Annahme beweisen. Für den Glauben wäre ein solcher Beweis auch nicht besonders erheblich.

Abgesehen von diesem Teilproblem gewinnt man den Eindruck, daß die Ausleger sich in allen Epochen bewußt waren, daß das Kernanliegen der Perikope der Glaube ist. Nach Theophylakt und Beda konnte Jesus in Nazaret keine Wunder wirken, weil die Menschen nicht aufnahmefähig waren[40]. Ganz ähnlich Calvin: »Denn sicher lähmen die Ungläubigen die Hand Gottes, so gut sie nur können; nicht als ob sie über Gott wie über einen Schwächeren überlegen wären, sondern weil sie ihm nicht erlauben, daß er seine Macht entfaltet«[41]. Das Wunder wird dort sinnlos, wo sich die Menschen dem im Wunder sich ihnen zuwendenden Gott verschließen[42]. Wie seine Macht unser Heil ist, so ist unser Unglaube seine Ohnmacht[43]. Eine Zuspitzung auf den Unglauben Israels gewinnt die Interpretation dort – bei Calvin mit Berufung auf Chrysostomos, dessen antijudaistische Einstellung bekannt ist –, wo die πατρίς bzw. das »Haus« in Vers 4 auf Israel bezogen wird[44]. Das geringe Elternhaus, die niedrige Herkunft und Bildung Jesu werden zwar allgemein als Ursache für das Ärgernis, das sein Auftritt auslöst, genannt. Bemerkenswert aber bleibt, daß manche Interpreten sich an der Bezeichnung Jesu als τέκτων stoßen und damit selber dem Ärgernis der Perikope erliegen. Das gilt für Origines und die oben erwähnten textlichen Eingriffe in Vers 3[45]. Wenn K. Barth in Verbindung mit dem τέκτων Jesus auf die »weltliche Arbeit« zu sprechen kommt und bemerkt, daß jede Nachricht darüber fehlt, daß Jesus im Gegensatz zu Paulus während der Ausübung seines messianischen Amtes sein Handwerk ausgeübt habe, trifft dies zwar zu, könnte aber im gleichen Sinn mißverstanden werden[46].

III. Auf unsteter Wanderschaft (6,6b–8,26)

Mit der Aussendung der Zwölf beginnt der Abschnitt. Zwischen dieser und der Rückkehr der Jünger ist der Bericht vom Martyrium des Täufers eingeschaltet, der mit seinem gewaltsamen Geschick seine Vorläuferrolle vollendet. Das Zusammenströmen der Volksmassen, die von Jesus auf wunderbare Weise mit Speise versorgt werden, ist wie eine Reaktion auf das Wirken der Zwölf. In der Begegnung mit dem Herrn, der auf dem See wandelnd, ihnen gegenübertritt, zeigt sich jedoch erneut ihr Unvermögen, ihn zu begreifen. Das Streitgespräch mit Schriftgelehrten und Pharisäern aus Jerusalem über die jüdischen Rein-

40 PG 123,547; PL 92,185.

41 II,11.

42 M. Schmaus, Der Glaube der Kirche I, 1969, 524.

43 Grässer* 35.

44 Beda, PL 92,185; Calvin II,10.

45 Vgl. oben S. 231 und Origenes, c. Celsum 6,34–36 (GCS 3,103ff). Wenn Origenes behauptet, daß nirgends in den Evangelien, die in den Gemeinden gebraucht werden, Jesus selbst als τέκτων bezeichnet ist, bevorzugt er die oben als 3. angeführte Lesart des V 3.

46 Dogmatik III/4 541. Barth sagt gleichzeitig, daß Jesus niemanden zu weltlicher Arbeit aufgerufen und seine Jünger vielmehr von dieser weggerufen habe.

heitsvorschriften, bei dem diese von Jesus aufgehoben werden, und die Wanderung in das Gebiet von Tyrus, wo die Tochter einer heidnischen Frau, die ihren Glauben bekundet, geheilt wird, deuten den Übergang vom jüdischen Volk zu den Völkern an. Die Heilung eines Taubstumen, die unterwegs erfolgt, das zweite Brotwunder, die Zeichenforderung der Pharisäer als Ausdruck ihres heillosen Unglaubens, ein Jüngergespräch anläßlich einer Bootsüberfahrt und die Heilung eines Blinden wirken wie eine wahllos zusammengetragene Perikopenreihung. Das Interesse des Markus liegt aber bei der Jüngerschaft, der die Haltung der Pharisäer warnend vor Augen gestellt wird. Die beiden Heilungen deuten über das Wunder hinaus symbolisch die Fähigkeit Jesu an, nichtsehende Augen und nichthörende Ohren zu öffnen. Jesus ist in diesem Abschnitt auf unsteter Reise. Das Volk, das ihn bei den Speisungen umgibt, wird zur Kulisse des neuen Gottesvolks. Die Gegner lehnen ihn ab, die Jünger stehen der Offenbarung noch verständnislos gegenüber. Sehende Augen und hörende Ohren kann man sich nur in der Hinwendung zu ihm schenken lassen.

1. *Aussendung und selbständige Wirksamkeit der Zwölf (6,6b–13)*

Literatur: Manson, T. W., The Sayings of Jesus, London 1949, 73–78; *Hahn, F.*, Das Verständnis der Mission im NT, 1963 (WMANT 13) 33–36; *Hengel*, Charisma, 82–85; *Schmithals, W.*, Der Markusschluß, die Verklärungsgeschichte und die Aussendung der Zwölf, ZThK 69 (1972) 379–411; *Schmahl*, Die Zwölf, 67–81.

6b **Und er zog umher in den Dörfern ringsum und lehrte.** 7 **Und er rief die Zwölf herbei und begann, sie zu zwei und zwei auszusenden. Und er gab ihnen Vollmacht über die unreinen Geister.** 8 **Und er befahl ihnen, nichts auf den Weg mitzunehmen außer nur einen Stab, kein Brot, keinen Sack, kein Kupfergeld im Gürtel,** 9 **aber Sandalen unter (die Füße) gebunden. Und zieht nicht zwei Gewänder an!** 10 **Und er sagte zu ihnen: Wo ihr in ein Haus eintretet, dort bleibt, bis ihr von dort wegzieht!** 11 **Und wenn euch ein Ort nicht aufnimmt und sie euch nicht hören, dann geht von dort weg und schüttelt den Staub unter euren Füßen ab, ihnen zum Zeugnis.** 12 **Und sie zogen aus und verkündeten, man solle umkehren.** 13 **Und sie trieben viele Dämonen aus und salbten viele Kranke mit Öl und heilten sie.**

Analyse 6b ist eine vom Evangelisten geschaffene Rahmenbemerkung. Daß Jesus lehrt, ohne daß eine nähere Umschreibung seiner Lehre geboten wird, haben wir schon wiederholt als eine für Markus charakteristische Aussage kennengelernt. Vor den konkreten Anweisungen für die selbständige missionarische Tätigkeit der Zwölf wird erzählt, daß Jesus sie aussendet und mit Vollmacht ausstattet. Für die Beurteilung des Verses 7 ist die Nähe zu 3,15 – die Konstituierung des Zwölferkreises – zu berücksichtigen. Die Übereinstimmungen, die den Aussendungsgedanken und die Bevollmächtigung zum Austreiben der Dämonen bzw. unreinen Geister beinhalten, sind beabsichtigt und lassen auf markinische Redaktion schließen. Vokabular und Stil unterstützen diese Auffassung[1]. Der Sprachwechsel Dämonen – unreine Geister ist kaum ein Anzeichen dafür, daß der Rest einer verarbeiteten Vorlage vorliegt[2]. Vers 7 ist nämlich mit den abschließenden Versen 12f abgestimmt worden. Erst hier ist davon die Rede, daß die Zwölf verkündeten –, eine Tätigkeit, die der Redaktor in 7 zunächst noch aussparte (vgl. 3,15). Sind aber 6b, 7 und 12 markinisch, wird man dies auch für 13 anzunehmen haben[3], obwohl von Krankensalbungen nur hier in den Evangelien gesprochen wird. Markus rekurriert vielleicht auf einen in seinen Gemeinden geübten Brauch. Somit ergibt sich, daß die Weisungsworte 8–11 vom Evangelisten in Szene gesetzt worden sind. Er schafft damit eine historische Situation und gibt hiermit erneut seine Historisierungsabsicht zu erkennen[4].

Die Weisungsworte entnimmt Markus einer Überlieferung, die auf die Spruchquelle zurückgeht. Bei Markus ist diese Tradition in einer weniger ursprünglichen und verkürzten Form erhalten geblieben. Dies ergibt ein Vergleich mit Lk 10,2–12[5]. Auch hier folgen auf die Weisungen über die Ausrüstung Verhaltensregeln für den Missionar bei seinem Auftritt im Haus und in der Stadt (10,4–11), die Instruktionen sind aber ausführlicher und verständlicher. Der Verhalten im Haus, das bei Markus auf die Versorgung des Missionars ausgerichtet ist, hebt nach Lk 10,5f zunächst auf die Gewinnung des Hauses ab. Außerdem bietet Lk 10,4 die Regeln für die Ausrüstung in einer noch rigoroseren Form, was gleichfalls als ursprünglich zu gelten hat. Ob Markus in die Regeln eingriff, sie insbesondere verkürzte, oder ob er sie bereits abgewandelt und verkürzt vorfand, ist schwer zu entscheiden. Das abhebende καὶ ἔλεγεν αὐτοῖς in 10 wird von ihm stammen und läßt vielleicht darauf schließen, daß in der Vorlage Vers 9 nicht von 10 gefolgt war. Es könnte auch sein, daß

[1] προσκαλέομαι, δώδεκα, ἄρχω mit Infinitiv sind Vorzugswörter in mk Editorial sentences. Vgl. Gaston.

[2] Dies nehmen Schmahl, Die Zwölf 75, und Haenchen, Weg 222, an. Lohmeyer rechnet V 7 wegen des Tempuswechsels zur Tradition. Schmithals* 404f rechnet damit, daß Mk einen Aussendungsbericht der Zwölf vor sich gehabt habe, der mit 3,13–19 und 16,15–20 (!) zusammengehöre und somit eine nachösterliche Aussendung durch den Auferstandenen beträfe. Auf diese Hypothese ist im Zusammenhang mit dem Mk-Schluß einzugehen.

[3] Auch der Anfang von V 8 καὶ παρήγγειλεν αὐτοῖς und die Umformung in die indirekte Rede sind auf das Konto des Evangelisten zu setzen. Mt 10,9; Lk 9,3 stellen die direkte Rede wieder her.

[4] Nach Bultmann, Geschichte 156, habe Mk historisiert, weil er empfunden hätte, daß diese Missionsinstruktion für die Mission in der Oikumene nicht mehr paßte. Die Historisierungstendenz ist aber ein übergreifendes Anliegen.

[5] Es besteht weitgehend Übereinstimmung, daß Lk 9,1–6 von Mk 6,6b–13 und Lk 10,1–12 von Q abhängig ist, während Mt 9,35–10,16 die Mk- und Q-Vorlagen kombiniert. Mk 6,8–11 wird sich vom Ursprung her nicht als selbständige Überlieferung neben der Q-Tradition behaupten lassen. Differenzierter über das Verhältnis Lk-Mt-Q urteilt H. Schürmann, Mt 10,5b–6 und die Vorgeschichte der synoptischen Aussendungsrede, in: Ntl. Aufsätze (FS J. Schmid), Regensburg 1963, 270–282.

μηδὲ ἀκούσωσιν ὑμῶν in 11, das in Lk 10,10 fehlt, markinisch ist[6]. Sicher jedoch läßt sich nicht sagen, daß die Aussendung der Zwölf für den Gang des Evangeliums keine Funktion besitze[7]. Diese hat die Interpretation aufzuspüren. Es ergibt sich, daß Markus mithilfe überkommenen Logienmaterials eine Aussendungsszene apoftegmatischen Charakters schuf.
Der Abschnitt ist viergliedrig. Auf den Bericht von der Aussendung und Bevollmächtigung (7) folgen konkrete Weisungen über die Ausrüstung (8f). Die indirekte Rede in 8a, die dann in direkte übergeht, stellt den Anschluß an den Bericht in geschickter Weise her. Es schließen sich – abgehoben durch »und er sprach zu ihnen« – Weisungen über das Verhalten des Missionars an (10f), die mit einer knappen Erzählung über die selbständige Tätigkeit der Zwölf zum Abschluß gebracht werden (12f). Weil erst nach der folgenden Perikope in Vers 30 von der Rückkehr der Ausgesendeten die Rede ist, ergibt sich eine dramatische Entwicklung. In der Wahl der Verben fällt vor allem die Betonung der gebietenden Stellung Jesu auf (προσκαλεῖται, παρήγγειλεν), dessen Name nicht genannt zu werden braucht.

Erklärung 6b–7

Nach dem erfolglosen Wirken in Nazaret wandert Jesus im Umkreis – offenbar seines Heimatortes – umher und lehrt. Er geht damit seiner gewohnten Tätigkeit nach, von der er sich durch die Enttäuschung in seiner Heimat nicht abbringen läßt. Im Gegenteil, er beabsichtigt, seine eigene Tätigkeit durch die Mithilfe der Zwölf auszuweiten und zu verstärken. Herrscherlich ruft er sie herbei. Diese Formulierung darf nicht den Gedanken aufkommen lassen, als werde der Zwölferkreis erst jetzt bzw. erneut konstituiert[8]. Vielmehr wird die gebieterische Initiative Jesu herausgestellt, die wiederholt mithilfe des Herbeirufens angezeigt ist (3,23; 7,14; 8,1.34; 10,42; 12,43). Für Markus ist wichtig, daß die Zwölf ausgesendet werden. Er erwähnt diese nach 3,13ff; 4,10 zum drittenmal. In der vollmächtigen Aussendung der Zwölf durch Jesus kündigt sich das lukanische Konzept von den zwölf Aposteln an. Ihre Aussendung erfolgt paarweise. Dies entspricht christlicher Missionspraxis und soll dem zu verkündigenden Wort das Gewicht zweier Zeugen verleihen. Gegenseitige Hilfe ist in die Wirksamkeit zu zweit sicherlich miteingeschlossen[9]. Jesus läßt sie teilhaben an seiner eigenen Sendung und Vollmacht, wenn er ihnen die Gewalt über die unreinen Geister überträgt. Die Tat unterstützt und beglaubigt das Wort, das es auszurichten gilt, aber erst in Vers 12 erwähnt wird. Weil sich

[6] Wendling, Entstehung 58, meint, daß in V 11 vormarkinisch von der Abweisung des Hauses gesprochen wurde und daß Mk mit der Einführung des Ortes einen Rückverweis auf Nazaret bieten wolle. Der unvermittelte Übergang vom Haus zum Ort erklärt sich jedoch aus der Kurzform der Mk-Fassung.
[7] Gegen Schmithals* 402.
[8] Vgl. Grundmann.
[9] Vgl. Dtn 19,15b; Koh 4,9 und G. Schille, Die urchristliche Kollegialmission, 1967 (AThANT 48). Die Formulierung δύο δύο (vgl. Mk 6,40) ist kaum Hebraismus (so Wettstein), sondern Jargon-Griechisch. Es gibt, allerdings wenige, Belege im zeitgenössischen Papyrus-Griechisch und sogar im Attischen. Vgl. Sophokles, frgm. 191: μίαν μίαν und Doudna, Greek 35 und 96–98. Die Lesart ἀνὰ δύο in D paßt sich an klassisches Griechisch an.

die Mission der Zwölf auf galiläisches Gebiet erstreckt, das Evangelium später aber in der ganzen Welt zu verkünden ist (13,10), stellen sich die Zwölf und ihre erste und zunächst noch begrenzte Tätigkeit als Bindeglied zwischen Jesus und der Kirche dar. Die Tätigkeit Jesu prolongieren sie, die Mission der Kirche bilden sie im voraus ab.

8–9 Die Weisungen für die Ausrüstung enthalten vor allem Verbote. Und was mitzunehmen gestattet ist, erscheint wie ein Indult oder eine Konzession. Denn Stab und Sandalen, die Markus gestattet, sind bei Lk 9,3/Mt 10,9f; Lk 10,4 verboten. Durch Stab und Sandalen wird die geforderte Bedürfnislosigkeit nicht geschmälert. Der Stab oder Wanderstock mag auch als Waffe gegen wilde Tiere gedient haben, die Sandalen erleichterten das beschwerliche Wandern[10]. Immerhin ist nicht von festen Schuhen, die luxuriöser sind, die Rede. Ausdrücklich verboten ist das Mitnehmen von Brot bzw. Verpflegung – Brot steht für letzteres –, einer Reisetasche oder eines Sackes, der auch zum Betteln dienen könnte, und von Geld, das man im Gürtel zu tragen pflegte[11]. Bezeichnend ist, daß von Kupfergeld gesprochen wird. Silber- oder Goldmünzen kämen für den armen Missionar sowieso nicht in Frage. Das Verbot, zwei Kleider anzuziehen, mag gegenüber Lk 9,3 gleichfalls eine Erleichterung sein, weil dort der Besitz von zwei Kleidern nicht gestattet wird. Der χιτών ist das direkt auf dem Leib getragene Gewand, das meist aus Wolle oder Leinwand hergestellt war und mit Schnallen an der Schulter zusammengehalten wurde[12]. Die Bedürfnislosigkeit des Missionars rückt in das rechte Licht, wenn man sich vergegenwärtigt, wie aufwendig Reisevorbereitungen sonst ausfallen konnten (vgl. Jos 9,3–6). Man hat die Armut des Jüngers wiederholt mit dem Besitzverzicht kynischer Wanderprediger verglichen, deren karge Habe aus Stab, Ranzen und einem einzigen Philosophenmantel bestanden haben soll[13]. Der Besitzverzicht des Jüngers muß allerdings im Zusammenhang mit der Botschaft, die er auszurichten hat, und dem, der ihn sendete, gesehen werden. So gewährleistet er die Glaubwürdigkeit seiner Verkündigung und legt Zeugnis ab für sein Gottvertrauen.

10–11 Die Anweisungen für das Verhalten im Haus sind außerordentlich knapp. In Lk 10,5 ist geboten, beim Eintritt in das Haus den Friedensgruß zu entbieten. Dies setzt ein jüdisches Haus voraus. Markus beschränkt sich nur darauf einzuschärfen, daß der Missionar, der in einem Haus gastfreundlich aufgenommen wurde, sein Quartier nicht wechseln soll[14]. Der Aufnahme im Haus geht

[10] Die festgebundenen Sandalen sind nicht symbolisch zu interpretieren im Sinn der Bereitschaft für die Verkündigung wie Eph 6,15; vgl. Ex 12,11 (gegen Lohmeyer). Eine solche Anweisung fiele aus der Missionsinstruktion heraus.

[11] PRyl II 141 klagt ein Mann, man habe ihm das Geld und den Gürtel gestohlen. Bei Moulton-Milligan 275.

[12] Vgl. Billerbeck I,565f; Passow, s.v. Daß zwei Chitone zu tragen üblich war, belegt JosAnt 17,136.

[13] Hengel, Charisma 31f; Black, An Aramaic Approach 217, denken an den wandernden Sophisten als Vorbild. Nach Epict. 1,24,11 sind Beutel (πήρα) und Ölflasche die Reiseausrüstung des kynischen Wanderpredigers. Nach 3,22,10.50 dient ihm der Beutel als Bettelsack.

[14] Auch Rabbinen empfehlen, die Herberge nicht zu tauschen, wie sie die Gastfreundschaft

selbstverständlich voraus, daß seine Bewohner die Botschaft des Missionars angenommen haben, wie das Haus Ansatzpunkt für die früheste Mission gewesen sein dürfte. Dies kommt allerdings bei Markus gar nicht mehr heraus, da er im Fall der Ablehnung des Missionars unvermittelt statt vom Haus vom Ort redet. Das Verweilen im Haus ist aber nur sinnvoll, wenn über die Konfrontation mit dem Heilsangebot hinaus an eine weiterführende Betreuung und die Gründung einer Gemeinde gedacht ist[15]. Deutlich ist also eine spätere Situation in das Leben Jesu zurückgeblendet. Im Fall der Ablehnung soll sich der Jünger nicht länger aufhalten. Man wird nicht sagen können, daß Markus hier eine Verfolgungstradition aufgenommen hat[16]. Denn auch diese Weisung wurde erheblich gekürzt[17]. Geblieben ist vor allem der Gestus des Abschüttelns des Staubs von den Füßen. Der Gestus besagt Aufhebung der Gemeinschaft. Der Jude tat Ähnliches, wenn er aus heidnischem Land in seine Heimat zurückkehrte. Darum könnte der Gestus auch bedeuten, daß der Ort, der nicht hören wollte, wie ein heidnisches Gebiet und unrein ist. An eine letzte Aufforderung zur Umkehr kann man nicht denken[18]. Das Zeugnis, das mit dem Staubabschütteln gegen sie abgelegt ist, wirkt fort bis zum Gericht Gottes. Darum wird Markus der Verweis auf die Botschaft wichtig gewesen sein, der mit dem Sätzchen »und wenn sie euch nicht hören« vorliegt. Die Ablehnung der Boten ist die Ablehnung der Botschaft, die im Gericht zu retten vermag[19].

12–13 In einer Art Sammelbericht wird die Tätigkeit der Zwölf geschildert. Sie proklamieren die Umkehr wie Jesus (1,15) und treiben Dämonen aus wie er. Die Umkehrforderung steht im Zusammenhang mit der Reich-Gottes-Predigt. Der Erfolg ihrer Tätigkeit ist mit der großen Zahl ihrer Exorzismen und Heilungen sichergestellt. Nur hier hören wir in den Evangelien von Salbungen, die an den Kranken vorgenommen werden und zu ihrer Heilung führen. Öl galt im Judentum und Hellenismus als beliebtes Heil- und Wundmittel[20]. Hier muß seine Erwähnung jedoch weiterreichenden Sinn haben. Weil die Jünger sich des Öls bedienen sollen, ist ein Gemeindebrauch zu vermuten. Das Öl ist Zeichen der von Gott gewährten Hilfe, die dem kranken Leib zukommt. Von Sündenvergebung – wie in Jak 5,14f – wird noch nicht gesprochen. Die von Gott ge-

loben. Vgl. Billerbeck I,569f und H. Rusche, Gastfreundschaft in der Verkündigung des NT und ihr Verhältnis zur Mission, Münster 1958.

15 Eine andere Situation beschreibt Did 11,4, wo dem Wandermissionar vorgeschrieben wird, sich höchstens zwei Tage in einer Gemeinde aufzuhalten.

16 So Reploh, Markus 58.

17 Der Koine-Text erweitert V 11 um den Satz: »Amen ich sage euch: Sodoma und Gomorrha wird es am Tage des Gerichtes erträglicher ergehen als jener Stadt«. Das ist Einfluß von Mt 10,15.

18 Vermutung von Schweizer.

19 Zum Gestus des Staubabschüttelns vgl. Apg 18,6; Neh 5,13 und Billerbeck I,571.

20 Vgl. Jes 1,6; Lk 10,34; Galen, de victu attenuante 11,85; 3,19f; Billerbeck II,11f. Böcher, Christus Exorcista 80, erblickt hinter der Verwendung des Elementes eine exorzistische Auffassung von der Heilung.

währte Hilfe in Krankenheilungen und Exorzismen demonstriert die anbrechende Gottesherrschaft[21].

Historische Beurteilung

Die Geschichtlichkeit der Aussendung der Jünger durch Jesus ist umstritten[22]. Wir erkannten in der knappen Markusfassung die Einblendung der nachösterlichen Gemeinde wieder. Da der berichtende Rahmen markinisch ist, steht eine Aussendung der Jünger (nicht der Zwölf) zur Debatte. Die Forderung, ohne jede Ausrüstung auszuziehen, paßt gut zum radikalen jesuanischen Nachfolgegedanken. Aber auch der Auftrag, wie zu künden und zu heilen ist, sind als echt anzusehen. Das gleiche wird man für die Fluchhandlung, die im Ablehnungsfall zu vollziehen ist, schwerlich annehmen können. Die eschatologische Spannung spricht hier eher für Entstehung in der Spruchquellentradition. Die »Missionsinstruktionen« der Synoptiker basieren auf einem Kern von Logien, die auf Jesus zurückgehen. Welche Intentionen Jesus mit der Aussendung verband, ist schwer zu sagen und kann im Rahmen eines Markus-Kommentars nicht verhandelt werden[23]. Auf jeden Fall galt es für Jesus, die eigene Tätigkeit zu unterstützen. Daß die Jünger nur hier selbständig im Evngelium auftreten, ist kein Argument gegen, sondern für die historische Glaubwürdigkeit ihrer Aussendung.

Zusammenfassung

Der Evangelist hat für den Bericht von der Aussendung einen treffenden Platz gewählt. Nach der Ablehnung Jesu in Nazaret sind die Ausgesendeten angewiesen, bei Enttäuschung und Erfolglosigkeit nicht zu resignieren. Die Tätigkeit der Jünger ruft in der Bevölkerung ein weites, bis zu Herodes reichendes Echo hervor, wie im folgenden zu hören ist. Die Aussendung der Jünger schafft Raum für die folgende Geschichte, die abseits von Jesus und den Zwölfen spielt.

Wirkungsgeschichte

Die alten Ausleger bemerkten die Übereinstimmung der Tätigkeit der Zwölf mit der Tätigkeit Jesu, doch macht Beda aufmerksam auf den Unterschied, der zwischen habere und tribuere besteht. Christus besitzt das, was er den Zwölfen mitteilt[24]. Die weder geistig noch rednerisch begabten Jünger werden nach Cal-

[21] Lohmeyer und Grundmann sprechen im Zusammenhang mit den Krankensalbungen von V 13 von sakramentalem Brauch bzw. sakramentaler Bedeutung. Dies ist im Sinn der systematischen Theologie nicht korrekt. Wir bewegen uns im entfernten Vorfeld des Heilsmittels, das als Sakrament der Krankensalbung in die katholische Kirche Eingang fand.

[22] Ablehnend Bultmann, Geschichte 155f; drastisch in seinem Urteil ist Wellhausen: »In Wahrheit hat Jesus keine Übungsreisen mit seinem Seminar veranstaltet«. Positiv urteilen Lohmeyer; Grundmann; Pesch I,330f; Hahn* 36; Hengel, Charisma 84f; sehr positiv ist Manson* 73: »The mission of the disciples is one of the best-attested facts in the life of Jesus«.

[23] Grundmann 123f sieht in den Anweisungen der Mischna für den Tempelwallfahrer eine Erklärungsmöglichkeit. Dort heißt es: »Man soll auf den Tempelberg nicht mit einem Stock, nicht in Schuhen, nicht mit dem Geldgürtel, nicht mit bestaubten Füßen gehen« (Ber 9,5; vgl. Billerbeck I,565). Jesus habe seine Jünger ausgesendet wie auf eine Wallfahrt, und er habe dies anläßlich eines Paschafestes getan, als viele Pilger unterwegs waren. Grundmann vermerkt weiter, daß die ablehnende Haltung des Volkes bereits spürbar geworden sei. Die Aussendung erschiene dann als eine Art Protest. Träfe diese Intention zu, hätte sie Markus nicht mehr verstanden, da er wieder Stock und Sandalen erlaubt. Auf der anderen Seite sind die Weisungen Jesu, der auch Brot und Beutel verbietet, noch rigoroser.

[24] PL 92,186.

vin aus anderen Quellen mit Vollmacht ausgerüstet und dokumentieren so die Neuheit der von ihnen vertretenen Sache. Während Erasmus das Beisammensein von äußerer Armut und göttlicher Vollmacht betont, das die Zwölf als Delegaten Jesu von den Delegaten der Mächtigen dieser Welt unterscheidet und ihrer Botschaft Glaubwürdigkeit verleiht, verkennt Calvin den eschatologischen Charakter der missionarischen Anweisungen: »Ich würde das *ihr sollt nicht haben* darum am liebsten verwandeln, weil der Herr ihnen nur verbieten wollte, etwas an Reiseausrüstung mitzunehmen. Sie konnten zu Hause ja Taschen, Schuhwerk und weitere Röcke besitzen, aber damit sie um so wegtüchtiger seien, befiehlt er ihnen, jegliche Belastung daheim zu lassen«. Erasmus sieht in der Aussendung zu zweit das Joch der Bruderliebe abgebildet, ohne die das Evangelium keine Frucht bringt: per jugum admonens nos fraternae caritatis, sine qua nullus est Evangelii fructus[25].

Eine kontroverstheologische Debatte löste Vers 13 aus. Die Salbung der Kranken mit Öl deutet Theophylakt noch symbolisch als Ausdruck des Erbarmens Gottes und der Gnade des Geistes, »durch die wir von Mühsalen befreit werden und Licht, Freude und geistliche Fröhlichkeit empfangen«[26]. Beda dagegen überträgt anachronistisch das katholische Sakrament der Krankensalbung auf die Zwölf und behauptet, daß schon die Apostel den Brauch der Kirche ausgeübt hätten, Schwache und Kranke mit Öl zu salben, das durch bischöflichen Segen konsekriert wird[27]. Calvin sieht in Vers 13 mehr als die Anwendung des Öls als Heilmittel ausgedrückt, nämlich das Öl als sichtbares Zeichen der geistlichen Gnade, lehnt aber einen allgemeingültigen Ritus der Krankensalbung mit Worten ab, die uns heute ungewöhnlich scharf erscheinen. Er beschimpft die Unwissenheit der Papisten, die »die widerliche Ölung, mit der sie Halbtote zum Grab geleiten, als Sakrament ausgeben«[28]. Sieht man vom Affekt ab, so bleibt die Deutung des in Vers 13 geschilderten Tuns der Zwölf als Zeichen eine Möglichkeit der Verständigung. Wir haben inzwischen präziser historisch zu urteilen gelernt, wenn wir es als unzumutbar ansehen, spätere Bräuche unter Absehen der geschichtlichen Entwicklung in die früheste Zeit zu reprojizieren. Anderseits wissen wir aber auch, daß die Evangelien keine Geschichtsberichte sind und wir damit zu rechnen haben, daß Dinge, die im markinischen Christentum oder dessen Vorfeld üblich waren, in die Erzählungen eingetragen wurden. Dies gilt auch für die missionarischen Instruktionen. Es ist darum durchaus wahrscheinlich, daß in diesem Umfeld die Salbung von Kranken, die gewiß noch nicht das spätere Sakrament ist, aber doch mehr bedeutete, als die Anwendung eines Heilmittels, üblich war. Das Konzil von Trient hat unter Berufung auf Mk 6,13 und Jak 5,14f die Sakramentalität der Krankensalbung gelehrt (apud Marcum quidem insinuatum)[29].

[25] Calvin I,292.295f; Erasmus, VII,201.
[26] PG 123,549.
[27] PL 92,188.
[28] I 318f.
[29] M. Schmaus, Der Glaube der Kirche II,487. Vgl. H. Denzinger – A. Schönmetzer, Enchiridion Symbolorum, Definitionum et Declarationum de rebus fidei et morum, Freiburg [33]1965, Nr. 1695.

2. *Herodes Antipas läßt Johannes den Täufer töten (6,14–29)*

Literatur: Dibelius, M., Die urchristliche Überlieferung von Johannes dem Täufer, Göttingen 1911; *Windisch, H.*, Kleine Beiträge zur evangelischen Überlieferung. 1. Zum Gastmahl des Antipas, ZNW 18 (1917/18) 73–81; *Ljungvik, H.*, Zum Markusevangelium 6,14, ZNW 33 (1934) 90–92; *Bonner, C.*, Note on Mark 6,20, HThR 37 (1944) 41–44; *Blinzler, J.*, Zur Syntax von Markus 6,14–16, Ph 96 (1944/45) 119–131; *Derrett, J. D. M.*, Herod's Oath and the Baptist's Head, BZ 9 (1965) 49–59; *Potterie, I. de la*, Mors Joannis Baptistae (Mc 6,17–29), VD 44 (1966) 142–151; *Schütz, R.*, Johannes der Täufer, Zürich 1967 (AThANT 50); *Wink, W.*, John the Baptist in the Gospel Tradition, 1968 (MSS NTS 7); *Wilckens*, Auferstehung; *Hoehner, H. W.*, Herod Antipas, Cambridge 1972; *Gnilka, J.*, Das Martyrium Johannes' des Täufers (Mk 6,17–29), in: Orientierung an Jesus (FS J. Schmid), Freiburg 1973, 78–92; *Pesch, R.*, Zur Entstehung des Glaubens an die Auferstehung Jesu, ThQ 153 (1973) 201–228 (222–226); *Berger, K.*, Die Auferstehung des Profeten und die Erhöhung des Menschensohnes, 1976 (StUNT 13).

14 **Und der König Herodes hörte (davon), denn sein Name wurde bekannt. Und sie sagten: Johannes der Täufer ist von den Toten auferweckt worden, und darum wirken die Kräfte in ihm.** 15 **Andere aber sagten: Elija ist er. Andere aber sagten: Ein Profet wie einer der Profeten.** 16 **Herodes aber, der es hörte, sagte: Johannes, den ich enthaupten ließ, dieser ist auferweckt worden.**
17 **Denn der genannte Herodes sandte aus, um Johannes ergreifen und im Gefängnis binden zu lassen wegen Herodias, der Frau seines Bruders, weil er sie geheiratet hatte.** 18 **Denn Johannes hatte Herodes gesagt: Es ist dir nicht erlaubt, die Frau deines Bruders zu haben.** 19 **Herodias aber verfolgte ihn und wollte ihn töten und vermochte es nicht.** 20 **Denn Herodes fürchtete Johannes, den er als gerechten und heiligen Mann kannte, und er beschützte ihn. Und wenn er ihn hörte, kam er in große Verlegenheit. Aber er hörte ihn gern.** 21 **Da kam ein gelegener Tag, als Herodes an seinem Geburtstag seinen Edlen und den Offizieren und Vornehmen von Galiläa ein Festessen gab.** 22 **Und als die Tochter der Herodias eintrat und tanzte, gefiel sie dem Herodes und seinen Mahlgenossen. Und der König sprach zum Mädchen: Verlange von mir, was du willst, und ich will es dir geben.** 23 **Und er schwor ihr: Was immer du verlangst, werde ich dir geben, bis zur Hälfte meines Königreiches.** 24 **Und sie ging hinaus und sprach zu ihrer Mutter: Was soll ich verlangen? Sie aber sprach: Das Haupt Johannes' des Täufers.** 25 **Und sie ging sogleich eilig zum König hinein und verlangte: Ich will, daß du mir unverzüglich auf einer Schüssel das Haupt Johannes' des Täufers gibst.** 26 **Und obwohl der König sehr traurig wurde, wollte er sie wegen der Schwüre und der Gäste nicht abweisen.** 27 **Und sogleich schickte der König einen Henker**

und befahl, sein Haupt zu bringen. Und er ging weg und enthauptete ihn im Gefängnis. 28 **Und er brachte sein Haupt auf einer Schüssel und gab es dem Mädchen, und das Mädchen gab es seiner Mutter.** 29 **Und seine Jünger, die es hörten, kamen und holten seinen Leichnam und bestatteten ihn in einem Grab.**

Analyse Vor den Bericht über den Tod des Täufers ist eine kleine Überlieferungseinheit gestellt, die verschiedene Volksmeinungen über Jesus wiedergibt und ursprünglich nicht mit dem Bericht verknüpft war. Eine fast gleiche Überlieferungseinheit begegnet uns noch einmal in 8,28. Es ist anzunehmen, daß Markus die Verknüpfung dieser Überlieferung mit dem Bericht über den Tod des Johannes geschaffen hat. Er tat dies so, daß er den Herodes sich einer der kursierenden Volksmeinungen anschließen läßt, und zwar jener, die geeignet war, eine Verbindung zur Täufergeschichte herzustellen: Jesus sei der vom Tod erstandene Johannes[1]. Das Hören des Herodes, das die Überlieferung umklammert, ist wahrscheinlich schon in 14 auf die umlaufenden Meinungen der Leute gerichtet[2]. Damit ist ein umstrittenes Textproblem vorentschieden. Schon in 14 wird mit der Identifizierung Jesu mit dem wiedererstandenen Täufer eine Volksmeinung wiedergegeben und nicht eine von Herodes stammende Auffassung, wie zahlreiche Handschriften wollen[3]. Der traditionsgeschichtliche Befund empfiehlt, 14–16 getrennt von 17–29 zu analysieren.

Ein Vergleich von 6,14b.15 mit 8,28 ergibt folgendes: die Satzstruktur in 8,28 wirkt abgeschliffen. Hier begegnet uns in der Wiedergabe der ersten beiden Volksmeinungen ein verkürzter Akkusativ (»für Johannes den Täufer«, »für den Elija«), die dritte ist mit ὅτι eingeleitet. Das ὅτι vor dem ersten Akkusativ wirkt, falls ursprünglich, eigenartig. In 6,14b.15 dagegen werden die Volksmeinungen regelrecht zitiert (dreifaches ὅτι). Auch sind die Auskünfte in 6,14b.15 ausführlicher. Vor allem wird Jesus nicht bloß mit Johannes identifiziert, sondern es wird auch die Erklärung hinzugefügt, daß er der auferweckte Johannes sei und darum Wunderkräfte in sich trage[4]. Die dritte Volksmeinung erscheint in 8,28 dezidierter, indem Jesus mit einem bestimmten, aber nicht namentlich genannten Profeten gleichgesetzt wird. In 6,15 wird er nur als ein Profet angesehen, der mit den anderen Profeten in einer Reihe steht. Vermutlich aber ist 8,28 nur eine Abkürzung von 6,15, so daß in beiden Aussagen von

[1] Mk hat demnach 14a und 16 geschaffen. Der Begründungssatz in 14a entspricht mk Gepflogenheit. 16 schafft als Resümee des Martyriumsberichtes die Klammer zwischen diesem und den Volksmeinungen. ἀκούω ist Vorzugswort in mk Editorial sentences (Gaston).

[2] Mit Ljungvik*. Anders Blinzler*, der als Objekt zum Hören ergänzt »von Jesus«.

[3] ℵ C 33 Koine-Text Θ lesen »er sagte« ἔλεγεν. Zu bevorzugen ist dagegen »sie sagten« ἔλεγον entsprechend B it.

[4] Die Vermutung Hahns, Hoheitstitel 222, Anm. 3, der Schluß von 14b über die Wunderkräfte könne redaktionelle Zutat sein, erscheint unbegründet. Es läßt sich kein Grund ausfindig machen, der Mk zu dieser höchst eigenartigen Kombination veranlaßt hätte.

Jesus als irgendeinem Profeten geredet wird[5]. Der Vergleich zeigt, daß wir in 6,14b.15 die ältere Gestalt jener Tradition vor uns haben, die auch in 8,28 vorliegt[6]. Vermutlich war es Markus, der in 8,28 kürzte. Er konnte dies dort tun, weil er die Tradition in 6,14b.15 schon ausführlicher gebracht hatte. Ob auch er es war, der die Überlieferung in 8,28 mit dem Messiasbekenntnis des Petrus verband, muß dort untersucht werden. Ist 14b.15 als ältere Tradition erkannt, entsteht die Frage nach ihrer Lebensfähigkeit. Konnte sie selbständig überliefert werden, und welchen Sinn maß man ihr bei? Die Erwähnung der Wunderkräfte ist ein Hinweis. Die Volksmeinungen geben Reaktionen auf Jesu Wunderwirken wieder, die vielleicht einmal mit einer Wundergeschichte verbunden waren.

Der Bericht vom Tod des Täufers dürfte dem Evangelisten in dieser Ausführlichkeit vorgegeben gewesen sein. Nur ist damit zu rechnen, daß er am Anfang der Geschichte um des Anschlusses an die Volksmeinungen willen Umstellungen vornahm. Zu Veränderungen in dieser Richtung zwang auch der Umstand, daß Markus mit dem Bericht eine Nachinformation liefert. Der Tod des Johannes ist in 6,14 als ein länger zurückliegendes Ereignis vorausgesetzt und bereits in 1,14 angedeutet. Eine zuverlässige Rekonstruktion des ursprünglichen Anfangs des Berichts ist nicht mehr möglich. Es kann nur vermutet werden, daß die Verse 17f in etwa gelautet haben könnten: Herodes hatte Herodias, die Frau seines Bruders Philippus geheiratet. Johannes aber sagte ihm: Es ist dir nicht erlaubt, die Frau deines Bruders zu haben. Und Herodes sandte aus, um Johannes ergreifen und im Gefängnis binden zu lassen. – Markus war wegen des Anschlusses nach vorn gezwungen, das Vorgehen des Herodes gegen Johannes einleitend zu bringen. Weitere markinische Eingriffe sind unerheblich. So sind wahrscheinlich das Sätzchen »Und er hörte ihn gern« (20c; vgl. 12,37) und τοῦ βαπτίζοντος in 24 redaktionelle Zutat[7]. – Wichtiger ist die Frage nach der Genese der Geschichte. Aufschlußreich sind die unterschiedlichen Versuche, ihre Form näher zu bestimmen, und die Beobachtung, daß zwischen den Versen 18 und 19 ein Bruch vorzuliegen scheint. Die Interpreten sind sich nicht einig darüber, welche Person im Mittelpunkt steht. Johannes tritt gegenüber Herodes und dem Treiben an seinem Hof in eigenartiger Weise zurück. Während nach Haenchen Johannes zwar nicht der Träger der Handlung ist, die Erzählung aber doch um ihn kreist, spricht Dibelius von einer Anekdote über Herodes[8]. Handelte es sich um einen Martyriumsbericht oder um eine Legende, müßte der

[5] Wir akzeptieren die volle Lesart »ein Profet wie einer der Profeten«. Die Lesart von D it »einer der Profeten« ist sekundär und durch 8,28 beeinflußt. Anders Cullmann, Christologie 33f.

[6] Mit Tillesse, Le secret 311f; Theißen, Wundergeschichten 171f. Nach Wendling, Entstehung 61, holte Mk V 15 aus 8,28 vor. Bultmann, Geschichte 328f, erblickt in V 14 ein älteres Traditionsstück, das ehedem vielleicht eine andere Fortsetzung hatte. Hahn (Anm. 4) nimmt ein wechselseitiges Abhängigkeitsverhältnis zwischen 6,14b.15 und 8,27b 29 an. Schweizer 70 hält V 16 für traditionell.

[7] βαπτίζοντος differiert zu βαπτιστοῦ in 25.

[8] Haenchen, Weg 241; Dibelius* 80.

Täufer mehr im Zentrum stehen. An vergleichbaren Formen kennen wir die hellenistische Martyrerakte und den jüdischen Martyriumsbericht. Konzentriert sich die eine auf die Verteidigung des Martyrers im Gerichtsprozeß, so der andere auf die Schilderung der Qualen, die der Martyrer um des Gesetzes willen erduldet und damit seine Frömmigkeit unter Beweis stellt. Der Martyrer weigert sich nicht bloß, das Gesetz zu übertreten, sondern er steht auch selber wie ein Wächter vor dem Gesetz. Mit Vorzug legt er sein Zeugnis vor den Fürsten und Herren der Welt ab, die Gottes Wort und Gesetz bekämpfen[9]. Elemente dieses Martyrerbildes sind ohne Zweifel in unserem Bericht vorhanden. Hinzu kommt der Bruch im Verhalten des Herodes. Am Anfang geht dieser unnachsichtig gegen den Täufer vor und läßt ihn in das Gefängnis werfen. Mit Vers 19 wandelt sich das Bild. Jetzt ist es Herodias, die den Untergang des Johannes betreibt, während Herodes diesen vor den Ränken der Frau zu schützen unternimmt. Die grauenvolle Einkerkerung wird fast zur Schutzhaft. Diese Beobachtungen lassen die Vermutung gerechtfertigt erscheinen, daß dem ausführlichen Bericht eine knappe Überlieferung zugrunde liegt, die den Anforderungen des jüdischen Martyriums entspricht. Dazu sind zu rechnen die Verse 17f.27b und vielleicht 29, das heißt, die Gesetzesübertretung des Herodes, die Mahnung des Johannes, seine Einkerkerung, seine Hinrichtung und Bestattung. Dieser Grundbestand wäre dann um eine volkstümliche Erzählung bereichert worden, die das Motiv von der rachsüchtigen Frau in den Vordergrund rückt, aber noch zahlreiche andere Motive verwertet, die man in Erzählungen über das Treiben an Fürstenhöfen zu verwenden beliebte. Obwohl gewisse Anlehnungen an das Buch Ester festzustellen sind, kann man von einem Ester-Midrasch keinesfalls sprechen[10]. War der Grundbestand jüdisch, so ist die Überlieferung jüdisch-hellenistisch geprägt, wie die Interpretation der Gastmahlsszene zeigen wird. Die isoliert überlieferte Geschichte ist weder als christliche noch als Überlierferung der Täuferjünger, sondern als im Volk umlaufende Geschichte anzusprechen[11]. Der Tod des Täufers wirkt nahezu sinnlos. Ziel der Geschichte könnte es gewesen sein, das gottlose Treiben der Mächtigen und konkret des Herodes Antipas und seines Hofes durch die Erinnerung zu brandmarken. Im Kontext des Evangeliums kann Markus dem Tod des Täufers eine hohe Bedeutung zumessen. Der Vorläufer nahm mit seinem Schicksal das Leiden und Sterben Jesu vorweg und kündete es an (vgl. 9,11–13).
Will man die Perikope gliedern, so erscheint der Abschnitt 14–16 wie eine Einführung. Die Zäsur im Martyriumsbericht ist mit 21 gegeben. Der erste Teil behandelt Gefangensetzung und Gefangenschaft des Täufers (17–20), der zweite berichtet vom Festmahl des Herodes und dem Tod des Johannes (21–29).

[9] Zur hellenistischen Martyrerakte vgl. H. Niedermeyer, Über antike Protokoll-Literatur, Göttingen 1918; zum jüdischen Martyrerbericht H.-W. Surkau, Martyrien in jüdischer und frühchristlicher Sicht, Göttingen 1938 (FRLANT 54); zu beiden Gnilka* 84–87.

[10] Gegen Potterie* 147.

[11] Eine Verbindung der Überlieferung zu den Täuferjüngern nimmt Windisch* 80 an. Bultmann, Geschichte 329, spricht von einer »Spur des Täufertums auf hellenistischem Boden«.

Erzählerische Signale markieren darüber hinaus Unterabschnitte. Herodias, in 19 erstmalig Subjekt der Handlung, empfängt in 28 das Haupt des Täufers. Herodes, ab 22b »der König« genannt[12], handelt in dem von Herodias bestimmten Teil in Abhängigkeit von der Frau. Sein Versprechen als König gibt der Frau die Möglichkeit, ihren von Anfang an gehegten Plan zu realisieren. Das Begräbnis durch die Johannesjünger wirkt wie ein Epilog. So erhalten wir folgende Übersicht:

1.1 Gefangensetzung des Täufers (17f)
1.2 Gefangenschaft des Täufers (19f)
2.1. Das Festmahl und der Tanz (21–22a)
2.2. Das Versprechen des Königs und das Verlangen der Herodias (22b–25)
2.3. Hinrichtung des Täufers (26–28)
2.4. Begräbnis (29)[13].

Erklärung 14

Der König Herodes – gemeint ist der Sohn Herodes' d. Gr., Herodes Antipas – tritt gleich am Anfang als wichtigste Figur der folgenden Geschichte in Erscheinung. Da er nach dem Tod seines Vaters im Jahr 4 v. Chr. sechzehnjährig die Landschaften Galiläa und Peräa erhalten hatte, war er der Landesfürst Jesu. Seine Residenz hatte er, nachdem er die Stadt Tiberias am See Gennesaret gegründet hatte, von Sepphoris in die neue Stadt verlegt. Sein offizieller Titel war der eines Tetrarchen. Um die Königswürde bemühte er sich später, allerdings vergeblich, in Rom[14]. Das Volk wird von ihm, der als klug, ehrgeizig, prachtliebend und weniger tatkräftig als sein Vater galt, als König geredet haben. Antipas hört von Jesus bzw. wird mit dem Gerede des Volkes über ihn konfrontiert. Unter den Volksmeinungen identifiziert ihn die erste mit Johannes dem Täufer, der von den Toten auferweckt worden sei. Die von Jesus gewirkten Wunder finden so ihre Erklärung. Unklar ist dabei, ob die vermutete Auferweckung des Täufers mit den Wundern etwas Neues einbrachte, so daß anzunehmen wäre, der Täufer selbst habe keine Wunder gewirkt, oder ob Jesus gerade mit seinen Wundern an Johannes erinnert[15]. Unser Wissen über den Täufer ist fragmentarisch. Wahrscheinlich aber ist letzteres. Dafür sprechen die hohe Einschätzung des Täufers und seine Identifizierung mit dem erwarteten Elija in 9,11–13. Einige Forscher benutzen die Notiz zu weitreichenden Folgerungen. In ihr verberge sich die Überzeugung täuferischer Kreise oder des Volkes, daß die in bestimmten jüdischen Gruppierungen vorhandene Erwartung des Geschicks des Endzeitprofeten sich an Johannes erfüllt habe. Das Geschick des Endzeitprofeten, der als Mose, Henoch oder Elija redivivus erscheinen werde, besage, daß dieser getötet, aber von Gott auferweckt werde. Johannes

[12] Die Bezeichnung »der König Herodes« in 14 faßt den gesamten Abschnitt 14–29 zusammen.

[13] Potterie* gliedert in drei Teile: 17–20; 21–26; 27–29.

[14] Vgl. JosAnt 18,240–256.

[15] Die eine Auffassung vertritt Haenchen, Weg 236, die andere Hengel, Charisma 40. Zugrunde liegt ein hellenistisches Wunderverständnis, wonach der Thaumaturge von Wunderkräften erfüllt ist.

habe in Antipas seinen eschatologischen Widersacher gefunden, der aber gezwungen worden sei, die Rechtfertigung des von ihm Getöteten durch Gott in der Auferstehung anzuerkennen. Diese Struktur des Nebeneinander von ungerechter Tötung und göttlicher Rechtfertigung besitze ihre Analogie im christlichen Auferstehungskerygma. Markus habe darum Anlaß, sich mit dieser Überzeugung der Täuferjünger auseinanderzusetzen[16]. Von einer solchen Auseinandersetzung ist bei Markus jedoch nichts zu spüren. In 9,11–13 ist nicht erkennbar, daß eine auf den Täufer bezogene Auferstehungsaussage abgeblendet worden sei. Es bliebe dann höchst unverständlich, warum Mk 6,14 die Volksmeinung zitiert. Er tut es nicht, weil er sie bekämpft, sondern weil er sie für eine gute Anschlußmöglichkeit für die Geschichte 6,17ff hält. In 9,11–13 wird deutlich, daß das Christusschicksal das Vorbild ist, an das das Täuferschicksal angeglichen ist. Die christologische Ausrichtung des Täufermartyriums in 6,17ff kann aufgrund mehrerer Übereinstimmungen vermutet werden, die sich durch den Makrotext des gesamten Evangeliums ergeben[17]. Der Nachweis einer jüdischen Erwartung zur Zeit Jesu, daß der eschatologische Profet das Todes- und Auferstehungsschicksal teilen werde, kann nicht als gesichert gelten[18]. Zur richtigen Einschätzung der Volksmeinung ist zu berücksichtigen, daß Jesus und der Täufer fast gleichaltrig gewesen sein dürften[19]. Wenn die Volksmeinung auch nur möglich ist, wenn man davon ausgeht, daß der Tod des Täufers eine gewisse Zeit zurückliegt, können die Zeitgenossen das Alter der beiden Profeten nicht vergessen haben. Darum meinen manche Autoren, die Äußerung der Leute sei metaforisch zu verstehen: Jesus gleiche dem Täufer – in seinem Wirken oder in seinem Aussehen – wie ein alter ego[20]. Diese Auffassung ist aber wegen der anderen Volksmeinung, er sei Elija, zu der sie in Parallele steht, nicht wahrscheinlich. So bleibt zu sagen, daß Auferstehung gedacht ist als Rückkehr in das irdische Leben. Eine eschatologische Vorstellung von Auferstehung liegt nicht vor[21]. Das Urteil der Leute, in dem Johannes nicht als Vorläufer Jesu, sondern umgekehrt Jesus als der Nachfolger des Johannes erscheint, bestätigt den großen Eindruck, den der Täufer hinterließ, und die selbständige profetische Vollmacht, mit der er auftrat. Die Unterschiede, die zwischen beiden bestehen, daß Jesu Gottesbild ein anderes ist, daß er nicht tauft, hat die Volksmeinung wenig berücksichtigt.

15–16 Die zweite Volksmeinung, daß Jesus Elija sei, knüpft an die Erwartung an, daß

[16] Wilckens, Auferstehung 137–143; Pesch, Entstehung 222–226 im Anschluß an Berger* 15–22.

[17] Vgl. Gnilka* 80f.

[18] Von zahlreichen späten Belegen abgesehen, wird Offb 11,1–14 als Zeugnis für diese Erwartung herangezogen. Verdacht erregt die Tatsache, daß das Zeugnis sich in einer christlichen Schrift findet. Wilckens, Auferstehung 139, vermutet die Aufnahme eines jüdischen Überlieferungsstückes. Ähnlich Berger* 26–40. Dies dürfte zutreffen, schließt aber eine christliche Überarbeitung nicht aus. Berger* 31f weist hin auf Übereinstimmungen mit dem Petrusevangelium und der Pascha-Homilie des Melito von Sardes.

[19] Vgl. Cullmann, Christologie 30–33.

[20] Wellhausen; Klostermann.

[21] Vgl. E. Schillebeeckx, Jesus – die Geschichte von einem Lebenden, Freiburg 1975, 349f.

Elija »vor dem großen und furchtbaren Tag des Herrn« wieder in Erscheinung treten werde (Mal 3,23). Diese Erwartung hat die Entrückung des Profeten in den Himmel zur Voraussetzung. Zu beachten ist, daß sonst Johannes, hier aber Jesus mit dem wiedergekehrten Profeten ineinsgesetzt wird. Diese Meinung über Jesus mag in seiner eschatologischen Predigt und seinem Wunderwirken begründet gewesen sein, da Elija auch als mächtiger Wundertäter in die Geschichte eingegangen war. Das Volk hängt am Äußeren. Die dritte Meinung hebt nicht auf einen bestimmten Profeten ab, der zurückgekehrt wäre, sondern erblickt in Jesus einfach einen Profeten, wie es früher schon viele gab[22]. Das Besondere bestünde dann nur darin, daß der seit langem erstorbene profetische Geist mit Jesus sich wieder entfacht hatte. Herodes schließt sich der ersten Volksmeinung an mit der zusätzlichen Information, daß er Johannes enthaupten ließ. Dies wirkt wie die Äußerung eines beunruhigten Gewissens.

17–18

Die Geschichte vom Martyrium Johannes des Täufers beginnt mit dessen Einkerkerung. Den Zorn des Fürsten zog sich dieser zu, als er ihm die unerlaubte Ehe mit der Frau des leiblichen Bruders vorhielt. Der Täufer trat damit für das Gesetz ein, das den Ehebruch verbietet (Ex 20,17) und darüber hinaus die Verbindung mit der Frau des Bruders als Blutschande brandmarkt (Lev 20,21; vgl. 18,16). Nach Josephus hieß der Bruder, dessen Frau Herodias war, ebenfalls Herodes[23]. Diese Nachricht trifft zu. Philippus ehelichte deren Tochter Salome. Bei Markus liegt eine Verwechslung vor. Antipas verstieß um der Heirat mit Herodias willen seine erste Frau, die eine Tochter des Königs Aretas IV. war. Das Ergreifen und Binden sind zwar geläufige Begriffe der Justizgewalt, im Makrotext des Evangeliums bringen sie aber die Parallelität zum Schicksal Jesu ein, der ebenfalls von den Häschern ergriffen (14,44.46.49) und gebunden wird (15,1).

19–20

Herodias wird als die rachsüchtige böse Frau eingeführt, vor der Sir 25,18 warnt. In ihrer Absicht, Johannes töten zu wollen, erinnert sie an Jezabel, die vorhat, Elija umbringen zu lassen (1Kön 19,2). Die Elija-Typologie könnte sich auch darin zeigen, daß dieser vor Könige tritt, um sie zu schelten (1Kön 21,17–26; 2Chr 21,12–19; MartJs 2,14–16). Allerdings bestehen Unterschiede darin, daß die Anlässe der Schelte bei Elija und beim Täufer verschieden sind und es Jezabel nicht gelingt, ihren Plan durchzuführen. Weil der Auftritt vor Königen ein beliebtes Motiv im jüdischen Martyrium ist, können Elija und Jezabel kaum als Typos des Täufers und der Herodias gelten. Diese versinnbildet einfach die ränkesüchtige Frau, die in Geschichten, die von Fürstenhöfen erzählt wurden, eine beliebte Figur darstellt[24]. Die Stellung des Antipas zu Jo-

[22] Mit G. Friedrich, ThWNT VI,843. Anders Cullmann, Christologie 33f (vgl. oben Anm. 5); Hahn, Hoheitstitel 222, Anm. 3. Nach J. Jeremias, ThWNT IV,862 und Anm. 119, hat die Erwartung in Dtn 18,15.18 ihren Ursprung.

[23] JosAnt 18,109–115. Die Verwandtschaftsverhältnisse der Herodianer sind schwer zu durchschauen, da Herodes d. Gr. achtmal verheiratet war.

[24] Vgl. z. B. Plutarch, Artaxerxes 17: Die gehässige Parysatis überredet Artaxerxes zur Hinrichtung des gehaßten Masabates.

hannes ändert sich. Er, der eben noch mit harter Faust zugriff, beginnt, ihn als gerechten und heiligen Mann zu fürchten, und sieht sich veranlaßt, ihn – offenbar vor den Ränken der Frau – zu schützen[25]. Der Gottesmann, Profet oder Philosoph am Hof eines Fürsten, den Neugier, Staunen oder Furcht leiten, sich mit seinem sonderbaren Gast oder Gefangenen zu unterhalten, ist gleichfalls ein beliebtes Motiv in Geschichten der vorliegenden Art (vgl. Apg 24,24–26: Paulus in der Hand des Statthalters Felix)[26]. Die Verlegenheit, in die der Fürst anläßlich dieser privaten Gespräche immer wieder gerät[27], scheint fast den Reiz auszumachen, der die Begegnungen veranlaßte. Es war doch sein Gefangener, dem er gern zuhörte.

21–25 Der Geburtstag des Herodes verschafft der Herodias unerwartet eine willkommene Gelegenheit für die Durchführung ihres Planes. Wenn von einem gelegenen Tag die Rede ist, wird vom Standpunkt der Herodias aus erzählt, die jetzt die Initiative in der Hand hat. Die Szene des opulenten Gastmahls des Herrschers mit seinen Honoratioren gleicht Est 1,3. Der Auftritt der tanzenden Prinzessin vor den zechenden Männern ist ohne Parallele[28]. Die Männer beim Mahl durch Tanz zu unterhalten, war das Geschäft der Dirnen. Weil es das Gefallen des Herodes und seiner Gäste findet, verspricht er dem Mädchen die Erfüllung jeder Bitte bis zur Hälfte seines Reiches. Die Schilderung des Versprechens, hier noch durch einen Schwur verstärkt, lehnt sich an Est 5,3; 7,2 (doch vgl. 1Kön 13,8) an. Der von Rom abhängige Klientelfürst wirft sich in die Pose des Großkönigs. Es ist kein Zufall, daß ab Vers 22b von Herodes als dem König gesprochen wird. Das Mädchen berät sich mit seiner Mutter, und diese verlangt das Haupt Johannes des Täufers auf einer Schüssel. Vielleicht steht hinter der Schilderung auch die bereits von Herodot überlieferte Gepflogenheit, beim königlichen Gastmahl keine Bitte zu verweigern. Dieser Brauch wurde gelegentlich ausgenutzt[29]. Erzählerisch ist die Gastmahlsszene durch das bewegte Hinein- und Hinausgehen der Tochter, das wiederholte Versprechen des Königs, das im Gespräch der Frauen fortwirkt, der Höhepunkt des Ganzen. Die dramatische Steigerung führt dazu, daß der König seine Entscheidungsmächtigkeit an die Frau abgibt und von ihr abhängig wird. Deren Bitten steigert sich zum »Ich will, daß du es mir unverzüglich gibst« (25). Sie ist sich ihrer Sache bereits sicher.

26–29 Obwohl es gegen seinen Willen ist, kann der König jetzt das Begehren der Herodias nicht mehr zurückweisen. Der von ihm ausgesandte Henker betritt den Kerker des Johannes. Dieser düstere Ort rahmt die übermütige Gastmahls-

[25] Das Verb συνετήρει in V 20 bedeutet nach Bauer, Wörterbuch s.v. »jemanden vor Schaden und Untergang bewahren«.

[26] Das Material hat Bonner* gesammelt.

[27] Die Lesart ἠπόρει (er geriet in Verlegenheit) ist gegenüber ἐποίει vorzuziehen. Letzteres wäre semitisierendes Griechisch: er hörte ihn oft. Vgl. Bl-Debr § 414,5.

[28] Zur Dirne wird die ägyptische Prinzessin nach Herodot II,121,4. Ein Bezug zu einem Gastmahl liegt nicht vor.

[29] Herodot IX,111 berichtet von einem Gastmahl des Xerxes, das dessen Frau Amestris benutzt, um sich an ihrer Nebenbuhlerin und eigenen Schwägerin blutig zu rächen. Der Bericht hat manche Ähnlichkeit mit der Antipas-Geschichte.

szene (vgl. 17) und bildet den Kontrast. Die Gottlosen vergreifen sich in ihrem Übermut am Gottesmann. Johannes kommt nicht mehr zu Wort. Nur sein Haupt, das von Herodias begehrte Objekt, wird abgeschlagen und wandert auf einer Schüssel vom Henker über das Mädchen zu deren Mutter. Diese hat ihre Rache gestillt. Auch im Midrasch zum Buch Ester wird das abgeschlagene Haupt der Vaschti auf einer Schüssel dem Großkönig und den Fürsten gebracht[30]. Doch die Wertungen sind dort gänzlich andere. Das Martyrium des Täufers endet nahezu im völligen Dunkel. Nur die Bestattung seines Leichnams durch seine Jünger bedeutet einen gewissen Lichtblick. Sie stellt auch die Parallele zum Schicksal Jesu wieder her (15,42–47). Man erwartete noch eine Rechtfertigung des grausamen Schicksals, sei es durch ein Wort des Sterbenden, sei es durch die Bestrafung der Gottlosen. So entspräche es jüdischem Empfinden[31]. Für Markus liegt die Rechtfertigung des Täuferschicksals in seinem christologischen Bezug.

Historische Beurteilung

Die historische Beurteilung des markinischen Berichtes verlangt eine Einbeziehung der Darstellung des Josephus[32]. Danach ging Antipas aus politischen Gründen gegen den Täufer vor. Wegen der großen Anziehungskraft des Johannes habe Antipas gefürchtet, »das Ansehen des Mannes, dessen Rat allgemein befolgt zu werden schien, möchte das Volk zum Aufruhr treiben«. Dieser Verdacht habe ihn bewogen, Johannes in Ketten zu legen, nach der Festung Machärus am Toten Meer zu bringen, um ihn dort hinrichten zu lassen. Die einzige auffällige Übereinstimmung mit Markus besteht darin, daß die Herodias mit dem Tod des Täufers in Verbindung gebracht wird. Bei Josephus geschieht dies aber erst nachträglich, insofern er den Feldzug des Aretas gegen Antipas, den Aretas aus Rache für die Verstoßung seiner Tochter, der ersten Frau des Antipas, unternimmt, als Strafe Gottes für die Tötung des Täufers bezeichnet. Auf nähere Umstände beim gewaltsamen Tod geht Josephus nicht ein. Es ist darum auszuschließen, daß er die Markus vorliegende Überlieferung gekannt hat[33]. Vertrauen verdient Machärus als Hinrichtungsort. Dieser aber ist mit dem prunkvollen Gastmahl mit den galiläischen Edlen, das in der Residenz in Tiberias möglich wäre, schlecht vereinbar. Ist die Gastmahlsszene als Erzählung des Volkes zu beurteilen, die Aufschluß gibt über das Urteil, das die Leute über ihren Landesherrn hatten, so bleibt der in der Analyse herausgeschälte Urbericht. Danach kerkerte Antipas den Täufer ein wegen seines Protestes gegen den Ehebruch des Königs. Ist diese Nachricht zuverlässiger als die Mitteilung des Josephus, daß das politische Kalkül den Antipas bewog? Im Täuferbericht des Josephus paßt diese Mitteilung nicht zur Charakterisierung des Johannes als eines »guten Mannes« und seiner Tätigkeit als einer religiösen

[30] Midr Est 1,29 und 31 bei Billerbeck I,683.

[31] Vgl. Surkau (Anm. 9) 79. Josephus kommt in seinem Täuferbericht diesem jüdischen Empfinden entgegen. Er erzählt von einem Feldzug des Königs Aretas gegen Antipas, der eine militärische Niederlage erleidet. Diese wurde vom Volk als gerechte Strafe für die Hinrichtung des Täufers aufgefaßt (Ant 18,116).

[32] Vgl. JosAnt 18,116–119.

[33] Dies nimmt Schütz* 17 an.

Erweckungsbewegung, mag diese Beschreibung auch sich dem hellenistischen Publikum des Josephus anpassen. So wird man das historische Urteil über das Motiv des Antipas am besten offen lassen[34].

Zusammenfassung

Markus, der die Tradition der Volksmeinungen über Jesus und den Bericht über das Martyrium des Täufers miteinander verknüpfte, fügte beides zwischen die Aussendung der Zwölf und ihre Rückkehr ein. Damit erhält die Tätigkeit der Zwölf zusätzlich Gewicht, weil durch sie die Leute angestoßen werden, zu Jesus Stellung zu nehmen, und die Kunde von Jesus bis zum Landesfürsten dringt. Die Lücke, die durch die Abwesenheit der Zwölf entsteht, ist durch den Bericht gut ausgefüllt, wobei für den Evangelisten vielleicht auch der Gedanke maßgeblich war, bei Abwesenheit der Jünger nichts über Jesus zu bringen. Die Zeugenfunktion der Zwölf würde dies erklären. Der leitende Gesichtspunkt im markinischen Bild des Täufers ist aber dessen Vorläuferrolle. In seinem Todesschicksal bereitet Johannes dem Messias den Weg. Es war darum sinnvoll, daß vom Martyrium des Täufers vor der ersten Leidensankündigung Jesu und dem Gespräch über Elija erzählt wurde. Wenn es in diesem Gespräch über Johannes heißt, daß sie an ihm taten, was sie wollten (9,13), stellt das grausige Bild des abgeschlagenen Hauptes die Wahrheit dieses Satzes eindrücklich vor Augen. Weil Markus im Täufer die Verheißung von der Wiederkunft des Elija erfüllt sieht, kann man vermuten, daß er eine Verbindung zwischen Elija und Jezabel einerseits und Johannes und Herodias anderseits erblickte, sicher ist dies aber nicht[35]. Wichtiger ist für Markus auf jeden Fall, daß er mithilfe der Vorläuferfunktion des Täufers dessen sinnlos erscheinendem Sterben eine weitreichende Bedeutung abgewinnen kann. Schon in 1,14 hatte er mit der Auslieferung des Täufers diesen Bezug hergestellt. Der Markusbericht, der das dort Angekündigte als eine Art Nachinformation nachträgt[36], muß in seiner Hinordnung auf die Passion Jesu im Markusevangelium gelesen werden.

Wirkungsgeschichte

Von Interesse ist, wie man die Volksmeinung, nach der Jesus der von den Toten auferweckte Täufer sei, ausgelegt hat. Auf der einen Seite reicht die Interpretation, die die Identifizierung an äußeren Gegebenheiten ausrichtet, weit zurück. Bereits Origenes glaubt, daß die Identifizierung ausgelöst worden sei durch eine große Ähnlichkeit in der äußeren Gestalt[37]. Auf der anderen Seite dürfte jene Auslegung beherrschend gewesen sein, die die Volksmeinung als Beispiel für die Verstocktheit der jüdischen Zeitgenossen wertet. So klagen sowohl Beda im 8. Jahrhundert als auch 700 Jahre später Erasmus darüber, daß die Leute vom Täufer ohne weiteres geglaubt hätten, was sie später Jesus nicht zu-

[34] Die Auffassungen der Interpreten sind geteilt. Knox, Sources I,50 nennt den Mk-Bericht einen »popular rumour«, Rawlinson 62 einen »bazar rumour«, Schürer I,438 hält Mk und Josephus für vereinbar. G. Friedrich, ThWNT VI,840, bevorzugt den Josephus-Bericht. Schütz* 103 hält eine Einmischung der Herodias für möglich. Nach Windisch* 79–81 seien zwar Mk und Josephus unmöglich auszugleichen, an beiden aber sei »etwas Wahres«.

[35] Spätere Texte verstärken die Elija-Typologie, wie Just Dial 49,4f zeigen kann.

[36] Lk 3,19f bietet eine Kurzform des Martyriumsberichtes schon am Anfang des Evangeliums.

[37] Origenes, in Joan. 6,30 (GCS 10,157).

erkennen wollten. »Von Johannes, der durch keine Wunder ausgezeichnet war, glauben sie, daß er wieder lebt. Jesus gegenüber, der so viele Weisen göttlicher Kraft gezeigt hatte, leugnen sie hartnäckigst, daß er wieder lebt«[38]. Vom eilfertigen Antijudaismus (Beda: quanta Judaeorum invidia) ganz abgesehen, stimmt bei dieser Auslegung höchst bedenklich, wie undifferenziert der auf den Täufer gerichtete Volksglaube mit dem christlichen Auferstehungskerygma in einen Topf geworfen wird. Kritischer ist das Urteil Calvins, nach dem bei den Leuten überall der Aberglaube umgegangen sei, die Toten kehrten in anderer Gestalt wieder in das Leben zurück[39].
In der Besprechung des Täufermartyriums werden besonders bei den Reformatoren kritische Töne gegenüber den politisch Herrschenden laut. Calvin, der sich im übrigen darum bemüht, den synoptischen Bericht mit dem des Josephus zu harmonisieren, nimmt das von Antipas gezeichnete Bild zum Anlaß für die Feststellung: »Denn an fast allen Fürstenhöfen regieren Heuchelei und sklavische Verehrung, und das an Schmeichelei gewöhnte Ohr der Herrscher verträgt kein Wort, das ihre Fehler etwas rauher anfaßt«[40]. Derb formuliert Luther in einer Predigt am Johannistag 1531: »Das ist S. Joannis Sünde gewest, das er nicht das maul kund halden«[41]. Und an anderer Stelle gibt er die Empfehlung, man solle nicht vor dem Rat und Ratsherrn, sondern lieber vor dem vulgo predigen[42]. Eine unerhörte Form der Heuchelei ist ihm der Umstand, daß sich Antipas an seinen Schwur gebunden fühlt: »Ei du heiliger S. Herodes, welch ein großer Gottesdienst ist das«[43]. In der praktischen Auslegung der Perikope legt sich das politische Thema des Verhältnisses des Christen zu den Herrschenden durchaus nahe.

3. *Das Mahl der Fünftausend (Mk 6,30–44)*

Literatur: Boobyer, G. H., The Eucharistic Interpretation of the Miracles of Loaves in St. Mark's Gospel, JThS 3 (1952) 161–171; *Stauffer, E.*, Zum apokalyptischen Festmahl in Mc 6,34ff, ZNW 46 (1955) 264–266; *Ziener, G.*, Die Brotwunder im Markusevangelium, BZ 4 (1960) 282–285; *Shaw, A.*, The Markan Feeding Narratives, CQR 162 (1961) 268–278; *Friedrich, G.*, Die beiden Erzählungen von der Speisung in Mark 6,31–44; 8,1–9, ThZ 20 (1964) 10–22; *Iersel, B. van*, Die wunderbare Speisung und das Abendmahl in der synoptischen Tradition (Mk VI 35–44 par, VIII 1–20 par), NT 7 (1964/65) 167–194; *Heising, A.*, Die Botschaft der Brotvermehrung, 1966 (SBS 15); *Tagawa*, Miracles, 133–153; *Denis, A. M.*, La section des pains selon s.Marc (6,30–8,26), une théologie de l'Eucharistie, StEv IV,1 (1968) 171–179; *Kertelge*, Wunder Jesu, 129–139; *Roloff*, Kerygma, 237–254; *Patsch, H.*, Abendmahlsterminologie

[38] Erasmus VII,204; Beda, PL 92,188.
[39] II,12.
[40] II,15.
[41] WA 34/1,555–561, hier 556.
[42] Predigt am 24. 6. 1534. WA 37,462–471, hier 466.
[43] WA 34/1,559.

außerhalb der Einsetzungsberichte, ZNW 62 (1971) 210–231; *Etcheverría, R. T.*, La multiplicación de los panes (Mc 6,30–46; 8,1–10 y par), Burg 15(1974) 435–465; *Schenke*, Wundererzählungen, 217–237; *Koch*, Bedeutung, 99–104.

30 **Und die ausgesendet waren, versammeln sich bei Jesus und berichteten ihm alles, was sie getan und was sie gelehrt hatten.** 31 **Und er sagt ihnen: Kommt, ihr allein, an einen einsamen Ort, und ruht euch etwas aus! Denn viele kamen und gingen. Und sie fanden keine Gelegenheit zum Essen.** 32 **Und sie fuhren für sich allein in einem Boot ab an einen einsamen Ort.** 33 **Und viele sahen sie abfahren und erkannten sie. Und sie liefen zu Fuß von allen Städten dort zusammen und kamen ihnen zuvor.** 34 **Und als er ausstieg, sah er eine große Volksmenge, und er erbarmte sich über sie, weil sie wie Schafe waren, die keinen Hirten haben. Und er begann, sie vieles zu lehren.** 35 **Und als die Stunde schon vorgerückt war, traten seine Jünger an ihn heran und sagten: Der Ort ist einsam, und die Stunde ist vorgerückt.** 36 **Entlaß sie, damit sie in die Höfe und Dörfer ringsum fortgehen, um sich etwas zu essen zu kaufen.** 37 **Er aber antwortete und sprach zu ihnen: Gebt ihr ihnen zu essen! Und sie sagten ihm: Sollen wir fortgehen, um für zweihundert Denare Brote zu kaufen und sie ihnen zu essen geben?** 38 **Er aber sagt ihnen: Wieviel Brote habt ihr? Geht, seht nach! Und sie stellen es fest und sagen: Fünf, und zwei Fische.** 39 **Und er gebot ihnen, alle sollten sich in Tischgemeinschaften auf dem grünen Gras lagern.** 40 **Sie lagerten sich, die Gruppen wie Gartenbeete, zu hundert und zu fünfzig.** 41 **Und er nahm die fünf Brote und die zwei Fische, blickte zum Himmel auf, sprach das Segensgebet und brach die Brote und gab sie den Jüngern, damit sie sie ihnen vorsetzen. Und die zwei Fische teilte er unter allen auf.** 42 **Und alle aßen und wurden satt.** 43 **Und sie hoben die Brocken auf, zwölf Körbe voll, auch von den Fischen.** 44 **Und es waren fünftausend Männer, die die Brote gegessen hatten.**

Analyse Die Perikope ist durch eine ausnehmend lange Einleitung ausgezeichnet. Die Forschung ist sich weitgehend einig darüber, daß die Verse 31–33 der markinischen Redaktion verdankt sind[1]. Diesem Urteil ist zuzustimmen. Vers 31 knüpft mit dem Kurzreferat von der Rückkehr der Zwölf an die Aussendungsgeschichte an. Das Wirken und Lehren der Ausgesendeten (»was sie getan und was sie gelehrt hatten«) nimmt dabei des näheren auf 6,12f Bezug, eine Passage, die wir oben als redaktionell bestimmen konnten. Liebt es Markus, Jesus als Lehrer zu kennzeichnen, so ist hier diese Eigenschaft auf die Zwölf übertragen.

[1] Vgl. Schenke, Wundererzählung 217–219; Koch, Bedeutung 99–111; schon Schmidt, Rahmen 188, der damit rechnet, daß die Verse irgendeine Erinnerung aufbewahrt haben.

Der Rückzug an einen einsamen Ort begegnete uns bereits in 1,35 und 45 als redaktionelles Motiv[2]. Das Zusammenströmen der Volksmenge, hier in dramatischer Form mit dem Bootsmotiv verknüpft, konnte ebenfalls wiederholt als Anliegen des Evangelisten nachgewiesen werden (2,2; 3,7f.20; 4,1f). Wenn sie keine Gelegenheit zum Essen finden, so war dies in einer redaktionellen Einleitungsbemerkung auch schon in 3,20 von Jesus und den Jüngern gesagt worden. Diese Bemerkung bereitet allerdings im vorliegenden Zusammenhang die folgende Speisung vor, wie auch der Rückzug an einen einsamen Ort für die Speisungsgeschichte erforderlich ist (6,35). Die markinische Bildung der Eingangsszene kann als gesichert gelten[3]. Schwierig ist die Beurteilung des Verses 34. Perikopenanfänge mit ἐξέρχομαι sind wiederholt anzutreffen (2,13; 6,1; 7,31; 8,11.27; 9,30; 11,12). Wir haben in 34 den Beginn der Speisungsgeschichte vor uns. Vers 34b, der Verweis auf die Lehre Jesu, ist markinischer Redaktion verdankt. Er lenkt vom Wunder her gesehen ab, weil er das Erbarmen Jesu auf seine Lehre hinordnet. Dieses Erbarmen Jesu ist in der zweiten Speisungsgeschichte auf den Hunger der Volksmenge gerichtet (8,2). Damit erscheint die Wundergeschichte besser vorbereitet. Hat darum Markus in 34b eine gewisse Korrektur vorgenommen, ist der Grundbestand von 34a mit dem Erbarmensmotiv als vorgegeben anzusehen. Gleiches gilt für die alttestamentliche Reflexion über die hirtenlose Herde. Sie steht mit dem Gottesvolk-Gedanken, der die Speisungsgeschichte bestimmt, in Verbindung und gehört darum zu ihr[4].

Die beiden Überlieferungen der Speisungsgeschichte in 6,34–44 und 8,1–10 sind als die Ausfaltungen einer gemeinsamen Grundtradition und nicht als zwei selbständige Überlieferungen anzusprechen[5]. Die wichtigsten Gemeinsamkeiten sind folgende: das Erbarmen Jesu, der einsame Ort, ein Gespräch zwischen Jesus und den Jüngern, das deren Ratlosigkeit offenbart, die Feststellung der vorhandenen Lebensmittel, der Befehl zum Lagern der Volksmenge, das Gebet Jesu und das Vorsetzen der Gaben durch die Jünger; das Mahl und die Sammlung der Reste, eine Angabe über die Zahl der Anwesenden. Die Entlassung der Volksmenge und die Abfahrt im Boot mit der Bezeichnung eines Zielortes sind Gemeinsamkeiten, die in Verbindung mit einem weiterreichenden traditionsgeschichtlichen Problem zu erörtern sind[6]. Innerhalb dieses Gerüstes der Übereinstimmungen konnte sich die erzählerische Gestalt der Geschichte

[2] Tagawa, Miracles 145f, wertet das Rückzugsmotiv in 32 anders als in 31, nämlich als zur Wundergeschichte gehörig und damit als traditionell. Es sei ein stereotyper Zug in Wundererzählungen, daß das Wunder abseits geschehe. Dagegen ist zu sagen, daß in 32 nur die Blickrichtung wechselt. Werden die Jünger in 31 allein gesehen, so in 32 in Verbindung mit Jesus.

[3] Sprachliche Beobachtungen erhärten dies: die Nachstellung des Subjekts in 30,31b,33a, der Begründungssatz in 31b, der einen Umstand erläutert. Mk Vorzugswörter in Editorial sentences sind συνάγω, διδάσκω, ἴδιος, (κατ' ἰδίαν), πολλοί, πλοῖον (Gaston).

[4] Suhl, Funktion 144f, schreibt die atl Reflexion Mk-R zu.

[5] So der von einer unerleuchteten Apologetik bestimmte Aufsatz von J. Knackstedt, Die beiden Brotvermehrungen im Evangelium, NTS 10 (1963/64) 309–336.

[6] Vgl. unten S. 265f.

verändern. Obwohl am meisten in die Augen stechend, sind die Differenzen in den Zahlenangaben, die die Brote, die Fische, die Körbe und die anwesende Volksmenge betreffen, von untergeordneter Bedeutung. Für Markus mögen sie mit Anlaß dafür gewesen sein, beide Überlieferungen in sein Evangelium aufzunehmen. Er berichtet von ihnen wie von zwei verschiedenen historischen Ereignissen. Beachtung verdienen die Unterschiede im Gespräch Jesu mit den Jüngern am Anfang. Dabei ergibt sich, daß nach 6,34ff die Handlung von den Jüngern ausgeht, während die Initiative nach 8,1ff von Beginn an bei Jesus liegt, und daß nach 6,34ff eine besondere Notlage nicht besteht, die das Wunder erforderlich machte. Für die Priorität von 8,2f könnte sprechen, daß die Notsituation besser zu einer Wundergeschichte paßt, während der Vorschlag der Jünger in 6,36, das Volk zu entlassen, Ausdruck ihres Unverständnisses ist und damit ein Anliegen wiedergibt, das der markinischen Redaktion zugetraut werden könnte[7]. Anderseits ist das Hervortreten der Initiative Jesu verdächtig, sekundär zu sein, zumal aus dem Referat über das Erbarmen Jesu in 6,34 eine Selbstaussage Jesu geworden ist[8]. Das ratlose Verhalten des Jüngers hat in der Speisungsgeschichte des Elischa 2Kön 4,43 seine Parallele, so daß es zum Bestand der Erzählung gerechnet werden kann[9]. Eine Steigerung des Jüngerunverstandes bedeutet Vers 37 mit der Aufforderung Jesu, die Jünger sollten der Menge zu essen geben. Dennoch ist dieser Vers nicht als markinischer Zusatz zu behandeln, da er sich ohne weiteres in die dramatische Entwicklung einfügt und für Joh 6,5–7 vorauszusetzen ist[10].

Die Frage, ob 6,34–44 auf einer vormarkinischen Redaktionsstufe Veränderungen erfuhr, konzentriert sich insbesondere auf die Möglichkeit, daß eine Überarbeitung eine eucharistische Interpretation der Speisungsgeschichte einbrachte oder ausbaute. Van Iersel geht in seiner These von einem synoptischen Vergleich aus und stellt fest, daß in der Darstellung der Segenshandlung Jesu innerhalb der verschiedenen Berichte die relativ größten Übereinstimmungen bestehen. Er hält in 41 den Satzabschnitt »er blickte zum Himmel auf, sprach das Segensgebet und brach die Brote und gab sie den Jüngern, damit sie sie ihnen vorsetzen. Und die zwei Fische« für eine spätere Einfügung in einen alten Bericht, die aus einer nichteucharistischen Wundergeschichte eine Abendmahls-Didache gemacht habe. Vers 41 habe demnach ursprünglich gelautet: »Und er nahm die fünf Brote und die zwei Fische und teilte sie unter allen auf«[11]. Diese Rekonstruktion mag einen einfachen Satz ergeben, doch könnten Gebet und Gebetsgestus durchaus auch für die Erzählung von Anfang an wichtig gewesen sein. Dies legt sich sogar nahe, wenn man sieht, daß manche der

[7] So Schenke, Wundererzählungen 222–224.

[8] Vgl. Bultmann, Geschichte 232; Koch, Bedeutung 102f. Ferner ist zu beachten, daß die Notsituation in 8,2 gekünstelt wirkt. Sollte man erst nach drei Tagen an den Hunger denken können?

[9] Vgl. den Einwand Num 11,21.

[10] Man könnte erwägen, ob »die Höfe und Dörfer ringsum« in 36 Mk-R sind, aber ein Entscheid muß offen bleiben.

[11] Van Iersel* 169–182. Die These übernahm Schenke, Wundererzählungen 226f, kritisch äußert sich dazu Kertelge, Wunder Jesu 135f.

angeblich nachgetragenen Züge in der Abendmahlsparadosis keine Entsprechung haben wie der Aufblick zum Himmel und die Fische. Van Iersel sieht seine These im Rahmen einer Entwicklung, in der die Tradition der Speisungsgeschichte immer stärker eucharistisch geprägt worden sei. Auch diesen Entwicklungsgedanken kann man nicht unwidersprochen hinnehmen, da Markus, der seine Interpretation der Speisungsgeschichte besonders in 8,14–21 bietet, sich um eine Abendmahls-Didache offenkundig nicht gekümmert hat, und selbst für Joh 6,1–15, die wahrscheinlich jüngste Form dieser Überlieferung, die eucharistische Interpretation nicht eindeutig greifbar ist[12]. Die Meinung, aus einer nichteucharistischen sei eine eucharistische Geschichte geworden, ist darum abzulehnen. Die Interpretation wird einen eventuellen Eucharistiebezug zu prüfen haben. Umgekehrt wollte man das Fischmahl in 41c und 43c für sekundär ansehen und ursprünglich nur eine Brotmahlzeit dargestellt sehen[13]. Die Bemerkung in 43c »auch von den Fischen« wirkt in der Tat wie der Nachtrag eines pedantischen Redaktors[14]. Im Fischmahl 41c dagegen hat Markus entgegen den Seitenreferenten Mattäus und Lukas das Alte bewahrt. Das Vorhandensein von zwei Fischen in 38 läßt auch Ähnliches erwarten.
Der Form nach haben wir es mit einer Wundergeschichte zu tun. Dem ist widersprochen worden, besonders mit Hinweis darauf, daß ein Chorschluß fehlt, in dem die Volksmenge das erfahrene Wunder rühmt[15]. Es ist aber zu beachten, daß kein Heilungswunder oder Exorzismus vorliegt und diese Art Wunder ihre eigene Form entwickelt hat, die alttestamentlich vorgeprägt ist. Am nächsten kommen die Speisungswunder der Elija-Elischa-Tradition (1Kön 17,7–16; 2Kön 4,42–44)[16]. Um den mißverständlichen Begriff des Naturwunders zu vermeiden, empfiehlt es sich, von Geschenkwundern zu sprechen. Ihre Kennzeichnung liegt in einem Dreifachem: Sie entspringen der Spontaneität des Wundertäters, werden von den Beteiligten nicht erwartet und sind darum auch nicht durch eine Bitte ausgelöst. Wie das Wunder geschieht, bleibt unklar, denn der Vollzug des wunderhaften Ereignisses wird nicht geschildert. Dem entspricht schließlich, daß die Demonstration des geschehenen Wunders am Schluß betont ist. In unser Geschichte besteht sie im Einsammeln der Reste, die mehr ausmachen als die Vorräte am Anfang, und in der Angabe der Zahl der Mahlteilnehmer. Theißen[17] begründet die besondere Struktur der Geschenk-

[12] R. Schnackenburg, Das Johannesevangelium 2. Teil, 1971 (HThK), 21f, erblickt im johanneischen Speisungsbericht keinen eindeutigen Rekurs auf die Eucharistie.

[13] Kertelge, Wunder Jesu 136.

[14] Ob eine gegenseitige Beeinflussung der beiden Speisungsgeschichten in Kap. 6 und 8 vorliegt, erscheint fraglich. So Schenke, Wundererzählungen 230f.

[15] Van Iersel* 182f bringt das Fehlen des Chorschlusses in Verbindung mit der von ihm behaupteten Entwicklung der Geschichte zur Abendmahlskatechese und Kultlegende.

[16] Mit einer direkten Beeinflussung durch 2Kön 4,42–44 rechnen Heising* 18f; van Iersel* 182; Schenke, Wundererzählungen 228; R. H. Fuller, Die Wunder Jesu in Exegese und Verkündigung, Düsseldorf 1967, 65f.

[17] Wundergeschichten 111–113. Von einer kerygmatischen Wundergeschichte zu sprechen (Heising* 20), ist wahrscheinlich zu unscharf, da alle Wundergeschichten kerygmatisch sind.

wunder-Geschichten damit, daß sie keine Lebenspraxis oder Erfahrungsgrundlage als Hintergrund besitzen. Gehörten Heilungen und Exorzismus zur Erfahrungswelt des antiken Menschen, so läßt sich das von Geschenkwundern nicht sagen. Die vorliegende Speisungsgeschichte ist von mehreren alttestamentlichen Anspielungen und Motiven erfüllt, auf die in der Interpretation zu achten ist. Der biblische Hintergrund, die Rolle Jesu als eines jüdischen Hausvaters und stilistische Beobachtungen[18] lassen die Geschichte als der Tradition des palästinischen Judenchristentums zugehörig erkennen.

Erklärung 30 Nach der Einschaltung, die vom Täufermartyrium berichtete und die Zeit der Abwesenheit der Zwölf überbrückte, kehren die Ausgesendeten zu Jesus zurück. Damit hat Markus den Eindruck eines historisierenden Zusammenhangs hergestellt, es aber auch vermieden, daß Jesus in der Abwesenheit der Zwölf wirksam ist. Wenn nur an dieser Stelle bei Markus von den Aposteln die Rede ist, liegt noch nicht der titulare Gebrauch des Wortes vor. Ihr Gesendetsein wird nochmals aufgegriffen. Weil es aber eine einzigartige, die Tätigkeit Jesu unterstützende und fortsetzende Sendung war, läßt sich sagen, daß der titulare Gebrauch, den Lukas voll ausprägt, vorbereitet ist. Die textliche Überlieferung des Verses 30 weist bemerkenswerte Varianten auf, die zwar für die Rekonstruktion des markinischen Textes nicht in Frage kommen, aber anderweitig ausgewertet wurden. Einige Handschriften lesen: »Und sie berichteten ihm alles *und* was sie getan und gelehrt hatten«[19]. Dies dürfte so zu verstehen sein, daß die Jünger zuerst Jesus vom Tod des Täufers berichtet hätten. Der Syrosinaiticus bezieht sogar die gesamte Meldung auf den Täufer und läßt sie wahrscheinlich durch Boten – dann aus dem Täuferkreis – überbracht sein[20]. Der Rückzug Jesu in ein einsames Gebiet wäre dann als Flucht vor Antipas aufzufassen, wie Mt 14,13 es darstellt. Aus dem redaktionellen Markus-Rahmen lassen sich jedoch keine vormarkinischen historischen Materialien zurückgewinnen, wie es sich auch bestreiten läßt, daß die Gefährlichkeit der Lage für Jesus

31–33 bei Markus erkennbar sei (vgl. Lk 13,31)[21]. Nach Markus ist der Aufbruch in die Einsamkeit begründet mit der Absicht Jesu, den Jüngern etwas Ruhe und Erholung zu verschaffen. Dieser sehr menschliche Zug, der tatsächlich so etwas wie einen »Ansatz zur Biografie«[22] darstellt, darf nicht hintergründig gedeutet werden und ist von Mt 11,28 weit entfernt[23]. Typisch markinisch ist es, wenn

[18] Ungriechisch sind die Bezeichnung des Distributivs durch Wiederholung des Akkusativs in 39 und der Gebrauch des Wortes πρασιαί (Gartenbeete). Vgl. Bl-Debr § 158 und Wellhausen 50. In V 41 bezieht sich der Akkusativ τοὺς ἄρτους nur auf das Brechen des Brotes, nicht auf das Segensgebet (gegen Schenke, Wundererzählungen 231). Letzteres wäre unjüdisch, da das Segensgebet direkt an Gott gerichtet ist.

[19] Geboten von A Γ got.

[20] Der Text lautet: »und sie berichteten ihm alles, was *er* getan und gelehrt hatte«. Zum möglichen indefiniten Verständnis der Apostel (dann: Abgesandte) vgl. Schmidt, Rahmen 179f, der glaubt, daß Markus den V 30, der ursprünglich der Abschluß des Täuferberichtes gewesen sei, umfunktioniert habe.

[21] Vgl. Wellhausen 48f.

[22] Lohmeyer 123.

[23] Wendling, Entstehung 63f, meint, daß V 30 aus Mt 11,28 (= Q) gebildet sei.

eine anschauliche Erklärung geboten wird: so viele Menschen bedrängten sie, daß sie nicht einmal zum Essen kamen[24]. Die Abfahrt Jesu und der Jünger im Boot wird von vielen wahrgenommen. Das nunmehr geschilderte Zusammenströmen der Volksmenge aus allen Städten, die noch vor dem Boot am Zielort ankommt, schafft einfach die Voraussetzung für das Mahl der Fünftausend. Man darf nicht fragen, wie die große Volksschar das segelnde Boot überrunden und ihm zuvorkommen konnte, was offenkundig den Kopisten erhebliche Schwierigkeiten bereitete[25]. Das vorausankommende Volk steht im weiteren Kontext in einem merkwürdigen Gegensatz zu den Jüngern, denen es nicht gelingt, im Boot Jesus zuvorzukommen (6,45ff). Der Zielort bleibt als einsamer Ort reichlich unbestimmt. Nach Lk 9,10 war es Betsaida. Der Ort taucht bei Markus erst nach der Speisung in 6,45 auf. Als Zielpunkt der Überfahrt Jesu und der Jünger braucht nicht unbedingt an das Ostufer des Sees gedacht zu sein. Wegen der umliegenden Höfe und Dörfer kann auch die nördliche Seegegend gemeint sein[26].

34 Aus dem Boot steigend, wird Jesus der großen Volksmenge gewahr. Sein Erbarmen, in 8,2 durch den Hunger der Menschen motiviert, ist mehr als menschliche Zuneigung. Wie das Erbarmen im Alten Testament Eigenschaft Gottes ist[27], bekundet sich in Jesu Haltung die Zuneigung Gottes zu den Menschen. Die allgemeine Begründung bedient sich des Bildes vom Hirten und der Herde. Die hirtenlose Herde ist eine Vorstellung, die vielfältig eingesetzt werden kann. Sie trifft als Anklage die pflichtvergessenen Hirten (Ez 34,5; 1Kön 22,17) oder macht dem Volk die göttliche Strafe bewußt (Sach 13,7). Mose sorgt mit der Bestellung seines Nachfolgers Josua dafür, »daß die Gemeinde Jahwes nicht Schafen gleicht, die keinen Hirten haben« (Num 27,17). Da aber kein Zitat, sondern nur das verbreitete Bild vorliegt, bedeutet dies, daß Jesus der Hirt und dabei ist, das eschatologische Gottesvolk zu konstituieren. Nicht ist Jesus als zweiter Mose vorgestellt[28]. Die markinische Bemerkung, daß er das Volk zu lehren beginnt, deutet an, worin vor allem seine Hirtentätigkeit zu sehen ist. Damit ist das folgende Wunder in ein bestimmtes Licht gerückt und das Wunder der Lehre untergeordnet und eingefügt[29].

35–38 Die vorgerückte Stunde ist gegenüber 8,1ff eine Eigenheit dieses Berichtes. Sie ist die Zeit, da man die Hauptmahlzeit einzunehmen pflegt, und ist zusammen mit dem einsamen Ort der Anlaß für die Jünger, Jesus aufzufordern, die Menge

[24] Eine Anlehnung an LXX Ps 103,27 liegt wegen des seltenen εὐκαιρέω nicht vor. Vgl. vielmehr Mk 3,20.

[25] Dies erklärt die große Zahl der Textvarianten. Statt »sie kamen ihnen zuvor« in 33 lesen D it »sie kamen bei ihm zusammen«, L Θ »sie kamen zu ihnen« (αὐτούς bzw. αὐτοῖς), Koine-Text»sie kamen ihnen zuvor und versammelten sich bei ihm« usw.

[26] Schweizer denkt sogar an das Westufer.

[27] Vgl. R. Bultmann, ThWNT V,475–479.

[28] Anders Heising* 52; Friedrich* 16. Ebensowenig bildet das Mannawunder wie in Joh 6,31 eine Analogie zur Speisungsgeschichte. Wachteln können als Speise aus dem Meer (Weish 19,11f) nicht ohne weiteres durch Fische ersetzt werden. Die Fische sind die Nahrung am See. Anders Schenke, Wundererzählungen 229.

[29] Mt 14,14 berichtet in diesem Zusammenhang von Jesu Heilungen, Lk 9,11 von seiner Lehr- und Heilungstätigkeit.

zu entlassen. In der Umgebung sind Gehöfte und Dörfer, wo man sich etwas zu essen kaufen könnte. Es besteht darum keine Gefahr, die Leute könnten verhungern, und keine Notwendigkeit, helfend einzugreifen. Die Entlassung wird verschoben (6,45). Der Befehl, die Jünger sollten den Leuten zu essen geben, ist eine Herausforderung ihres Glaubens. Ihre Reaktion ist keine »dreiste Gegenfrage«[30], sondern Ausdruck ihres Unverständnisses. Die zweihundert Denare – ein Denar war der übliche Tageslohn für einen Lohnarbeiter – für den zu beschaffenden Proviant übersteigen wahrscheinlich die Reisekasse der Jüngerschaft, wie sie die anwesende Menge unterschätzen. Man darf aus ihnen aber nicht schließen, daß die Zahl der anwesenden Leute weit niedriger wäre, als in Vers 44 angegeben[31]. Das Interesse des Erzählers haftet nicht an einem Ausgleich der Zahlen, sondern daran, die Jünger in den Vordergrund zu rücken. Aufgefordert festzustellen, wieviel Lebensmittel sie bei sich haben, teilen sie Jesus mit, daß es fünf Brote und zwei Fische sind. Dieser Proviant würde selbst für die Jüngerschaft kaum ausreichen. Die Brote, aus Weizen oder Gerste bereitet, sind der Hauptbestandteil des jüdischen Mahles[32]. Gerstenbrot, von dem Joh 6,9 spricht, ist das Brot der Armen. Markus gibt keine nähere Bezeichnung des Brotes. Fische, die geröstet oder gesalzen wurden, bilden die am See übliche karge Zutat.

39–40 Gebieterisch läßt Jesus das Volk sich lagern und Tischgemeinschaften bilden und leitet damit, für die Jünger unerwartet, ein Mahl ein. Das Sich-niederlassen in Tischgemeinschaften deutet die Ordnung und Festlichkeit der Mahlsituation an. Auffällig bleibt dennoch, daß die Mahlteilnehmer sich vor dem Tischgebet niedersetzen, da das Gebet stehend verrichtet wurde. Dies dürfte erneut ein Hinweis darauf sein, daß die Jünger im Vordergrund stehen. Das grüne Gras, auf das man sich lagert, hat zu verschiedenen Spekulationen Anlaß gegeben. Es wurde als historische Reminiszenz herausgestellt[33] oder als Symbol der messianischen Zeit, in der die Wüste sprossen würde[34], oder als Anspielung auf Ps 23,2 »auf grünen Auen läßt er mich lagern« gewertet[35]. Vielleicht dient es nur dazu, die Buntheit und Fröhlichkeit des Mahles zu unterstreichen. Die bunt gemischten Tischgemeinschaften erscheinen wie Gartenbeete, hingetupft auf den grünen Grund. Das Bild von den Gartenbeeten läßt sich auch in der rabbinischen Literatur nachweisen[36]. Die Aufgliederung in Hundert- und Fünfzigschaften erinnert an die Wüstengeneration des Mose, da es Richter und Führer über 1000, 100, 50 und 10 gab (Ex 18,25; Num 31,14). Das Bild aber bedeutet nicht, daß die Jünger zu solchen Führern über das Volk bestellt würden.

[30] Klostermann.

[31] Nach Haenchen, Weg 279, setzt V 37 voraus, »daß die Zahl der Hungrigen erheblich unter 1000 liegt«.

[32] Vgl. Billerbeck I,683.

[33] Schmidt, Rahmen 191, fügt das Ereignis wegen des grünen Grases in die Paschazeit ein.

[34] Friedrich* 18–20; vgl. Jes 35,1f; sBar 29,5–8; Billerbeck III,407.

[35] Van Iersel* 188; Kertelge, Wunder Jesu 134.

[36] Billerbeck II,13: »Wenn Gelehrtenschüler dasitzen wie lauter Gartenbeete und sich mit der Tora beschäftigen, dann fahre ich hernieder zu ihnen«.

Auch in der Qumrangemeinde versteht man sich als wohlgefügte Gemeinschaft, die in Gruppen zu 1000, 100, 50 und 10 geordnet ist. Dies gilt für die gegenwärtige Existenz der Gemeinde, insbesondere aber für die Zeit des eschatologischen Krieges (1QS 2,21f; Dam 13,1; 1QM 4,1–5.16f; 1QSa 1,14f.28f) und wird sogar für das messianische Mahl der Endzeit angedeutet[37]. Man wird darum in der eigens erwähnten Tischordnung der 100 und 50 den Gedanken des Gottesvolkes erblicken dürfen. Vers 34 bestätigt diese Sicht. Das endzeitliche Gottesvolk konstituiert sich nicht im Krieg, sondern dadurch, daß Jesus ihm seine Tischgemeinschaft gewährt.

41 Statt einer Beschreibung der Wunderhandlung folgt eine Beschreibung der Rolle Jesu als des Hausvaters der versammelten Tischgemeinschaft. Das jüdische Mahl wurde mit einem an Gott gerichteten Segensgebet, das der Mahlvorsitzende sprach, eröffnet und geschlossen. Das Eröffnungsgebet begann mit den Worten: »Gepriesen bist du, Jahwe unser Gott, König der Welt« und wurde je nach den verschiedenen vorliegenden Speisearten verschieden fortgesetzt. Beim Brot konnte die Fortsetzung lauten: »Der du das Brot aus der Erde hervortreten läßt«. Mit dem Brechen der tellergroßen und fingerdicken Brote verteilte der Hausvater diese an die Tischgenossen und aß als erster vom Brot[38]. Jesus verhält sich darum hier genau so, wie es bei einem jüdischen Gemeinschaftsmahl üblich war. Nur übernehmen die Jünger das Vorsetzen der Brote und Fische, was sich bei der großen Zahl der Teilnehmer nahelegt. Der Aufblick zum Himmel ist Gestus des Lob- und Dankgebetes (Joh 11,41; 17,1). Immer wieder ist die Meinung vertreten worden, das Verhalten Jesu gleiche dem beim letzten Abendmahl. Darum werde die Speisungsgeschichte transparent im Hinblick auf die Eucharistiefeier der Gemeinde und sei als Eucharistiekatechese zu werten. Dieses Urteil ist recht unsicher[39]. Weder Markus noch die vormarkinische Tradition hat sich um eine Angleichung an die Abendmahlsüberlieferung Mk 14,22f bemüht. Der Evangelist interpretiert in 8,14–21 die Speisungsberichte als Jüngergeschichten und nicht als Abendmahlskatechese. Die Mahlsubstanzen sind unterschiedlich. Hier fehlt der Wein, beim Abendmahl fehlen die Fische. Letzteres gewinnt seine Besonderheit in den Deuteworten. Die Übereinstimmungen wurzeln im jüdischen Tischzeremoniell. Man wird die Speisung im Kontext der Tischgemeinschaft sehen müssen, die der irdische Jesus Menschen gewährte. Die Speisungsgeschichte steht in derselben Relation zur Eucharistiefeier wie die Tischgemeinschaft mit dem irdischen Jesus zu dessen letztem Abendmahl. 42–44 Alle bekommen von den wenigen Broten und Fischen und werden gesättigt. Das Aufsammeln der übriggebliebenen Re-

[37] Beim endzeitlich-messianischen Mahl, bei dem die beiden Messiasse zugegen sind, herrscht strenge Lagerordnung (1QSa 2,11–22).

[38] Vgl. Billerbeck IV,620–622.

[39] Befürworter sind van Iersel* 179f; Tagawa, Miracles 137f; Kertelge, Wunder Jesu 134f; Heising* 63; Denis*, Shaw*. Ablehnend sind Boobyer*; Roloff, Kerygma 245–247; Pesch I,352. Vgl. Apg 27,35, die Schilderung eines nichteucharistischen Mahles. Hier fehlt nur das Austeilen, weil es sich um das Mahl eines einzelnen handelt.

ste ist Bestandteil der jüdischen Mahlzeit und will dort verhindern, daß etwas verkommt[40]. Hier demonstriert es das vollkommene Wunder und dessen Größe, denn das Übriggebliebene macht weit mehr aus als die fünf Brote und zwei Fische, die am Anfang da waren. Die zwölf Körbe veranschaulichen die Fülle des Segens, den Jesus geschenkt hat. Auf sehr unsicheren Boden begibt man sich bei einer symbolischen Deutung der Zahlen[41]. Obwohl sich ein Bezug auf die zwölf Jünger nahelegen könnte, wird dieser nicht den Intentionen des Erzählers entsprechen. Die abschließende Bemerkung, daß 5000 Männer am Mahl teilgenommen hätten, hat gleichfalls die Funktion, die staunenerregende Größe des Geschehens zu unterstreichen. Es soll nicht gesagt sein, daß es ein Mahl der Männer war (vgl. Mt 14,21). Es gibt auch keinen Hinweis darauf, daß die Tischgäste Juden gewesen seien (und die in 8,1ff Heiden). Nur daß sie sich alle des Mahles erfreuen durften, bleibt am Ende der Eindruck.

Historische Beurteilung

Die historische Beurteilung der wunderbaren Speisung hat wiederholt bei einer Korrektur der Zahlen am Ende eingesetzt. Schon Wellhausen stellte fest: »Das Wunder verschwindet mit den Zahlen, die in der mündlichen Überlieferung regelmäßig entarten«. Was bleibe, sei die Teilnahme des Volkes an der Mahlzeit, die Jesus sonst mit seinen Jüngern gehalten habe[42]. A. Schweitzer hält bis auf die Schlußbemerkung, daß alle satt wurden, das Geschehnis für historisch in dem Sinn, daß die Volksmassen von Jesus geweihte Speise empfingen. Ohne daß sie es wußten, seien sie durch den Empfang des Stücklein Brotes zu Anwärtern für die Teilnahme am kommenden messianischen Mahl geworden. Weil Jesus der Messias ist, sei dieses Mahl zum Antityp des messianischen Mahles und »Sakrament der Errettung« geworden. In der Überlieferung sei das Geschehnis zum Wunder umgebildet worden[43]. Die zelotische Jesus-Interpretation erblickt im Mahl einen politischen Vorgang. Jesus habe das Volk in die Wüste geführt, um ihm in der Wiederholung des Mannawunders ein Vorzeichen der politischen Befreiung zu geben und es in Unabhängigkeit neu zu begründen[44]. Von den Berichten von Mahlzeiten des Auferstandenen mit den Jüngern her deutet Roloff die Speisungsgeschichte als Rückerinnerung an die Gemeinschaft mit dem irdischen Jesus. Wie die Auferstehungsgeschichten davon berichten, daß die zerbrochene Gemeinschaft erneuert wird, und sie damit auf die vorösterliche Mahlgemeinschaft verweisen, sei die Speisungstradition eine bewußt überhöhende und in den Rahmen der vorösterlichen Situation eingezeichnete Darstellung dieses zentralen Zuges der Mahlgemeinschaft[45]. Die Andeutung des historischen Hintergrundes der Speisungsgeschichte hat nochmals deren theologisch-biblischen Motive in Erinnerung zu rufen. Diese waren das Hirtenmotiv, das im Zusammenhang mit den geordneten Tischgemeinschaften die Idee des sich konstituierenden Gottesvolkes insinuierte. Die

[40] Billerbeck I,687f.

[41] Heising* 54 deutet die 12 auf die zwölf Apostel, die fünf Brote auf die fünf Bücher des Gesetzes.

[42] 50. Vgl. Taylor 321.

[43] Leben-Jesu-Forschung 421–424.

[44] Eisler, ΙΗΣΟΥΣ II,249; vgl. H. Montefiore, Revolt in the Desert? NTS 8 (1961/62) 135–141.

[45] Kerygma 261–264.

Mose- bzw. Mannatypologie konnten wir nicht ermitteln, dafür aber die Vorgabe der Geschenkwunder der Elija-Elischa-Tradition, insbesondere 2Kön 4,42–44[46]. Der historische Hintergrund sind die von Freude erfüllten Mähler, die Jesus mit Menschen aller Schichten gehalten hat und die die Freude der Heilszeit zur Anschauung bringen sollten. Ob die Speisungstradition eine Verdichtung dieser messianischen Mahlgemeinschaft ist oder ob sie zusätzlich ein besonderes Ereignis, das eine große Volksmenge miteinbezog, reflektiert, ist schwer zu entscheiden, letzteres aber ist doch sehr wahrscheinlich. Nachösterlich steigerte sich dann die Erinnerung zu einer Überbietung der Elischa-Tradition in einem Bericht, wonach Jesus als endzeitlich-messianischer Profet der Ernährer seines Volkes ist.

Zusammenfassung

Für Markus ist die Geschichte erneut ein Mittel, den großen Zulauf des Volkes zu Jesus darzustellen. Die Menschen kommen, obwohl sich Jesus ihnen entziehen wollte. Die in der Wundererzählung enthaltenen Züge kommen dem Wunderverständnis des Evangelisten entgegen, insofern das Volk das machtvolle Geschehnis nicht wahrzunehmen scheint und die Jünger als die Unverständigen auf den Plan treten. Ist letzteres in der Geschichte von untergeordneter Bedeutung, so wird es für Markus wichtig (6,52; 8,19–21). Die Hilflosigkeit des Menschen, der in das Offenbarungsgeschehnis hineingenommen wird, wird für ihn Ausdruck eines verstockten Herzens. So bleibt die im Wunder sich vollziehende Offenbarung in der Schwebe. Nur als Wundertäter bliebe Jesus nicht richtig beurteilt. Darum stellte Markus vor die Machttat die Lehre Jesu. Im Evangelium, das den gesamten Weg Jesu umfaßt, hat auch dieses Wunder seinen ihm angemessenen Ort.

Wirkungsgeschichte

Im Verständnis der Speisungsperikope lassen sich bei den alten Auslegern zwei Richtungen unterscheiden. Die eine, die gleichzeitig die ältere ist, setzt die Geschichte in eine Allegorie um. Eine eigene Prägung gewinnt die ja auch sonst in der vorreformatorischen Zeit verbreitete allegorische Interpretation nur dadurch, daß sie bei den Zahlenangaben ansetzt. Die fünf Brote werden auf die fünf Bücher Moses gedeutet, die zwölf Körbe auf die zwölf Apostel, die zwei Fische auf das Psalterium und die Profeten oder das Evangelium und den Apostolos (= das Neue Testament)[47]. Somit wird die Speisung zu einem umfassenden Bild für die Weltkirche[48], in der die Apostel im Auftrag Christi das Brot der Predigt an die Menschen austeilen, wobei das Gesetz in das Evangelium, der Alte in den Neuen Bund verwandelt ist. Erstaunlich ist, daß der Gedanke an die

[46] Heising* 53f möchte den Anschluß an 2Kön 4,42–44 über die rabbinische Interpretation der Elischa-Geschichte in bKeth 106a (bei Billerbeck II,479) und eine gekünstelt wirkende Zahlenspekulation herstellen. In bKet 106a kommt ein Brot auf 100 Mann, in Mk 6,34ff dagegen ein Brot auf 1000. Die synoptische Erzählung habe das rabbinische Elischa-Vorbild um das Zehnfache steigern wollen. Es ist kaum anzunehmen, daß die synoptische Tradition die rabbinische Geschichte gekannt hat. Sie stammt aus dem 4. Jahrhundert n. Chr.

[47] Beda, PL 92,193f; Theophylakt PG 123,556f. Die auch heute noch vertretene Allegorese (s. oben Anm. 41) setzt also eine alte Tradition fort, die allerdings exegetisch fragwürdig ist.

[48] Beda: per orbem ecclesia.

Eucharistie in den Hintergrund tritt bzw. gar nicht aufkommt. Wenn Beda in diesem Zusammenhang vier Mähler aufzählt, das Mahl der 5000, der 4000, das Mysterium des Fleisches und Blutes Christi, den Tisch im Reiche Christi, deutet er einen Konnex an, ohne ihn jedoch für die Interpretation des Textes fruchtbar zu machen. Die zweite Auslegungsrichtung, die durch die Reformatoren eingeleitet wird, neigt zu einem moralischen Verständnis des Ganzen. Ist für Erasmus im Wunder noch den Aposteln die Form vorgegeben, »die Volksmenge mit der Nahrung der Predigt des Evangeliums zu weiden«[49], so sieht Calvin in ihm die Bestätigung dafür, daß Christus sein Hirtenamt auch auf die Fürsorge für den Leib ausdehnt. Er dulde nicht, daß den Seinen die nötigsten Mittel für das Leben fehlen. Das Gebet Christi wird zum Vorbild, »daß wir nur dann unsere Speise unsträflich rein genießen können, wenn wir Gott, dessen Hand uns versorgt, unseren Dank bezeugen«[50]. Die übriggebliebenen Brocken tun kund, daß Christus uns auch in einer künftigen Notzeit versorgen kann. Nahezu rationalistische Züge nimmt die Auslegung an, wenn die Brocken zum Saatgut in Beziehung gebracht werden, das beim jährlichen Ernteertrag auf den Feldern neben der Nahrung übrigbleibt[51]. Prinzipiell sind damit die rationalistischen Erklärungen des 19. Jahrhunderts vorbereitet. Einige haben wir bereits oben geboten[52]. Zu ihnen ist jene Interpretation zu rechnen, die meint, Jesus habe das Wenige, das er besaß, so freudig verteilt, daß auch die anderen ihre Vorräte aus der Tasche zogen und alle gesättigt wurden[53]. Die rationalistischen Erklärungen werden dem Verkündigungsanliegen der Perikope sicher nicht gerecht. Im vergangenen Jahrhundert setzte auch, vor allem mit den Forschungen von D. F. Strauß, das Aufspüren alttestamentlicher Motive in der Erzählung ein. Strauß führt bereits nahezu alle Motive an, die bis heute immer wieder genannt worden sind: Ps 107,4–9, das Wachtel- und Mannawunder der Mosezeit, die Geschenkwunder der Elija- und Elischatradition[54]. Die außerordentliche Vielfalt der Meinungen bezeugt das große Interesse, das die Speisungsgeschichte stets gefunden hat. Der praktische Ausleger wird sich bei der Auswertung der Perikope im Sinn ihrer Tradition und Redaktion auf zwei Gedanken zu konzentrieren haben: Jesus offenbart sich als der geistige Ernährer der Menschen, der in der Aufnahme in seine Gemeinschaft das eschatologische Gottesvolk schafft. Die Jünger, die zu Zeugen der Offenbarung werden, begreifen nicht.

[49] VII,207.
[50] II,23.
[51] 24.
[52] S. 262.
[53] H. E. G. Paulus, Das Leben Jesu als Grundlage einer reinen Geschichte des Urchristentums, Heidelberg 1828, zitiert nach Schweitzer, Leben-Jesu-Forschung 53. Eine etwas anders gelagerte rationalistische Erklärung trägt R. Otto, Reich Gottes und Menschensohn, München ^{3}1954, 299f, vor, wonach Jesus als Charismatiker das Vermögen besessen habe, »durch seinen Segen zu bewirken, daß geringe Speise genügt, den Hunger vieler zu stillen . . .«
[54] Das Leben Jesu für das deutsche Volk bearbeitet, Leipzig 1864, 496–506.

4. *Jesus wandelt im Sturm über das Meer (6,45–52)*

Literatur: Kreyenbühl, J., Der älteste Auferstehungsbericht und seine Varianten, ZNW 9 (1908) 257–296; *Hegermann, H.*, Bethsaida und Gennesar. Eine traditions- und redaktionsgeschichtliche Studie zu Mc 4–8, in: Judentum – Urchristentum – Kirche (FS J. Jeremias), 1964 (BZNW 26) 130–140; *Denis, A.-M.*, La marche de Jésus sur les eaux, in: De Jésus aux Évangiles (FS J. Coppens), 1968 (BEThL 25) 171–179; *Snoy, T.*, La rédaction marcienne de la marche sur les eaux (Mc 6,45–52), EThL 44 (1968) 205–241.433–481; *Kremer, J.*, Jesu Wandel auf dem See nach Mk 6,45–52, BiLe 10 (1969) 221–232; *Quesnell, Q.*, The Mind of Mark. Interpretation and Method through the Exegesis of Mk 6,52, 1969 (AnBib 38); *Kertelge*, Wunder Jesu, 145–150; *Schenke*, Wundererzählungen, 238–253; *Koch*, Bedeutung, 104–108.

45 **Und sogleich drängte er seine Jünger, in das Boot einzusteigen und an das andere Ufer nach Betsaida vorauszufahren, während er selbst die Volksmenge entließ.** 46 **Und als er sie verabschiedet hatte, zog er sich auf einen Berg zurück, um zu beten.** 47 **Und als es Abend geworden war, war das Boot mitten auf dem Meer und er selbst allein an Land.** 48 **Und als er sah, wie sie sich beim Rudern quälen – sie hatten nämlich Gegenwind –, kommt er um die vierte Nachtwache zu ihnen, über das Meer wandelnd. Und er wollte an ihnen vorübergehen.** 49 **Als sie ihn aber über das Meer wandeln sahen, meinten sie, es sei ein Gespenst, und sie schrien auf.** 50 **Denn alle sahen ihn und gerieten in Verwirrung. Er aber redete sogleich mit ihnen und spricht zu ihnen: Faßt Mut, ich bin es, fürchtet euch nicht!** 51 **Und er stieg zu ihnen in das Boot, und der Wind legte sich. Und innerlich waren sie über die Maßen bestürzt.** 52 **Denn sie hatten bei den Broten keine Einsicht gewonnen, sondern ihr Herz war verstockt.**

Analyse

Die Perikope ist an ihrem Anfang unklar. Jesus nötigt die Jünger, in das Boot einzusteigen, und entläßt die Volksmenge. Anschließend heißt es, daß er sich von ihnen verabschiedete. Damit können aber nur die Jünger gemeint sein, obwohl sich die Aussage nach dem vorliegenden Text auf die Menge bezieht. Dies bedeutet, daß das Sätzchen, »während er die Volksmenge entließ« ein Einschub ist, der die Perikope enger an die voraufgehende binden will. Er ist dem Evangelisten zuzuschreiben, der auch das Wort »sogleich« und die Wendung »an das andere Ufer« eingefügt haben dürfte[1]. Schon hier stellt sich die Frage, ob der Seewandel Jesu bereits vormarkinisch mit der Speisung der Fünftausend verknüpft war. Sicher sind die beiden Geschichten von Haus aus

[1] πέραν ist Vorzugswort des Mk (7mal) und in mk Editorial sentences (6mal). Sein Gesamtvorkommen in den synoptischen Evangelien beträgt nach der Zählweise Gastons 9mal. Die ungewöhnliche doppelte Ortsangabe in 45 bestätigt den sekundären Charakter der ersten. Kertelge, Wunder Jesu 145, läßt es offen, ob die Entlassung der Menge Mk-R oder vormarkinische Redaktion ist.

selbständig[2]. Daß die Jünger von Jesus ins Boot gedrängt werden, um ohne ihn abzufahren, ist als Perikopenbeginn voll verständlich. Die Trennung von Jüngergruppe und Jesus ist für das folgende Geschehnis unerläßlich. Dennoch ist zu vermuten, daß Seewandel und Speisung schon vormarkinisch verbunden waren. Dies wird durch Joh 6,1–21 nahegelegt, wo dieselbe Verknüpfung vorliegt. Hier haben wir auch den Rückzug Jesu auf den Berg, der allerdings anders motiviert ist (Joh 6,15). Das Reiseziel Betsaida ist ein anderes als das erreichte Ziel Gennesaret (Mk 6,53). Nach Lk 9,10 ist Betsaida der Ort der Speisung und nach Joh 6,17.24 kommt das Boot nach der Überfahrt in Kafarnaum an. Betsaida erreicht das Boot nach einer weiteren Überfahrt (Mk 8,22), die an die zweite Speisungsgeschichte – freilich nicht unmittelbar – anschließt. Die Differenz zwischen 45 (Betsaida) und 53 (Gennesaret) ließe sich auf verschiedene Weise lösen: 1. »nach Betsaida« in 45 ist redaktionell. 2. Der Erzähler wollte den Eindruck erwecken, daß das Boot wegen des Sturmes das ursprüngliche Ziel nicht erreichte. 3. Vers 53 ist redaktionell. Wir bevorzugen Lösung 3, da einerseits Dorf- und Stadtnamen in der Regel in unserem Evangelium traditionell sind und anderseits die erwogene Absicht (Lösung 2) eine Pointe der Erzählung, daß nämlich Jesus seinen Jüngern hilft, schmälern würde[3].

Vers 48a führt das Sturmmotiv ein. Der Sturm bringt die Jünger in arge Bedrängnis. Das unerwartete Erscheinen Jesu gereicht ihnen zur Hilfe. Der Sturm legt sich, als Jesus das Boot besteigt (51b). Diese an 4,35–41 erinnernde Szene ist als sekundäre Erweiterung anzusehen. Dies läßt sich daran erkennen, daß Jesus nach 48b an ihnen vorübergehen wollte. Der Seewandel wurde demnach sekundär zu einer Szene der Hilfe für die Jüngerschaft ausgeweitet[4]. Geschah diese Erweiterung um 48a und 51b auf einer vormarkinischen Traditionsstufe, so ist schwer zu entscheiden, ob 51c ähnlich zu beurteilen ist[5]. Die gesteigerte Bestürzung der Jünger hebt sich von der in 50 ab. Sollte 51c nicht erst markinische Redaktion sein, so gewinnt dieser Teilvers durch 52, der sicher dem Evangelisten verdankt ist, eine veränderte Bedeutung. Der Schwerpunkt rückt jetzt auf das Jüngerunverständnis, das typisch markinisch ist. Inhaltlich lehnt sich der Tadel an 8,17–21 an. In 50 unterbricht der Anfang »denn

[2] Zu Recht betont von Schenke, Wundererzählungen 238. Eine Inkonzinnität besteht in den Zeitangaben. Die vorgerückte Stunde von 6,35 dürfte die gleiche Zeit meinen wie die Abendstunde in 6,47. Dazwischen ist aber vieles geschehen. Diese Beobachtung bestätigt, daß beide Geschichten von Haus aus selbständig sind.

[3] Zu V 53 vgl. unten S. 271f.

[4] Schon Bultmann, Geschichte 231. Wendling, Entstehung 82, betont die Übereinstimmung in den Motiven zwischen 6,45–51 und 4,35–41. Lohmeyer 131f sieht zwei Geschichten in 6,45–51 verwoben, die Epifanie Jesu auf dem Wasser und Jesus als Helfer in Seenot. Was aber für die zweite Geschichte übrigbleibt, reicht für eine selbständige Tradition nicht aus. Theißen, Wundergeschichten 187, bemerkt zutreffend, daß eine Seegeschichte leicht das Sturmmotiv aus sich heraus entwickeln konnte.

[5] Für Mk-R Schenke, Wundererzählungen 241, für Tradition Koch, Bedeutung 105. Das Außer-sich-geraten als Reaktion auf das Wunder der Hilfe ist stilgemäß.

alle sahen ihn« den gedanklichen Fluß[6]. Er ist Markus zuzuschreiben, der die Realität der Erscheinung absichern wollte.
Somit ergibt sich folgender Entstehungsprozeß: die älteste Fassung berichtete von der Trennung der Jünger und Jesu, seinem Gebet auf dem Berg, der einsamen Fahrt der Jünger, dem Seewandel Jesu, dem Erschrecken der Jünger, der an sie gerichteten Rede Jesu und seinem Einstieg in das Boot. Später tritt das Sturmmotiv hinzu, das die Fahrt der Jünger beschwerlich macht, sowie die Beruhigung des Sturmes (48a.51b.51c?). Markus schließlich macht die Fahrt zu einer Fahrt »an das andere Ufer«, läßt Jesus die Volksmenge entlassen (Zusätze in 45), betont, daß alle den seewandelnden Jesus sahen (in 50) und unterstreicht die negativ-ungläubige Reaktion der Jünger (51c? 52).
Der Form nach läßt sich der Grundstock der Überlieferung nur schwer in die synoptischen Wundergeschichten einordnen. Weder ist hier von einer dem Menschen gewährten Hilfe noch von einer Bezwingung dämonischer Gewalten die Rede. Weil der Angelpunkt der Überlieferung in der Offenbarung Jesu liegt, ist sie als Epifaniegeschichte näher zu bestimmen. Andere Elemente, die auch in alttestamentlichen Epifaniegeschichten begegnen und in der Interpretation aufzuzeigen sind, verstärken diesen Eindruck. Erzählte die Geschichte ursprünglich von einer Erscheinung des Auferstandenen, das heißt, haben wir es mit einer Ostergeschichte zu tun, die nachträglich in das Leben des irdischen Jesus zurückdatiert wurde[7]? In der Tat besitzt die Tradition darin, daß die Jünger Jesus nicht erkennen und meinen, ein Gespenst zu sehen, und daß Jesus sich ihnen zu erkennen geben muß, bemerkenswerte Parallelen zu den Erscheinungsgeschichten (besonders zu Lk 24,37). Auch könnte die Bemerkung, daß er am Ufer ist und die Jünger sich im Boot auf dem See befinden, an Joh 21,4 erinnern. Das Besondere der Geschichte aber, der Seewandel, empfiehlt es, die Überlieferung als eine von vornherein auf den irdischen Jesus bezogene anzusehen. Als Heimat der Überlieferung vom Seewandel Jesu ist das hellenistische Judenchristentum anzusprechen. Das wird durch zahlreiche biblische Anspielungen und die im Hellenismus nachweisbare Vorstellung, daß göttlich begabte Menschen über das Wasser schritten, nahegelegt. Die Überlieferung wollte Jesus als den schildern, der sein übernatürliches Wesen vor seinen Jüngern offenbart. Auf einer sekundären Stufe nimmt die Epifanie die Züge einer Wundergeschichte an. Der seewandelnde Jesus kommt den Jüngern zu Hilfe. In dieser Form fand Markus die Geschichte verbunden mit der Speisung der Fünftausend vor und war sie auch mit letzterer vereinbar.

Erklärung 45–47

Die Perikope besitzt eine verhältnismäßig umfangreiche Exposition. Wenn Jesus die Jünger nötigt, in das Boot einzusteigen, hat dies mit der Speisung der Fünftausend nichts zu tun. Joh 6,15 darf nicht in das Markusevangelium hin-

[6] Für Mk-R spricht der für den Evangelisten typische eingeschobene Begründungssatz und seine Bevorzugung des πᾶς, das hier eine unerwartete Subjektbezeichnung ist.
[7] So Kreyenbühl*; Bultmann, Geschichte (Ergänzungsheft, zu S. 231).

eingelesen werden, als müsse sich Jesus vor der Menge und ihren Wünschen schützen. Dort fahren die Jünger auch von sich aus mit dem Boot ab. Die Nötigung will vielmehr das folgende Geschehnis vorbereiten. Es ist eine Ausnahme, die für die nächtliche Begegnung auf dem Meer erforderlich ist, daß Jesus nicht mitfährt. Ziel der Vorausreise der Jüngergruppe ist Betsaida, das hier zum erstenmal erwähnt wird und als Heimat des Petrus und Andreas bekannt ist (Joh 1,44). Es lag nordöstlich des Sees Gennesaret, östlich des Jordan und kurz vor dessen Einmündung in den See. Seine Identifizierung mit Julias, der von Philippus noch wahrscheinlich vor der Zeitenwende neugegründeten Stadt, ist umstritten, aber zu vermuten[8]. Betsaida war außerhalb des Herrschaftsgebietes des Herodes Antipas gelegen, der den Täufer hatte hinrichten lassen. Daß sich hinter der Absicht Jesu, dorthin zu gehen, eine historisch zutreffende Erinnerung verbirgt, dürfte zu bejahen sein[9]. Markus allerdings läßt Jesus gleich wieder im Gebiet des Antipas auftreten (6,53ff). Nachdem Jesus die Volksscharen entlassen und sich von der Jüngerschaft verabschiedet hat, besteigt er einen Berg, um zu beten. Wenn sein einsames Gebet, das schon von 1,35 her bekannt ist, auf einem Berg erfolgt, leitet dies die Offenbarungsszene ein. Im Alten Testament ist es Gott, der sich vom Gebirge her offenbaren kann (Dtn 33,2; Hab 3,3). Als der Abend und damit die Dunkelheit hereinbricht, sind die Jünger mitten auf dem Meer[10].

48 Das wunderbare Ereignis hebt damit an, daß Jesus die Jünger beim Rudern im Sturm sich abquälen sieht. Sein Blick nimmt auch von ferne ihre Not wahr[11]. Damit ist der Akzent auf die Jüngergruppe verlegt, die der Hilfe bedarf. Dies gilt unabhängig davon, ob das verwendete Verb βασανίζω eine Anspielung auf die eschatologische Drangsal ist oder nicht[12]. Die Erzählung kehrt zu Jesus zurück, der in der vierten Nachtwache über das Meer schreitet. Da das Alte Testament nur drei Wachen der Nacht kennt, ist Rücksichtnahme auf die römische Zählung zu vermuten, nach der die Nacht in vier Wachen zerfällt[13]. Die vierte war von 3 bis 6 Uhr morgens. Der Abstand vom Abend (47) bis zur Morgendämmerung darf nicht chronografisch gemessen werden. Die Zeit vor dem

[8] Vgl. Schürer II,208f; Abel, Géographie II,279f.

[9] Vgl. Wellhausen; Hegermann*. Eine zeitweilige Flucht Jesu aus dem Herrschaftsbereich des Antipas gehört an das Ende seiner galiläischen Tätigkeit.

[10] Wenn p45 D λ it πάλαι = schon, schon lange, hinzufügen, wird dies die im folgenden geschilderte Schwierigkeit der Jünger, gegen die Wellen voranzukommen, unterstreichen wollen.

[11] Die Fähigkeit der Fernsicht wird auch Apollonius von Tyana nachgesagt. Vgl. Philostrat, Vita Apoll. 5,30; 8,26 und Petzke, Traditionen 176.

[12] Dies meint Schenke, Wundererzählungen 250, Anm. 766, mit Berufung auf Offb 9,5; 11,10; 12,2; 14,10; 20,10. Das Verb wird aber hier sehr unterschiedlich gebraucht, wie es bereits in Mk 5,7 vorkommt.

[13] Vgl. Billerbeck I,688–691. Daß Apg 12,4 die Zählung nach vier Nachtwachen voraussetzt, kann kaum als sicher gelten. JosAnt 18,356, erwähnt gleichfalls die vierte Nachtwache. Rabbi Eliezer (ca. 90 n. Chr.) vertritt widerspruchslos die Meinung, daß beim nächtlichen Wachtdienst im Tempel drei Wachen gezählt wurden. Eine rabbinische Kontroverse, ob drei oder vier Wachen zu zählen seien, gibt es erst im zweiten Jahrhundert. Vgl. Tos, Ber 1,1.

Morgen ist die Zeit der Hilfe Gottes. So heißt es in Jes 17,14 über die Völker, die Israel vernichten wollen: »Zur Abendzeit, siehe da Schrecken, bevor noch der Morgen graut, sind sie nicht mehr« (vgl. Ps 46,6)[14]. Für Markus ergibt sich vielleicht eine Brücke zu 13,35, wo die vier Nachtwachen aufgezählt werden, um die Ungewißheit darüber zu schildern, wann der Herr zur Parusie wiederkehren wird. Der Seewandel Jesu besitzt Analogien im Hellenismus und Alten Testament. Lukian, Philops. 13, berichtet von einem Hyperboreer, der auf dem Wasser wandeln kann. Dio Chrysostomos 3,30 rühmt dem Xerxes nach, er habe die Fähigkeit, über das Meer zu wandern[15]. Näher aber liegen biblische Parallelen, da die hellenistischen den Offenbarungsgedanken völlig vermissen lassen[16]. Dabei kommen weniger die Beispiele aus der Elija-Elischa-Tradition in Frage – beide Propheten schlagen mit dem Mantel auf den Jordan und durchschreiten diesen (2Kön 2,7f.14f) – als vielmehr die Exodustradition. Während Jes 43,16 den Durchzug durch das Meer preist, ist in Ps 77,20 von Gottes Pfad durch gewaltige Wasser die Rede. Am nächsten aber kommt Ijob 9,8, wo Gott derjenige heißt, der auf des Meeres Höhen – bzw. nach dem LXX-Text – der über das Meer wie über festes Land schreitet. Die Fähigkeiten des Gottes der Bibel sind somit auf Jesus übertragen. Bei der Begegnung mit dem Boot der Jünger wollte er an diesen vorübergehen. Der Vorübergang Gottes ist auch in Ex 33,19–23; 34,6; 1Kön 19,11 als seine Epifanie aufgefaßt, so daß auch hier die Übernahme eines biblischen Epifaniemotivs anzunehmen ist. Allerdings bestehen Unterschiede. Im Alten Testament kennzeichnet der Vorübergang den Anfang der Epifanie, bei Markus deren Abschluß. Ferner spricht dieser von der Absicht Jesu vorüberzugehen. Durch die Reaktion der Jünger wird sie nicht verwirklicht. Dies erinnert an die Emmausperikope Lk 24,28[17]. Die Christofanie gewinnt ihre eigene Gestalt. Die Erscheinung soll den Jüngern – und damit den Hörern bzw. Lesern – die Größe und das Wesen Jesu erschließen. An eine von ihm übernommene Funktion, etwa die Beherrschung der durch das Meer versinnbildlichten Todesmacht, ist nicht gedacht[18].

49–50

Die Reaktion der Jünger, die Jesus über das Wasser schreiten sehen, ist Er-

[14] Vgl. schon Lohmeyer.

[15] Weitere hellenistische und auch indische und buddhistische Beispiele bei Bultmann, Geschichte 251f; Biehler, ΘΕΙΟΣ ΑΝΗΡ I,95f; Reitzenstein, Wundererzählungen 125.

[16] Anders Kertelge, Wunder Jesu 148, der im Anschluß an die hellenistischen Beispiele auf eine außergewöhnliche Begabung Jesu abgehoben sieht.

[17] Vgl. E. Pax, ΕΠΙΦΑΝΕΙΑ. Ein religionsgeschichtlicher Beitrag zur biblischen Theologie, 1955 (MThS. H 10) 196f. Theißen, Wundergeschichten 186f, fühlt sich bei dem Widerspruch von Wollen und geschautem Ablauf an eine Traumvorstellung erinnert. Allerdings glaubt er, daß es sich ursprünglich um eine Erscheinung gehandelt habe, bei der Jesus wirklich vorüberging. Mt 14,22–33 kann dafür nicht herhalten, da Mt den Vorübergang unerwähnt läßt und die Akklamation der Jünger erfolgt, nachdem Jesus ins Boot gestiegen ist. Joh 6,21 ist nur dann ein ἀφανισμός, wenn man nicht weiterliest. Die johanneische Gestaltung dürfte außerdem sekundär sein. Die Auffassung von R. Otto, der den Seewandel als halluzinatives Sichtbarwerden des an Land befindlichen Jesus deutet (bei Grundmann und Klostermann), mag auf sich beruhen.

[18] Gegen Dibelius, Formgeschichte 278, der OdSal 39,9ff zitiert; Schenke, Wundererzählungen 248; Kertelge, Wunder Jesu 148.

schrecken. Dies entspricht der Theofanie. Sie meinen freilich zunächst, eine unwirkliche Erscheinung zu haben, ein Gespenst zu sehen (vgl. Lk 24,39). Die dazwischen geschaltete Bemerkung, daß alle ihn sahen, will die Realität der Christofanie absichern. In dem an die Jünger gerichteten Offenbarungswort gibt sich Jesus zu erkennen. Die Aufforderung, Mut zu fassen (θαρσεῖτε), begegnet in Heilungsgeschichten (Mk 10,49; Mt 9,2.22), in Apg 23,11 aber auch in einer nächtlichen Erscheinung des Herrn, die dem gefangenen Paulus zuteil wird. »Fürchtet euch nicht« ist die zur göttlichen Erscheinung gehörige Anrede (Mt 28,5; Lk 1,13.30; vgl. Mk 16,6)[19]. »Ich bin es« ist mehr als eine Identifikationsformel. Es ist die alttestamentliche Offenbarungsformel, die über die LXX im Munde Jesu zur neutestamentlichen Offenbarungsaussage wird. Dabei ist wichtig, daß die Selbstaussage Gottes *ani hu* (besonders bei Deuterojesaja) von der LXX mit ἐγώ εἰμι wiedergegeben wird. Die erwähnte Selbstaussage Gottes, die im Alten Testament unterschiedlich angewendet werden kann, ist hier im Sinn jener Formel zu verstehen, mit der Gott sein Wesen offenbart[20]. Durch diese Offenbarungsformel unterscheidet sich die Seewandelperikope von den Ostererscheinungsgeschichten, die das ἐγώ εἰμι nicht kennen.

51–52 Der sich den Jüngern geoffenbart hat, schenkt ihnen auch seine Gemeinschaft. Er steigt zu ihnen ins Boot. Die Geschichte könnte hier zu Ende sein. Jetzt wird aber der in 48 fallengelassene Faden neu aufgegriffen. Der Sturm, der bei der Offenbarung Jesu kein unmittelbares Motiv bildete, legt sich. Damit wird die Offenbarungserzählung zu einem Rettungswunder erweitert (vgl. 4,39). Oben erkannten wir, daß diese Erweiterung erst später hinzutrat. Das wiederum geschilderte Entsetzen der Jünger, das gegenüber 50 noch gesteigert ist, ist die Reaktion auf das Errettungswunder, mit dem die Offenbarung jetzt abschließt. Das Außer-sich-geraten (ἐξίσταντο) ist auch sonst die Reaktion auf das Wunder (2,12; 5,42). Bemerkenswert ist, daß einige Textzeugen das Rettungswunder ausdrücklich feststellen, indem sie hinzufügen: »er erhielt sie am Leben« (περιέσωσεν αὐτούς)[21]. Für Markus ist das Entsetzen der Jünger Ausdruck ihres Unverständnisses. Denn er schließt mit einem Satz ab, der ihr Entsetzen ausdrücklich mit ihrem Nichtverstehen und ihrer Herzensverhärtung begründet. Gleichzeitig bezieht er ihre Begriffsstutzigkeit auch auf das Brotwunder, so daß dieses nochmals mit dem Seewandel enger verbunden wird (vgl. 8,17–21). Der außerordentlich scharfe Vorwurf richtet sich letztlich auf ihren Unglauben.

Zusammenfassung Die Akzente, auf die es Markus bei der Überlieferung dieser Perikope ankam, werden folgende gewesen sein. Wenn er eigens die Entlassung der Volksmenge

[19] Vgl. Ri 6,23; Dan 10,12.19; Tob 12,17.

[20] Vgl. R. Schnackenburg, Das Johannesevangelium II, 1971 (HThK), 63, und H. Zimmermann, Das absolute 'Εγώ εἰμι als die neutestamentliche Offenbarungsformel, BZ 4 (1960) 54–69. 266–276, der vier Anwendungen der Formel im AT unterscheidet: 1. Sie offenbart das Wesen Gottes im strengen Sinn. 2. Sie dient zur Begründung und Sicherung eines Gotteswortes. 3. Sie gibt den Inhalt der Erkenntnis an (häufig bei Ez). 4. Sie hebt die Einzigkeit und Ausschließlichkeit Jahwes hervor.

[21] So φ; vgl. Θ. Andere Handschriften kürzen 51b. Koiner-Text D Θ erweitern am Schluß ἐξίσταντο καὶ ἐθαύμαζον.

durch Jesus feststellt, unterstreicht er den Gedanken, daß auch dieses wunderhafte Ereignis besonders für die Jünger bestimmt war[22]. Vor ihren Augen geschieht die Offenbarung, ihnen wird die Rettung zuteil. Der enge Zusammenschluß von Seewandel und Speisung in 52 wirft auch Licht auf letztere. Er bestätigt, daß auch in der Speisung Jesus sich offenbarte. Er offenbarte sich als der Heilbringer und Sohn Gottes und wird als solcher von den Jüngern nicht erkannt. Ihr Unglaube, der angesichts des gesteigerten Vorwurfs zum besonderen Problem wird, qualifiziert das wunderhafte Geschehnis nicht ab, sondern zeigt seine Grenze. Sie liegt im Kreuz, das der Höhepunkt der Offenbarung ist und von dem her sich alles Vorausgegangene bemißt[23].

5. *Massenheilungen im Land Gennesaret (6,53–56)*

Literatur: Schreiber, Theologie des Vertrauens, 96f; *Kertelge,* Wunder Jesu, 35f; *Koch,* Bedeutung, 169–171; *Egger,* Frohbotschaft, 134–142.

53 **Und sie fuhren hinüber ans Land, kamen nach Gennesaret und legten an.** 54 **Und als sie aus dem Boot ausstiegen, erkannten sie ihn sogleich,** 55 **liefen in jener Gegend umher und begannen, die Kranken auf Liegen umherzutragen, wo sie hörten, daß er sei.** 56 **Und wo er Dörfer oder Städte oder Gehöfte betrat, legten sie die Kranken auf die freien Plätze und baten ihn, daß sie nur die Quaste seines Gewandes berühren dürften. Und alle, die ihn berührten, wurden geheilt.**

Analyse

Der vorliegende Abschnitt, der von der Landung des Bootes und von Jesu Heilungen in einer ganzen Gegend summarisch erzählt, ist als Sammelbericht anzusprechen. Dies, aber auch Kompositionsweise und Vokabular sprechen für markinische Redaktion. Für Vers 53 wurde vor allem wegen der Ortsangabe traditionelle Herkunft vermutet[1]. Es bleibt aber zu berücksichtigen, daß die

[22] Schenke, Wundererzählungen 251.

[23] Es empfiehlt sich darum nicht, mit Kertelge, Wunder Jesu 149, von einem Übermenschentum Jesu im Sinn hellenistischer Prägung zu sprechen, weil so die spezifisch markinische Sicht verlorengeht. Auch die Annahme Schenkes, Wundererzählungen 252f, Markus kritisiere eine Verkündigung, die Jesus als θεῖος ἀνήρ und nicht als Gekreuzigten begreift, ist nicht nötig und zu hypothetisch. Nach J. Callas, The Significance of the Synoptic Miracles, London 1961, 94, kommt es darauf an zu begreifen: »the central truth is the common theme of Jesus' Lordship over Nature«. Quesnell* 276 hebt in Mk 6,52 auf eine weitgefaßte eucharistische Bedeutung ab.

[1] Lohmeyer 136. Schmidt, Rahmen 195, kann für 6,54–56 keine eigentliche Funktion im Evangelium erkennen. Für Mk-R plädieren Tagawa, Miracles 27, der meint, Mk habe Gennesaret wegen seiner aktuellen Bedeutung in das Evangelium eingefügt; Wellhausen, Schweizer 76; Taylor 331 (»composed by Mark on the basis of tradition«). Nach Marxsen, Evangelist 43, Anm. 2, könnte Gennesaret die ursprüngliche Lokalisierung von 7,1ff sein.

Nennung einer Gegend in 53 mit dem folgenden völlig übereinstimmt. In den Dörfern, Städten und Gehöften eben jener Gegend hält sich Jesus auf. Das einleitende »und sie fuhren hinüber ans Land« mag überflüssig erscheinen. Markus aber liebt den etwas abundanten Stil, und das Verb διαπεράω begegnete schon in 5,21. Für die Verse 54–56 ist charakteristisch, daß sie weitgehende Entsprechungen an anderer Stelle im Evangelium haben. 54 und 55a greifen mit dem Gedanken, daß viele ihn erkennen und zusammenlaufen, 6,33 wieder auf. 55b, wo vom Transport der Kranken die Rede ist, erinnert an 1,32. Die Art der Heilung durch Berührung trafen wir in der Geschichte von der blutflüssigen Frau 5,28 an. Der Evangelist verwebt in diesem Summarium also eine Anzahl von bekannten Motiven zu einem zusammenfassenden Bericht, der einen allgemeinen Eindruck von Jesu Tätigkeit in der Landschaft Gennesaret vermitteln soll[2].

Erklärung

Die Landung des Bootes erfolgt in der Landschaft Gennesaret. Das verwendete Verb προσορμίζομαι hat die Bedeutung von »in den Hafen einlaufen«[3]. Gennesaret – der gebräuchliche Name war Gennesar (vgl. 1Makk 11,67) – bezeichnet vermutlich das zur Zeit Jesu dicht bevölkerte Nordende des Seewestufers, wo durch das Schwemmland dreier Bäche im Lauf der Zeit eine fruchtbare Ebene (Elguwer) entstanden war. In der jüdischen Literatur kann aber auch der gesamte Weststrand mit diesem Namen belegt werden[4]. Der Ausstieg der Gruppe aus dem Boot wird beobachtet. Viele Menschen bringen ihre Kranken auf Tragbahren. Die Schilderung vermittelt den Eindruck, daß Jesus stets unterwegs war und die Leute ihn verfolgten, wo er sich gerade befand. Mit einer Flucht hat die Wanderschaft nichts zu tun[5]. Vielmehr ist aufgewiesen, daß der Zulauf des Volkes anhält. Bootslandung und Zusammenströmen der Volksmenge lassen die Wirksamkeit Jesu fast wie die eines Missionars erscheinen. Die Menschen stellen die Tragbahren mit ihren Kranken in den Ortschaften auf die Marktplätze[6]. Ähnliches wird in bezug auf Petrus in Apg 5,15 erzählt (vgl. Apg 19,11f). Herodot I, 197 berichtet von einem Brauch, daß die Menschen, die keine Ärzte haben, die Kranken auf den Marktplatz bringen, und die Leute, die vorübergehen, gehalten sind, sich mit ihnen über ihre Krankheit zu unterhalten und sie zu trösten[7]. Wir haben es vermutlich mit einem verbreiteten

[2] Markinischer Stil sind der Gen. absol. in 54a, ἤρξαντο mit Infinitiv in 55. Mk Vorzugswörter sind εὐθύς, κράβατος (von Mt und Lk nicht verwendet) ὅλος (13mal), οἱ κακῶς ἔχοντες (1,32.34; 2,17). Mit Tradition dagegen rechnet Egger, Frohbotschaft 135f.

[3] So auch in Papyri. Vgl. Preisigke-Kießling s.v. Einzelne Textzeugen fügen hinter διαπεράσαντες ἐκεῖθεν ein (D it^{var}) und beziehen dies offenkundig auf Betsaida. Damit gleichen sie die Diskrepanz zwischen V 45 und 53 aus.

[4] Dalman, Orte und Wege 133. D it syr lesen den geläufigeren Namen Gennesar.

[5] Ältere Autoren dachten an eine Flucht vor Antipas. Vgl. F. C. Burkitt, The Gospel History and Its Transmission, Edinburgh [3]1911, 92. – D it verbessern den harten griechischen Satz in 55b: περιέφερον γὰρ αὐτούς, ὅπου ἂν ἤκουσαν τὸν Ἰησοῦν εἶναι.

[6] D latt ändern ab in »auf die Straßen« (ἐν ταῖς πλατείαις).

[7] Herodot sah diesen Brauch auf seinen Reisen in den Orient bei den Babyloniern.

Brauch zu tun. Die Kranken klammern sich an Jesus, indem sie ihn bitten, die Quaste seines Gewandes berühren zu dürfen. Beachtenswert ist, daß Jesus als frommer Jude geschildert wird, der an den Zipfeln seines Gewandes die Dtn 22,12; Num 15,38f vorgeschriebenen vier Sisith (Quasten oder Schaufäden) trug, die aus je vier weißen und blauen Fäden bestanden. Nach Num 15,39 sollten sie an alle Gebote des Herrn erinnern (vgl. Mt 23,5; 9,20 par)[8]. Alle, die Jesus berühren, werden geheilt. Das hier vorliegende Wunderverständnis entspricht dem von Mk 5,25–34. Er ist von einer Macht erfüllt, die auf die Kranken übergeht und sie genesen läßt. Die Vorstellung ist hellenistisch.

Zusammenfassung

Für Markus erfüllt der Sammelbericht neben der Funktion eines Summars der Tätigkeit Jesu die einer Überleitung. Dies ist auch daran zu erkennen, daß hier wie in den Kapiteln 6–8 zwar von Heilungen die Rede ist, ausgesprochene Exorzismen aber unerwähnt bleiben. Die Erwähnung von Gennesaret bestätigt, daß der Evangelist Provinznamen in seiner Redaktionsarbeit bevorzugt. Wahrscheinlich wollte er auch dem Auftritt der Pharisäer 7,1, den er in dieser Gegend für passender hält, den entsprechenden Rahmen geben. Das Verhalten der Leute, die in großer Zahl ihre Kranken bringen, wird weder getadelt noch als Ausdruck der Blindheit gewertet[9]. Dies ist schon wegen der positiven Einschätzung des gleichen Verhaltens der blutflüssigen Frau 5,25ff unwahrscheinlich. Es fällt aber auf, daß Jesus bei den geschehenen Wundern merkwürdig unbeteiligt bleibt und die Bitte der Leute mit keinem Wort erwidert. Wir werden darin eine gewisse Einschränkung der Einschätzung der Wunder zu sehen haben, wiederum in dem Sinn, daß die Wunder allein nicht in der Lage sind, Jesu Anliegen und Person voll zu erschließen.

Vormarkinische Sammlung

Wiederholt wurde die Meinung vertreten, in den Kapiteln 4–6 habe Markus einen ihm bereits vorgegebenen Zyklus von Wundergeschichten übernommen. Die Begrenzungen wie auch die Begründungen fallen recht unterschiedlich aus. Das macht skeptisch. Für eine von 4,35–5,43 reichende Sammlung haben sich zahlreiche Autoren ausgesprochen[10]. Während Taylor meint, daß die Wundergeschichten itinerarmäßig verbunden worden seien, reden Kümmel und Jeremias vorsichtiger von Erzählungen, die am See spielen[11]. Sundwall rechnet damit, daß die Geschichten in der Tradition nur paarweise verbunden gewesen wären, eine Auffassung, die auch Klostermann erwägt[12]. Kuhn[13] nimmt zum Komplex 4,35–5,43 die beiden Erzählungen in 6,32–52 hinzu und bringt neue Argumente ins Spiel. In diesen Geschichten hätten wir es mit einer einheitlich geprägten Christologie zu tun, die er Theios-aner-Christologie nennt und für die er eine

[8] Die Luther-Übersetzung »Saum« läßt das spezifisch Jüdische nicht erkennen.
[9] Gegen Schweizer. Abzulehnen ist die Meinung Schreibers, Theologie des Vertrauens 96f, die Landung in Gennesaret bringe den Ungehorsam der Jünger zum Ausdruck, denen befohlen war, nach Betsaida zu rudern, obwohl Jesus ihnen mit seinem Erscheinen die Überfahrt nach Galiläa (sic) erleichtert hätte.
[10] Vgl. die Übersicht bei Kuhn, Sammlungen 27f.
[11] V. Taylor, The Formation of the Gospel Tradition, London ²1964, 39; Kümmel, Einleitung 46; Jeremias, Abendmahlsworte 86, Anm. 1.
[12] Sundwall, Zusammensetzung 29; Klostermann 45.
[13] Sammlungen 191–213. Ähnlich Pesch I,277–281, der 3,7–12; 6,53–56 hinzunimmt.

Reihe von – jedoch immer nur für einzelne Geschichten zutreffenden – übereinstimmenden Motiven anführt, wie Furcht und Entsetzen, Glaube als Anerkennung des Wundertäters, die Formel »Ich bin es«, die Gottessohnschaft, die Proskynese usw. Außerdem ist ihm das Nachklappen der Geschichten in 6,32–52 Hinweis auf eine Quelle, da die Verwerfung Jesu in Nazaret und die Aussendung der Zwölf (6,1–31) im Plan des Evangeliums der Einsetzung der Zwölf und dem Zusammentreffen Jesu mit seinen Verwandten (3,13–35) entsprächen. Markus habe die nachklappenden Geschichten nur gebracht, weil er sie in seiner Quelle vorgefunden hätte. Kuhn hält allerdings seine Resultate selbst nicht für gesichert. Wird man dem angedeuteten Plan skeptisch gegenüberstehen, so erwiesen sich uns die Bootsüberfahrten und damit die Bindung der Geschichten an den See als markinische Redaktion. Die in ihrer Motivik geschilderte Theios-aner-Christologie kann auch nicht als zureichender Grund für eine Sammlung angenommen werden, da die Motive nicht für alle Geschichten zutreffen und außerdem auch in anderen Geschichten außerhalb der vermuteten Sammlung teilweise vorkommen[14]. Der Hinweis auf die Semeiaquelle im vierten Evangelium, deren Existenz nicht völlig unumstritten ist, könnte auch nicht mehr als die Möglichkeit des Vorhandenseins von Sammlungen von Wundergeschichten erhärten. Darum hat es als das Wahrscheinlichere zu gelten, daß Markus von sich aus die in den Kapiteln 4–6 versammelten Wundergeschichten zusammenstellte. Nur die Verbindung der Speisung der Fünftausend und des Seewandels erwies sich in der Exegese als dem Evangelisten vorgegeben[15].

6. *Über die falsche und die wirkliche Unreinheit (7,1–23)*

Literatur: Rengstorf, K., ThWNT III, 860–866; *Gispen, W. H.*, The Distinction Between Clean and Unclean, OTSt 5 (1948) 190–196; *Köbert, R.*, Zur Lehre des Tafsir über den bösen Blick, Islam 28 (1948) 111–121; *Hommel, H.*, Das Wort Korban (κορβᾶν) und seine Verwandten, Ph 98 (1955) 132–149; *Weis, P. R.*, A Note on ΠΥΓΜΗΙ, NTS 3 (1956/57) 233–236; *Fitzmyer, J. A.*, The Aramaic Qorban Inscription from Jebel Ḥallet Eṭ-Ṭurí and Mark 7,11 / Matt 15,5, JBL 78 (1959) 60–65; *Zeitlin, S.*, Korban, JQR 53 (1962) 160–163; *Reynolds, S. M.*, ΠΥΓΜΗΙ (Mark 7,3) as »Cupped Hand«, JBL 85 (1966) 87f; *Burkill*, Revelation, 161–177; *Carlston, C. E.*, The Things that defile (Mark VII 14) and the Law in Matthew and Mark, NTS 15 (1968/69) 75–96; *Derrett, J. D. M.*, ΚΟΡΒΑΝ, Ο ΕΣΤΙΝ ΔΩΡΟΝ, NTS 16 (1969/70) 364–368; *Hengel, M.*, Mc 7,3 πυγμῇ, ZNW 60 (1969) 182–198; *Reynolds, S. M.*, A Note on Dr. Hengel's Interpretation of πυγμῇ in Mark 7,3, ZNW 62 (1971) 295f; *Berger*, Gesetzesauslegung I, 461–507; *Kümmel, W. G.*, Äußere und innere Reinheit des Menschen bei Jesus, in: Das Wort und die Wörter (FS G. Friedrich), Stuttgart 1973, 35–46; *Hübner, H.*, Mark. VII 1–23 und das »jüdisch-hellenistische« Gesetzesverständnis, NTS 22 (1975/76) 319–345; *Lambrecht, J.*, Jesus and the Law. An Investigation of Mark 7,1–23, EThL 53 (1977) 24–52; *Klauck*, Allegorie 260–272

1 **Und es fanden sich bei ihm die Pharisäer und einige Schriftgelehrte, die von Jerusalem gekommen waren, ein.** 2 **Und sie sehen einige sei-**

[14] Zur Proskynese vgl. Mk 1,40; zu Furcht und Entsetzen 1,27.

[15] Zur These einer noch weiterreichenden Traditionskette vgl. unten S. 315.

ner Jünger, daß sie mit unreinen, das heißt ungewaschenen Händen die Brote essen. 3 **Die Pharisäer nämlich und alle Juden essen nicht, wenn sie nicht mit einer Faust (voll Wassers) die Hände gewaschen haben, und halten so an der Überlieferung der Alten fest.** 4 **Und wenn sie vom Markt (kommen), essen sie nicht, wenn sie nicht ein Vollbad nehmen. Und vieles andere gibt es, was festzuhalten sie überkommen haben, Abspülungen von Bechern und Krügen und Kupfergefäßen und Betten.** 5 **Und es fragten ihn die Pharisäer und Schriftgelehrten: Weshalb wandeln deine Jünger nicht nach der Überlieferung der Alten, sondern essen mit unreinen Händen das Brot?** 6 **Er aber sprach zu ihnen: Fein hat Jesaja über euch Heuchler geweissagt, wie geschrieben ist: Dieses Volk ehrt mich mit den Lippen, ihr Herz aber ist weit von mir entfernt.** 7 **Vergeblich verehren sie mich, da sie Menschengebote als Lehren vortragen.** 8 **Ihr laßt das Gebot Gottes fahren und haltet an der Überlieferung der Menschen fest.** 9 **Und er sagte zu ihnen: Fein setzt ihr das Gebot Gottes außer Kraft, um eure Überlieferung aufzurichten.** 10 **Denn Mose sprach: Ehre deinen Vater und deine Mutter! und: Wer Vater oder Mutter schmäht, soll des Todes sterben.** 11 **Ihr aber sagt: Wenn ein Mensch zu Vater oder Mutter gesagt hat: Korban, das heißt, Weihegeschenk sei, was dir von mir geschuldet wird,** – 12 **dann laßt ihr ihn nichts mehr für Vater oder Mutter tun.** 13 **So hebt ihr das Wort Gottes durch eure Überlieferung, die ihr weitergegeben habt, auf. Und dergleichen tut ihr noch vieles.**

14 **Und wieder rief er die Volksmenge herbei und sprach zu ihnen: Höret mich alle und begreift!** 15 **Nichts, was von außerhalb des Menschen in ihn hineinkommt, kann ihn verunreinigen, sondern was aus dem Menschen herauskommt, das verunreinigt den Menschen.** 16 **Wer Ohren hat zu hören, höre**[1]**!** 17 **Und als er von der Volksmenge weg in ein Haus kam, fragten ihn seine Jünger nach dem Gleichnis.** 18 **Und er sagt ihnen: So seid auch ihr unverständig? Begreift ihr nicht, daß alles, was von außerhalb in den Menschen hineinkommt, ihn nicht verunreinigen kann,** 19 **weil es nicht in sein Herz eindringt, sondern in den Bauch und in den Abtritt hinausgeht? – womit er alle Speisen für rein erklärte.** 20 **Er aber sagte: Was aus dem Menschen herauskommt, das verunreinigt den Menschen.** 21 **Von innen nämlich, aus dem Herzen der Menschen kommen die bösen Gedanken heraus, Unzucht, Diebstahl, Mord,** 22 **Ehebruch, Habgier, Bosheit, Arglist, Ausschweifung, böser Blick, Lästerung, Hochmut,**

[1] Die Zugehörigkeit von V 16 zum ursprünglichen Mk-Text ist umstritten. Nestle-Aland und The Greek NT verweisen ihn in den Apparat. Jedoch ist er aus formkritischen Gründen sehr wahrscheinlich als ursprünglich anzusehen. Die Weckformel steht im Kontext von Parabeln und apokalyptischen Belehrungen über Verborgenes. Vgl. Mk 4,9 und 23 sowie Berger, Gesetzesauslegung I, 479f und Anm. 1. V 16 wird gelesen von ADW Θ 33vg arm und fehlt in ℵ B.

Unverstand. 23 **Alles dieses Böse kommt von innen heraus und verunreinigt den Menschen.**

Analyse In bezug auf ihre Traditionsgeschichte hat die umfangreiche Perikope unterschiedlichste Beurteilungen erfahren. Drei davon seien kurz vorgestellt. Bultmann[2] hält 1–8, die Polemik gegen die Schriftgelehrten mittels eines Jesajazitates, für den Grundbestandteil. Markus habe 9–13, ein Stück traditioneller Gemeindepolemik, mithilfe der üblichen Anreihungsformel καὶ ἔλεγεν αὐτοῖς angefügt. Ein weiteres (ältestes) Traditionselement habe er mit Vers 15 angeschlossen. Dabei habe er die für ihn typische Unterscheidung zwischen Volks- und Jüngerbelehrung angebracht, 18b und 19 aber der Tradition entnommen. 20–23 schließlich stammten von Markus selbst oder einem »hellenistischen Verfasser«. – Dibelius[3] faßt dagegen 9–13, die Anklage auf Verletzung des vierten Gebotes durch die Korbanpraxis, als erste greifbare Einheit auf, die mit der Frage des Händewaschens gar nichts zu tun habe. Die zweite Einheit sei Vers 15, der zwei Deutungen, 17–19 und 20–23, erhalten habe, die seiner Radikalität nicht gerecht würden und sich als Gemeindelehre auswiesen. 6–8, eine Anwendung von Jes 29,13, sei eine wahrscheinlich schon vormarkinisch geschaffene Klammer, die die folgenden Jesusworte miteinander verbinde, während Markus 1–5 gebildet habe[4]. – Daneben hat es Versuche gegeben, Vers 15 mit dem Voraufgehenden zusammenzuschweißen. Nach Berger[5] machen die Verse 1, 5 und 15 den Grundbestand aus. Vers 15 rechtfertige hier die Ablehnung der Händewaschung in einer Gemeinde, die sich noch im Rahmen des (hellenistischen) Judentums befinde. Die Erweiterungen ließen dann das Bild einer vom Judentum getrennten Gemeinde erkennen, die inzwischen alle Speisegebote und die gesamte Überlieferung der Alten abgeschafft habe. Hübner[6] schält in Anlehnung an E. Hirsch eine die Verse 1, 2, 5 (jeweils mit Abstrichen), 9, 10a, 11, 12 und 13a umfassendes Streitgespräch heraus, in dem es nicht um rein und unrein, sondern die Autorität der pharisäischen Gegner gehe. Vers 15 sei zwar ein ursprünglich selbständiges Logion, passe aber vortrefflich in den Zusammenhang, weil es von Haus aus in einem ähnlichen Kontext wie das eruierte Streitgespräch gestanden habe. – Eine neue Rekonstruktion wird an Bultmanns Vorschlag anzuknüpfen haben. Denn einmal kann es nicht überzeugen, die Verse 1–5 pauschal dem Markus zuzuweisen, zum anderen sind die Verse 1, 5 und 15 als Urtradition sehr unwahrscheinlich, weil 15 gar nicht auf 5 antwortet. Letzteres ist auch gegen Hübners These zu sagen, dessen Auskunft, es gehe um die Autorität der Pharisäer und nicht die unreinen Hände, als Erklärung für einen ursprünglichen Zusammenhang der Frage

[2] Geschichte 15f. Ganz ähnlich urteilt Carlston* 91f.

[3] Formgeschichte 222f. Ähnlich Lohmeyer 137f.

[4] Die Abschnitte 6–8 und 9–13 werden auch von Wendling, Entstehung 87–90; Hirsch, Frühgeschichte I 69f; Haenchen, Weg 267, auseinandergehalten. Nach Hirsch ist 9–13 ursprünglicher, nach Haenchen 6–8. Wendling rechnet mit redaktionellen Überarbeitungen besonders in 8 und 13.

[5] Gesetzesauslegung I, 461–483.

[6] Das Gesetz in der synoptischen Tradition, Witten 1973, 142–159.

in 5 mit dem Hinweis auf die Korbanpraxis als Antwort nicht ausreicht. 1–7 ist ein Streitgespräch, dessen Struktur an 2,23–26 erinnert. Auf einen konkreten Einwand der Gegner, der an einem Tun der Jünger anknüpft, folgt eine grundsätzliche Antwort Jesu, die auf das Alte Testament Bezug nimmt. Diese Tradition ist wegen des sich an die LXX anlehnenden Jesajazitats einer hellenistisch-judenchristlichen Gemeinde zuzuschreiben, für die die angeschnittene Frage noch ein Problem bedeutete. Die Parenthese 3f macht die Fragestellung einem vom Judentum entfernten heidenchristlichen Publikum verständlich, wie auch der erklärende Hinweis in 2 und 11. Sie übertreibt, ist historisch nicht korrekt und hat aggressiven Charakter, indem sie von »allen Juden« spricht. Manche Autoren möchten sie als nachmarkinische Glosse auffassen[7]. Es liegt aber näher, sie als markinisch anzusehen, da ihre Einfügung die Wiederaufnahme des Erzählfadens von 2 in 5 notwendig machte und zu einer gewissen Wiederholung in 5 führte. Den Anfang der Perikope dürfte Markus leicht überarbeitet haben. Das Verb συνάγω verrät seine Hand.
Den Abschnitt 9–13, den er aus der Tradition übernimmt, hat Markus, wie die Anreihungsformel καὶ ἔλεγεν αὐτοῖς andeutet, angefügt. Äußerer Anlaß dafür war eine ähnliche Thematik, die das Stichwort »Überlieferung« anzeigt. Es ist aber zu beachten, daß jetzt nicht mehr von der Überlieferung der Alten wie in 5, sondern von »eurer Überlieferung« gesprochen wird (9 und 13). Vers 8 – ebenfalls redaktionell – hat Überleitungsfunktion und redet in Anlehnung an das Jesajazitat von der Überlieferung der Menschen. Es ist damit zu rechnen, daß 8–13 ehemals ein eigenständiges Streitgespräch war, dem eine entsprechende Anfrage der Gegner vorausging. Sicheres läßt sich darüber allerdings nicht mehr ausmachen. Die Jesusantwort spiegelt noch die unmittelbare Konfrontation mit den Gegnern wider, wie die Anrede »eure Überlieferung« erkennen läßt. Die Korban-Thematik legt die Vermutung nahe, daß die Tradition der palästinischen Gemeinde zugehört. Die Zitation des vierten Gebotes stimmt zwar mit LXX Dtn 5,16 überein, aber ebenso mit dem masoretischen Text von Dtn 5,16 und Ex 20,12[8]. Das anschließende Zitat von Lev 20,9 ist als störend empfunden und darum als redaktionelle Zutat angesprochen worden[9]. Wahrscheinlicher aber ist, daß damit die Korbanpraxis getroffen und mit dem göttlichen Fluch belegt sein soll. Die abschließende Bemerkung in 13b geht auf Markus zurück. Sie weitet den Einzelfall in der gleichen Weise aus wie die Parenthese 3f. In 11 ergäbe ein Auslassen des λέγετε einen glatteren Satz.
Das Logion in Vers 15 ist am Anfang ein selbständiges Herrenwort gewesen. Dies ist für die Interpretation zu berücksichtigen. Durch den folgenden Text wird es auf die Speisegebote eingeschränkt. Dieselbe Einschränkung ist in der Mattäus-Version des Logions vorhanden, wo sich die sekundären Zusätze fin-

[7] Taylor 334. Dagegen Burkill* 166–168. Hübner (Anm. 6) 156 läßt die Frage, ob Glosse oder nicht, offen. Lohmeyer 140 wiederum lehnt eine spätere Einfügung der Parenthese überhaupt ab, weil diese das Stichwort der nachfolgenden Frage enthalte.

[8] In LXX Ex 20,12 fehlt im Gegensatz zu Mk 7,10 σου hinter τὴν μητέρα.

[9] Hübner (Anm. 6) 146.

den: »Nicht was *in den Mund* hineingeht, verunreinigt den Menschen, sondern was *aus dem Mund* herauskommt, das verunreinigt den Menschen« (Mt 15,11; vgl. Tho 14). Die älteste erreichbare Fassung des Logions bietet Markus[10]. Die Bedeutung des Verbs κοινῶσαι »kultisch unrein machen« stellt sicher, daß es im jüdischen bzw. judenchristlichen Raum entstanden ist[11]. Im hellenistischen Judentum differenziert man zwischen Reinheit der Seele und Reinheit des Leibes und bringt beides mit den Tugenden und Lastern bzw. den Handlungen des Menschen zusammen. Dieser Vergleich aber belegt nicht, daß Vers 15 in das hellenistisch-judenchristliche Milieu gehört[12]. Hier wird nicht von Seele und Leib geredet, sondern eine konkrete Regel geboten, die nicht – wie das bei den hellenistischen Juden der Fall ist –, Jüdisches dem Nichtjuden verständlich machen und durch Uminterpretation rechtfertigen, vielmehr dieses überwinden will. Wir befinden uns im palästinischen Bereich. Die Regel in Vers 15 wird in einer Jüngerbelehrung auf die Speisegesetze hin ausgelegt (17–19). Obwohl Markus die Einleitung in 14 geschaffen bzw. neu gebildet hat – das herrscherliche Herbeirufen der Volksmenge durch Jesus ist typisch für ihn –, ist die Unterscheidung zwischen Volks- und Jüngerbelehrung auch hier (wie in 4,10ff) vormarkinisch[13]. Auf den Evangelisten geht nur der in Frageform gehaltene Jüngertadel zurück (in 18) und vermutlich die damit zusammenhängende Umsetzung der Belehrung in eine Frage. Die Parenthese am Schluß von 19 hält man am besten für markinisch[14]. Sie ist ebenso grundsätzlich gehalten wie 3f. Der angereihte Lasterkatalog 20–22 übernimmt die in 15–19 geführte Debatte endgültig in den hellenistischen Bereich und schafft eine Angleichung an die oben erwähnte Diskussion im griechischen Judentum. Deutlich geht er auf einen hellenistischen Verfasser zurück. Der die Einzelheiten ausweitende Abschlußvers 23, der wiederum den prinzipiellen Tenor aufnimmt, gehört der markinischen Redaktion zu. So vereinigt sich in dieser Perikope vielfältiges Material. Sehr alte Tradition wird mit jüngeren Überlieferungen verbunden, letztlich für heidenchristliche Gemeinden weitergesagt und in ihrer grundsätzlichen Bedeutung vom Evangelisten ausgewertet.

Die Gliederung des Abschnitts stimmt weitgehend mit seiner traditionsgeschichtlichen Analyse überein. Der erste Teil (1–13) bietet die Auseinandersetzung mit den Gegnern. Jesus nimmt auf doppelte Weise zu ihrem Vorwurf Stellung. Er widerlegt sie mit einem Profetenwort (6–8) und geht mit dem Korban-Beispiel zum Gegenangriff über (9–13). Der zweite Teil belehrt das

[10] Hübner (Anm. 6) 166f möchte die ursprüngliche Fassung des Logions aus einer Kombination von Mk 7,18b und 20 – vor allem wegen des casus pendens in 20 – gewinnen. Unwahrscheinlich ist, daß sich diese in einer sekundären Interpretation erhalten haben soll.

[11] Kümmel* 38.

[12] Gegen Berger, Gesetzesauslegung I, 465–467, der Pseudo-Phokylides 228: »Die Reinigungen der Seele, nicht des Leibes, sind die wahren Reinigungen« zitiert und sich auf Philo, SpecLeg 3,208f beruft.

[13] Wie in 4,10 ist die Jüngerfrage indirekt formuliert und die Antwort Jesu wie in 4,13 mit καὶ λέγει αὐτοῖς eingeleitet.

[14] Hirsch, Frühgeschichte 1,69, dagegen sprach von einer (nachmarkinischen) späteren Glosse. Sahlin, Bib 33 (1952) 60f, sieht καὶ εἰς τὸν ἀφεδρῶνα ἐκπορεύεται als solche an.

[15] Schmidt, Rahmen 196.

Volk mit einem Gleichniswort (14f), das dem Jüngerkreis im Haus erläutert wird (17–23). Der ganze Abschnitt, obwohl in seinen Teilen von unterschiedlicher Herkunft, ist in seiner vorliegenden Fassung zusammengebunden durch das Stichwort unrein. Die gegnerische Frage am Anfang bringt es ein. Jesu Stellungnahme in 15, die den Mittelpunkt der gesamten Perikope ausmacht, belehrt über die wahre Unreinheit. Der abschließende Vers 23 markiert noch einmal das Thema.

Erklärung 1–2

Die Einführung kann als »Musterbeispiel für eine nicht lokalisierte Perikope« gelten[15], die ohne jede Klammer an das Voraufgehende angereiht ist. Dennoch steht sie hier mit Bedacht vor Jesu Reise ins heidnische Land. Der räumlichen Trennung geht der geistige Bruch voraus. Als seine Widersacher treten Pharisäer und Schriftgelehrte auf. Nur letztere, die eine Art Inspektionsrecht in der Provinz ausübten, sind von Jerusalem gekommen (anders Mt 15,1). Die Autorität der Jerusalemer Gelehrten, die von den galiläischen Pharisäern möglicherweise zu Hilfe gerufen sind, war bekannt[16]. Wie es der Form des Streitgesprächs entspricht, knüpft die Kritik der Gegner an einem konkreten Verhalten der Jünger an (vgl. 2,23). Sie essen die Brote, das heißt, nehmen die Mahlzeit ein, ohne sich vorher die Hände zu waschen. Der Vorwurf tangiert natürlich nicht den Verstoß gegen einen hygienischen, sondern einen kultisch-levitischen Brauch und stellt ihre Frömmigkeit in Frage. Ebenso wie die Jünger verhält sich nach Lk 11,38 Jesus[17].

10. Exkurs: Die levitischen Reinheitsvorschriften

Die *levitischen Reinheitsvorschriften*[18] des Judentums gehören zu einer religiösen Praxis, die uns heute nur schwer zugänglich ist. Sie setzt die Unterscheidung zwischen reinen und unreinen Personen, Tieren, Geräten und Sachen voraus, die nicht auf die alttestamentlich-jüdische Religion beschränkt ist, sondern in zahlreichen alten Religionen sich findet. Am Anfang dieser Unterscheidung steht die Vorstellung, daß der Mensch im Umgang mit dem Numinosen sich in einen gesteigerten Zustand versetzen und sich von allem reinigen muß, was die Gottheit verletzen und ihren Zorn provozieren könnte. Vorbereitende Reinigungen verleihen nach dem Alten Testament dem Menschen einen reinen und heiligen Zustand, der ihn zur Begegnung mit der Gottheit befähigt, sühnende Reinigungen stellen diesen Zustand, der durch Berühren von Unreinem verloren

[16] Vgl. Midr Klgl 1,1: »Überall, wohin einer von den Jerusalemern nach der Provinz kam, stellte man ihm einen Sessel hin, sich darauf zu setzen, damit man seine Weisheit höre«. Bei Billerbeck I,691.

[17] Vers 2 besitzt kein Prädikat. Dieses folgt erst nach der Parenthese in 5. Verschiedene Handschriften fügen sekundär ein Prädikat ein: κατέγνωσαν, sie verurteilten sie (D); ἐμέμψαντο, sie tadelten sie (Koine-Text Θ).

[18] Vgl. J. Döller, Die Reinheits- und Speisegesetze des AT in religionsgeschichtlicher Beleuchtung, 1917 (ATA VII/2–3); G. W. Buchanan, The Role of Purity in the Structure of the Essene Sect, RdQ 4 (1963) 397–406; Billerbeck I,695–704; F. Hauck – R. Meyer, ThWNT III,416–432.

gehen kann, wieder her. So wird in Lev 11–15 zwischen reinen und unreinen Tieren differenziert, und es werden die Unreinheiten genannt, die durch Geschlechtsverkehr, Gebären, Krankheiten auftreten (vgl. Lev 11; 19,23–25; Dtn 14,3–21; 19; 5,1–4). Obwohl im Mittelpunkt dieser Vorschriften der Gedanke steht, daß Israel seinem Gott ein heiliges und reines Volk sein soll, das in einem heiligen und reinen Land lebt (Lev 20,7), liegen die Gefahren, die in der dinglichen Ausprägung der Heiligkeit bestehen, auf der Hand. Die levitische Unreinheit galt als etwas dem unreinen Menschen oder der unreinen Sache stofflich Anhaftendes, das darum durch Abwaschen, Besprengen oder Untertauchen abgestreift werden konnte. Konnte einerseits die levitische zum Symbol für die sittliche Reinheit werden, so sahen sich anderseits vor allem die Profeten wiederholt gezwungen, gegen die veräußerlichte levitische Reinheitsforderung aufzutreten und sie in Frage zu stellen. Jesus setzt mit seiner Kritik die Linie der Profeten fort.
Über die Reinheitspraktiken im Judentum zur Zeit Jesu wissen wir seit der Entdeckung der Qumranhandschriften mehr. Über die pharisäische Praxis sind wir nur unvollkommen unterrichtet. Sowohl im Essenismus als auch im Pharisäismus war man bestrebt, priesterliche Bräuche und Gepflogenheiten auf die Laien zu übertragen. Dies hatte eine Häufung der einzuhaltenden rituellen Waschungen und Tauchbäder zur Folge. Wenn in der Mischna nicht weniger als zwölf Traktate (ihr ganzer letzter Teil) Reinheitsfragen gewidmet sind, läßt dies Rückschlüsse auf die Zeit vor dem Jahr 70 zu. Kasuistisch wird nunmehr von verschiedenen Graden der Unreinheit gesprochen. Es werden unrein machende Gefäße und Geräte genannt, aber auch unterschiedliche Abstufungen von Wasseransammlungen auseinander gehalten. Die kleinlichen Vorschriften nahmen das Denken und Handeln des religiösen Menschen gefangen. Wir begegnen aber auch Zeugnissen, die für mehr Freiheit eintreten und betonen, daß die sittliche Reinheit wichtiger sei als die rituelle[19]. Bei den Essenern erkannte man die Reinheit der Außenstehenden nicht an und unterschied in den eigenen Reihen der Mitglieder Angehörige verschiedener Reinheitsstufen. In den Ruinen von Qumran kann man heute noch die Badeanlagen besichtigen, die den Tauchbädern dienten, die man vor den gemeinschaftlichen, rituell geprägten Mahlzeiten zu nehmen pflegte. Bei aller Betonung der levitischen Reinheit wußte man um die Vordringlichkeit der Erneuerung des Lebenswandels: »Nicht kann er sich heiligen in Seen und Flüssen, noch sich reinigen in jeglichem Wasser der Waschung. Unrein, unrein bleibt er, solange er die Satzungen Gottes verachtet, sich nicht unter Zucht stellt in der Einung seines Rates« (1QS 3,4–6). Das von den Schriftgelehrten festgelegte Abspülen der Hände bei Tisch sollte vor und nach der Mahlzeit und gegebenenfalls sogar noch während der Tafel erfolgen und erklärt sich wohl aus der Übernahme aus dem Tempelmahl der Priester in das profane Mahl. Wer es unterließ, machte sich levitisch unrein. Zu seiner Begründung berief man sich auf Lev 15,11, in einem besonderen Fall auf Lev 20,7[20]. Wie ernst man es nahm, kann eine von Rabbi Aqiba überlieferte Erzählung beleuchten, der im Gefängnis lieber nichts aß, als auf die Abspülung der Hände zu verzichten[21].

3–5 In einer Parenthese erläutert der Evangelist seinen heidenchristlichen Lesern die jüdische Reinheitspraxis anhand von einigen ausgewählten Beispielen. Er

19 Beispiele R. Meyer, ThWNT III,425f.
20 Bei Billerbeck I,695.
21 bEr 21b Baraitha bei Billerbeck I,702.
22 Gegen K. Niederwimmer, ZNW 58 (1967) 184, Anm. 64. – Das Wort Jude begegnet – vom Titel »König der Juden« abgesehen – nur hier bei Mk.

weitet den Ausgangspunkt, das Essen mit unreinen Händen, aus, und kommt ins Grundsätzliche, wenn er von allen Juden redet. Historisch trifft es nicht zu, wenn die Einhaltung der Reinheitsvorschriften allen Juden nachgesagt wird. Faktisch hielten sich insbesondere die Pharisäer daran, das gewöhnliche Volk hatte ein distanziertes Verhältnis zu ihnen, die Sadduzäer bekämpften die Übertragung priesterlicher Bräuche auf das allgemeine religiöse Leben. Markus, der sich dem Verständnishorizont seiner Leser angleicht, spricht nicht sine ira et studio, sondern fällt ein Werturteil über die Juden. Die hier zum Ausdruck kommende Distanzierung zu den Juden läßt aber keinesfalls den Schluß zu, daß der Autor selber herkommensmäßig kein Jude gewesen wäre[22]. Das erste Beispiel, das Waschen der Hände vor dem Essen, ist seit alters durch das rätselhafte Wörtchen πυγμῇ belastet, das eine knappe Beschreibung des Abwaschungsritus bieten will. Zahlreiche Textvarianten und Konjekturen bestätigen dies[23]. Folgende Interpretationsvorschläge sind erwägenswert: Sie waschen »mit der Faust« die Hände, das heißt, die geballte Faust in der hohlen Hand drehend[24]. Oder: Sie waschen die Hände, »indem sie eine gewölbte Hand, eine Faust machen« (with cupped hand). Dabei wird Wasser aus einem Gefäß über die Hand gegossen[25]. Oder: Sie waschen »mit einer Faust bzw. Hand voll Wassers« die Hände[26]. Obwohl in diesem Fall »voll Wassers« zu ergänzen ist, verdient dieser Vorschlag die meiste Beachtung[27]. Letzte Klarheit ist nicht mehr zu gewinnen. Die Handabspülung erfolgt gemäß der Überlieferung der Alten. Damit ist jene in den schriftgelehrten Schulen entwickelte Auslegungstradition genannt, die im Lauf der Zeit neben dem Gesetz immer größere Autorität gewann und diesem schließlich gleichrangig wurde. Rabbi Aqiba bezeichnete sie als »Zaun des Gesetzes« (Ab 3,13), was so viel besagte wie, daß sie die Übertretung des schriftlichen Gesetzes verhindern sollte. Ein Spruch lautete: »Wer die Mauer (die Überlieferung der Schriftgelehrten) durchbricht, den beißt die Schlange«[28]. Das Vollbad, das die Juden nehmen, wenn sie vom Markt kom-

[23] א W vg: *πυκνά*, häufig; vielleicht beeinflußt durch Lk 5,33, bevorzugt von Billerbeck II,13f. – syr[p]: diligenter. – it[a]: momento. – Lohmeyer 140 (im Anschluß an Torrey) schlägt Verschreibung aus dem Aramäischen vor: *ligmar,* überhaupt (dann zum folgenden zu ziehen) an Stelle von *ligmod.* – Weis* 235f vermutet ein zugrunde liegendes בשפה. Dieses bezeichnet das für die Handabspülung verwendete Gefäß. Ähnlich K. L. Schmidt, ThWNT VI,915.

[24] Nach Bauer, Wörterbuch 1444. Gegen den Vorschlag wendet sich Billerbeck II,13f.

[25] Reynolds, ΠΥΓΜΗΙ.

[26] Hengel*, Klostermann, Grundmann. In diesem Fall liegt wahrscheinlich ein Latinismus vor. Im lateinischen Sprachraum war pugnus/pugillus eine gebräuchliche Maßangabe. Wenn die Mischna Jad 1,2 verbietet, den Guß aus der hohlen Hand vorzunehmen, beweist dies nach Hengel* 195 nur, daß die Handabspülung in früherer Zeit aus der hohlen Hand üblich war und ausdrücklich verboten werden mußte.

[27] Reynolds, Note 295f, macht gegen Hengel geltend, daß in Jad 1,2, worauf sich letzterer beruft (s. Anm. 26), nicht vom Guß aus der hohlen Hand, sondern von einer Wassermenge von zwei Hand voll die Rede sei. Es liege ein Dual vor. Eine analoge Stelle zu Mk 6,3 ist Palladius, hist. Laus. 55: νίψασθαι τὰς χεῖρας καὶ τοὺς πόδας πυγμῇ ὕδατι ψυχροτάτῳ. Diese Aussage ist allerdings eindeutig. Vgl. noch J. M. Ross, »With the Fist«, ET 87 (1976) 374f.

[28] pBer 1,3b,47. Zur Überlieferung vgl. Bousset-Gressmann, Religion 153–161; Billerbeck I,691–695.

men, wo man sich leicht kultisch verunreinigen konnte, wird als weiteres Beispiel für ihre Reinheitspraxis angeführt. Vermutlich liegt eine Übertreibung vor. Es ist aber auch möglich, daß einzelne Juden in der Diaspora diese sie von den Heiden unterscheidenden Dinge besonders akzentuierten. Jdt 12,7 und Sib 3,591ff könnten dies bestätigen[29]. Die Reinigung von Bechern, Krügen und Kupfergefäßen erfolgte auch aus rituellen Gründen und unter Beachtung diffiziler Vorschriften. Die Mischna kennt unterschiedliche Anweisungen für hölzerne, lederne, knöcherne, gläserne, irdene Gefäße[30]. Das Abwaschen der Betten – durchaus im Text zu belassen[31] – ironisiert das Ganze und bestätigt den aggressiven Charakter der Parenthese. Die Erzählung kehrt zu den Pharisäern und Schriftgelehrten zurück, die die Beobachtung, daß einige Jünger, ohne sich die Hände zu waschen, die Mahlzeit einnehmen, zum Anlaß nehmen, deren Abweichung von der Überlieferung der Alten zu konstatieren. Ihre vorwurfsvolle Frage geht auf die Halacha, die Vorschriften für den Lebenswandel. Allein an dieser Stelle hat das Verb »wandeln« bei Markus diesen technischen Sinn, was den jüdischen Charakter der Auseinandersetzung erneut hervortreten läßt[32].

6–8 Die Antwort Jesu greift ein Jesajazitat auf, das als treffende Profetie auf seine Gegner, die als Heuchler gescholten werden, genommen wird. Die Schelte der Heuchelei, die an Mt 23 erinnert und bei Markus einmalig ist, bezieht sich nicht auf eine subjektive Verstellung, sondern eine objektive Diskrepanz zwischen Vorgabe und Wirklichkeit. Letztere deckt Jesus auf. Sie hat mit ihrem Gottesverhältnis zu tun. Sie erscheinen wie Gottesverehrer, in Wirklichkeit aber hängen sie menschlichem Machwerk an. Der Ton im Zitat von Jes 29,13, das weitgehend in Übereinstimmung mit der Septuaginta zitiert wird, liegt auf der zweiten Hälfte. Nicht so sehr Lippenbekenntnis und Herzensverehrung werden in der konkreten Kritik an den Gegnern einander gegenübergestellt, sondern Gottesverehrung und Menschengebote[33]. Sie sind Heuchler, weil sie an die Stelle von Gottes Gebot die menschliche Überlieferung gestellt haben. Damit haben sie das göttliche Gebot zugunsten der menschlichen Satzung preisgegeben (vgl. Kol 2,22). Dennoch meinen sie, so Gott zu verehren. Ihr Gottesdienst muß als eitel bezeichnet werden[34]. Im apokalyptischen Judentum

[29] βαπτίσωνται, wörtlich: sie tauchen unter (ADW Θ 33), ist gegenüber ῥαντίσωνται, sie waschen sich (א B), zu bevorzugen, bedeutet hier aber nicht – wie Schnackenburg übersetzt –, die Hände waschen.

[30] Vgl. besonders Kil 2 und 25. Mt 23,25 par spricht von der Reinigung der Außenseite der Becher.

[31] Mit Lohmeyer 140, Anm. 5. Die LA bieten ADW 33.

[32] Eine ähnliche Streitsituation ist in der pseudepigrafen Evangelienüberlieferung gegeben. Nach POxy 840 fragt ein Pharisäer und Hoherpriester namens Levi im Tempel Jesus, warum die Jünger nicht die rituellen Waschungen vollziehen.

[33] Gerade diese Nuance ist nur im LXX-Text vorhanden. Der entsprechende Satz lautet nach der Masora: »Seine Verehrung gegen mich ist nur angelernte Menschensatzung«.

[34] Jes 29,13 wird in der altchristlichen Literatur öfter zitiert, aber mit Betonung auf der ersten Hälfte, wo das reine Lippenbekenntnis gerügt wird. So P. Egerrton 2: Leute kommen zu Jesus, die ihn Meister nennen, aber nicht auf ihn hören wollen. Ähnlich 1Cl 15,2; 2Cl 3,5.

wird der Vorwurf der Menschensatzungen auf die Endzeit angewandt. Hier signalisiert er den großen Abfall, der dem Ende voraufgeht[35].

In einer zweiten Antwort, die von Markus aus einer anderen Tradition entnommen ist (s. die Analyse), kritisiert Jesus eine konkrete Gesetzesauslegung der Pharisäer. Der Vorwurf der Preisgabe des göttlichen Gebotes steigert sich, indem er in 9 moduliert wiederholt wird und in 13 in der Aussage gipfelt, daß sie das Wort Gottes aufheben. Hier liegt ein juristischer Term vor (ἀκυροῦντες), der das Schlimme und Verbindliche ihres Tuns unterstreicht. Es wird auch nicht mehr von der Überlieferung der Menschen, sondern in unmittelbarer Anrede von »eurer Überlieferung« gesprochen, die sie aufrichten[36], um das Gebot Gottes trefflich (καλῶς ist hier im Gegensatz zu 6 ironisch) außer Kraft zu setzen. Der Beleg hierfür ist eine Gegenüberstellung des vierten Gebotes des Dekalogs mit der Korbanpraxis. Das Gebot gilt also als Gebot und Wort Gottes. Die den Eltern zu erweisende Ehre umfaßte nach zahlreichen rabbinischen Äußerungen auch die Pflicht des Kindes, sie zu speisen und zu tränken, zu kleiden und zu bedecken und ein- und auszuführen[37]. Dennoch hatte man neben diesen positiven Äußerungen mit der Korbanpraxis eine Institution geschaffen, die diese Pflicht der Kinder gröblich zu beeinträchtigen imstande war. Wenn darum neben dem vierten Gebot Lev 20,9 »Wer Vater oder Mutter schmäht, soll des Todes sterben« zitiert wird[38], soll damit wohl bereits diese Praxis unter den göttlichen Fluch gestellt werden. Wie die Ehre für die Eltern die Sorge für das Leibliche miteinbezieht, ist ihre Schmähung mit dem Entzug der leiblichen Fürsorge gegeben. Korban ist eine Schwurformel. Mit ihr besaß der Sohn die Möglichkeit, das Nutznießungsrecht aus seinem Besitz den Eltern zu entziehen, indem er das ihnen zufallende Gut zum Weihegeschenk erklärte. Damit galt dieses Gut als heilig und Gott zugesprochen und konnte von keinem mehr in Anspruch genommen oder genutzt werden. Faktisch brauchte der Sohn das zum Korban deklarierte Gut nicht dem Tempel abliefern, so daß die ganze Handlung zur Fiktion wurde, die nicht selten dafür herhalten mußte, daß man sich an den unliebsam gewordenen Eltern rächte. Die von Markus gebotene Übersetzung des Korban: »Weihegeschenk sei, was dir von mir geschuldet wird« stimmt genau mit der entsprechenden üblichen Schwurformel überein[39]. Die Anklage Jesu richtet sich nicht so sehr gegen Einzelfälle des Mißbrauchs des Korbangelübdes als vielmehr gegen die Schriftgelehrten, die diese Institution geschaffen hatten und in diesem Fall den Sohn für Vater oder Mutter nichts

9–13

[35] Vgl. Berger, Gesetzesauslegung I, 489.

[36] στήσετε, ihr richtet auf (D^{gr} Θ W), ist in V 9 gegenüber τηρήσετε, ihr haltet fest (ℵ A 33), wahrscheinlich zu bevorzugen.

[37] Vgl. S Lv 19,3 (343a); pQid 1,61b,44; Pea 1,1 bei Billerbeck I,706.

[38] Das Zitat erfolgt nicht nach der LXX, sondern in größerer Anlehnung an den masoretischen Text.

[39] Ned 8,7. Bei Rengstorf, ThWNT III, 865. – Die Schwurformel des Korban, mit der man Dinge für Gott beschlagnahmte, konnte in vielfältigen Situationen gebraucht werden. Neuerdings begegnet sie uns auch in einer Grabinschrift im Südosten von Jerusalem. Diese lautet: »Alles, was jemand zu seinem Nutzen in dieser Grabkammer finden könnte, ist Weihegeschenk für Gott von dem, der hier bestattet ist«. Vgl. Fitzmyer*, Derrett*. – Mt 27,6 erwähnt den Korbanas, die Tempelkasse.

mehr tun ließen. Es entsteht die Frage, ob die in der Mischna vorgesehene Auflösung eines solchen Korbangelübdes (Ned 9,1) schon für die Zeit vor 70 Geltung beanspruchen kann. Dies scheint nicht der Fall zu sein. Zumindest war die Möglichkeit der Auflösung unter den Gelehrten umstritten[40]. Die von Jesus gegeißelte Mentalität tritt erst dann klar in den Blick, wenn man bedenkt, daß unmenschliche Verhaltensweisen theologisch gerechtfertigt wurden. Der Eid war Gottesdienst. Und Gottesdienst stand über dem Dienst an den Menschen. Für Jesus dagegen sind Gottesdienst und Dienst an den Menschen unteilbar. Das Gebot Gottes ist nicht um seiner selbst willen gegeben und kann nicht in seinen Buchstaben erfaßt werden, sondern ist auf die Güte und Liebe hin auszulegen. Die Schriftgrundlage für die Korbanpraxis war Num 30,3. Wer die Schrift gegen die Liebe Gottes auslegt, hebt das Wort Gottes auf. Wenn Markus in seiner Schlußbemerkung auf vieles dergleichen verweist, was es bei den Schriftgelehrten gäbe, fällt er ein polemisches und vernichtendes Urteil.

14–16 Die Szene des Streites mit den Schriftgelehrten und Pharisäern wird verlassen. Jesus ruft gebieterisch das Volk herbei und fordert alle zum Hören und Verstehen auf. Markus deutet damit den Maschal, das Bildwort an, das nicht ohne weiteres verständlich ist. Das Bildwort – ein antithetischer Parallelismus, bei dem der Ton auf der zweiten Hälfte liegt – nennt die wahre Unreinheit und wird somit zur entscheidenden Aussage der gesamten Perikope. Umstritten ist, welche Reichweite dem Logion, in sich selbst betrachtet, einzuräumen ist. Handelt es sich nur um eine Warnung vor Zungensünden, auf die man achten soll anstatt auf äußere Ritualvorschriften[41]? Wird an den Pharisäern nur scharfe Kritik geübt? Sie ließe sich dann mit Asc Js vergleichen, wo die Gottlosen gebrandmarkt werden, die rauben, ausbeuten und betrügen und dabei sprechen: Rühre mich nicht an, damit du mich nicht unrein machst[42]. Oder liegt hier die grundsätzliche Aufhebung aller kultischen Reinheitsvorschriften beschlossen[43]? Was von außerhalb in den Menschen hineinkommt und was aus dem Menschen herauskommt, wird gegenübergestellt. Weil letzteres nur umfassend gemeint sein kann und alle schlimmen Worte und Taten bedeuten muß, die vom Menschen ausgehen[44], ist auch dem Vordersatz ein möglichst weitreichender Sinn zuzusprechen. Wenn es keine äußere Einwirkung gibt, die den Menschen wirklich verunreinigen könnte, ist in der Tat der levitische Reinheitskodex im Kern erledigt. Die wahre Unreinheit ist in dem zu erkennen, was der Mensch redet und tut. Das Gewicht des Wortes wird vom abschließenden Weckruf unterstrichen.

17–19 Im Schema der auf die Volksbelehrung folgenden Belehrung der Jünger bitten

[40] Gegen Ende des 1. Jh. n. Chr. setzten sich Rabbi Eliezer und die Weisen für die Auflösungsmöglichkeit ein. Daß diese umstritten war, scheint auch Ned 5,6 zu bezeugen. Vgl. Hübner (Anm. 6) 150f.

[41] Jeremias, Theologie I 203. Nach Billerbeck I,719 wurden die Zungensünden in der rabbinischen Literatur vernachlässigt.

[42] D. Flusser, Jesus in Selbstzeugnissen und Bilddokumenten, Hamburg 1968, 45.

[43] Kümmel* 38f; Haenchen, Weg 266.

[44] Es wäre absurd, an die Ausscheidung der Speisen zu denken.

diese Jesus im Haus um die Erklärung der für sie unverständlichen Parabel. Markus versäumt es nicht, auch dies zum Anlaß für einen Tadel zu nehmen, der ihnen die gleiche Verständnislosigkeit vorwirft, wie sie das Volk besitzt[45]. Die Frageform, die für den Jüngertadel im Mund Jesu charakteristisch ist, mildert die Härte des Vorwurfs etwas ab und macht ihn zu einer stimulierenden Anregung, sich besser um das Verstehen zu bemühen. Die Deutúng, die das in der Volksbelehrung gebotene Logion auf die Speisegesetze einengt, wirkt rationalistisch und simplifizierend, indem sie den natürlichen Weg der Speisen über den Bauch in den Abtritt beschreibt. Immerhin wird das Herz erwähnt, in dem der Drang zum Guten oder zum Bösen entsteht. Es ist nach biblischem Verständnis Sitz des Wollens, Strebens und der Affekte. Die Speisen berühren es nicht. Damit ist ihre Unfähigkeit, den Menschen zu verunreinigen, erwiesen. Für den Abschluß von 19 sind verschiedene Übersetzungen möglich, je nachdem, worauf man ihn bezieht. Die einen beziehen die Reinigung aller Speisen auf die Ausscheidung, die sich im Abtritt von selber reinigen würde[46]. Dies wäre ein Sarkasmus. Näher liegt die Annahme einer Parenthese, die eine prinzipielle Feststellung einbringt, die auf den Redenden zurücklenkt: damit erklärte er alle Speisen für rein[47]. Die praktische Konsequenz ist, daß kein Christ mehr auf die äußeren Speisevorschriften zu achten hat. Weit wichtiger ist es, das Augenmerk auf das eigene Herz zu richten, aus dem das aufsteigt, was den Menschen beschmutzt. In Form einer Lasterreihe – der einzigen, die sich in den Evangelien findet (und par Mt 15,18f) – wird beschrieben, was aus dem menschlichen Herzen hervortreten kann. Dreizehn Laster sind aneinandergereiht. Die bösen Gedanken am Anfang fassen gleichsam alles folgende zusammen. Eine formale Ordnung der Reihe ist darin zu erkennen, daß im griechischen Text die ersten sechs Laster im Plural, die anderen sechs im Singular genannt sind. Sachlich schließen sich Diebstahl, Mord und Ehebruch an das 7., 5. und 6. Gebot des Dekalogs an. Die Kombinierung von Geboten der zweiten Tafel mit anderen Lastern zu Lasterkatalogen ist wiederholt im hellenistischen Judentum nachzuweisen[48]. In diesem Milieu ist auch Mk 7,21f beheimatet. Mt 15,18f hat die Angleichung an den Dekalog stringenter durchgeführt. Mit Ausnahme der bösen Gedanken und des bösen Auges werden alle Laster auch in den Katalogen des Corpus Paulinum angeführt[49]. Das böse Auge ist das neidi-

20–23

[45] Einige Textzeugen schwächen den Tadel ab: Seid auch ihr *noch* unverständig? (א 700: οὔπω).

[46] Haenchen; Schnackenburg; Schweizer; Wellhausen. – Dabei kann man – wie auch Bl-Debr § 137,3 erwägt – καθαρίζων auf ἀφεδρῶνα zurückbeziehen. Black, Aramaic Approach 217f, versteht βρῶμα im Sinn vom aramäischen *'ukla*, Exkrement, und übersetzt: So werden alle Exkremente ausgeschieden und gereinigt, gewinnt diese Übersetzung aber im Anschluß an den Text des sy[s]. Pallis möchte τὰ βρώματα in Anlehnung an das Neugriechische mit Gestank, Schmutz wiedergeben. Dazu vgl. Bl-Debr § 126,3.

[47] Cranfield, Klostermann, Lohmeyer, Schmid, Taylor, Berger, Gestzesauslegung I, 481.

[48] Vgl. Berger, Gesetzesauslegung I, 390–392, der grBar 4,8 und 13 sowie Philo, RerDivHer 173; ConfLing 117 zitiert.

[49] Vgl. die Übersichten bei Taylor 346 und S. Wibbing, Die Tugend- und Lasterkataloge im NT (BZNW 25) (1959) 87f. Wibbing 92–94

sche, mißgünstige Auge und hat mit dem bösen Blick, der im Koran eine Rolle spielt, nichts zu tun[50]. Gewiß ist mit dieser Lasterreihe nur eine Auswahl der Bosheit geboten, zu der der Mensch fähig ist. Sie will keinen Anspruch auf Vollständigkeit erheben. Darum kommt es nochmals auf den letzten Satz an, der eindringend die Quelle der wahren Unreinheit für den Menschen erneut benennt. Die Unreinheit ist das Böse. Dies gilt es aus dem Herzen zu beseitigen.

Historische Beurteilung

Die Rückfrage nach Jesus ist im Zusammenhang mit dieser Perikope häufig gestellt worden. Nach Braun[51] ist das Logion in Vers 15 jesuanisch und gehen 1–8 und 9–13 der Intention nach auf Jesus zurück. Die prinzipielle in 15 gegebene Aufhebung der jüdischen Reinheitsvorschriften und damit eines Teiles des Gesetzes aber war insbesondere der Anlaß dafür, dem Wort nur eine bedingte Authentizität zuzusprechen oder es ganz als spätere Bildung zu behandeln[52]. Jesus habe sonst nie so radikal das Gesetz in Frage gestellt, und der später in den christlichen Gemeinden ausbrechende Streit über die Tischgemeinschaft von Juden- und Heidenchristen bleibe unverständlich, hätte es eine so eindeutige Stellungnahme Jesu gegeben. Dazu ist zu sagen, daß wir das Judenchristentum Palästinas viel zu wenig kennen, um diese Meinung übernehmen zu können. Auf jeden Fall darf dieses nicht als homogene Größe gesehen, sondern muß in seinen Differenzierungen beurteilt werden. War ein Teil dieses Christentums toratreuer, so haben wir auf der andern Seite den torakritischen Stephanuskreis, der durchaus als Tradent der Torakritik Jesu vorstellbar ist. Letztere fügt sich unter zweierlei Gesichtspunkten in das Bild vom historischen Jesus ein. Einmal ist seine Tischgemeinschaft mit dem gemeinen Volk sicher verbürgt, für die vorausgesetzt werden kann, daß die jüdischen Reinheitsregeln keine besondere Beachtung fanden. Zum anderen ist die Torakritik Jesu als Ursache dafür anzunehmen, daß man seitens der jüdischen Autoritäten gegen ihn vorging und den Prozeß gegen ihn arrangierte. Auch andere rigorose Auffassungen Jesu sind von seiner späteren Gemeinde nicht immer durchgehalten worden. Hier ist an seine Ehehalacha und eben auch an seine offene Tischgemeinschaft zu erinnern. Die Freiheit gegenüber den versklavenden Bindungen des Gesetzes geht auf Jesus zurück, der die Liebe zum Menschen zum Kriterium der echten Gottesliebe erklärte. Damit hat er in der Tat gegenüber dem im damaligen Judentum verbreiteten Gottesdienst ein neues und revolutionierendes Gottesbild verkündet. Aus der gleichen Überlegung ist der Korbanstreit in seinem Kern auf Jesus zurückzuführen. Wir sahen, daß die Maßgabe, Korbangelübde

bietet auch eine Übersicht über die Laster der Lasterreihen in den Qumranhandschriften. Zu den Test XII vgl. Wibbing 32.

[50] Gegen Köbert*.

[51] Radikalismus II,62, Anm. 2; 65, Anm. 5; 72, Anm. 1.

[52] Carlston* 95 vermutet ein Jesuswort, das gelautet haben könnte: »Was den Menschen wirklich unrein macht, kommt von innen, nicht von außen«. Klostermann 70 rechnet zwar mit einem Jesuswort, meint aber, daß Jesus die letzten Konsequenzen dieses Wortes nicht gezogen habe. Ganz ablehnend ist S. Schulz, Die neue Frage nach dem historischen Jesus, in: NT und Geschichte (FS O. Cullmann), Zürich 1972, 33–42, hier 39–41. Zur Diskussion vgl. Kümmel* und Hübner (Anm. 6) 147–175.

zu lösen, zu seiner Zeit unter den Schriftgelehrten umstritten war, so daß die Auseinandersetzung an diesem Punkt historisch möglich ist. Diese betrifft im übrigen keine seltsamen Auswüchse der Gesetzesobservanz, sondern die zentrale Gottesfrage[53].

Zusammenfassung

Markus, der in einer ganz anderen Situation steht, verfolgt mit der Verbindung der verschiedenen Traditionen, die ihm koordinierbar erschienen, seine besonderen Ziele. Der Kampf um das Gesetz und die Gültigkeit aller seiner Teile ist ausgestanden. Der Evangelist sieht sich veranlaßt, seinen heidenchristlichen Lesern das Zeremonialgesetz, an das sich alle Juden halten würden, zu erläutern. Die rationalistische Argumentation in der Jüngerbelehrung kommt ihm entgegen, denn sie zeigt, daß die Überwindung des Gesetzes durch Jesus – die der Evangelist in 19c eigens nochmals feststellt – eine jedem vernünftigen Menschen einleuchtende Sache ist. Der markinische Interpretationsansatz ist im Jüngertadel zu suchen. Die unverständigen Jünger machen deutlich, daß, wenn auch nicht die Rückkehr zum jüdischen Zeremonialgesetz, so doch der Rückfall in eine veräußerlichte Frömmigkeit als Gefahr stets gegeben ist. Der Mensch neigt dazu, in religiöse Betriebsamkeit zu verfallen, um sich für seine Weigerung, in Wahrheit umzukehren, ein Alibi zu verschaffen. Die Beobachtung von Äußerlichkeiten läßt ihn den wahren Gottesdienst vergessen. Er täuscht sich vor, ein frommer Mensch zu sein, wo er doch eine gesetzlich bestimmte Bindung an Gott benutzt, um seinem Nächsten zu schaden. Gegenüber diesen drohenden Verirrungen macht Markus nachdrücklich auf die Quelle der wahren Unreinheit aufmerksam. Vers 15b, der ja in 23 wiederholt wird, wird zur entscheidenden Aussage. Diese Quelle liegt im Menschen selbst, in seinem Herzen, mit dem umzukehren man zunächst bereit sein muß. Weil der Evangelist sich auch darum bemüht, beim Leser den Eindruck eines historisch wirkenden Ablaufs der Dinge zu erwecken, ist auf die Stellung der Perikope im Evangelium zu achten. In ihr wird deutlich, daß sich Jesus geistig von den Juden getrennt hat. Er geht jetzt in heidnisches Land. Der Übergang des Evangeliums von Israel zu den Völkern, der für Markus längst vollzogen ist, kündigt sich im Wirken Jesu an (vgl. 4,10–12).

Wirkungsgeschichte

Den Auslegern ist eigentlich immer bewußt geblieben, daß das zentrale Anliegen des Abschnitts die rechte Gottesverehrung ist. Die Gesetzesproblematik kommt nicht so scharf in den Blick. Vor allem wird nicht wahrgenommen, daß der Abschnitt Teile des alttestamentlichen Gesetzes selbst in Frage stellt. Das hängt sicher auch damit zusammen, daß gesetzliches Denken die Christenheit bedroht, eine Gefahr, der sie manchesmal erlag. Theophylakt[54] bemerkt, daß das Händewaschen vor dem Essen im Gesetz nicht vorgeschrieben sei, kritisiert darin die Juden, rechtfertigt aber damit letztlich das Gesetz. Auch Calvin beobachtet, »wie streng Gottes Gesetz die äußere Reinheit fordert, nicht weil der Herr wollte, daß seine Knechte davon ganz besessen würden, sondern damit sie

[53] Vgl. Schweizer 77.
[54] PG 123,560f.

sich um so sorgsamer vor jeder geistigen Verunreinigung hüteten«[55]. Im übrigen halte das Gesetz bei den Waschungen ein gewisses Maß ein. Die äußeren Reinigungsvorschriften sind also der geistigen Erneuerung untergeordnet. Die Radikalität der markinischen Aussage ist nicht mehr erreicht, mag Calvin auch gegen die willkürlichen Besprengungen der Papisten mit »Sühnewasser« zu Felde ziehen[56]. Klar aber werden die Reinheit des göttlichen Gebotes und die Zutat menschlicher Satzung auseinandergehalten. Psychologisch zutreffend und wahrscheinlich auch die Erfahrung berücksichtigend, wird gesehen, daß menschliche Satzungen, sind sie einmal aufgestellt, ernster genommen werden als der Wille Gottes. Scharf formuliert wiederum Calvin: »Von Zeit zu Zeit machen sie sich neue Gottesdienstformen zurecht, und je weiser sich einer vorkommt, um so mehr Scharfsinn entwickelt er dabei . . . Daraus entsteht dann Tyrannei, denn wenn sich die Menschen einmal die Willkür zu befehlen angemaßt haben, fordern sie streng, daß ihre Gesetze auch eingehalten werden, und sie dulden nicht, daß der geringste Buchstabe, sei es aus Mißachtung, sei es aus Nachlässigkeit, übersehen wird«[57]. Die Worte sollten auch dem Katholiken zu denken geben. Die Bedeutung der Tradition in einer Kirche kann hier nicht eingehend erörtert werden. Der Katholik hat ein anderes Verhältnis zu ihr als der Protestant. Es wird darauf ankommen, daß die Tradition, deren Unvermeidlichkeit oder Notwendigkeit auch in der evangelischen Kirche heute wieder mehr anerkannt wird, sich allein aus der Schrift nährt und aus ihr lebt[58]. Es sollte niemals so weit kommen, daß Traditionalismus und Kirchlichkeit in eins geschaut werden können. Sollte es einmal in einer Kirche einen Zustand geben, in dem Tradition und Traditionalismus einen höheren Rang einnehmen als das Wort Gottes, müßte man in der Tat mit M. Werner[59] sagen, daß Jesus es mit Unkirchlichen gehalten habe. Den Gipfel des Mißbrauchs der Tradition sehen die Ausleger im Korbanbeispiel gegeben. Beda formuliert es so: impietatem sub nomine pietatis inducerent[60].

Ein weiterer Schwerpunkt in der Auslegungsgeschichte ist darin zu erblicken, daß die Autoren die Verantwortung und Freiheit des Menschen betonen, die sie in dem Satz erkennen, daß das wirkliche Böse aus dem Herzen kommt und nicht von außen an den Menschen herangetragen wird. In mythologischer Rede sagt es Beda. Nicht der Teufel gebe die bösen Gedanken ein, vielmehr ex propria nasci voluntate. Der Teufel könne nur die schon vorhandenen bösen Gedanken schüren[61]. Nicht durch Speisen werden die Menschen verunreinigt,

[55] II,33.
[56] 34.
[57] 31.
[58] Vgl. F. Hahn, Das Problem »Schrift und Tradition« im Urchristentum, EvTh 30 (1970) 449–468; J. Ratzinger, Ein Versuch zur Frage des Traditionsbegriffs, in: K. Rahner – J. Ratzinger, Offenbarung und Überlieferung, 1965 (QD 25), 25–49.
[59] Der Protestantische Weg des Glaubens II Bern 1962, 407f.
[60] PL 92,200. – Der zeitgeschichtliche Hintergrund der Korbanpraxis wird nicht richtig erkannt und nicht selten wird die Praxis antijudaistisch ausgemünzt. Calvin II,35, leitet sie aus der Geldgier der Juden ab. Beda, PL 92,199, spricht davon, daß die Waschungen aller Juden eitel sind, solange sie es verachten, sich in der Quelle des Erlösers abzuwaschen.
[61] PL 92,201.

sondern »sie haben bereits den Schmutz ihrer Sünden tief in sich; in ihren Werken kommt er dann offen heraus«[62]. In tiefenpsychologischer Sicht unterscheidet H. Thielicke[63] zwischen dem ethischen und gleichsam höheren Selbst, das in Gesinnung und Handeln sein Ja zum Guten spricht und den »Gedanken des Herzens«, die unterhalb der Zone der willentlichen Selbstverfügung wesen und gegen die ich in Gesinnung und Handeln protestiere. Aber auch sie gehörten zu mir, und ich hätte zu ihnen »ich« zu sagen. Ich könnte sie nicht abwälzen auf ein außerhalb meiner Person liegendes Schicksal oder gar auf Gott. Sie machten mir bewußt, daß ich nicht mehr ganz dem gehöre, dem ich mich ganz schulde. Die Einsicht in das menschliche Herz als dem Quell des Bösen sollte hellhörig machen für das Wort des Evangeliums, das Befreiung verheißt.

7. Das Wunder im Heidenland (7,24–30)

Literatur: Diaz, J. A., Cuestión sinóptica y universalidad del mensaje cristiano en el pasaje evangélico de la mujer cananea, CuBi 20 (1963) 274–279; *Burkill, T. A.*, The Syrophoenician Woman: The congruence of Mark 7,24–31, ZNW 57 (1966) 23–37; *Burkill, T. A.*, The Historical Development of the Story of the Syrophoenician Woman, NT 9 (1967) 161–177; *Kertelge*, Wunder Jesu, 151–156; *Derrett, J. D. M.*, Law in the NT: The Syro-Phoenician Woman and the Centurion of Capernaum, NT 15 (1973) 161–186; *Schenke*, Wundererzählungen, 254–267; *Koch*, Bedeutung, 85–92; *Dermience, A.*, Tradition et rédaction dans la péricope de la Syrophénícienne, RTL 8 (1977) 15–29; *Klauck*, Allegorie 273–280.

24 **Von dort aber brach er auf und ging fort in das Gebiet von Tyrus. Und er betrat ein Haus und wollte, daß es niemand erfährt. Und er konnte nicht verborgen bleiben,** 25 **sondern sofort hörte eine Frau von ihm, deren Töchterchen einen unreinen Geist hatte. Sie kam und warf sich zu seinen Füßen nieder.** 26 **Die Frau aber war eine Griechin, der Herkunft nach Syrophönikierin. Und sie bat ihn, daß er den Dämon aus ihrer Tochter austreibt.** 27 **Und er sagte zu ihr: Laß zuerst die Kinder satt werden! Denn es ist nicht recht, den Kindern das Brot zu nehmen und den Hündlein vorzuwerfen.** 28 **Sie aber antwortete und spricht zu ihm: Herr, auch die Hündlein unter dem Tisch essen von den Brosamen der Kinder.** 29 **Und er sprach zu ihr: Wegen dieses Wortes gehe! Der Dämon ist aus deiner Tochter ausgefahren.** 30 **Und sie ging fort in ihr Haus und fand das Kind auf dem Bett liegend, und der Dämon war ausgefahren.**

Analyse

Der Entstehungsprozeß der Perikope wird unterschiedlich beurteilt. Während Lohmeyer meint, den Grundstock bilde der Dialog Jesu mit der Frau (27f), zu

[62] Calvin II,40.
[63] Der evangelische Glaube II, Tübingen 1973, 107.

dem sekundär eine Wundergeschichte hinzugetreten sei, hält Kertelge die Wundergeschichte für den Ausgangspunkt, die später um den Dialog bereichert worden sei[1]. Burkill[2], der ähnlicher Auffassung ist, rechnet dabei mit einer komplizierten etappenweisen Entwicklung (erst sei 27b als isoliertes Bildwort, dann 28, dann 27a angefügt worden). Beide Auffassungen sind abzulehnen. Die Perikope war immer schon eine Geschichte, in der das Wunder dem Gespräch untergeordnet war. Das Wunder ist auf den Dialog hingeordnet, und der Dialog ist ohne die rahmende Geschichte nicht lebensfähig. Markus hat – das ist fast einhellige Meinung der Interpreten – den Anfang der Perikope gestaltet. Vers 24 mit der für ihn kennzeichnenden Absicht Jesu, unerkannt sein zu wollen, aber nicht bleiben zu können, ist ihm ganz zuzuschreiben, einschließlich der Reise in das Gebiet von Tyrus. Letztere konnte er aus der Beschreibung der Frau als Syrophönikierin entwickeln[3]. Das heißt, die Geschichte spielte, da sich auch Vers 31 als redaktionell erweisen wird, ursprünglich im jüdischen Land. Die Tyrus-Reise ist markinisch[4]. Auch der Übergang in 25 mit den Partizipien (vgl. 5,25ff) stammt von ihm. Den ursprünglichen Anfang kann man sich wie folgt vorstellen: »Und es kommt eine Frau, deren Töchterchen einen unreinen Geist hatte, zu ihm (bzw. zu Jesus) und warf sich ihm zu Füßen«. Im Jesus-Wort (27) nimmt der Anfang »Laß zuerst die Kinder satt werden« dem folgenden Bild die Strenge, insofern er bereits eine Konzession macht und die Abweisung in eine Nachordnung umwandelt. Läßt man ihn weg, kommt die Pointe der Erzählung, daß Jesus durch die Frau bzw. ihren Glauben überwunden wird, besser heraus. Er geht auf Markus, nicht eine vormarkinische Redaktion, zurück[5], da Markus nicht aus einem aktuellen Anlaß heraus urteilt, sondern ein historisches Urteil fällt. Sucht man nach einem aktuellen Anlaß, bleibt die Redaktion unverständlich, da die Heidenmission für den Evangelisten längst kein Problem mehr ist. Die Markus vorgegebene Geschichte dagegen setzt sich mit dem Problem der Heidenmission, die noch nicht unangefochten war, auseinander. Sie beantwortet die Frage der Heidenmission so, daß sie sich bei Wahrung der Privilegien Israels mit dem Hinweis auf die Glaubensbereitschaft der Heiden, die schon Jesus erfahren konnte, für die Mission entscheidet. Dabei spielt die Erkenntnis, daß das Heil Gottes immer ein Geschenk ist, eine entscheidende Rolle[6]. Die Entstehung der Perikope ist in nordgaliläischen Gemeinden an der Grenze Syriens gut denkbar.

[1] Lohmeyer 145; Kertelge, Wunder Jesu 152.

[2] NT 9 (1967) 175–177.

[3] Anders Theißen, Wundergeschichten 130. Zu ἀπέρχομαι in mk Überlieferungen vgl. 1,35; 6,32.46; 8,13.

[4] Wendling, Entstehung 116, bezeichnete die »Nordreise« als dogmatisch motiviert.

[5] Schenke, Wundererzählungen 254–264, möchte zwischen einer markinisch judenchristlichen und einer vormarkinisch hellenistisch-judenchristlichen Redaktion unterscheiden. Das ist nicht nötig.

[6] Treffend Schenke, Wundererzählungen 261f. – Die Mt-Parallele 15,21–28 wird gegenüber Mk von Masson, Rome 95, als ursprünglicher bezeichnet. Diaz* glaubt, daß Mt neben Mk eine Sonderüberlieferung verwendete. Hierfür könnte bestenfalls Mt 15,24 in Anspruch genommen werden. Alle anderen Abweichungen können als Mt-R plausibel gemacht werden.

Formmäßig ist die Perikope weder als Wundergeschichte noch als Apoftegma, sondern als Streitgespräch besonderer Art oder besser als Lehrgespräch anzusprechen[7]. In diesem Streit ist Jesus der Überwundene. Der Angelpunkt ist die Belehrung, die die Leser aus dem Dialog gewinnen sollen. Erzählerisch fällt für die Geschichte der Wechsel in der Wortwahl auf: Töchterchen/Tochter wechselt mit Kind, unreiner Geist mit Dämon. Die Erzählung ist lebendig. Die einzige Präsensform in der Einleitung der Antwort der Frau (28: καὶ λέγει) wird die Bedeutung dieses Satzes signalisieren wollen. In 27 dürfte ein Wortspiel vorliegen: λαβεῖν – βαλεῖν. 26a erweist sich als Parenthese. Ob die Perikope durch die Geschichte von der Witwe von Sarepta 1Kön 17,7–24 aus der Elija-Tradition geprägt wurde, wie man wiederholt meinte[8], hat die Interpretation zu prüfen.

Erklärung 24–26

In der Exposition geschieht zunächst der Anschluß nach vorn. Jesus – die Jünger werden in der Geschichte überhaupt nicht erwähnt[9] – bricht von dort, das heißt vom Ort des Disputs mit den Pharisäern, der im Rückverweis auf 6,53 mit Gennesaret zu identifizieren ist, in die Gebiete von Tyrus, die phönikische Seeküste, auf. Tyrus wird oft zusammen mit Sidon genannt (schon in 7,31), doch ist das Eindringen von Sidon in manche Textzeugen wegen des geläufigen Zusammenklangs sekundär[10]. Eindeutig ist das tyrische Gebiet heidnisches Land, was für Markus im Hinblick auf die folgende Begebenheit wichtig ist. Die Bewohner von Tyrus waren sogar unter den Phönikiern auf die Juden besonders schlecht zu sprechen, wie Josephus bezeugt[11] und eine weit zurückreichende Vorgeschichte verständlich macht (vgl. Jes 23; Joel 4,4–6; Sach 9,2). Doch gab es auch Worte der Heilszusage für Tyrus und andere Nachbarvölker (Ps 87,4). Ganz allgemein wird bemerkt, daß Jesus, um unerkannt zu bleiben, ein Haus betritt, aber nicht verborgen bleiben kann (vgl. 1,45; 5,43; 9,30). Die Absicht des Evangelisten ist hier nicht zu zeigen, daß Jesus die jüdischen Reinheitsvorschriften übertritt, weil das Haus ein heidnisches gewesen sei[12], sondern sie läuft mit dem Messiasgeheimnis parallel und betrifft den Offenbarungsgedanken. Ähnliches wurde für den galiläischen Bereich in 1,45–2,2 geschildert. Sofort ist eine Frau zur Stelle, deren Anliegen ihr krankes, von einem unreinen Geist geplagtes Töchterchen ist[13]. Wie die Blutflüssige wirft sie sich Jesus zu Füßen (5,33). Wenn sie von ihm gehört hatte, so dies, daß er ein mächtiger Helfer ist. In einer Parenthese wird die Frau näher beschrieben und als Griechin und Syrophönikierin vorgestellt. Beides kann nicht gut ethnische Be-

[7] Bultmann, Geschichte 38, spricht von Apoftegma und einer Art Streitgespräch; Schille, Wundertradition 26f, von Missionslegende. Derrett* 162–174 rückt die Geschichte in die Nähe eines Midrasch, doch sind die zahlreichen von ihm vermuteten atl. Anspielungen keinesfalls alle überzeugend.

[8] Neben Derrett auch Kertelge, Wunder Jesu 152.

[9] Anders par Mt 15,23.

[10] Ägyptischer und Koine Text. Einfluß von par Mt 15,21.

[11] Ap 1,13.

[12] Gegen Burkill, ZNW 57 (1966) 28.

[13] Die Wiederholung des Personalpronomens nach dem Relativum in 25 ἧς . . . αὐτῆς ist ein Semitismus. Einzelne Handschriften korrigieren verständlicherweise.

zeichnung sein. Lukian unterscheidet einmal ausdrücklich zwischen beidem: »Nicht Grieche . . ., sondern Syrophönikier«[14]. Mt 15,22 ist der Schwierigkeit entgangen, indem er sie eine »kananäische Frau aus jener Gegend« nennt. Weil auch manche Textzeugen korrigierten, ist immer noch ein alter Korrekturvorschlag beliebt, der lesen möchte: eine phönikische Witwe. Die Absicht ist dabei eine Angleichung an die Geschichte der Witwe von Sarepta (1Kön 17,9)[15]. Am besten nimmt man das Wort Griechin als Angabe ihrer Kultur und Religion[16]. Sie war eine hellenisierte Einheimische und gehörte der sozialen Oberschicht an. Der Begriff Syrophönikien im Gegensatz zu Lybophönikien in Nordafrika verrät die Bildung des Erzählers[17]. Der Leser kann keinen Zweifel mehr haben, daß er es mit einer Heidin, einer Nichtjüdin zu tun hat. Ihre Bitte ist, Jesus möchte ihre Tochter vom Dämon befreien. Mit der Elija-Tradition hat die Geschichte gemeinsam, daß sie in der gleichen Gegend spielt und eine Frau ein krankes Kind besitzt, dem der Gottesmann helfen soll. Ob dies für eine literarische Abhängigkeit ausreicht, muß fraglich bleiben, zumal der Sohn der Witwe von Sarepta stirbt. Die Elija-Tradition erzählt eine Totenerweckungsgeschichte.

27–28 Man erwartete, daß Jesus nunmehr mit der Frau zum kranken Kind geht. Statt dessen entwickelt sich ein Gespräch, in dem die Frau zunächst die Ablehnung ihrer Bitte zu hören bekommt, weil sie Heidin ist. In der ersten Bemerkung Jesu fällt die Ablehnung weniger schroff aus wie im folgenden Bildwort vom Brot (vgl. die Analyse). In diesem hier vorliegenden markinischen Eingriff wird die heilsgeschichtlich notwendige Nachordnung der Heiden nach den Juden, nicht ihre Abweisung festgestellt. In Anlehnung an eine verbreitete Selbstbezeichnung der Juden als Kinder oder Söhne Gottes wird von ihnen als Kindern gesprochen, die sich zuerst sättigen müßten. Rabbi Aqiba gibt das allenthalben vorhandene Selbstbewußtsein wieder: »Geliebt sind die Israeliten, denn sie sind Söhne Gottes genannt worden« (Ab 3,14)[18]. Die heilsgeschichtliche Vorordnung der Juden stimmt mit der Auffassung des Apostels Paulus überein, der das Evangelium eine Kraft Gottes zum Heil heißt für jeden, der glaubt, »zuerst für den Juden und auch für den Griechen« (Röm 1,16; vgl. 2,9f). Die Auffassung bestätigt aber auch Apg 13,46, so daß man nicht notwendig von einem Paulinismus bei Markus sprechen muß. Charakteristisch für das »zuerst« ist, daß es stets vom heidenchristlichen Standpunkt aus gefällt wird und in den Blick tritt, wenn es um seine Aufhebung geht. Markus läßt Jesus ein

[14] deor. concil. 4. Den Begriff Syrophoenix kennt auch Juvenal, sat. 8,159.

[15] Lohmeyer; Grundmann, einen Vorschlag von Couchoud aufgreifend. Viel zu weitreichend ist der Schluß Grundmanns, der wegen dieser Angleichung an die Elija-Tradition Jesus in dieser Geschichte als hohepriesterlichen Messias beschrieben sieht.

[16] Schon Wettstein: nomen religionis est, non regionis. Vgl. Theißen, Wundergeschichten 130.

[17] Niederwimmer, ZNW 58 (1967) 182, traut diese Bildung keinem Palästinenser zu und zieht Rückschlüsse auf die Verfasserfrage. Der Begriff Syrophönikierin, der nach obiger Analyse der Tradition zugehört, kann einem Palästinenser zugemutet werden. JustDial 78 verwendet ihn auch.

[18] Weiteres Material in ThWNT VIII, 352–355.360f (Fohrer; Schweizer; Lohse).

heilsgeschichtliches Urteil fällen, das bereits die Vergangenheit betrifft. Das Sättigen deutet auf die Fülle des Heils, nicht auf die Speisungsgeschichten 6,30ff; 8,1ff. Ein Zusammenhang besteht nur indirekt, insofern auch die Speisungsgeschichten den Reichtum des Heils symbolisieren[19]. Auch eine Einschränkung auf die Eucharistie liegt nicht vor. Das umfassende, mit Jesus gekommene Heil steht im Brennpunkt. – 27b dagegen ist eine eindeutige Abweisung, die keine veränderte Zukunftsperspektive eröffnet. Den Kindern das Brot zu nehmen, um es den Hündlein vorzuwerfen, wäre Unrecht. Das Bild führt uns an den gemeinsamen Eßtisch, wo die Kinder versammelt sind. Ob mit dem Wort Hündlein auf die im Judentum bekannte Beschimpfung der Heiden als Hunde angespielt ist[20], mag dahingestellt bleiben. Es gibt aber auch Beispiele dafür, daß der Gesetzeskundige das gewöhnliche Volk, das das Gesetz nicht kannte, mit diesem Wort belegte[21]. Daß wir es mit einem Vergleich und weniger mit einer Allegorie zu tun haben, lehrt der Diminutiv Hündlein, der im Gegensatz zu dem herumlungernden Straßenhund den Haus- und Stubenhund wird meinen wollen. Die Reaktion der Frau geht auf den Vergleich in 27b, nicht auf 27a ein. Nur in ihrem Mund findet sich bei Markus die Jesusanrede Herr. Es ist typisch, daß sie von einer Heidin kommt[22]. Darum hat die Anrede etwas Bekenntnishaftes. In Verlängerung des von Jesus verwendeten Bildes überwindet sie diesen. Die Hündlein unter dem Tisch empfangen die Brosamen der Kinder[23]. Der griechische Term hebt auf die Winzigkeit der Brocken ab. Die unscheinbare Antwort enthält ein theologisches Urteil: Die Heiden sind – unbeschadet der Privilegien Israels – zum Heil zugelassen.

29–30

Die Zusage Jesu knüpft am Wort der Frau an. Sie anerkennt den in diesem Wort zum Ausdruck gekommenen Glauben, obwohl dieser nicht eigens erwähnt wird. Mt 15,28 hat völlig zutreffend ergänzt: Frau, dein Glaube ist groß. Die Frau wird zum Prototyp der gläubigen Heiden, die nachösterlich im Gegensatz zu den ablehnenden Juden das Evangelium annehmen. Die Zusage der Heilung findet die Frau, die sich in ihrem Vertrauen nicht beirren ließ, zu Haus bestätigt. Vielleicht ist es ein Hinweis auf ihre besseren wirtschaftlichen Verhältnisse, wenn nur hier in einer markinischen Wundergeschichte von der κλίνη, dem vornehmen Bett (sonst κράβατος), gesprochen wird. Das Wunder hatte keine Zeugen. Es verdient Beachtung, daß auch die andere Geschichte von einer Fernheilung in den synoptischen Evangelien von einem Heiden be-

[19] Manche Interpreten gehen noch weiter und erblicken in der Speisung der 5000 (6,30ff) die Juden, in der Speisung der 4000 (8,1ff) die Heiden und in 7,27 eine Art Zusammenfassung beider Geschichten. Vgl. Burkill, ZNW 57 (1966) 27f; Kertelge, Wunder Jesu 156.

[20] Vgl. 1Sam 17,43; Ijob 30,1; 2Kön 8,13. Rabbinische Belege bei Billerbeck I,722–726.

[21] MidrPs 4,8 (Wünsche I,48).

[22] In Mk 10,51 ist die Kyrie-Anrede sekundär. Wellhausen vermutet in 7,28 eine Anlehnung an 1Kön 18,7, Derrett* 167 in 7,27 an 1Kön 17,13. Beides ist nicht überzeugend. – ναί bei κύριε ist mit p[45] W 565 zu streichen.

[23] Vgl. Lk 16,21 und die Geschichte bBB 8a, in der ein vermeintlicher Gesetzesunkundiger den schriftgelehrten Rabbi um die Speisereste bittet, die er widerwillig erhält. Bei Billerbeck I,726.

richtet (Mt 8,5–13 par). Dies bestätigt auf seine Weise das jüdische Milieu des Ursprungs dieser Evangelientraditionen.

Historische Beurteilung und Zusammenfassung

Die Erinnerung, die diese Geschichte an den historischen Jesus aufbewahrte, wird darin zu suchen sein, daß er sich in seinem Wirken auf das jüdische Volk konzentrierte. Die Heidenmission trat in seiner Tätigkeit noch nicht in den Blick[24]. Davon zu unterscheiden aber ist die prinzipielle geistige Lösung vom Partikularismus des Jüdischen, wie wir sie in seiner Stellung zu den Reinheitsvorstellungen kennenlernten. – Markus benutzt die Perikope von der Syrophönikierin an wirksamer Stelle, um eine Reise Jesu in das heidnische Gebiet von Tyrus einzubringen. Die Öffnung Jesu zur Heidenwelt, die in der Tradition angelegt war, hat er eindringlich betont. Jesus wird zwar nicht zum Missionar und unternimmt auch keine Missionsreise, aber er stellt in 27a selber fest, daß die Bevorzugung Israels keine absolute, sondern eine zeitlich befristete ist. Das heilsgeschichtliche πρῶτον war zu berücksichtigen. Das Gewicht des Anliegens wird durch den Kontext verstärkt. Die vorausgegangene Aburteilung pharisäischer Frömmigkeit, die Markus auf alle Juden übertrug (7,3), bildet die negative Folie zur vorbildlichen Haltung der heidnischen Syrophönikierin. In ihrem voraussetzungslosen Vertrauen, das sich auf keine Eigenleistung und kein Privileg beruft, darf sich die markinische Gemeinde und darf sich auch der Christ heute wiedererkennen.

Wirkungsgeschichte

Die Perikope wurde im wesentlichen auf zwei verschiedene Weisen ausgewertet. Die eine ist die heilsgeschichtliche. In ihr wird die Frau zum Symbol für die Völkerkirche oder die ecclesia primitiva, die für ihr Kind, die Heidenvölker bittet, daß sie vom dämonischen Wesen des Unglaubens befreit werden[25]. Die Juden sind die ersterwählten Kinder, die um der Erwählung willen Gottessöhne heißen. Der Tisch, um den die Kinder versammelt sind, ist die heilige Schrift, die uns das Brot des Lebens reicht. Der Unglaube der Juden, die im Blick auf 7,1ff heftig getadelt werden können, provoziert das zukünftige Heil der Völker[26]. Calvin bezieht – gut paulinisch – das den Kindern vorbehaltene Brot auf die dem Abraham zugesprochene Segensverheißung[27]. – Die zweite Weise des Verständnisses der Erzählung ist die paränetische. Sie ist schon in der alten Kirche vorhanden, scheint aber durch die Reformatoren ausgebaut worden zu sein. Für Beda ist die Syrophönikierin Vorbild des Glaubens in ihrem Vertrauen, der Geduld in ihrer Ausdauer, der humilitas in ihrer Antwort auf das harte Wort Jesu[28]. Theophylakt betrachtet sie als Vorbild der Beharrlichkeit im Gebet[29]. Eine hervorragende Glaubensanalyse bietet Luther in der Fastenpostille

[24] Grundmann 154 verkennt das Problem, wenn er 27f nicht auf das Verhältnis Israel/Heiden, sondern auf die Jünger beziehen will. Die Frau entzöge den Jüngern das Brot, weil Jesus gerade vorhabe, sich ihnen in besonderer Weise zu widmen. Nun werden die Jünger bei Markus überhaupt nicht genannt.

[25] Beda, PL 92,202; Walafried Strabo, Expositio in quatuor evangelia, PL 114,881. – In der legendarischen Überlieferung heißt die Mutter Justa, die Tochter Bernike. PsClHom 2,19; 3,73 (GCS 42/2,42 und 83).

[26] Theophylakt, PG 123,564f.

[27] II,45.

[28] PL 92,202.

[29] PG 123,564f.

von 1525[30]. Für ihn ist die Frau Exempel eines beständigen, vollkommenen Glaubens und einer herzlichen Zuversicht auf die Gnade und Güte Gottes, die durch das Wort erfahren und offenbart wird. Das Wort Jesu mußte für sie ein »donnerschlag, der beide, hertz und Glauben, auf tausend Stück zerschlüge«, sein. Aber sie hält sich an das Wort und vermag unter und über dem Nein mit festem Glauben das heimliche Ja Gottes zu fassen. K. Barth[31] hat in Weiterführung der Lutherschen Gedanken den Glauben als die Notwendigkeit definiert, die Verhüllung, in der Gott in der Predigt, in der Schrift und auch in Christus zu uns redet, zu durchbrechen und zu sehen, daß die Verhüllung Gottes seine wahre und wirkliche Enthüllung ist. Dialektisch fährt er fort, daß aber auch umgekehrt in der Enthüllung Gottes seine Verhüllung zu erkennen und anzuerkennen sei. Die tiefschürfenden Gedanken über den Glauben freilich entfernen sich vom markinischen Text. Hier ist der Glaube – in sich für Markus immer ein Geschenk Gottes – Anlaß dafür, daß das Evangelium von Israel zu allen Heiden geht.

8. Die Öffnung der Ohren des Tauben (7,31–37)

Literatur: Rabinowitz, J., »Be Opened« = Ἐφφαθά (Mark 7,34): Did Jesus speak Hebrew? ZNW 53 (1962) 229–238; *Kertelge*, Wunder Jesu, 157–161; *Morag, S.*, Ἐφφαθά (Mark 7,34): Certainly Hebrew, not Aramaic? JSSt 17 (1972) 198–202; *Schenke*, Wundererzählungen, 269–280.

31 **Und wieder zog er aus dem Gebiet von Tyrus fort und kam durch Sidon an das Meer von Galiläa mitten in das Gebiet der Dekapolis.** 32 **Und sie bringen einen, der taub war und kaum reden konnte, und bitten ihn, daß er ihm die Hand auflegt.** 33 **Und er nahm ihn von der Volksmenge weg abseits, drückte ihm seine Finger in die Ohren und spuckte, um (mit dem Speichel) seine Zunge zu berühren.** 34 **Und er blickte zum Himmel auf, seufzte und spricht zu ihm: Effata, das heißt: sei geöffnet!** 35 **Und sogleich öffneten sich seine Ohren, und die Fessel seiner Zunge war gelöst, und er redete richtig.** 36 **Und er befahl ihnen, es niemandem zu sagen. Je mehr er es ihnen aber befahl, desto mehr verkündigten sie es.** 37 **Und sie gerieten völlig außer sich und sprachen: Er hat alles gut gemacht. Sowohl die Tauben macht er hören als auch die Stummen reden.**

Analyse

Der ursprüngliche Anfang der Perikope liegt in 32 vor: »Und sie bringen einen . . .« Wiederholt ließen sich präsentische Perikopenanfänge nachweisen.

[30] WA 17/2,200–204.
[31] Dogmatik I/1,184f.

Umstritten ist, ob die Geschichte schon in der Tradition lokalisiert war. Man hat vorgeschlagen, »mitten in der Dekapolis« zur Überlieferung des Wunders zu rechnen[1]. Das ist abzulehnen, da die Erzählung selbst – im Gegensatz zur vorausgehenden von der Syrophönikierin – überhaupt nicht erkennen läßt, daß der Kranke ein Heide wäre. Erst Markus hat 31 geschaffen und der zeit- und ortlosen Perikope damit einen örtlichen Rahmen gegeben[2]. Die Funktion von 31 ist die, einen Übergang zu schaffen. Fast allgemein wird der Schweigebefehl und dessen anschließende Durchbrechung der markinischen Redaktion zugeschrieben[3]. Dem ist zuzustimmen, da man hier geradezu von einem markinischen Schema sprechen kann. Schenke[4] möchte in 33 »von der Volksmenge abseits« ebenfalls der Feder des Evangelisten zuweisen, weil das Volk – läßt man diese Bemerkung weg – in 37 recht unvermittelt auftreten würde. Es ist aber zu bedenken, daß der in 37 beschriebene Lobpreis die Reaktion der Hörer der Geschichte ausspricht, die einmal für sich überliefert wurde. Wahrscheinlich aber ist, daß die vorliegende Geschichte von der Heilung eines Tauben mit der Erzählung von der Heilung eines Blinden 8,22–26 einmal eine Doppelüberlieferung bildete. Dafür spricht die weitestgehende strukturelle Übereinstimmung. Der Lobpreis 7,37 hätte sich dann auf beide Heilungen bezogen, und die Geschichte vom Blinden ging der vom Tauben voraus[5]. Die Erzählweise spiegelt ein hellenistisches Milieu wider. Jesus bedient sich der Heilpraktiken eines hellenistischen Wundertäters. Der Abschluß in 37 nimmt auf alttestamentliche Texte (Jes 35,5f; Gen 1,31) Bezug. Darum läßt sich die Überlieferung aus dem hellenistischen Judenchristentum ableiten, das sie in der missionarischen Predigt verwendet haben wird[6]. Formmäßig ist sie eine klassische Wundergeschichte[7].

Erklärung 31–32

In einer Überleitungsbemerkung wird festgestellt, daß Jesus – sein Name wird allerdings ebenso wenig genannt wie seine Jünger – das Gebiet von Tyrus wieder verließ. Seine Wanderung führte ihn nach Sidon, das heißt wohl, das Gebiet von Sidon und zurück an das galiläische Meer in das Gebiet der Dekapolis. Diese höchst merkwürdige Zickzacklinie ist als Ausdruck der Unkenntnis der geografischen Verhältnisse gewertet und die Dekapolis im Verständnis des Evangelisten als Teilgebiet Galiläas angesehen worden[8]. Nun ist nicht von Ga-

[1] Marxsen, Evangelist 44.

[2] Sidon wurde von Mk bereits in 3,8, die Dekapolis in 5,20 erwähnt.

[3] Abgelehnt von Ebeling, Messiasgeheimnis 135. Theißen, Wundergeschichten 152, hält den Schweigebefehl 36a für traditionell, rechnet aber damit, daß er ursprünglich im Singular verfaßt gewesen sei. Zur Struktur vgl. 8,30; 9,9.

[4] Wundererzählungen 270.

[5] In der Blindenerzählung fehlt der Lobpreis. Schon Wendling, Entstehung 77f, bezeichnete beide Perikopen als Zwillingspaar. Vgl. auch Schenke, Wundererzählungen 274f; Grundmann 164.

[6] Lohmeyer 152 plädiert wegen des aramäischen Effata für palästinischen Ursprung.

[7] Lohmeyer 149 glaubte, in der Geschichte strofischen Aufbau zu erkennen. Bemerkenswert ist, daß in seiner strofischen Rekonstruktion V 36 herausfällt.

[8] Marxsen, Evangelist 43–45. – Zwei Übersetzungen und damit zwei Auffassungen sind möglich: an das galiläische Meer inmitten des Gebietes der Dekapolis, oder: an das g. M. mitten in das Gebiet der Dekapolis. Einmal ist die

liläa, sondern von dessen Meer die Rede, und der Evangelist gibt zu verstehen, daß er um die Lage der Dekapolis an diesem Meer weiß. Die gehäuften Angaben werden einfach die heidnischen Gebiete um Galiläa nennen und damit die Offenheit des Evangeliums für das heidnische Land andeuten wollen. Dann ist es aber auch von Belang, daß sich Jesus mitten in der Dekapolis befindet und das folgende dort geschieht. In der Exposition der Wundergeschichte treten nicht näher bestimmte Leute auf, die den Kranken zu Jesus führen. Die Bitte um Handauflegung erinnert an 5,23: Der Krankheitsbefund ist Taubheit; μογιλάλος kann einen Stummen oder einen bezeichnen, der nur mit Mühe zu reden vermag. Wegen 35c ist letzteres zu bevorzugen. Wir wissen heute darum, daß das Stummsein in zahlreichen Fällen ein Sekundäreffekt der Taubheit ist, da der Ausfall des Gehörs die Sprechfähigkeit verkümmern läßt. Taube reden unartikuliert und unverständlich.

33–35 Die Heilung ereignet sich bei Anwendung von Heilpraktiken, die aus zeitgenössischen Wundergeschichten vertraut sind. Jesus nimmt den Kranken abseits. Dies hatte zunächst den Sinn, die vom Thaumaturgen angewendete Heilpraxis geheimzuhalten. Bei Markus rückt es in die Nähe des Offenbarungsgedankens (36). Die kranken Organe werden berührt. Der Wundertäter drückt seine Finger in die tauben Ohren – ähnlich berührt Rabbi Chijja mit seinem Finger den kranken Zahn eines Menschen[9]. Mit seinem Speichel netzt Jesus die gelähmte Zunge. Dem Speichel wurde in der Antike heilende und apotropäische Wirkung zugeschrieben. Ersteres bestätigen Plinius' Naturgeschichte und die Heilung eines Blinden durch Vespasian, die oris excremento erfolgte, letzteres ist aus Gal 4,14 ersichtlich[10]. Darum wurde das Berühren mit Speichel auch in den späteren Taufritus übertragen. Der Aufblick zum Himmel, sonst Gebetsgestus (6,41), ist in einer Wundergeschichte stilgemäßer Ausdruck für das Einholen von übermenschlicher Kraft, ebenso das Seufzen des Thaumaturgen. So heißt es in der Mithrasliturgie: »Hole von den Strahlen Atem, dreimal einziehend, so stark du kannst«[11]. Und Bonner bemerkt zutreffend: »Tiefes Atemholen wurde als Vorbereitungsakt des Profeten oder Wundertäters angesehen, der vor der machtvollen Äußerung oder Ausübung der Wunderkraft erfolgte«[12]. Das wunderwirkende Wort Effata – in seiner Ableitung umstritten, aber wahrscheinlich aus dem Aramäischen und nicht dem Hebräischen[13] – ist

Dekapolis Präzisierung, das anderemal eigene Station. Der Unterschied ist nicht erheblich. Einzelne Textzeugen haben die unbeholfene Reiseroute geglättet, wenn sie lesen: Und wieder zog er aus dem Gebiet von Tyrus und Sidon fort und kam an das Meer . . .

[9] pKet 12,35a,43 bei Billerbeck II,15.

[10] Vgl. Plinius, hist. nat. 28,4,7; Tacitus, hist. 6,18; Sueton, Vesp. 7. Zu den Wirkungen des Speichels Billerbeck II,15–17. – Die Schilderung der Heilung wurde in zahlreichen Handschriften abgewandelt: Er spuckte in seine Finger und drückte sie in die Ohren des Tauben und berührte die Zunge des Stummen (O131); Er spuckte aus und drückte seine Finger in die O. d. T. und berührte seine Zunge (D it); Er drückte seine Finger und spuckte in seine Ohren und berührte seine Zunge (φ sy[s]).

[11] A. Dieterich, Eine Mithrasliturgie, Leipzig 1903, 6.

[12] HThR 20 (1927) 174.

[13] Kontrahierte Form des Ethpeel des West-Aramäischen. Rabinowitz* erblickt eine hebräische Niphal-Form. Man sollte an dieser Stelle nicht die Frage aufwerfen, ob Jesus sich hebräisch oder aramäisch äußerte.

im Kontext des hellenistischen Wunders das unverständliche Zauberwort. Bei Markus aber verliert es diese Bedeutung, indem es übersetzt wird (vgl. 5,41). Jesus gibt deutlich seine Macht zu erkennen. Sei geöffnet! ist eine Anrede an den bislang zum Hören unfähigen Menschen, nicht dessen kranken Organe[14]. Die personale Beziehung zu Jesus steht im Vordergrund. Hierin ist ein erstes christliches Interpretament zu sehen, das die Geschichte von hellenistischen Analogien unterscheidet. Wie im Refrain zum Heilungswort wird die augenblicklich erfolgte Genesung berichtet. Der Taube kann hören und richtig reden. Vielleicht ist die Fessel seiner Zunge ein Hinweis auf den Krankheitsdämon, von dem er jetzt befreit ist (vgl. Lk 13,16).

36–37 Jesus gebietet Schweigen. Der Befehl gilt dem Geheilten und den Beteiligten. Damit können nur die Leute gemeint sein, die den Tauben zu ihm gebracht hatten. Doch die im Wunder geschehene Offenbarung kann nicht verborgen bleiben. Trotz des Verbots reden sie um so mehr. Das Wunder ist aufgenommen in das Kerygma, durch das allein es jetzt vermittelt wird. Die abschließende Reaktion der Menge ist eine Reaktion auf die Verkündigung der Leute. Die preisende Feststellung, daß er alles gut gemacht hat, lehnt sich an die Schlußbemerkung des Schöpfungsberichtes Gen 1,31 LXX an. Das Folgende verallgemeinert die geschehene Heilung und erinnert an Jes 35,5f, wo das messianische Heil beschrieben ist: »Dann öffnen sich die Augen der Blinden und die Ohren der Tauben tun sich auf. Dann springt der Lahme wie ein Hirsch und die Zunge des Stummen wird jubeln«. Der Lobpreis bietet die theologische Interpretation des Wunders. Durch Jesu Tätigkeit wird die gefallene Schöpfung erneuert. In ihr wird die vom Profeten angekündigte messianische Erlösung präsent. Unterschied sich das Wunder nur wenig von dem, was man auch von hellenistischen Thaumaturgen zu berichten wußte, so erblickt das gläubige Auge in ihm den Erweis des anbrechenden endzeitlichen Heiles, das den Schöpfungsmorgen neu heraufführt.

Zusammenfassung Markus hat seine Intentionen zunächst durch die Reisebemerkung in 31 angedeutet. Das Itinerar einer Reise Jesu läßt sich allerdings aus diesem und den folgenden Berichten nicht gewinnen. Man muß auf die Feststellung einer geografischen Disposition verzichten und sollte von zerstreuten Berichten reden[15]. Markus hat allerdings wiederholt vermerkt, daß Jesus heidnisches Land betrat. So ist er jetzt inmitten der Dekapolis. Die Öffnung des Evangeliums zu den Heiden hin ist deutlich zu verstehen gegeben. Das Wunder von der Heilung des Taubstummen gewinnt im Makrotext symbolischen Sinn. Das Unvermögen des Jüngers und damit des Menschen, Jesu Person und Sendung zu verstehen, wird vorausgehend und nachfolgend gerügt (7,18; 8,17–21). Im Anschluß an profetische Klage werden ihre blinden Augen, ihre tauben Ohren, ihr verstocktes Herz getadelt. Wenn Jesus die Ohren des Tauben öffnet, heißt das in diesem

[14] Mit Billerbeck II,17f. Anders G. Dalman, Grammatik des jüdisch-palästinischen Aramäisch, Darmstadt 1960, 278, Anm. 1, der an eine Pluralform denkt.

[15] Marxsen, Evangelist 45.

Zusammenhang, daß er das Verständnis, das zum Glauben notwendig ist, schenken kann. Ohne diese Gnade bleibt der Mensch dem Evangelium gegenüber ein Tauber (vgl. 4,11f). Damit ist die Heilung, die dem Elenden widerfährt, nicht preisgegeben[16]. Sie wurde nur gleichzeitig zum realen Symbol für das Wunder des Glaubens.

Wirkungsgeschichte

Für die Ausleger war das symbolische Verständnis zu allen Zeiten eine Selbstverständlichkeit. Der Taubstumme, dem Ohren und Mund geöffnet werden, stellt den Menschen dar, der den Glauben empfängt. Taub ist nach Beda, wer das Wort Gottes nicht hört, und stumm ist, wer das Bekenntnis des Glaubens nicht weitersagt. Der Speichel, mit dem Christus die Zunge des Kranken netzt, bedeutet den sapor Domini sapientiae. Der Finger, den Jesus dem Tauben ins Ohr drückt, symbolisiert die Gabe des heiligen Geistes, was Lk 11,20 nahelegen würde[17]. Vom Standpunkt des Geheilten aus bezeichnet Erasmus[18] das Hören der Glaubenspredigt als den Beginn des Heils und das mit dem Mund erfolgende Bekenntnis als seine Vollendung. Man erkennt nicht mehr oder interessiert sich nicht mehr dafür, daß sich Jesus nach dem Bericht antiker Heilpraktiken bediente. In der griechischen Kirche wird die heilende Kraft des Speichels als Ausweis dafür genommen, daß das ganze Fleisch Christi heilig sei. Jesus hätte auch auf andere Weise heilen können, bemerkt Euthymios Zigabenos[19]. So aber sollten wir erkennen, daß alle Teile seines Körpers von göttlicher Kraft erfüllt waren. Die ϑεῖος-ἀνήϱ-Vorstellung wird hier auf eine Weise gesteigert, daß das Göttliche das Menschliche zu verschlingen droht. In der katholischen Dogmatik wurde die Perikope bis in das vergangene Jahrhundert hinein zur Veranschaulichung des Verhältnisses des Sohnes zum Geist verwendet. Im Kontext der Appropriationslehre sagt M. J. Scheeben[20] – die schon Beda bekannte Interpretation weiterführend –, daß die Perikope die Tätigkeit des Geistes dem Sohn zueigne, appropriiere. Der Geist, als Finger dargestellt (wieder Verweis auf Lk 11,20), wirke als eine bis in das Innere der Kreatur eindringende Kraft. Die christologische Spekulation vernachlässigte Vers 37, den wir oben als die christliche Interpretation der hellenistischen Wundergeschichte erkannten: Mit Jesus bricht die neue Schöpfung an und zieht die messianische Zeit herauf.

9. *Das Mahl der Viertausend (8,1–9)*

Literatur: Boobyer, G. H., The Miracles of the Loaves and the Gentiles in St. Mark's Gospel, SJTh 6 (1953) 77–87; *Danker, F. W.*, Mark VIII 3, JBL 82 (1963) 215f; *Kertel-*

[16] Das meint wohl Schenke, Wundererzählungen 280, der sagt, Mk habe die Wundererzählung nur symbolisch verstanden.
[17] Beda, PL 92,203f.
[18] VII,214.
[19] PG 129,813. Vgl. Theophylakt, PG 123,566f.
[20] Handbuch der katholischen Dogmatik II, Freiburg ³1948, 444.

ge, Wunder Jesu, 139–145; *Thiering, B. E.,* »Breaking of Bread« and »Harvest« in Mark's Gospel, NT 12 (1970) 1–12; *Schenke,* Wundererzählungen, 281–307. – Weitere Literatur oben S. 253f.

1 **In jenen Tagen, als wieder eine große Volksmenge anwesend ist und sie nichts zu essen haben, rief er die Jünger herbei und sagt zu ihnen:** 2 **Ich habe Erbarmen mit der Volksmenge, denn schon drei Tage harren sie bei mir aus und haben nichts zu essen.** 3 **Und wenn ich sie ohne Speise in ihr Haus entlasse, werden sie auf dem Weg erliegen. Und einige von ihnen sind von weit her.** 4 **Und seine Jünger antworteten ihm: Woher könnte jemand diese hier in der Wüste mit Broten sättigen?** 5 **Und er fragte sie: Wieviel Brote habt ihr? Sie aber sagten: Sieben.** 6 **Und er befahl der Volksmenge, sich auf der Erde zu lagern. Und er nahm die sieben Brote, sprach das Dankgebet, brach sie und gab sie seinen Jüngern, damit sie sie vorsetzen. Und sie setzten sie dem Volk vor.** 7 **Und sie hatten ein paar Fischlein. Und er sprach über sie das Segensgebet und sagte, daß sie auch diese vorsetzen sollten.** 8 **Und sie aßen und wurden satt. Und sie hoben die übriggebliebenen Brocken auf, sieben Körbe.** 9 **Es waren aber etwa viertausend. Und er entließ sie.**

Analyse Die Geschichte vom Mahl der Viertausend kann nur in Verbindung mit ihrer Doublette in 6,30–44 beurteilt werden[1]. Dort wurde bereits festgestellt, daß beide Perikopen zwei verschiedene vormarkinische Ausgestaltungen eines gemeinsamen Grundberichtes sind. Die Auffassung, daß 8,1–9 eine vom Evangelisten geschaffene Doublette sei, ist heute aufgegeben[2]. Sie hätte auch zu viele unmarkinische Stileigenheiten und Vokabeln gegen sich und könnte nicht erklären, warum Markus einen Parallelbericht, der sich in seinen Zahlenangaben von 6,30ff auffallend unterscheidet, gebildet haben sollte[3]. Gegenüber 6,30ff läßt die vorliegende Erzählung eine 6,30–33 vergleichbare Einleitung vermissen. Diese wurde oben als sekundär erkannt. Insgesamt erweist sich 8,1ff als der gegenüber 6,34ff jüngere Bericht. Dies ergibt sich am Anfang daraus, daß Jesus die Initiative ergreift, während dort die Jünger Jesus darauf aufmerksam machen, daß notwendigerweise etwas geschehen müsse. Dabei ist das Referat über das Erbarmen Jesu in 8,2 zu einer Selbstreflexion geworden. Verlegenheit und Unverständnis der Jünger sind in 8,4 zu einer Frage zusammengeschrumpft, die die Wundertat fast schon vorwegnimmt und darum erzählerisch blaß wirkt. Die größere Knappheit der Erzählung insgesamt kann als An-

[1] Vgl. oben S.254ff.

[2] Die Auffassung vertraten Wendling, Entstehung 69–71; Dibelius, Formgeschichte 75, Anm. 1.

[3] Widerlegungen bereits bei Kertelge, Wunder Jesu 139–141; Grundmann 158f. Letzterer hat die unmarkinischen Worte und Formen zusammengestellt. Dazu gehören δυνήσεται, ἐρημία, προσμένειν u. a. Die unterschiedlichen Zahlen in 8,1ff möchte Wendling durch die zurückhaltende Manier des Markus erklären, der kleinere Zahlen gewählt habe!

zeichen dafür gewertet werden, daß in 8,1ff eine stärker zersagte Geschichte vorliegt[4].

Der Evangelist hat sich Eingriffe nur am Anfang und Schluß erlaubt. Auf jeden Fall erinnert er mit »wieder« (πάλιν) an das ähnliche, bereits bekannte Geschehen. Da der folgende doppelte Genitivus absolutus an dieses πάλιν anschließt, ist auch dieser Markus zuzuschreiben. Die unbestimmte Zeitangabe »in jenen Tagen« dagegen ist wegen ihrer großen Seltenheit der Tradition zu belassen[5]. Das Herausrufen (προσκαλεσάμενος)[6] der Jünger ist wieder typisch markinisch. Markus hat demnach eine ältere Einleitung, die mit »in jenen Tagen« begann und vermutlich von der Versammlung der Volksmenge erzählte, durch eine knappere verdrängt. Mit der an die Jünger gerichteten Rede in 2 haben wir endgültig die traditionelle Geschichte vor uns. Die Entlassung der Volksmenge am Schluß (9b) ist wie in 6,45b Markus-Redaktion. Die Geschichte schloß mit der Zahlenangabe. Die Entlassung leitet zusammen mit der Bootsfahrt zur folgenden Perikope über. Es empfiehlt sich, Vers 10 zu dieser zu schlagen[7].

Das stark verselbständigte Fischmahl in 7 weist gegenüber 6,41 eine bemerkenswerte Besonderheit auf. Das Mahl ist mit einem eigenen Segensgebet verknüpft, das – ganz unjüdisch – über die Mahlzeit gesprochen und nicht direkt an Gott gerichtet wird. Hier verrät sich der hellenistische Erzähler, der das Wörtchen »er sprach über sie das Segensgebet« eingefügt haben dürfte. Manche Autoren möchten der vormarkinischen Redaktion den ganzen Vers 7 zusprechen, weil dieser nachgetragen wirkt[8]. Das Fischmahl kann aber auch durchaus in dieser selbständig wirkenden Form Bestandteil der Erzählung gewesen sein. Dies legt sich sogar nahe, weil das Fischmahl auch Bestandteil von 6,34ff ist. Die Einfügung des εὐλογήσας αὐτά soll vermutlich das wunderwirkende Wort andeuten. Das aber ist eine Durchbrechung der Form. Wir konnten schon zu 6,34ff feststellen, daß die Geschenkwundergeschichte neben der herausgestellten Initiative des Wundertäters am Anfang und der betonten Demonstration des erfolgten Wunders am Ende durch die Unauffälligkeit des Wundergeschehens an sich ausgezeichnet ist. Die Veränderung zeigt an, daß die Speisungsgeschichte der Viertausend in ihrer vorliegenden Form hellenistisch-christlicher Tradition verdankt ist.

Es stellt sich erneut die Frage nach dem eucharistischen Bezug. Dieser wird wegen der Nähe der Formulierung in 6 zu Lk 22,19 behauptet. Die Überlieferung reflektiere die Abendmahlsüberlieferung der hellenistischen Gemeinde[9]. Dann hätte jedoch jener hellenistische Redaktor mit der Einfügung des Fischsegens

[4] Kertelge, Wunder Jesu 141, möchte sie der mündlichen Überlieferung zuweisen.

[5] Nur noch 1,9. In 13,24 hat die Wendung einen anderen Sinn.

[6] Vorzugswort in mk Editorial sentences (Gaston).

[7] Schenke, Wundererzählungen 282f, hat die Überlieferungsfunktion von 9b und 10 herausgearbeitet.

[8] Van Iersel* 176, dessen Auffassung Kertelge, Wunder Jesu 140, und Schenke, Wundererzählungen 296, Anm. 898, übernehmen.

[9] Van Iersel* 178.

die Parallelität verdorben[10]. Es bleibt auch dabei, daß Markus einen eucharistischen Bezug nicht wahrgenommen oder ausgebaut hat. Die Beschreibung des Tuns Jesu rekurriert auf die Gesten des Hausvaters beim jüdischen Mahl[11]. Die Speisungstradition ist zunächst im Zusammenhang der Tischgemeinschaft zu sehen, die Jesus während seines irdischen Lebens schenkte.

Erklärung 1–5

Wie die Speisung der Fünftausend gliedert sich die Perikope von der Speisung der Viertausend in das Gespräch Jesu mit den Jüngern, das allerdings zunächst ein Monolog Jesu ist (1–5), und das gemeinsame Mahl (6–9). Mit einer unbestimmten Zeitangabe und einer allgemeinen Bemerkung, daß viel Volk anwesend ist, wird die Geschichte eröffnet, aber sogleich zum Thema hingewendet mit dem unvermittelt wirkenden Satz, daß sie nichts zu essen haben. Den gebieterisch herangerufenen Jüngern gibt Jesus eine Beurteilung der Lage. Das schon dreitägige[12] Verweilen der Menge bei ihm ist der etwas künstlich wirkende Grund dafür, daß die Speise ausgegangen ist. Was in diesen drei Tagen geschah, wird nicht berichtet. Die drei Tage weisen vielleicht auf die Hilfe Gottes, da nach biblischer Erfahrung nach drei Tagen Gott helfend eingreift (Jos 1,11; Gen 40,13). Die Besorgnis, daß die Menschen auf dem Heimweg erliegen könnten, kündigt die Hilfe an, die Jesus, ohne dazu aufgefordert zu werden, von sich aus geben wird. Sein Erbarmen ist darum hier – anders als in 6,34 – auf die leibliche Not des Volkes gerichtet. Wenn die Möglichkeit des Verhungerns oder Erliegens auf dem Weg besteht, kann die Szene ursprünglich nicht in so großer Nähe zum See gedacht gewesen sein, wie es Vers 10 voraussetzt. Das Bootsmotiv erweist sich schon jetzt auch hier als redaktionell. Einige der Anwesenden hatten einen besonders langen Anmarsch. Daß sie »von weither« sind, könnte andeuten wollen, daß sie Heiden sind. Die Formulierung »die Fernen« (Eph 2,12.17; Apg 2,39; 22,21) bzw. »aus der Ferne« (Jos 9,6) kann, besonders im christlichen Bereich, diesen Sinn gewinnen (anders Jes 60,4), sicher ist er hier jedoch nicht[13]. Trifft er zu, so bliebe zu beachten, daß nur ein Teil der versammelten Menge als Heiden gekennzeichnet wäre. Wie es der Struktur einer Wundergeschichte entspricht, wird der Widerstand gegen eine geplante wunderbare Abhilfe geltend gemacht. Die Jünger erklären es für

[10] Die Schwierigkeit bemerkt van Iersel* 176, der den ganzen V 7 dem hellenistischen Redaktor zuweist. Es gebe keine eindeutige Antwort auf die Frage, warum V 7 eingefügt worden sei. Die Schwierigkeit spricht auch gegen van Iersels Grundthese, daß die Speisungsgeschichte im Zuge ihrer Traditionsgeschichte immer stärker eucharistisch durchformt worden sei.

[11] Vgl. Apg 27,35. Nach Schenke, Wundererzählungen 296, bekämpft Markus ein enthusiastisches Eucharistieverständnis, wonach die Eucharistiefeier als Fortsetzung der Wundertaten Jesu gewertet worden sei. Doch was soll das für ein Eucharistieverständnis sein? Müßte es sich dann nicht um gemeinsame Freudenmähler handeln? Und wenn dies wirklich die Absicht des Evangelisten gewesen wäre, hätte er diese klarer zum Ausdruck gebracht.

[12] Der Nominativ ἡμέραι τρεῖς als Zeitbezeichnung – bei Mk singulär – ist Semitismus. Doudna, Greek 74–76, wertet ihn als Anzeichen für die Übersetzung einer semitischen Vorlage. D it bieten die vervollständigte semitische Redeweise ἡμέραι τρεῖς εἰσὶν ἀπὸ πότε ὧδε εἰσίν.

[13] Positiv urteilen Danker*; van Iersel* 184f; Schreiber, Theologie des Vertrauens 117.

schlechterdings unmöglich, daß hier in der Wüste die Menge verpflegt werden könne, offenbaren aber damit – im Sinn des Markus – ihren Unverstand. Dieser erweist sich im Makrotext des Evangeliums nach der bereits erfolgten Speisung der Fünftausend als um so schlimmer. Unbeirrt läßt Jesus die vorhandenen Lebensmittel feststellen. Von jetzt ab verläuft die Geschichte weitgehend in den Bahnen der voraufgegangenen Speisungsgeschichte. Die sieben Brote möchten manche – wie die sieben Körbe in 8 – als symbolischen Ausdruck für das Siebenerkollegium der hellenistischen Gemeinde (Apg 6,3) werten. Das ist traditionsgeschichtlich höchst fragwürdig. Eher könnte die Sieben als Zahl der Fülle genommen sein: aus den sieben Broten soll die Fülle des Segens hervorgehen. Aber auch dieser Hintergrund ist nicht zwingend.

6 Knapp wird geschildert, wie das Volk sich auf der Erde lagert. Jesu Gebet bleibt zunächst auf die Gabe des Brotes beschränkt. Ferner unterscheidet sich die Darstellung von 6,41 darin, daß der Aufblick zum Himmel unerwähnt bleibt und an die Stelle des Segens der Dank gerückt ist (εὐλόγηεσν: εὐχαριστήσας). Objektloses εὐχαριστήσας ist christliche Terminologie und wird als Abendmahlsterminologie angesehen[14]. Es bleibt zu bedenken, daß in neutestamentlichen Mahltexten εὐλογεῖν und εὐχαριστεῖν austauschbar sind (in 8,7 folgt εὐλογήσας; vgl. Mk 14,22f par)[15]. Freilich setzt sich in der Abendmahlsterminologie εὐχαριστεῖν durch (Lk 22,19; 1Kor 11,24). Anderseits ist der Christ Paulus der einzige Zeuge dafür, daß im hellenistischen Judentum das tägliche Tischgebet als εὐχαριστεῖν bezeichnet wurde (Röm 14,6; 1Kor 10,30; vgl. 1Tim 4,3f). So bleibt der eucharistische Bezug unsicher und insbesondere das Verständnis der Speisungsgeschichte als Abendmahlskatechese fragwürdig. Im Evangelium erinnert jedoch die gleiche Handlungsweise Jesu bei der Speisung und im Abendmahlssaal daran, daß der, welcher seinen Jüngern seinen Leib und sein Blut darreichte, den Hunger des Volkes gestillt hat. Eine vorschnelle Spiritualisierung der Speisungsgeschichte dürfte ihrem Sinn abträglich sein. Die Brote gehen durch die Hände der Jünger an das Volk weiter. Der Bericht betont, daß die Jünger die Speise dem Volk vorgesetzt hätten und damit – trotz ihres Unverstandes – an der Speisung wenigstens als Helfer beteiligt gewesen wären.

7–9 Dasselbe gilt für die Fische, über die Jesus ein eigenes Segensgebet spricht. Damit erscheint das Fischmahl wie ein selbständiger Gang im Rahmen der Mahlzeit. Weil die Fische als Objekt des Segens eigens genannt werden, ist anzunehmen, daß das Segensgebet als das wunderwirkende Wort vorgestellt ist[16]. Alle bekommen so viel, daß sie sich satt essen können. Wiederum ist von einer Reaktion der Beteiligten keine Rede. Vielmehr werden wie in 6,43 die Brocken eingesammelt. Daß auch dies die Jünger taten, sagt die Erzählung nicht, wird aber später so verstanden (8,19f). Diesmal sind es sieben Körbe[17],

[14] Vgl. Patsch, ZNW 62 (1971) 217f.

[15] Vgl. H. Conzelmann, ThWNT IX,401.

[16] D und q ziehen εὐλογήσας αὐτά zu εὐχαριστήσας zusammen. Hier setzt sich die technische Terminologie durch.

[17] Das Wort wechselt. In 8,8 werden σπυρίδας genannt. Dies sind runde geflochtene Körbe (lat. sportula). Coena e sportula nannte man das Mahl, das man mitgebracht hatte (Passow). In 6,43 ist von κόφινοι die Rede, die

die gefüllt werden und die Größe der Wundertat demonstrieren. Von einer symbolischen Deutung der Zahl ist abzuraten. Manche möchten die Viertausend – die Vier symbolisiere die vier Himmelsrichtungen - auf die Völkerwelt beziehen[18]. Am Ende entläßt Jesus das Volk.

Zusammenfassung

Die Bedeutung, welche die Speisung der Viertausend für Markus gewinnt, ist eine ähnliche wie die von 6,30–44. Das in der Geschichte beschlossene Wunderverständnis mit dem distanzierten Verhältnis der Volksmenge zur Wundertat und den unverständig sich gebärdenden Jüngern kam den Intentionen des Evangelisten entgegen. Dieser nahm bei aller Verwandtschaft die zwischen den beiden Speisungsgeschichten bestehenden Unterschiede gewiß wahr. Im folgenden wird er die beiden Geschichten ausdrücklich noch einmal als zwei verschiedene Geschehnisse kommemorieren (8,19f). Hat Markus darüber hinaus den Speisungsgeschichten einen hintergründigen Sinn abgewinnen können, den er im Kontext angedeutet hätte? Zahlreiche Erklärer erblicken diesen in einer vermuteten Ausrichtung der Speisung der Fünftausend auf Galiläa und das Judentum und der Speisung der Viertausend auf die Heidenwelt[19]. Die Argumentation aber kommt über Andeutungen und Vermutungen nicht hinaus. Eine Lokalisierung der ersten Speisung auf dem Westufer des galiläischen Sees im Gegensatz zur zweiten auf dem Ostufer als Schlüssel für diese Interpretation ist zu unsicher[20]. Die zahlreichen »Reisenotizen« sind zu ungenau. Es mag zutreffen, daß die Speisung der Viertausend im verlassenen Gebiet östlich des Sees zu denken ist, doch Markus hat sie mit Vers 10 wieder in die Nähe des Sees geholt. Die Zahl Viertausend als verschleierter Hinweis auf die Völkerwelt ist eine Meinung, die schon in der Interpretation abgelehnt wurde. So wird sich auch nicht 7,27 als hermeneutische Entschlüsselung für einen versteckten Sinn gebrauchen lassen, nach dem die Speisung der »Hündlein« (= die Heiden) erst nach der Speisung der Juden durch die beiden Speisungsgeschichten ins Bild gesetzt sei, so richtig prinzipiell das Wort in 7,27 für sich bleibt. Der zwischen Juden und Heiden differenzierenden Interpretation ist entgegenzuhalten, daß in beiden Speisungsgeschichten der markinische Christus unterschiedslos austeilen läßt[21]. Die Bedeutung der Speisung, die ihn diese zweimal erzählen läßt, liegt für Markus im Christologischen. Wenn das Unverständnis der Jünger gerügt wird, gab es ja etwas Wichtiges zu verstehen. Es galt, Jesus als Erbarmer und göttlichen Helfer zu begreifen. Doch sein Erbarmen mit den Menschen muß ihn zum Kreuz bringen, damit menschliches Verstehen möglich wird.

den großen festen Tragkorb bezeichnen. In Papyri begegnet das Wort öfter als Maßbezeichnung, doch ist deren Rauminhalt nicht begrenzt (Preisigke-Kießling). Lohmeyer 126 Anm. 1, meint, daß das Vorhandensein von Körben andeute, daß Leute aus ärmeren Volksschichten zugegen waren. In Rom habe der Korb als Zeichen der armen Juden gegolten.

[18] Heising* 54.

[19] Van Iersel* 188f; Grundmann 159; Masson, Rome 93f; Pesch I,404. Skeptisch bereits Lohmeyer 153, Anm. 6.

[20] Deutlich zeigen das die Ausführungen Boobyers*, der seinerseits beide Speisungen an das Ostufer verlegen möchte.

[21] E. Trocmé, La formation de l'Évangile selon Marc, Paris 1963, 141f, sieht in der Doublette angezeigt, daß das Geschehen sich wiederholen soll und die Jünger zum selbstlosen Dienst aufgerufen seien. Ähnlich Kertelge, Wunder Jesu 138f, der die Wiederholbarkeit auf die Eucharistie bezieht.

10. *Der Unglaube fordert ein Zeichen (8,10–13)*

Literatur: Linton, O., The Demand for a Sign from Heaven, StTh 19 (1965) 112–129; *Berger*, Amen-Worte, 59–62; *Kertelge*, Wunder Jesu, 23–27; *Koch*, Bedeutung, 155–159.

10 **Und sogleich stieg er mit seinen Jüngern in das Boot und kam in die Landschaft von Dalmanuta.** 11 **Und die Pharisäer zogen aus, um mit ihm zu streiten. Sie forderten von ihm ein Zeichen vom Himmel, um ihn zu versuchen.** 12 **Und er seufzte in seinem Geist und spricht: Was fordert dieses Geschlecht ein Zeichen? Amen ich sage euch, diesem Geschlecht wird niemals ein Zeichen gegeben werden.** 13 **Und er ließ sie stehen, stieg wieder ein und fuhr weg an das andere Ufer.**

Analyse

Vers 10a ist eine vom Evangelisten geschaffene Überleitung, in der er erneut das bei ihm beliebte Bootsmotiv einbringt. Die Ortsangabe dagegen ist traditionell und zur Zeichenforderung zu ziehen. Ortsnamen sind in der Regel als dem Evangelisten vorgegeben anzusehen. Die Ein- und Ausleitung, 11 und 13, hat er gestaltet. Für 11 erkennt man dies daran, daß die Pharisäer nicht nur eine von ihm bevorzugte Gegnergruppe sind, sondern auch den Adressaten der Antwort, dieses Geschlecht, einengen. Man wird sich den ursprünglichen Anfang der Perikope etwa so vorstellen können: Und er (Jesus) kommt nach Dalmanuta. Und sie fordern von ihm ein Zeichen vom Himmel. – Der Zweck der Zeichenforderung, »um ihn zu versuchen«, dürfte auch markinisch sein (vgl. 10,2). Vers 13 stammt gänzlich von ihm. – Das Jesuswort Vers 12 gehört der Tradition der Logienquelle bzw. einer dieser verwandten Überlieferung an (vgl. Mt 16,1–4; 12,38f; Lk 11,29). Die wichtigsten Unterschiede bestehen darin, daß sie nach Markus (und Mt 16,1/Lk 11,16) ein Zeichen vom Himmel fordern, was strikt abgelehnt wird, während sie nach Q ein Zeichen verlangen und Jesus ihnen das Zeichen des Jona in Aussicht stellt. Obwohl man die markinische Version als eine alte betrachten muß (Beschwörungsformel), ist sie gegenüber Q sekundär. Dafür spricht einmal die allgemeine Überlegung, daß Q-Stoff bei Markus regelmäßig in abgeschliffener oder verkürzter Form auftritt. Zum anderen ist das Hinzutreten des Jonazeichens schwerer erklärbar als seine Streichung. Zu seiner Streichung kann auch der Umstand beigetragen haben, daß man nicht mehr verstand, was mit dem Jonazeichen gemeint ist. Damit ist bereits angedeutet, daß die Umformung des Jesuswortes schon vormarkinisch erfolgte, was auch seine seltene Struktur nahelegt[1].

[1] Für Mk-R treten ein Taylor 361 mit Verweis auf das Geheimnismotiv; S. Schulz, Q. Die Spruchquelle der Evangelisten, Zürich 1972, 254, Anm. 537. Mk habe als Heidenchrist die Forderung eines Beglaubigungswunders abgelehnt. Für vormarkinische Redaktion sind Schweizer 84; Kertelge, Wunder Jesu 24f. – Joh 6,30 kann nicht als Beweis für die Annahme ausreichen, daß die Zeichenforderung vormarkinisch mit der Speisungsgeschichte

Erklärung 10

Wie nach der ersten Speisung trennt sich Jesus von der Volksmenge. Im Gegensatz zu dort fährt er diesmal mit den Jüngern im Boot ab. Ziel der Reise ist Dalmanuta, ein Ort, dessen Identifizierung schon im Altertum Schwierigkeiten bereitete, wie zahlreiche Textänderungen beweisen[2]. Von den zahlreichen Interpretationsvorschlägen verdienen zwei Beachtung. Man denkt im Anschluß an par Mt 15,39 an Magada bzw. Mageda, ein Dorf, das nach Euseb im Gebiet von Gerasa lag[3]. Wahrscheinlicher aber ist Dalmanuta auf Migdal Nunaja (Turm der Fische) zurückzuführen. Dalman bringt diesen Namen mit Magdala zusammen[4]. Magdala war bis zur Gründung von Tiberias durch Herodes Antipas die bedeutendste Stadt am Westufer des Sees, ausgezeichnet als Schnittpunkt von drei Straßen, und von Nazaret aus führte der nächste Weg zum See dorthin. Es fällt auf, daß Magdala – nimmt man obigen Vorschlag nicht an – nirgendwo in den Evangelien mit Jesu Auftreten in Verbindung gebracht wird, obwohl die bekannte Jüngerin Maria von Magdala von dort stammt. Letzte Sicherheit läßt sich in der Bestimmung von Dalmanuta nicht erzielen. Die folgende Episode könnte allerdings verständlich machen, warum Magdala der Erwähnung unwert erachtet wurde. Man lehnte ihn in dieser Gegend ab.

11–13

Pharisäer kommen Jesus entgegen, um ein Streitgespräch mit ihm zu eröffnen. Diese – wie wir sahen – erst von Markus geschaffene Angabe bleibt ohne inhaltliche Füllung. Kernpunkt des gegnerischen Anliegens ist die Forderung nach einem Zeichen vom Himmel. Um diese Forderung präzise zu erfassen, ist auf den Unterschied zwischen Zeichen und Wunder bzw. Krafttat (δύναμις) zu achten. Da Markus die Wunder Jesu δυνάμεις nennt und der Begriff σημεῖον im Kontext von Jesu Wundertätigkeit nur hier verwendet wird (noch 13,4 und 22), muß sich das geforderte Zeichen von seinen Wundern abheben. Die Besonderheit wird durch die Charakterisierung als eines Zeichens vom Himmel, die Mt 12,38 fehlt, noch unterstrichen. Von Zeichen vom Himmel wird in apokalyptischen Kontexten gesprochen (Lk 21,11.25; Apk 12,1.3; 15,1). Es handelt sich regelmäßig um endzeitliche Unheilszeichen kosmischen Ausmaßes. Obwohl der Begriff dort fehlt, sind solche kosmischen Zeichen vom Himmel auch in Mk 13,24f gegeben (vgl. 4Esr 5,4; 7,39). Man würde dann ein Zeichen einfordern, das nicht jeder zu wirken vermag[5]. Oder würde man eine Bestätigung für das nah verkündigte Ende verlangen? Besser bezieht man das »vom Himmel« auf Gott. Gott selber soll eingreifen und die Glaubwürdigkeit seines Profeten bezeugen. An dieser Stelle tritt auch der eigentliche Unterschied zwischen Zeichen und Wunder zutage. Im Rahmen der jüdischen Eschatologie ist ein Zeichen von jenem zu erwarten, der mit dem Anspruch auftritt, der mes-

verbunden war. Vgl. Haenchen, Weg 287, anders Schweizer 84.

[2] Dalmanunta, Dalmunai, Mageda, Magedan, Megada, Melagada, Magdala sind Textvarianten.

[3] Onom. GCS 11/1,134 Zeile 18. – Vorschlag von Couchoud (bei Lohmeyer 154f).

[4] Orte und Wege 136. Auch Magadan kann nach Dalman auf Magdala verweisen. Ähnlich Abel, Géographie II 373.

[5] Schweizer.

sianische Profet zu sein. Die von Jesus überlieferten Wunder genügen diesem Anspruch nicht[6]. Die Forderung ergeht, um ihn zu versuchen. Der Sinn der Versuchung ist hier ein gänzlich anderer als in 1,13. Sollte dort Jesus von seinem Weg abgebracht werden, so will man hier die Gültigkeit seines Anspruchs erproben. Dabei nahen sich die Gegner nicht im Zweifel über ihn, sondern in der Erwartung, daß er ihrem Ansinnen nicht wird entsprechen können. So wollen sie aufdecken, daß er ein nicht legitimierter Profet ist. Feierlich wird Jesu ablehnender Bescheid eingeleitet. Sein Seufzen im Geist ist Ausdruck der Klage über den Unglauben. Oder gehört es zum Verhalten des Profeten, da Jesus sich anschickt, eine profetische, allerdings unheilvolle Aussage zu machen[7]? Sie betrifft dieses Geschlecht und weitet damit den Kreis der pharisäischen Adressaten aus. Der biblische Begriff »dieses Geschlecht« wird im Alten Testament auf die Sintflut- (Gen 7,1) oder Mosegeneration angewendet (Ps 95,10f) und meint jeweils das lebende Geschlecht in seiner sich dem Anspruch Gottes verweigernden Haltung des Ungehorsams und der Verstocktheit (Jer 8,3). Damit wird die Antwort Jesu zu einem Urteil über seine Zeitgenossen. Die Ansage »Amen ich sage euch« erhebt die Verweigerung des Zeichens zu unumstößlicher Gewißheit. Zusätzlich bedient sich Jesus einer Beteuerungsformel, die im vollen Wortlaut heißen müßte: Wenn diesem Geschlecht ein Zeichen gegeben wird, will ich verflucht sein bzw. soll mir Gott dies oder jenes antun[8]. Die Forderung konnte nicht entschiedener zurückgewiesen werden. Am Ende stellt sich der Sachverhalt vordergründig so dar, daß Jesus als der Ohnmächtige weggeht und die Gegner als Sieger dastehen. In Wahrheit jedoch wurde nicht Jesu Ohnmacht aufgedeckt, sondern das Urteil über den Unglauben vollstreckt. Das Resultat dieses »Streitgesprächs« ist darum dies, daß dem Unglauben niemals geholfen werden kann. Jesus kann nicht anders als sie stehen- und das heißt sich selbst überlassen[9].

Historische Beurteilung und Zusammenfassung

Prinzipiell paßt die Verweigerung eines Zeichens gut in das Bild, das wir uns vom historischen Jesus zu machen haben, und muß mit einem solchen Ansinnen für sein Wirken gerechnet werden, mag sich auch aus Markus der Wortlaut seiner Antwort nicht rekonstruieren lassen[10]. Markus deutet seine Inten-

[6] Mögen manche einzelne Wundergeschichten auch Zeichencharakter gewonnen haben, wie Kertelge, Wunder Jesu 26, bemerkt, so werden sie im Makrotext des Evangeliums durch die Zeichenforderung nivelliert. – Zu den jüdischen Erwartungen, daß der Profet bzw. Messias Zeichen liefert, vgl. Billerbeck I,721f.640f, auch 1Kor 1,22. Zum Beglaubigungszeichen vgl. 2Kön 20,1ff; 1Sam 2,30–34; 10,1ff; Dtn 13,1f; Jes 7,10ff.

[7] Das Seufzen und die Zukunftsschau sind gleichfalls verbunden in MartPol 9,2; Philo, Jos 187. Vgl. Berger, Amen-Worte 164.

[8] Vgl. Bl-Debr § 372,4, der von einem starken Hebraismus spricht, und Doudna, Greek 110f, der auf LXX Ps 94,11; Gen 14,23; Num 32,11; Dtn 1,35; 3Kön 3,14 verweist.

[9] Theißen, Wundergeschichten 291f, meint, daß dem Glauben das Zeichen zuteil würde. Jedoch der Glaube verlangt das Zeichen gar nicht. Nach Berger, Amen-Worte 60, bedeutet die Verweigerung des Zeichens, daß das Ende plötzlich über dieses Geschlecht kommen wird. Dies jedoch ist eine Selbstverständlichkeit und nicht die Quintessenz der Markus-Perikope.

[10] Linton* möchte der Zeichenforderung im Leben Jesu eine Joh 2,13–18 vergleichbare Situation voranstellen, das heißt eine provozierende Handlung, die die Legitimationsfrage auslöste. Dazu vgl. Kertelge, Wunder Jesu 25.

tion insbesondere durch die Einordnung der Perikope an dieser Stelle an. Sie wirkt zwar nur wie eine Episode zwischen den Kreuzfahrten auf dem See, erhält aber Gewicht dadurch, daß sie erzählt wird, nachdem die größere Menge der markinischen Wundergeschichten dem Leser bereits bekannt ist. Der Unglaube, das Thema, das den Evangelisten interessiert, konnte durch die Wunder Jesu oder die Kunde von ihnen nicht beseitigt werden. Die Wurzel des Unglaubens liegt darin, daß er vorgibt, die Maßstäbe zu wissen, mit denen das Göttliche gemessen werden kann. Gott aber ist anders, als menschlicher und theologischer Scharfsinn meint. So hat die Perikope letztlich mit dem Offenbarungsgedanken zu tun. Jesus offenbart sich dem, der im Glauben für ihn geöffnet ist, auch im Wunder. Der Ungläubige aber sieht und hört nichts, sucht immer nur nach dem, was ihn in seinem Unglauben bestätigt. Er baut einen Schutzwall von Vorurteilen um sich auf, aus dem ihn nichts mehr herauszuziehen vermag.

Wirkungsgeschichte

Die Besonderheit und die die Wundertätigkeit Jesu überragende Bedeutung des geforderten Zeichens haben die Interpreten immer festgehalten. Dabei bezog man es auf ein vom Himmel, das heißt von Gott gewährtes Zeichen gleich dem Mannaregen zur Zeit der Mosegeneration[11] oder auf ein am Himmel geschehendes apokalyptisches Zeichen (Stillstand der Sonne oder des Mondes, Auslösen von Blitzen, Veränderungen in der Luft)[12]. Beda meint, daß den Jüngern später in der Himmelfahrt Jesu und dem Pfingstereignis ein solches Zeichen gewährt worden sei[13]. Calvin, der zutreffend beobachtet, daß die Pharisäer Jesus bei einer Schwäche ertappen und ihn vor dem Volk bloßstellen wollen, befaßt sich mit dem Seufzen Jesu. Es drücke seinen Schmerz über die verhärteten Menschen aus. »Und zweifellos muß es allen Menschen, die sich für Gottes Ehre einsetzen und für das Heil der Menschen Sorge tragen, so zumute sein, daß sie nichts mehr schmerzt und verletzt, als wenn sie sehen, wie die Ungläubigen sich absichtlich ihren Weg zum Glauben verbauen und das, was sie an Verstand haben, dazu benutzen, den Glanz von Gottes Wort und Werken mit ihren Gewölk zu verdunkeln«[14]. Besaß man in vergangenen Jahrhunderten ein naives Wunderverständnis, so übersehen moderne Autoren das Versucherische, das Herausfordernde der Zeichenforderung für Jesus. Nach Barth wollte Jesus kein Wunder im leeren Raum, angesichts der mangelnden Glaubensbereitschaft, wirken[15]. Nach Thielicke ist das Verhalten der Gegner verwerflich, weil sie sich ihres Zieles vergewissern wollen[16]. Darüber hinaus wird man auf den Stachel der Perikope zu achten haben, der darin liegt, daß der Unglaube Gott zum ohnmächtigen Seufzen herausfordert.

[11] Beda, PL 92,209; Erasmus VII,218.
[12] Theophylakt, PG 123,569.
[13] Ebd.
[14] II,52f.
[15] Dogmatik IV/2,241.
[16] Der evangelische Glaube II, Tübingen 1973, 411.

11. Die Jünger sind vom Unglauben bedroht (8,14–21)

Literatur: Mánek, J., Mark 8,14–21, NT 7 (1964/65) 10–14; *Daniel, C.*, L'Énigme du levain, NT 9 (1967) 306–314; *Schenke*, Wundererzählungen, 289–294.299–307.

14 **Und sie vergaßen, Brote mitzunehmen. Und außer einem Brot hatten sie keines bei sich im Boot.** 15 **Und er schärfte ihnen ein: Gebt acht, hütet euch vor dem Sauerteig der Pharisäer und dem Sauerteig des Herodes!** 16 **Und sie machten sich untereinander Gedanken, weil sie keine Brote haben.** 17 **Und er erkannte es und sagt ihnen: Was macht ihr euch Gedanken, weil ihr keine Brote habt? Versteht und begreift ihr noch nicht? Habt ihr ein verstocktes Herz?** 18 **Augen habt ihr und seht nicht, und Ohren habt ihr und hört nicht? Und erinnert ihr euch nicht?** 19 **Als ich die fünf Brote für die Fünftausend brach, wieviel Körbe voll Brocken habt ihr aufgehoben? Sie sagten ihm: Zwölf.** 20 **Und die sieben für die Viertausend, wieviel Körbe voll Brokken habt ihr aufgehoben? Sie sagten ihm: Sieben.** 21 **Und er sprach zu ihnen: Begreift ihr noch nicht?**

Analyse

Das Auffällige an dieser Perikope ist wahrscheinlich dies, daß an ihrem Schluß auf zwei vorausgehend geschilderte Ereignisse, die beiden Speisungsgeschichten, genauer Bezug genommen wird. Die Zahlen der Teilnehmer und der gefüllten Körbe werden in der Jüngerbefragung nochmals zutreffend in Erinnerung gerufen[1]. Diese Querverweise rauben der Perikope ihre Eigenständigkeit und lassen sie allein als Element in einem größeren Zusammenhang als sinnvoll erscheinen. Damit ist bereits die Vermutung angedeutet, daß ihre Entstehung weitgehend der redaktionellen Tätigkeit des Evangelisten verdankt ist. Dieser Eindruck wird zusätzlich bestätigt dadurch, daß das Unverständnis der Jünger und ihr Tadel – im Mund Jesu regelmäßig in Frageform gehalten – markinische Besonderheiten ausmachen. Nur die Tatsache, daß der Tadel sich diesmal an alttestamentliche Schriftworte anlehnt, kann als Eigenheit dieser Jüngerperikope gelten. Weil der spezifischen Schilderung der Jünger nahezu der ganze Raum gewidmet ist, entsteht die Frage, ob Markus hier überhaupt auf einen Baustein aus der Tradition zurückgriff. Man hat ein Gespräch über die vergessenen Brote (14,16,17a), das dann ursprünglich anders fortgesetzt worden wäre, als vorgegeben vermutet und dies in der Einsprengung des Verses 15 (Warnung vor dem Sauerteig) angezeigt gesehen[2]. Indes sind das Boots- und Überfahrtmotiv, aber auch der Hinweis auf eine beabsichtigte Brotzeit der

[1] Geradezu pedantisch wirkt der Wechsel im Gebrauch des Wortes für Körbe: κοφίνους – σπυρίδων im Anschluß an die beiden Speisungsgeschichten, die Markus aber gerade hier verwechselt.

[2] Vgl. Schweizer 85; Schnackenburg I 200; Reploh, Markus 76. Masson, Rome 20f, mutmaßt, daß anstelle des Jüngertadels ehemals Mt 6,25–33 par im Text gestanden habe.

Jünger für den Evangelisten so typisch (3,20; 6,31), daß man ohne die Annahme eines traditionellen Gesprächs besser auskommt. Vers 15 ist nur scheinbar ein Fremdkörper. Mit der Erwähnung der Pharisäer und des Herodes fällt auch ihm die Funktion zu, weiterreichende Querverbindungen zu schaffen. Man wird die in ihm ausgesprochene Warnung vor den Pharisäern als den einzigen traditionellen Bestandteil der gesamten Perikope anzusprechen haben, den der Evangelist erweiterte. Sein Interesse für Herodes und die Herodianer ließ ihn die Warnung vor dem Sauerteig des Herodes hinzufügen, die er durch einleitendes »gebt acht« noch verstärkte[3]. Der Form nach läßt sich die Perikope am besten als Lehrgespräch oder Jüngerunterweisung bestimmen. Obwohl der Jüngername nicht fällt, ist völlig klar, daß sie die Gesprächspartner Jesu sind. Die Konstruktion der Perikope ist aufschlußreich für das Verfahren des Markus. Mit verhältnismäßig einfachen Mitteln zimmert er eine Jüngergeschichte, die zeigt, wie sehr ihm der Jüngerkreis am Herzen liegt.

Erklärung 14–16

Den Ausgangspunkt bildet ein Vergessen der Jünger, das ihre persönlichen Belange betrifft. Sie unterließen es, anläßlich der Überfahrt Proviant, Brote, mitzunehmen. Auffällig ist, daß diese allgemeine Feststellung korrigiert wird: ein einziges Brot hatten sie doch bei sich im Boot. Diese Korrektur wurde einmal als Anzeichen für ein weiteres Speisungswunder genommen, sei es, daß sie ein solches hätte einleiten sollen, sei es, daß die Jünger nunmehr für sich ein solches Wunder begehren würden[4]. Zum anderen deutete man das eine Brot christologisch auf den im Boot anwesenden Jesus oder bezog es sogar auf die Eucharistie[5]. Die breite Palette der Meinungen deutet an, in welchen Unsicherheiten der Text den Ausleger beläßt. Jedoch hätte Markus, intendierten die Jünger ein neues Speisungswunder, diesen leicht eine entsprechende Bitte in den Mund legen können. Ob eine christologische oder eucharistische Interpretation möglich ist, hängt davon ab, ob der Text ein symbolisches Verständnis nahelegt. Da ein solches am Anfang nicht erkennbar ist, muß es zunächst bei der nüchternen Feststellung bleiben, die Jünger haben sich durch ihr Vergessen in eine unangenehme Lage gebracht. Die Warnung Jesu vor dem Sauerteig der Pharisäer und dem Sauerteig des Herodes, gebieterisch vorgetragen, knüpft an die Lage der Jünger an und bereitet das folgende Gespräch vor. Das typisch jüdische Bildwort vom Sauerteig versinnbildlicht die Beeinflussung, die von einer Person, Sache oder Botschaft ausgeht, und ist meist negativ gewendet und als Warnung aufgefaßt[6]. Im rabbinischen Judentum bezeichnet der Sauerteig gern den bösen Trieb oder die schlechte Gesinnung und Art des Menschen[7]. Worin

[3] Schenke, Wundererzählungen 294 Anm. 887. – Lk 12,1 überliefert die Warnung in einem anderen Kontext.

[4] Wendling, Entstehung 75; Schenke, Wundererzählungen 304.

[5] Manek* 14; Taylor.

[6] Vgl. Lev 2,11; Mt 13,33; 1Kor 5,6–8; Gal 5,9; Philo, Quaest in Ex 1,15; 2,14. Die LXX kennt das Bildwort nicht. Zur Sache vgl. H. Windisch, ThWNT II 904–908.

[7] Billerbeck I 728f. Nach pAZ 2,41a,8 ist »zum Sauerteig zurückkehren« gleichbedeutend mit wieder ein Heide werden.

kommen die Pharisäer und Herodes überein, daß sie der Jüngerschaft als warnende Beispiele vor Augen gerückt werden können? Die Frage wurde wiederholt vom historischen Standpunkt aus beantwortet. Dann waren es ihr gegen Jesu gerichteter Haß, ihre Heuchelei, vor allem aber ihre national-politisch geprägte Messiaserwartung, die sie verband[8]. Die Frage kann jedoch allein vom Standpunkt des Markus aus gelöst werden. Pharisäer und Herodianer sind bereits in 3,6 gemeinsam aufgetreten, wo Jesus die Verstocktheit ihres Herzens gerügt hatte (3,5)[9]. Die Pharisäer hatten soeben in der Forderung eines Zeichens vom Himmel ihren irreparabel erscheinenden Unglauben bekundet. Herodes Antipas – nur dieser kann mit der Warnung gemeint sein – hielt Jesus für den auferweckten Johannes den Täufer, den er hatte köpfen lassen, und stellte damit seine Unfähigkeit, Jesus zu verstehen, unter Beweis. Die Jünger, die sich nach den wunderbaren Speisungen Sorge um das Brot machen, werden von Jesus gewarnt, sich nicht im Unglauben zu verhärten. Sie sind von Unglaube und Abfall bedroht. Jetzt scheinen sie auch noch die Warnung Jesu zu überhören, da sie über die vergessenen Brote miteinander diskutieren.

17–21

Jesus führt Klage über den Disput seiner Jünger und leitet aus ihm die außerordentlich kritische Frage ab, ob sie nicht schon in ihrem Unverstand verhärtet sind. Damit wird letztlich die in Vers 15 bildlich ausgesprochene Warnung ohne Bild wieder aufgegriffen. Formulierungen, die in 3,5 und 4,12 den Gegnern bzw. dem Volk galten, werden auf die Jüngerschaft übertragen. Die Rede von den nichtsehenden Augen und nichthörenden Ohren lehnt sich an die Profetenklage Jer 5,21; Ez 12,2 an, wo das »törichte Volk ohne Verstand« und das »Haus der Widerspenstigkeit« die Androhung des göttlichen Gerichts zu hören bekommt. Im Unterschied zu Mk 3,5; 4,12 erscheint der Zustand der Jünger nicht heillos. Jesus redet in Frageform, um sie zu stimulieren[10]. Es ist auch darauf zu achten, daß der Tadel der verhärteten Sinne in einem Kontext steht, der die Heilungen eines Tauben und Blinden bringt. So will der scharfe Jüngervorwurf darauf hinlenken, daß der Mensch in seiner Schwerfälligkeit zu verstehen ganz auf Jesus angewiesen ist. An ihn muß er sich halten. Es folgt ein Dialog ganz eigener Art. Jesus weckt das Erinnern an die beiden Speisungsgeschichten in ihren Details. Den Jüngern ist die Erinnerung ermöglicht und aufgegeben, denn sie sollen Späteren verkünden, was sie bei Jesus sahen. Ihre Verständnislosigkeit wiegt um so schwerer. Ist die abschließende Frage: Begreift ihr noch nicht? auf eine Antwort angewiesen oder geht es nur nochmals um eine Beschreibung des Jüngerzustands? Das Kernanliegen der Perikope ist ein christologisches. Ist Jesus derjenige, welcher allein die tauben Ohren und blinden Augen öffnet, so sollten die Jünger lernen, daß es genügt, ihn bei sich im Boot zu wissen. Von hier aus ist ein symbolisches Verstehen von 14b rückschauend

[8] Klostermann, Schniewind, Lohmeyer, Pesch I 413, ebenfalls noch Gnilka, Verstokkung 38.

[9] p[45] W Θ lesen in 8,15 wahrscheinlich in Angleichung an 3,6 »und vor dem Sauerteig der Herodianer«.

[10] Ebeling, Messiasgeheimnis 157, möchte irrtümlich die atl. Anspielungen nicht als Fragen, sondern als Aussagen nehmen.

möglich. Das eine Brot, das sie bei sich haben, verweist auf Jesus. Dies impliziert kein eucharistisches Verständnis. In den Speisungsgeschichten war ein solches auch nicht anzutreffen. Wohl aber erwies sich Jesus als jener, der sein Volk ernährt und bei dem die Fülle des Heiles ist. Die Jünger erinnern sich und bestätigen die Reichhaltigkeit der Reste! In 7,27 war gleichfalls die Fülle angedeutet. Jesus als das voll ausreichende Brot und Heil zu erfassen, ist eine Sicht, die eine johanneische Perspektive vorbereitet.

Zusammenfassung

Faßt man die markinischen Anliegen der Perikope zusammen, so ist es dem Evangelisten gelungen, einen Kristallisationspunkt zu schaffen. Zahlreiche Linien laufen hier zusammen. Die Offenbarung Jesu bleibt – zunächst – unverstanden. Erst vom Kreuz her wird sich auch der Sinn seiner Wunder, die in der Erinnerung zu behalten sind, erschließen. Wie seine Jünger, so ist seine Gemeinde darauf angewiesen, daß er ihnen die Sinne öffnet und den Glauben ermöglicht. Darum ist es erforderlich, sich an ihn und sein Wort, in dem er gegenwärtig bleibt, zu klammern.

12. *Die Öffnung der Augen des Blinden (8,22–26)*

Literatur: Loos, Miracles, 419–422; *Beauvery, R.,* La guérison d'un aveugle à Bethsaide, NRTh 90 (1968) 1082–1091; *Kertelge,* Wunder Jesu, 161–165; *Schenke,* Wundererzählungen, 308–313; *Koch,* Bedeutung, 68–72.

22 **Und sie kommen nach Betsaida. Und sie bringen einen Blinden zu ihm und bitten ihn, daß er ihn berühre.** 23 **Und er nahm den Blinden bei der Hand und führte ihn aus dem Dorf hinaus. Und er spuckte auf seine Augen, legte ihm die Hände auf und fragte ihn: Siehst du etwas?** 24 **Und er blickte auf und sagte: Ich sehe Menschen, ich sehe sie umhergehen, als wären es Bäume.** 25 **Darauf legte er nochmals die Hände auf seine Augen. Und er sah scharf und war wiederhergestellt und erkannte alles ganz deutlich.** 26 **Und er schickte ihn in sein Haus und sprach: Gehe nicht in das Dorf hinein!**

Analyse

Die vorliegende Wundergeschichte ist strukturell und inhaltlich mit der Öffnung der Ohren des Tauben (7,32–37) stark verwandt. Beidemale wird der Kranke von Jesus abseits genommen, beidemale bedient sich der Wundertäter Heilpraktiken, die auch aus hellenistischen Wundergeschichten bekannt sind. Die Übereinstimmung reicht am Anfang sogar in den Wortlaut hinein (vgl. 22 mit 7,32). Dies hat uns bereits oben zu der Auffassung veranlaßt, daß beide Perikopen als Paar überliefert wurden[1]. Die daneben bestehenden Unterschiede – vor allem die allmählich erfolgende Heilung des Blinden – lassen die Meinung,

[1] S. 296.

daß die beiden Geschichten zwei Ausfaltungen derselben Grundüberlieferung darstellten, als ungerechtfertigt erscheinen[2]. Die Doppeltradition aber erklärt die schon von Lohmeyer[3] konstatierte befremdliche Tatsache, daß der Erzählung von der Heilung des Blinden nur die Erfahrung des Blinden und keine Reaktion der Anwesenden wichtig ist. Nimmt man an, daß in der Doppelüberlieferung die Heilung des Blinden vor der des Tauben stand, so bildete der Lobpreis von 7,37 den gemeinsamen Abschluß beider Perikopen. Die markinische Leistung bestand dann vor allem darin, die Geschichten getrennt und gesondert eingesetzt zu haben. Schwierig ist die Ortsangabe in 22a zu beurteilen. In der Regel führt man gegen ihren traditionellen Charakter an, daß Betsaida eine Stadt und kein Dorf gewesen sei, wie es die Geschichte voraussetzt. Anderseits ist Betsaida textlich nicht sicher, aber gegenüber Betanien zu bevorzugen[4]. Die pluralische Form »Und sie kommen nach B.« deutet an, daß wir es mit einer Überleitung zu tun haben, die nach vorn anschließt. Sie ist dem Evangelisten zuzuschreiben, der den Namen Betsaida der Tradition von 6,45 entnehmen konnte. Die Jünger kommen in der Geschichte, wie auch in 7,32–37, nicht vor. Die Aufforderung am Schluß an den Geheilten, nicht mehr in das Dorf hineinzugehen, ist als Abschluß ungewöhnlich[5]. Man erwartete im Anschluß an den Befehl, nach Haus zu gehen (26a), eine ähnliche Fortsetzung wie in 5,19. So wird man 26b der Redaktion des Markus zuweisen, der hier seine Geheimnistheorie zur Geltung bringt. Die Perikope gehört der hellenistisch-judenchristlichen Missionspropaganda zu. Sie verkündet Jesus als den Erneuerer der Schöpfung und Bringer des messianischen Heils[6].

Erklärung 22

Der im Präsens abgefaßte Perikopenanfang berichtet von der Ankunft in Betsaida und dem Kommen eines Blinden, der wie der Taube in 7,32 von anderen, nicht näher bezeichneten Leuten zu Jesus geführt wird. Man bittet ihn um die Berührung des Blinden und erwartet offenbar davon dessen Genesung. Markus stuft Betsaida als Dorf ein. Trotz der Erweiterung von Betsaida durch den Tetrarchen Philippus und seine Umbenennung in Julias blieb es rechtlich auch als Hauptort der Gaulanitis ein Dorf[7]. Der Evangelist aber wird sich kaum um diese Einzelheiten gekümmert haben.

23–26

Der Blinde wird von Jesus bei der Hand genommen (vgl. Apg 9,8; 13,11) und

[2] Mit Taylor 368f gegen Bultmann, Geschichte 229.

[3] 159f.

[4] Schmidt, Rahmen 205–208, hält Betanien für älter, aber Betsaida bereits für vormarkinisch und möchte Betanien mit dem gleichnamigen Joh 1,28 genannten Ort jenseits des Jordan identifizieren. Betanien lesen D und it.

[5] Roloff, Kerygma 128f, wertet die Aufforderung als historische Erinnerung daran, daß das unbekannte Dorf die Predigt Jesu abgelehnt habe. Ebeling, Messiasgeheimnis 140–142, dagegen meint, daß Mk auf die sonst im Anschluß an das Verbreitungsverbot übliche Verbreitungsbemerkung hier nur verzichtet habe, um dem folgenden Messiasbekenntnis des Petrus nicht das Gewicht zu nehmen.

[6] Da 22a (Betsaida) redaktionell ist, entfällt die Behauptung G. Schilles, Anfänge der Kirche, 1966 (BEvTh 33) 64f, die Perikope sei die Gemeindegründungstradition von Betsaida.

[7] Vgl. A. H. M. Jones, The Cities of the Eastern Roman Provinces, Oxford [2]1971, 282.

aus dem Dorf – nunmehr Betsaida – herausgeführt. Dieser stilgemäße Zug in einer Heilungsgeschichte bedeutet, daß der Wundertäter seine Heilpraktiken nicht bekanntgemacht wissen will, erscheint aber bei Markus in einem neuen Licht. Der Speichel hatte die Kraft, zu heilen und den Krankheitsdämon zu bannen. Im rabbinischen Judentum[8] schätzte man ihn als Heilmittel speziell gegen Augenkrankheiten. Während man dort das Berühren mit Speichel mit dem Rezitieren von Zaubersprüchen verband, legt Jesus dem Kranken die Hände auf. Der bekannte Speichelritus deutet dem Kranken an, daß er Hilfe erfahren wird, durch das Auflegen der Hände strömt die heilende Kraft auf ihn über. Auf die Frage, ob er schon sehen könne, vergleicht der Blinde die umherlaufenden Menschen mit Bäumen. Die vielfach zitierte Parallele aus Epidauros besagt nur, daß der blinde Alketas von Halieis, durch Asklepios geheilt, zuerst die Bäume im Tempelbezirk wahrnehmen kann[9]. Der Zusammenhang von Menschen und Bäumen besteht auch in der Psychologie des Kindes und einfacher Völker und läßt darauf schließen, daß der Blinde nicht von Geburt an ohne Sehkraft war. Wenn die endgültige Heilung erst durch ein nochmaliges Auflegen der Hände zu gelingen scheint, ist damit weder eine vorübergehende Unfähigkeit des Thaumaturgen noch die Schwierigkeit der Heilung und die Größe des Wunders angezeigt, sondern nur eine erzählerische Verdeutlichung des Heilvorganges gegeben. Das seltene Wort τηλαυγῶς (eigentlich: weithin strahlend, sonnenklar) verdeutlicht den vollen Erfolg, daß der Blinde jetzt ganz klar sieht und wiederhergestellt ist. Er kann allein in sein Haus entlassen werden. Für Markus ist die Entlassung in das Haus gleichzeitig Ausdruck dafür, daß die Kunde von der Heilung auf das Haus beschränkt bleiben soll. Diese Sicht der Geheimhaltung wird durch das Verbot, in das Dorf hineinzugehen, bestätigt. Der Wortlaut des Verbots ist textlich außerordentlich vielfältig überliefert. Neben der von uns bevorzugten Lesart »Gehe nicht in das Dorf hinein«[10] gibt es Varianten mit einem Schweigegebot: »Sage es niemandem im Dorf« (it^k)[11], »Gehe nicht in das Dorf und sage es niemandem im Dorf« (A C K 33 700) usw. Die Logik des Verbots liegt nicht darin, daß das Haus des Blinden außerhalb des Dorfes liegen würde. Vielmehr schafft der Evangelist mit der Gegenüberstellung von Haus und Dorf die Konfrontation von geheimem und öffentlichem Ort. Das Verbot läßt erkennen, daß die Geheimhaltung in ihren Ausdrucksformen durchaus wechseln kann. Die Verbreitung der Offenbarung soll jetzt noch nicht, sondern erst zu einem späteren Zeitpunkt erfolgen, zu dem der Wundertäter Jesus als der Gekreuzigte gesehen werden kann.

Zusammenfassung

Markus bringt durch seine redaktionelle Tätigkeit das Wunder zwischen der Ankunft in Betsaida und dem Aufbruch nach Norden unter. Damit ist es eingefügt in den Weg Jesu, der zur Passion führt. Wie schon der Heilung des Tauben kommt auch der Öffnung der Augen des Blinden symbolische Bedeutung zu.

[8] Vgl. Billerbeck II,15–17; auch Joh. 9,6.

[9] Bei R. Herzog, Die Wunderheilungen von Epidauros, Leibzig 1931, 15–17.

[10] Gelesen von ℵ B syr.

[11] Bevorzugt von Schweizer, Bl-Debr § 445,2.

Man muß sich an Jesus halten, wenn man sehende Augen haben und das heißt das gläubige Verständnis seines Wortes gewinnen will. Den Jüngern wurde kurz zuvor der Vorwurf blinder Augen gemacht (8,18). Die Plazierung der Perikope vor dem Messiasbekenntnis des Petrus und der anschließenden Jüngerunterweisung über die Notwendigkeit des Leidens deutet an, daß Jesus ihnen die Augen öffnen will. Eine detaillierte Entsprechung der stufenweisen Heilung auf der einen und der stufenweisen Einführung in das Verständnis der Person Jesu auf der anderen Seite aber führt zu weit und ist abzulehnen [12]. Ohne die Annahme eines symbolischen Sinnes der Blindenheilung jedoch läßt sich die Intention der markinischen Redaktion, die die Doppelüberlieferung zweier Wundergeschichten zerlegte, nicht erfassen [13].

Vormarkinische Sammlung

Der Abschnitt 6,32–8,26 ist wiederholt in zwei parallele Überlieferungsreihen gegliedert worden. Daraus sind Konsequenzen für angeblich vormarkinische Quellen gezogen worden [14]. Nachdem diese Auffassung, deren Beharrlichkeit mit H. W. Kuhn in der Tat als erstaunlich zu gelten hat, in letzter Zeit öfter widerlegt wurde, braucht hier nicht näher auf sie eingegangen zu werden [15]. Als Parallelen können nur die beiden Brotvermehrungsgeschichten 6,32–44 und 8,1–9 und die beiden Wundererzählungen 7,31–37 und 8,22–26 angesehen werden. 7,1–23 mit 8,11–13 parallelisieren zu wollen, ist abwegig. Die Zeichenforderung ist etwas ganz anderes als das Streitgespräch über die Reinheitsfrage. 7,24–30 kommt mit 8,14–21 nur darin überein, daß in beiden Perikopen die Vokabel Brot fällt. Im Jüngergespräch aber liegt eine Erinnerung an die Speisungsgeschichten vor. Rückschlüsse auf Quellen verbieten sich allein schon dadurch, daß wir das Jüngergespräch als markinische Bildung ausmachen konnten. Das Stichwort Brot kann nicht als verbindende Klammer in Anspruch genommen werden, weil es in 7,2 und 5 ganz anders verwendet wird als in den Speisungsgeschichten. P. J. Achtemeier [16] hat die alte These von der Doppelüberlieferung variiert, indem er von zwei Katenen spricht, die er bereits mit 4,35ff beginnen läßt und in der die Perikopenfolge teilweise vertauscht wird. Die These ist damit nicht glaubwürdiger geworden. Dem Urteil Grundmanns ist zuzustimmen, daß die Frage einer möglichen Parallelüberlieferung gegenstandslos wird, wenn man auf die sachlich-theologischen Gesichtspunkte achtet [17].

Wie kaum anders zu erwarten, überwiegt bei den alten Interpreten die allegorische Deutung. Diese wird aber nicht aus dem Kontext des Markus, sondern aus einer isolierten Betrachtung der Perikope, wie sie in der Predigt üblich war und

[12] Beauvery* sieht diese Entsprechung zwischen V 23f und 27f einerseits und 25 und 29 anderseits.

[13] Gegen Koch, Bedeutung 711f, der den Zusammenhang von 8,17f und 22–26 nicht beachtet.

[14] Gute Übersicht bei Kuhn, Sammlungen 29–32; Tabellen bei Haenchen, Weg 283; Grundmann 138; Taylor 628f.

[15] Vgl. Kuhn, Sammlungen 30–32, der mit Recht die Frage nach dem Sitz im Leben solcher vermeintlicher Quellen aufwirft; J. M. Van Cangh, Les sources de l'Évangile: les collections prémarciennes des miracles, RTL 3 (1972) 76–85.

[16] Toward the Isolation of Pre-Markan Miracle Catenae, JBL 89 (1970) 265–291.

[17] 138.

heute leider auch noch vielfach üblich ist, erhoben. Alle Züge der Erzählung verfallen der Allegorisierung, um die Blindenheilung möglichst anschaulich als Symbol für die Bekehrung und Gewinnung eines christlichen Lebens ins Spiel zu bringen. Jesus führt den Blinden aus dem Dorf hinaus, dem ungläubigen Betsaida (Mt 11,21), sondert ihn damit vom bisherigen Leben ab[18]. Die Handauflegung stellt die Annäherung im Glauben dar, die Erkenntnis der eigenen Schwäche, die Ermunterung zur guten Tat[19]. Das allmähliche Sehen versinnbildlicht das stufenweise Voranschreiten in der Glaubenserkenntnis[20], die klare Sehkraft die Einsicht, wie man zu glauben und was für ein Leben man zu führen hat[21]. Das Gebot, nicht in das Dorf, sondern in das Haus zu gehen, ist die Aufforderung, sich dem Haus des Himmels zuzuwenden[22]. Die Allegorese – im prinzipiellen Sinn bei Markus schon grundgelegt – kann in Details variiert werden. Die Sinnverschiebung deutet an, daß man die Perikope an sich als für die Verkündigung nicht besonders ergiebig ansah. Der Prediger wird sorgfältig darauf zu achten haben, daß er in einer von Markus her ermöglichten symbolischen Auslegung deren Grenzen nicht überschreitet. Christus befreit zum Licht und zum Glauben und – wie der Kontext nahelegt – zum Leiden.

[18] Beda, PL 92,211; Theophylakt, PG 123,572f; Walafried Strabo, PL 114,890.

[19] Beda, PL 92,210.

[20] Theophylakt, PG 123,572f. Calvin II,58 sieht in der allmählichen Heilung einen Ausdruck der Vollmacht Christi; Erasmus VII,219f, eine Demonstration dafür, wie schwer Heiden von ihrem Götzendienst und Juden von ihrem Aberglauben zu befreien sind.

[21] Beda, PL 92,212: quomodo credendum, qualiter vivendum.

[22] Theophylakt, PG 123,572f.